#수능공략
#단기간 학습

수능전략
과학탐구 영역

Chunjae
Makes
Chunjae

▼

[수능전략] 지구과학 I

기획총괄 김덕유
편집개발 김은숙, 고만석, 이영웅
디자인총괄 김희정
표지디자인 윤순미, 심지영
내지디자인 박희춘, 이혜미
조판 한서기획
제작 황성진, 조규영

발행일 2022년 2월 1일 초판 2022년 2월 1일 1쇄
발행인 (주)천재교육
주소 서울시 금천구 가산로9길 54
신고번호 제2001-000018호
고객센터 1577-0902
교재 내용문의 (02)3282-8739

※ 정답 분실 시에는 천재교육 교재 홈페이지에서 내려받으세요.

수능전략

과·학·탐·구·영·역

지구과학 I

BOOK 1

이 책의 구성과 활용

본책인 BOOK 1과 BOOK2의 구성은 아래와 같습니다.

BOOK 1
1주, 2주

BOOK 2
1주, 2주

BOOK 3
정답과 해설

주 도입

본격적인 학습에 앞서, 재미있는 만화를 살펴보며 이번 주에 학습할 내용을 확인해 봅니다.

1일

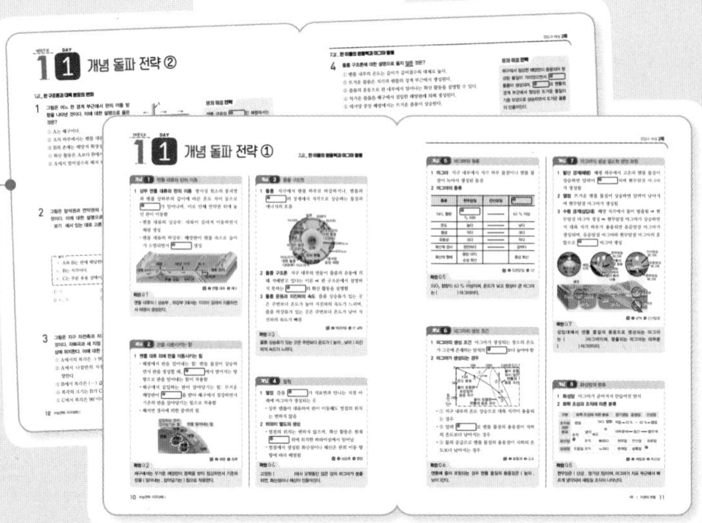

개념 돌파 전략
수능을 대비하기 위해 꼭 알아야 할 핵심 개념을 익힌 뒤, 간단한 문제를 풀며 개념을 잘 이해했는지 확인해 봅니다.

2일, 3일

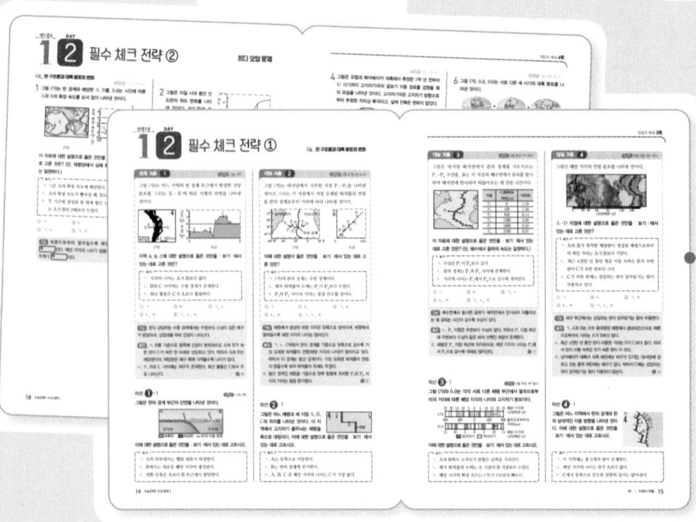

필수 체크 전략
기출문제에서 선별한 대표 유형 문제와 쌍둥이 문제를 함께 풀며 문제에 접근하는 과정과 해결 전략을 체계적으로 익혀 봅니다.

본 책에서 다룬 대표 유형과 그 해결 전략을 집중적으로 연습할 수 있도록 권두 부록을 구성했습니다. 부록을 뜯으면 미니북으로 활용할 수 있습니다.

주 마무리 학습

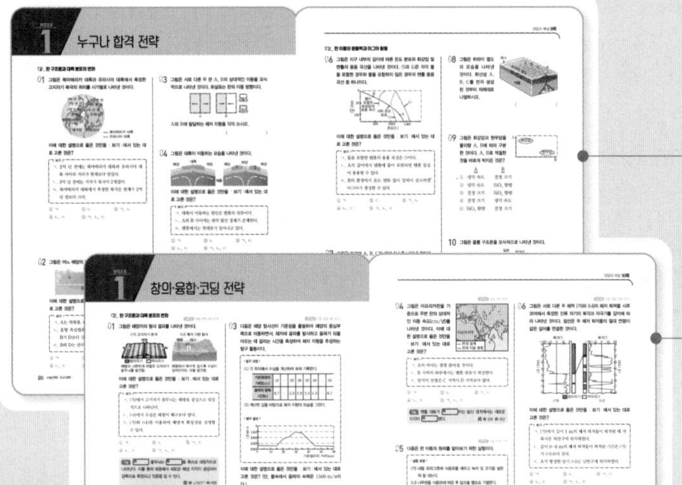

누구나 합격 전략

수능 유형에 맞춘 기초 연습 문제를 풀며 학습 자신감을 높일 수 있습니다.

창의·융합·코딩 전략

수능에서 요구하는 융복합적 사고력과 문제 해결력을 기를 수 있습니다.

권 마무리 학습

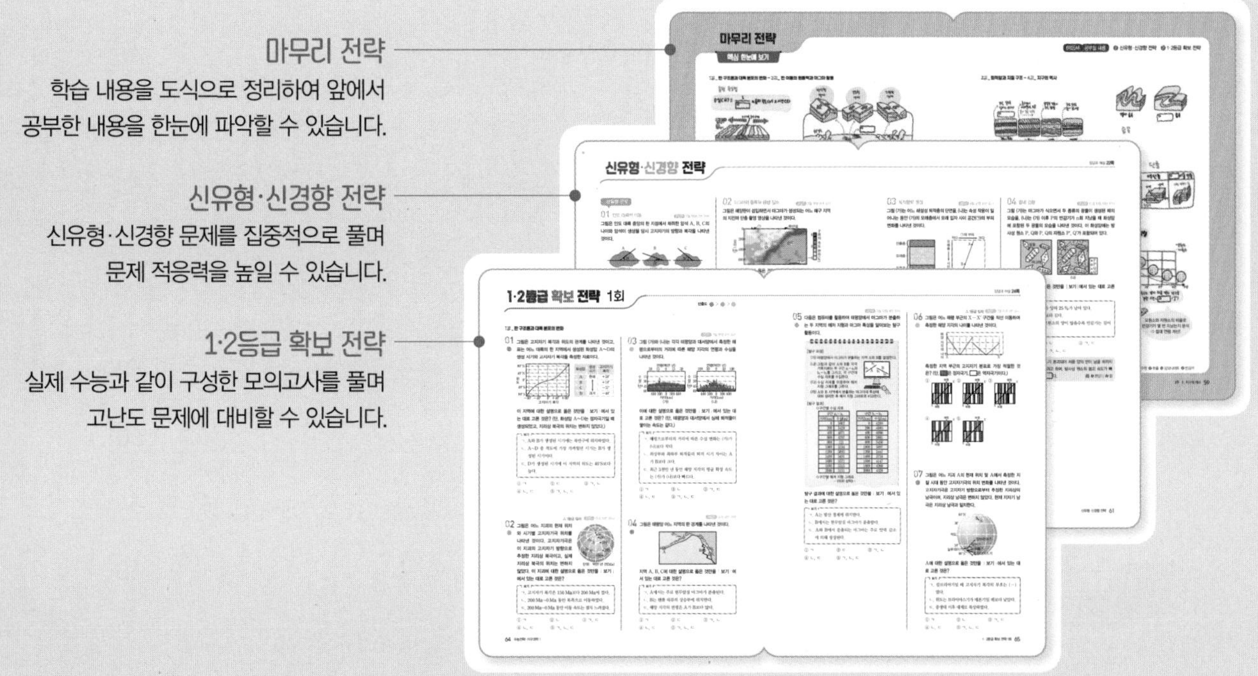

마무리 전략

학습 내용을 도식으로 정리하여 앞에서 공부한 내용을 한눈에 파악할 수 있습니다.

신유형·신경향 전략

신유형·신경향 문제를 집중적으로 풀며 문제 적응력을 높일 수 있습니다.

1·2등급 확보 전략

실제 수능과 같이 구성한 모의고사를 풀며 고난도 문제에 대비할 수 있습니다.

이 책의 차례

BOOK 1

WEEK 1

WEEK 2

BOOK 2

WEEK 1

WEEK 2

WEEK

1 Ⅰ 지권의 변동

1강_ 판 구조론과 대륙 분포의 변화

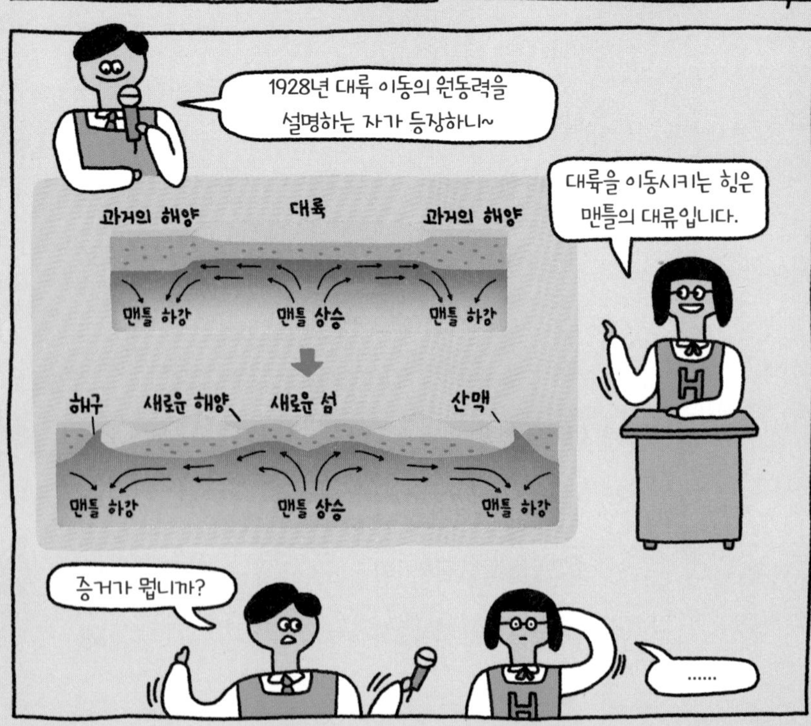

학습할 내용 1강_ 판 구조론과 대륙 분포의 변화 • 대륙 이동설 • 맨틀 대류설 • 해양저 확장설 • 판 구조론
2강_ 판 이동의 원동력과 마그마 활동 • 판 • 플룸 구조론 • 마그마 • 화성암

2강_ 판 이동의 원동력과 마그마 활동

개념 돌파 전략 ①

개념 1 대륙 이동설

1 **대륙 이동설** 고생대 말~중생대 초에는 모든 대륙들이 한 덩어리로 모여 ❶ [　　] 라는 초대륙을 형성하였으며, 약 2억 년 전부터 분리되어 현재와 같은 대륙 분포를 보인다는 학설

2 **대륙 이동의 증거**

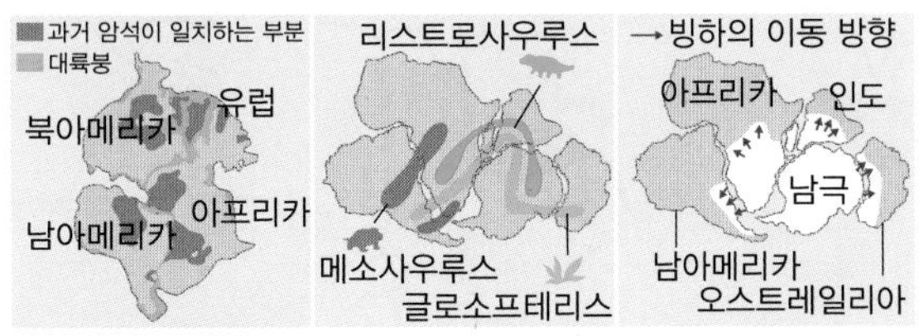

▲ 해안선 모양과 지질 구조의 유사성 ▲ 고생물 화석 분포 ▲ 빙하의 분포와 이동 방향

3 **대륙 이동설의 한계** 대륙 이동의 ❷ [　　] 을 설명하지 못함

답 ❶ 판게아 ❷ 원동력

확인 Q 1

판게아가 형성된 시기는 언제인가?

개념 2 맨틀 대류설

1 **맨틀 대류설** 맨틀 내부의 ❶ [　　] 로 인해 맨틀 위에 놓인 대륙이 이동한다는 이론

2 **맨틀 대류의 에너지원** ❷ [　　] 의 붕괴열, 고온의 지구 중심부에서 맨틀로 공급되는 열

3 **맨틀 대류와 대륙의 이동**

- 상승부: 지각이 갈라지고, 갈라진 틈에서 맨틀 물질이 상승하여 새로운 해양 지각이 생성됨
- 하강부: 해양 지각이 맨틀 속으로 들어가 소멸됨

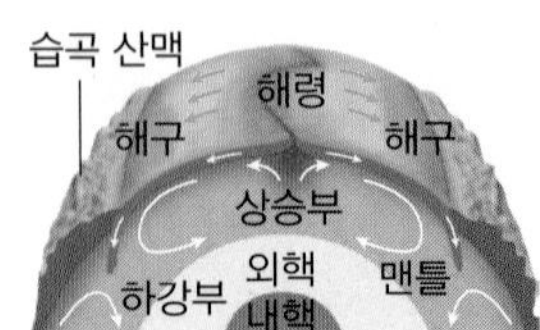

답 ❶ 열대류 ❷ 방사성 원소

확인 Q 2

맨틀 대류의 (상승부 , 하강부)에서는 새로운 지각이 생성된다.

개념 3 해저 지형 탐사

1 **음향 측심법** 해수면에서 발사한 음파가 해저면에서 반사되어 돌아오기까지 걸린 시간을 통해 수심을 측정하는 방법 • 수심＝❶ [　　]

(음파가 되돌아오는 데 걸린 시간: t, 수중에서 음파의 속도: v)

2 **해저 지형**

- 해령: 주변보다 높이 2500~3000 m 정도 솟아 있는 대규모의 해저 산맥
- ❷ [　　]: 대륙 주변부와 심해 평원 사이에 발달하는 수심 6000 m 이상의 좁고 긴 골짜기

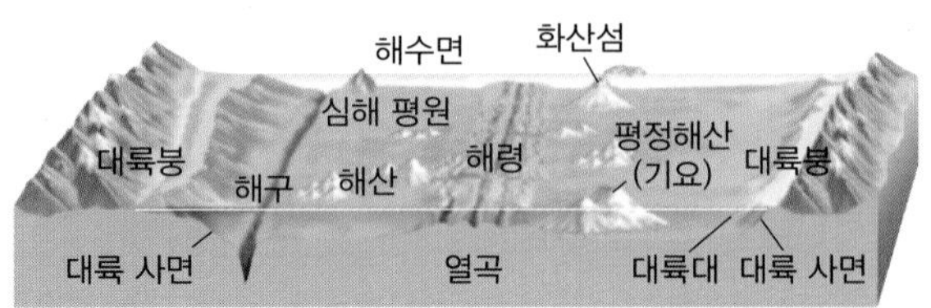

답 ❶ $\frac{1}{2}vt$ ❷ 해구

확인 Q 3

수면에서 발사한 초음파가 되돌아오기까지 걸린 시간이 (길수록 , 짧을수록) 수심이 깊다.

개념 4 해양저 확장설

1 **해양저 확장설** 해령 아래에서 뜨거운 맨틀 물질이 상승하여 새로운 해양 지각이 만들어지고, 양쪽으로 멀어지면서 해저가 확장된다는 이론

2 **해양저 확장설의 증거**

- 해령에서 멀어질수록 해양 지각의 나이가 많아지고 수심이 깊어지며, 해저 퇴적물 두께가 두꺼워짐
- 고지자기 역전의 줄무늬가 ❶ [　　] 을 축으로 대칭임
- 해령과 해령 사이에 해양 지각이 서로 엇갈려 이동하는 ❷ [　　] 이 나타남
- 해구 부근에서 진원의 깊이는 해구에서 대륙 쪽으로 갈수록 점차 깊어짐

답 ❶ 해령 ❷ 변환 단층

확인 Q 4

해령에서 멀어질수록 해양 지각의 나이는 (많아 , 적어)진다.

개념 5 판 구조론과 판의 경계

1 판 구조론 판의 상호 작용으로 지진이나 화산 활동과 같은 지각 변동이 일어난다는 이론

- 판: 지각과 상부 맨틀 일부를 포함하는 두께 약 100 km의 단단한 부분인 ❶ [　　　] 의 조각

2 판의 경계

- 발산 경계: 판이 서로 멀어지는 경계
  ➡ 맨틀 대류의 상승부, 새로운 판이 생성됨
- ❷ [　　　] 경계: 판이 서로 모여드는 경계
  ➡ 맨틀 대류의 하강부, 판이 소멸됨
- 보존 경계: 판이 서로 어긋나는 경계
  ➡ 판의 생성이나 소멸 없음

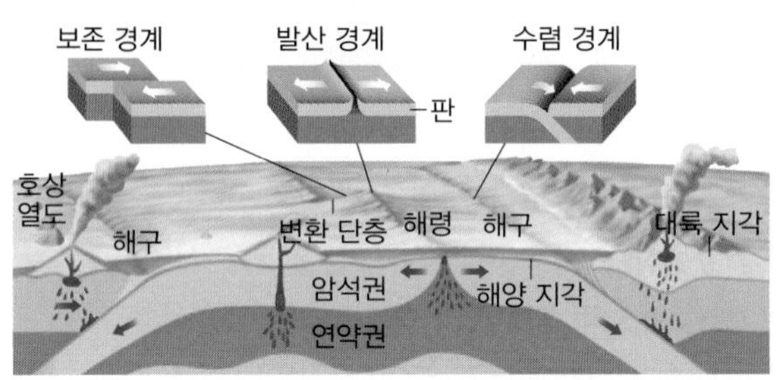

답 ❶ 암석권 ❷ 수렴

확인 Q5

판이 서로 멀어지면서 새로운 판이 생성되는 경계는 (　　　　) 경계이다.

개념 6 지구 자기장과 지구의 복각

1 진북과 자북

- 진북: 지구 자전축과 북반구의 지표면이 만나는 지리상의 북극 방향
- 자북: 나침반 ❶ [　　　] 극이 가리키는 방향

2 편각과 복각

- 편각: 진북과 자북이 이루는 각
- ❷ [　　　] : 나침반의 자침이 수평면과 이루는 각

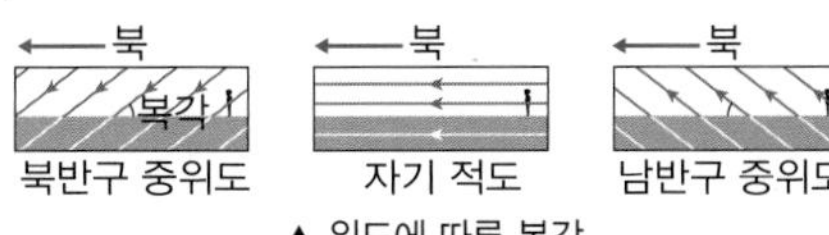

▲ 위도에 따른 복각

답 ❶ N ❷ 복각

확인 Q6

자북극과 자남극에서의 복각은 각각 몇 °인가?

개념 7 고지자기와 대륙의 이동

1 고지자기 암석에 기록된 과거의 지구 자기장이며, 지구 자기장의 세기와 방향이 변해도 잔류 자기는 변하지 않으므로 이를 통해 암석 생성 당시 ❶ [　　　] 의 위치를 알 수 있음

2 지자기 북극(자북극)의 이동 경로

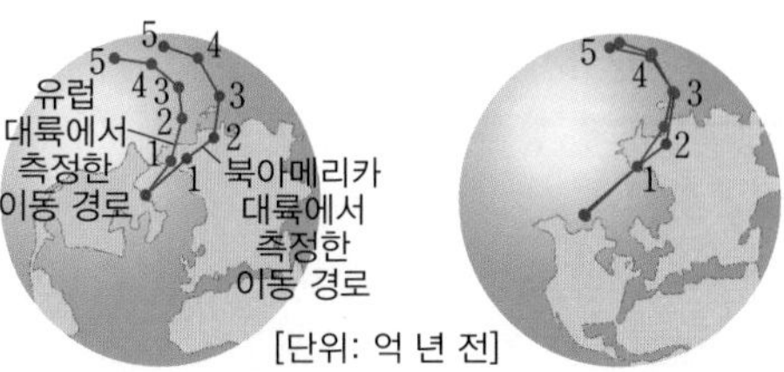

▲ 현재의 대륙 분포와 자북극의 이동 경로　▲ 대륙이 붙어 있을 때의 자북극의 이동 경로

- 유럽 대륙과 북아메리카 대륙에서 측정한 자북극의 이동 경로가 두 갈래로 나타남 ➡ 같은 시기에 자북극이 2개 존재할 수는 없음 ➡ 원래 하나로 붙어있던 대륙이 갈라지면서 ❷ [　　　] 함
- 자북극의 이동 경로를 일치시켜보면 대륙이 모이게 됨

답 ❶ 자북극 ❷ 이동

확인 Q7

5억 년 전에는 (1 , 2)개의 지자기 북극이 존재하였다.

개념 8 과거와 현재의 대륙 분포

1 지질 시대의 대륙 분포 변화 과거 대륙들은 모여서 초대륙을 형성하고 다시 분리되는 과정을 되풀이함

2 대륙 분포의 변화

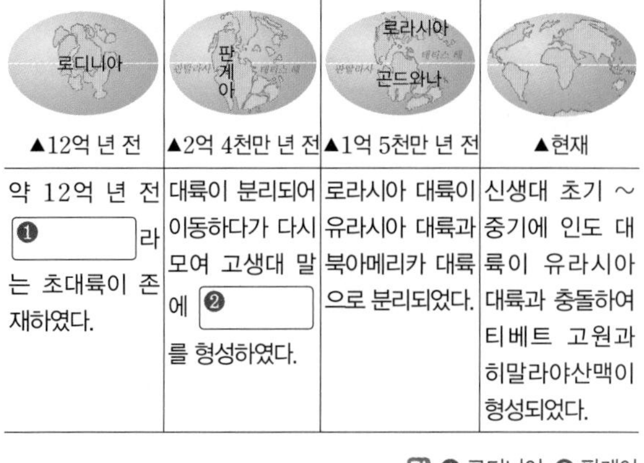

▲12억 년 전	▲2억 4천만 년 전	▲1억 5천만 년 전	▲현재
로디니아	판게아	로라시아 곤드와나	
약 12억 년 전 ❶ [　　　] 라는 초대륙이 존재하였다.	대륙이 분리되어 이동하다가 다시 모여 고생대 말에 ❷ [　　　] 를 형성하였다.	로라시아 대륙이 유라시아 대륙과 북아메리카 대륙으로 분리되었다.	신생대 초기 ~ 중기에 인도 대륙이 유라시아 대륙과 충돌하여 티베트 고원과 히말라야산맥이 형성되었다.

답 ❶ 로디니아 ❷ 판게아

확인 Q8

신생대에는 유라시아 대륙과 인도 대륙이 충돌하면서 (　　　　)이 형성되었다.

WEEK 1 DAY 1

개념 돌파 전략 ①

2강_ 판 이동의 원동력과 마그마 활동

개념 1 맨틀 대류와 판의 이동

■ **상부 맨틀 대류와 판의 이동** 방사성 원소의 붕괴열과 맨틀 상하부의 깊이에 따른 온도 차이 등으로 ❶ [ ]가 일어나며, 이로 인해 연약권 위에 놓인 판이 이동함

- 맨틀 대류의 상승부: 대륙이 갈라져 이동하면서 해령 생성
- 맨틀 대류의 하강부: 해양판이 맨틀 속으로 들어가 소멸되면서 ❷ [ ] 생성

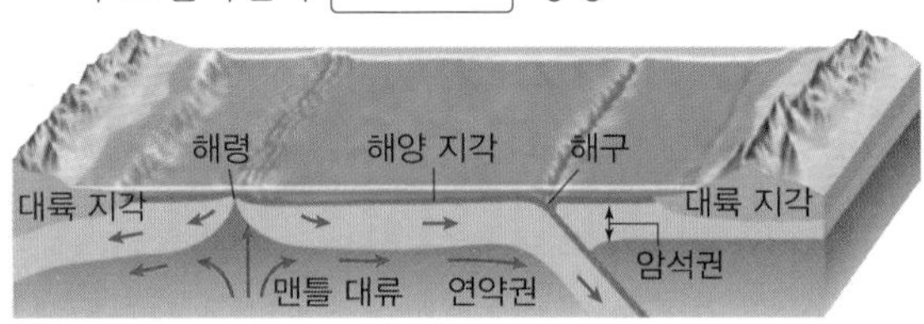

답 ❶ 맨틀 대류 ❷ 해구

확인 Q 1

맨틀 대류의 (상승부 , 하강부)에서는 지각이 갈라져 이동하면서 해령이 생성된다.

개념 2 판을 이동시키는 힘

■ **맨틀 대류 외에 판을 이동시키는 힘**

- 해령에서 판을 밀어내는 힘: 맨틀 물질이 상승하면서 판을 생성할 때, ❶ [ ]에서 멀어지는 방향으로 판을 밀어내는 힘이 작용함
- 해구에서 섭입하는 판이 잡아당기는 힘: 무거운 해양판이 ❷ [ ]을 받아 해구에서 침강하면서 기존의 판을 잡아당기는 힘으로 작용함
- 해저면 경사에 의한 중력의 힘

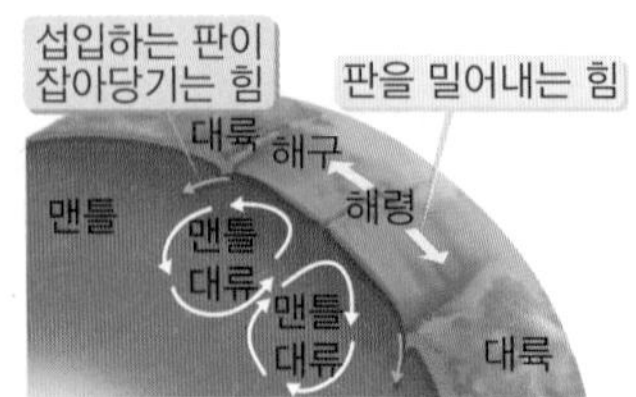

답 ❶ 해령 ❷ 중력

확인 Q 2

해구에서는 무거운 해양판이 중력을 받아 침강하면서 기존의 판을 (밀어내는 , 잡아당기는) 힘으로 작용한다.

개념 3 플룸 구조론

1 **플룸** 지각에서 맨틀 하부로 하강하거나, 맨틀과 ❶ [ ]의 경계에서 지각으로 상승하는 물질과 에너지의 흐름

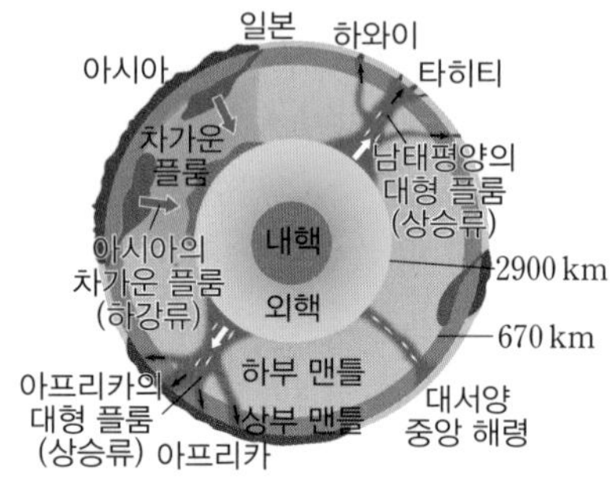

2 **플룸 구조론** 지구 내부의 변동이 플룸의 운동에 의해 지배받고 있다는 이론 ➡ 판 구조론에서 설명하지 못하는 ❷ [ ]의 화산 활동을 설명함

3 **플룸 운동과 지진파의 속도** 플룸 상승류가 있는 곳은 주변보다 온도가 높아 지진파의 속도가 느리며, 플룸 하강류가 있는 곳은 주변보다 온도가 낮아 지진파의 속도가 빠름

답 ❶ 핵(외핵) ❷ 판 내부

확인 Q 3

플룸 상승류가 있는 곳은 주변보다 온도가 (높아 , 낮아) 지진파의 속도가 느리다.

개념 4 열점

1 **열점** 플룸 ❶ [ ]가 지표면과 만나는 지점 아래에 마그마가 생성되는 곳

- 상부 맨틀이 대류하여 판이 이동해도 열점의 위치는 변하지 않음

2 **하와이 열도의 생성**

- 열점의 위치는 변하지 않으며, 화산 활동은 현재 ❷ [ ] 위에 위치한 하와이섬에서 일어남
- 열점에서 생성된 화산섬이나 해산은 판의 이동 방향에 따라 배열됨

답 ❶ 상승류 ❷ 열점

확인 Q 4

고정된 (   )에서 오랫동안 많은 양의 마그마가 분출하면, 화산섬이나 해산이 만들어진다.

개념 5 마그마의 종류

1 마그마 지구 내부에서 지각 하부 물질이나 맨틀 물질이 녹아서 생성된 물질

2 마그마의 종류

종류	현무암질	안산암질	❶
SiO_2 함량	❷ % 이하	←→	63 % 이상
온도	높다	←→	낮다
점성	작다	←→	크다
유동성	크다	←→	작다
화산체 경사	완만하다	←→	급하다
화산의 형태	용암 대지, 순상 화산		종상 화산

답 ❶ 유문암질 ❷ 52

확인 Q 5

SiO_2 함량이 63 % 이상이며, 온도가 낮고 점성이 큰 마그마는 (   ) 마그마이다.

개념 6 마그마의 생성 조건

1 마그마의 생성 조건 마그마가 생성되는 장소의 온도가 그곳에 존재하는 암석의 ❶ 보다 높아야 함

2 마그마가 생성되는 경우

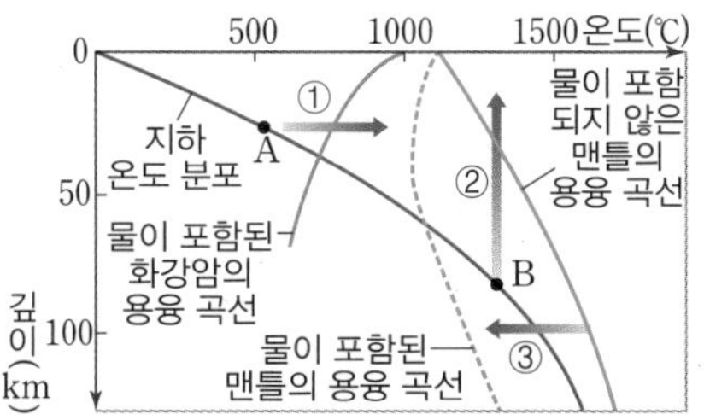

- ① 지구 내부의 온도 상승으로 대륙 지각이 용융되는 경우
- ② 압력 ❷ 로 맨틀 물질의 용융점이 지하의 온도보다 낮아지는 경우
- ③ 물의 공급으로 맨틀 물질의 용융점이 지하의 온도보다 낮아지는 경우

답 ❶ 용융점 ❷ 감소

확인 Q 6

맨틀에 물이 포함되는 경우 맨틀 물질의 용융점은 (높아 , 낮아)진다.

개념 7 마그마의 생성 장소와 생성 과정

1 발산 경계(해령) 해령 하부에서 고온의 맨틀 물질이 상승하면 압력이 ❶ 지며 현무암질 마그마가 생성됨

2 열점 뜨거운 맨틀 물질이 상승하면 압력이 낮아지며 현무암질 마그마가 생성됨

3 수렴 경계(섭입대) 해양 지각에서 물이 방출됨 ➡ 현무암질 마그마 생성 ➡ 현무암질 마그마가 상승하면서 대륙 지각 하부가 용융되면 유문암질 마그마가 생성되며, 유문암질 마그마와 현무암질 마그마의 혼합으로 ❷ 마그마 생성

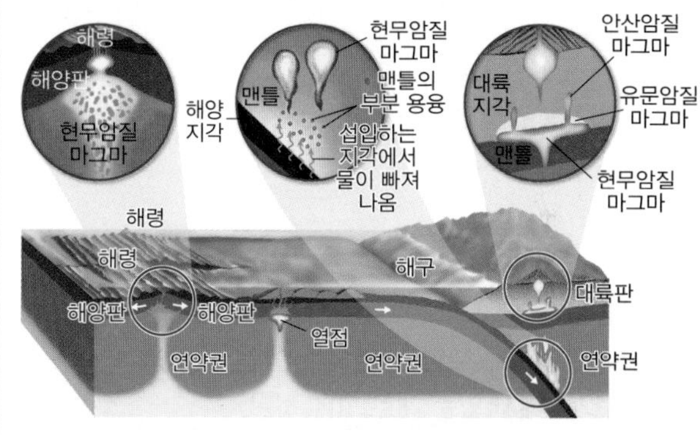

답 ❶ 낮아 ❷ 안산암질

확인 Q 7

섭입대에서 맨틀 물질의 용융으로 생성되는 마그마는 (   )마그마이며, 분출되는 마그마는 대부분 (   ) 마그마이다.

개념 8 화성암의 분류

1 화성암 마그마가 굳어져서 만들어진 암석

2 화학 조성과 조직에 따른 분류

구분	화학 조성에 의한 분류		염기성암	중성암	산성암
조직에 의한 분류	성질	SiO_2 함량	적음 ← 52 %	−	63 % → 많음
	조직 / 냉각 속도	색	어두운색 ←	중간	→ 밝은색
화산암	❶ 조직	빠르다	현무암	안산암	유문암
심성암	조립질 조직	느리다	반려암	섬록암	❷

답 ❶ 세립질 ❷ 화강암

확인 Q 8

현무암은 (산성 , 염기성)암이며, 마그마가 지표 부근에서 빠르게 냉각되어 세립질 조직이 나타난다.

WEEK 1 DAY 1

개념 돌파 전략 ②

1강_ 판 구조론과 대륙 분포의 변화

1 그림은 어느 판 경계 부근에서 판의 이동 방향을 나타낸 것이다. 이에 대한 설명으로 옳은 것은?

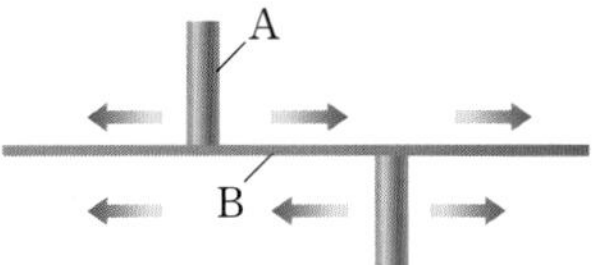

① A는 해구이다.
② A의 하부에서는 맨틀 대류가 하강한다.
③ B의 존재는 해양저 확장설의 증거가 된다.
④ 화산 활동은 A보다 B에서 활발하다.
⑤ A에서 멀어질수록 해저 퇴적물의 두께는 얇아진다.

문제 해결 전략

맨틀 대류의 ❶ [ ]인 해령에서는 새로운 해양 지각이 생성되면서 해령을 중심으로 해양판이 확장되며, 해령에서부터 멀어질수록 해양 지각의 나이가 많아지고 해저 퇴적물의 두께가 증가한다. 해령의 열곡과 열곡이 어긋나는 ❷ [ ]은 해저 확장의 증거이다.

답 ❶ 상승부 ❷ 변환 단층

2 그림은 암석권과 연약권의 구조를 나타낸 것이다. 이에 대한 설명으로 옳은 것만을 | 보기 | 에서 있는 대로 고른 것은?

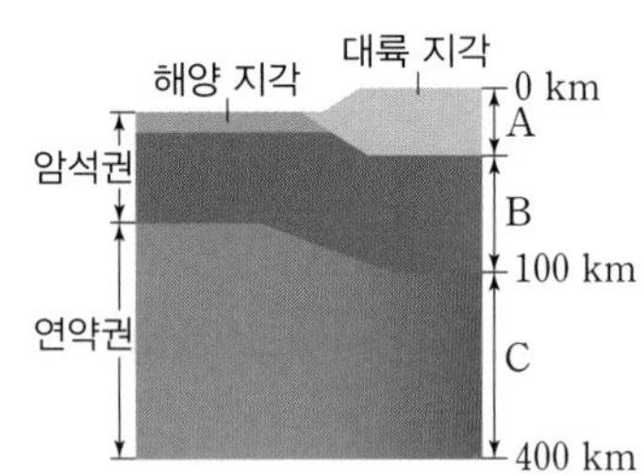

| 보기 |
ㄱ. A와 B는 판에 해당한다.
ㄴ. B는 지각이다.
ㄷ. C는 부분 용융 상태이며, 대류가 일어난다.

① ㄱ ② ㄴ ③ ㄱ, ㄷ
④ ㄴ, ㄷ ⑤ ㄱ, ㄴ, ㄷ

문제 해결 전략

- **판**: 암석권에 해당하며, 지각과 상부 맨틀 일부를 포함하는 두께 약 100 km의 ❶ [ ] 부분이다.
- **연약권**: 깊이 약 100~400 km에 해당하며, 부분 용융 상태이므로 유동성이 있어 ❷ [ ]가 일어난다.

답 ❶ 단단한 ❷ 맨틀 대류

3 그림은 지구 자전축과 자기장의 모습을 나타낸 것이다. 자북극과 세 지점 A, B, C는 동일 경도 상에 위치한다. 이에 대한 설명으로 옳은 것은?

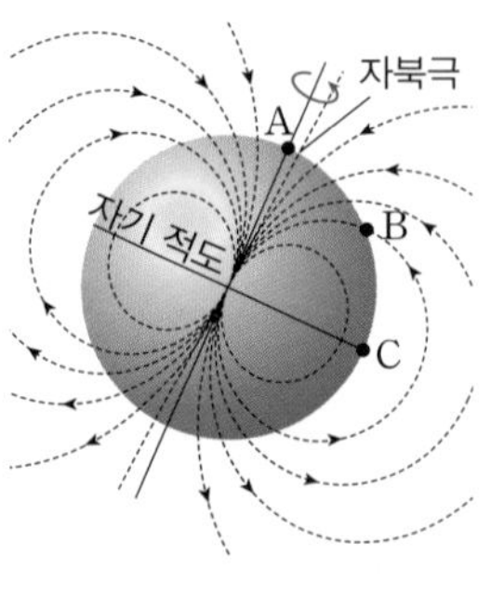

① A에서의 복각은 $+90°$이다.
② A에서 나침반의 자침은 수평면보다 위를 향한다.
③ B에서 복각은 (−) 값을 갖는다.
④ 복각의 크기는 B가 C보다 크다.
⑤ C에서 복각은 $90°$이다.

문제 해결 전략

나침반의 자침, 즉 지구 자기장의 방향이 수평면과 이루는 각을 ❶ [ ]이라고 한다. 자북극에서 복각은 $+90°$, 자기 적도에서 복각은 $0°$이다. 고지자기 복각을 이용하면 과거 대륙의 ❷ [ ]를 알 수 있다.

답 ❶ 복각 ❷ 위도

4 플룸 구조론에 대한 설명으로 옳지 않은 것은?

① 맨틀 내부의 온도는 깊이가 깊어질수록 대체로 높다.
② 뜨거운 플룸은 지각과 맨틀의 경계 부근에서 생성된다.
③ 플룸의 운동으로 판 내부에서 일어나는 화산 활동을 설명할 수 있다.
④ 차가운 플룸은 해구에서 섭입한 해양판에 의해 생성된다.
⑤ 대서양 중앙 해령에서는 뜨거운 플룸이 상승한다.

문제 해결 전략

해구에서 침강한 해양판이 용융되어 형성된 물질이 가라앉으면서 ❶ [ ] 플룸이 생성되며, ❷ [ ]과 맨틀의 경계 부근에서 형성된 뜨거운 물질이 기둥 모양으로 상승하면서 뜨거운 플룸이 만들어진다.

답 ❶ 차가운 ❷ (외)핵

5 그림은 하와이 열도를 이루는 섬 A~E의 위치와 화산섬의 생성 시기를 나타낸 것이다. 이에 대한 설명으로 옳은 것만을 |보기|에서 있는 대로 고른 것은?

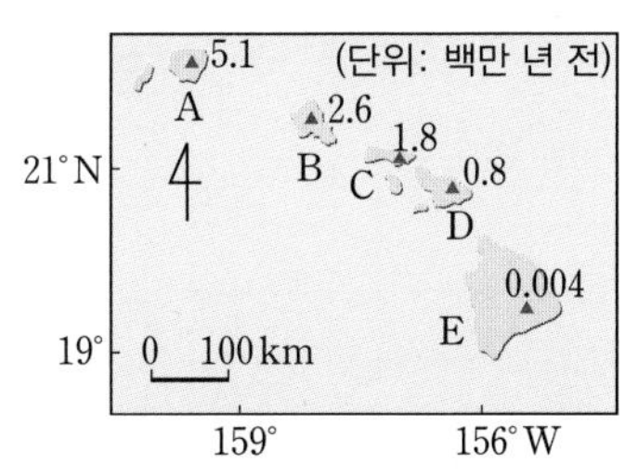

|보기|
ㄱ. A~E가 생성되는 동안 판은 북서쪽으로 이동하였다.
ㄴ. 현재 열점은 A보다 북서쪽에 위치한다.
ㄷ. 이 지역의 하부에서는 차가운 플룸이 하강하고 있다.

① ㄱ ② ㄴ ③ ㄱ, ㄷ
④ ㄴ, ㄷ ⑤ ㄱ, ㄴ, ㄷ

문제 해결 전략

화산 활동은 현재 ❶ [ ] 위에 위치한 하와이섬에서 일어나며, 열점의 위치는 고정되어 있다. 하와이섬을 기준으로 태평양판이 ❷ [ ]쪽으로 이동하기 때문에 하와이 열도가 북서쪽으로 나열되어 있으며, 북서쪽으로 갈수록 화산섬의 나이가 많아진다.

답 ❶ 열점 ❷ 북서

6 그림은 지구 내부 구조와 마그마 A~D를 나타낸 것이다. 이에 대한 설명으로 옳은 것만을 |보기|에서 있는 대로 고른 것은?

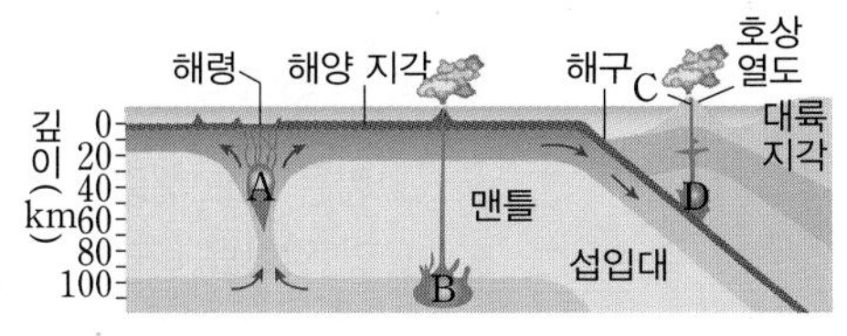

|보기|
ㄱ. A는 유문암질 마그마이다.
ㄴ. A와 B는 주로 압력 감소에 의해 생성되었다.
ㄷ. 마그마의 SiO_2 함량은 C가 D보다 많다.

① ㄱ ② ㄴ ③ ㄱ, ㄷ
④ ㄴ, ㄷ ⑤ ㄱ, ㄴ, ㄷ

문제 해결 전략

해령(A)과 열점(B)에서는 맨틀 물질이 상승하면서 ❶ [ ]로 현무암질 마그마가 생성된다. 섭입대(D)에서는 해양 지각에서 빠져나온 물에 의해 맨틀 물질의 용융점이 낮아지면서 현무암질 마그마가 생성되며, 호상 열도(C)에서는 ❷ [ ] 마그마가 주로 분출된다.

답 ❶ 압력 감소 ❷ 안산암질

필수 체크 전략 ①

대표 기출 1

2019 수능 7번

그림 (가)는 어느 지역의 판 경계 부근에서 발생한 진앙 분포를, (나)는 X－X′에 따른 지형의 단면을 나타낸 것이다.

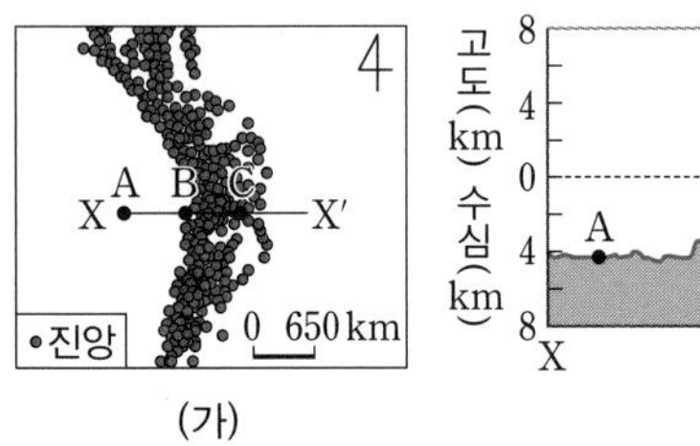

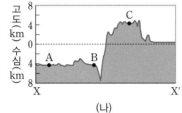

(가) (나)

지역 A, B, C에 대한 설명으로 옳은 것만을 |보기|에서 있는 대로 고른 것은?

보기

ㄱ. 지각의 나이는 A가 B보다 많다.

ㄴ. B와 C 사이에는 수렴 경계가 존재한다.

ㄷ. 화산 활동은 C가 A보다 활발하다.

① ㄱ ② ㄷ ③ ㄱ, ㄴ

④ ㄴ, ㄷ ⑤ ㄱ, ㄴ, ㄷ

Tip 판이 섭입하는 수렴 경계에서는 주변보다 수심이 깊은 해구가 발달하며, 섭입대를 따라 진앙이 나타난다.

풀이 ㄱ. B를 기준으로 동쪽에 진앙이 분포하므로 A와 B가 속한 판이 C가 속한 판 아래로 섭입하고 있다. 따라서 A와 B는 해양판이며, 해양판은 해구 쪽에 가까울수록 나이가 많다.

ㄴ, ㄷ. B와 C 사이에는 해구가 존재한다. 화산 활동은 C에서 주로 나타난다.

답 ④

대표 기출 2

2022 6월 모평 4번 유사

그림 (가)는 대서양에서 시추한 지점 P_1~P_7을 나타낸 것이고, (나)는 각 지점에서 가장 오래된 퇴적물의 연령을 판의 경계로부터 거리에 따라 나타낸 것이다.

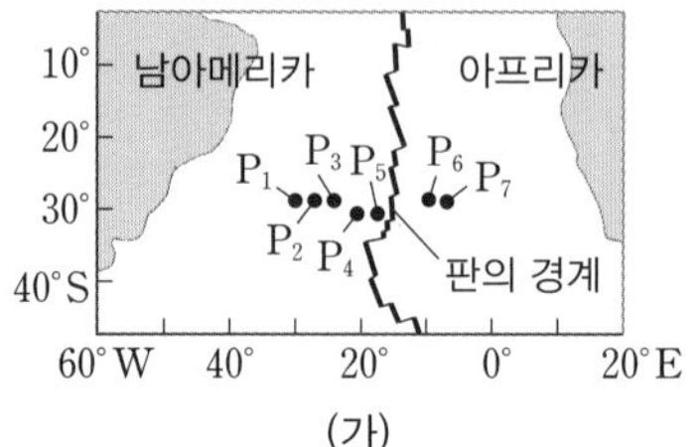

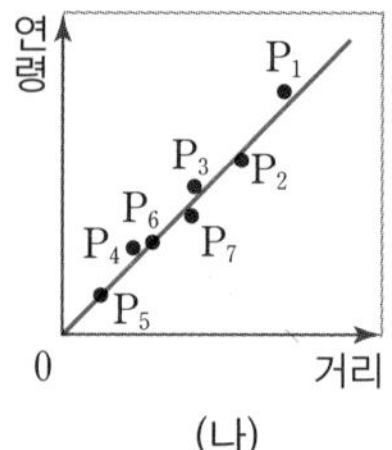

(가) (나)

이에 대한 설명이 옳은 것만을 |보기|에서 있는 대로 고른 것은?

보기

ㄱ. (가)의 판의 경계는 수렴 경계이다.

ㄴ. 해저 퇴적물의 두께는 P_1이 P_5보다 두껍다.

ㄷ. P_5와 P_6 사이의 거리는 점점 감소할 것이다.

① ㄱ ② ㄴ ③ ㄱ, ㄷ

④ ㄴ, ㄷ ⑤ ㄱ, ㄴ, ㄷ

Tip 해령에서 생성된 해양 지각은 양쪽으로 멀어지며, 해령에서 멀어질수록 해양 지각의 나이는 많아진다.

풀이 ㄱ, ㄴ. (가)에서 판의 경계를 기준으로 양쪽으로 갈수록 가장 오래된 퇴적물의 연령(해양 지각의 나이)이 많아지고 있다. 따라서 이 경계는 발산 경계이다. 가장 오래된 퇴적물의 연령이 많을수록 해저 퇴적물의 두께도 두껍다.

ㄷ. 발산 경계인 해령을 기준으로 양쪽 방향에 위치한 P_5와 P_6 사이의 거리는 점점 증가한다.

답 ②

확인 1-1

2017 수능 4번

그림은 판의 경계 부근의 단면을 나타낸 것이다.

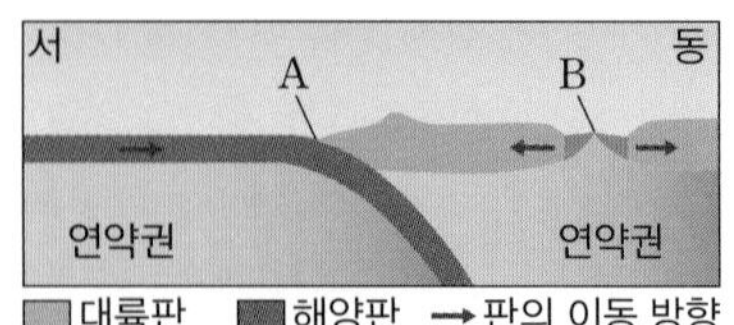

이에 대한 설명으로 옳은 것만을 |보기|에서 있는 대로 고르시오.

보기

ㄱ. A의 하부에서는 맨틀 대류가 하강한다.

ㄴ. B에서는 새로운 해양 지각이 생성된다.

ㄷ. 변환 단층은 A보다 B 부근에서 발달한다.

확인 2-1

그림은 어느 해령과 세 지점 A, B, C의 위치를 나타낸 것이다. 이 지역에서 고지자기 줄무늬는 해령을 축으로 대칭이다. 이에 대한 설명으로 옳은 것만을 |보기|에서 있는 대로 고르시오.

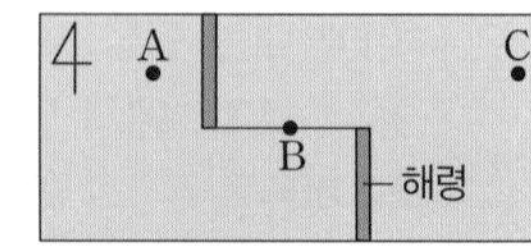

보기

ㄱ. A는 동쪽으로 이동한다.

ㄴ. B는 판의 경계에 위치한다.

ㄷ. A, B, C 중 해양 지각의 나이는 C가 가장 많다.

대표 기출 3

2021 6월 모평 7번 유사

그림은 대서양 해저면에서 판의 경계를 가로지르는 P_1~P_6 구간을, 표는 각 지점의 해수면에서 음파를 발사하여 해저면에 반사되어 되돌아오는 데 걸린 시간이다.

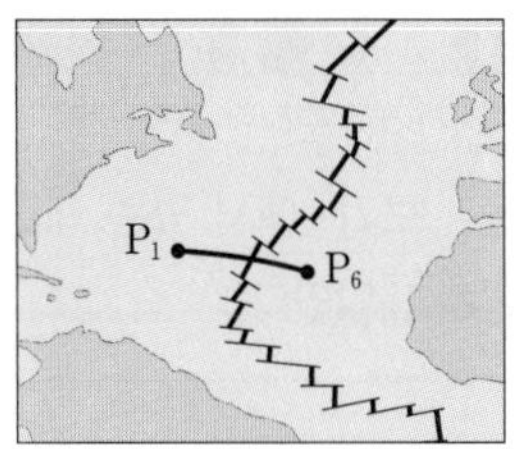

지점	P_1로부터의 거리(km)	시간(초)
P_1	0	7.70
P_2	420	7.36
P_3	840	6.14
P_4	1260	3.95
P_5	1680	6.55
P_6	2100	6.97

이 자료에 대한 설명으로 옳은 것만을 | 보기 |에서 있는 대로 고른 것은? (단, 해수에서 음파의 속도는 일정하다.)

보기
ㄱ. 수심은 P_1이 P_5보다 깊다.
ㄴ. 판의 경계는 P_1과 P_3 사이에 존재한다.
ㄷ. 지각의 나이는 P_4에서 P_6으로 갈수록 적어진다.

① ㄱ ② ㄷ ③ ㄱ, ㄴ
④ ㄴ, ㄷ ⑤ ㄱ, ㄴ, ㄷ

Tip 해수면에서 발사한 음파가 해저면에서 반사되어 되돌아오는 데 걸리는 시간이 길수록 수심이 깊다.

풀이 ㄴ. P_4 지점은 주변보다 수심이 얕다. 따라서 P_4 지점 부근에 주변보다 수심이 얕은 해저 산맥인 해령이 존재한다.
ㄷ. 해령은 P_4 지점 부근에 위치하므로, 해양 지각의 나이는 P_4에서 P_6으로 갈수록 대체로 많아진다. 답 ①

대표 기출 4

2021 9월 모평 8번 유사

그림은 해양 지각의 연령 분포를 나타낸 것이다.

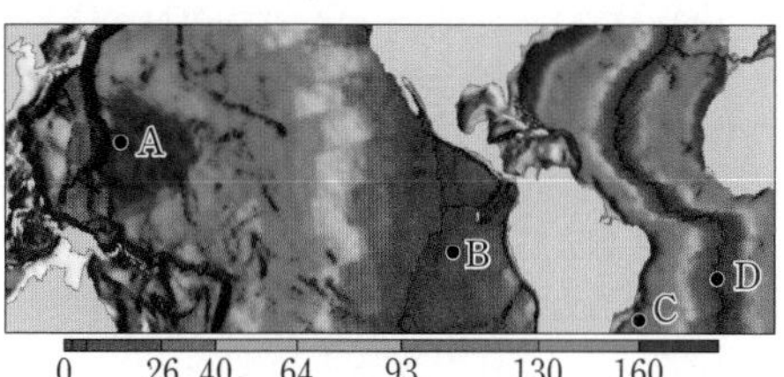

A~D 지점에 대한 설명으로 옳은 것만을 | 보기 |에서 있는 대로 고른 것은?

보기
ㄱ. A와 B가 위치한 해양판이 생성된 해령으로부터의 최단 거리는 A가 B보다 가깝다.
ㄴ. 최근 4천만 년 동안 평균 이동 속력은 B가 속한 판이 C가 속한 판보다 크다.
ㄷ. C가 속한 판에는 섭입하는 판이 잡아당기는 힘이 작용하고 있다.

① ㄱ ② ㄴ ③ ㄱ, ㄷ
④ ㄴ, ㄷ ⑤ ㄱ, ㄴ, ㄷ

Tip 해구 부근에서는 섭입하는 판이 잡아당기는 힘이 작용한다.

풀이 ㄱ. A와 B는 모두 동태평양 해령에서 생성되었으므로 해령으로부터의 거리는 A가 B보다 멀다.
ㄴ. 최근 4천만 년 동안 판이 이동한 거리는 B가 C보다 멀다. 따라서 판의 이동 속력은 B가 속한 판이 더 크다.
ㄷ. 남아메리카 대륙의 서쪽 해안에는 해구가 있지만, 대서양에 접하고 있는 동쪽 해안에는 해구가 없다. 따라서 C에는 섭입하는 판이 잡아당기는 힘이 작용하지 않는다. 답 ②

확인 3-1

2021 4월 학평 1번 유사

그림 (가)와 (나)는 각각 서로 다른 해령 부근에서 열곡으로부터의 거리에 따른 해양 지각의 나이와 고지자기 분포이다.

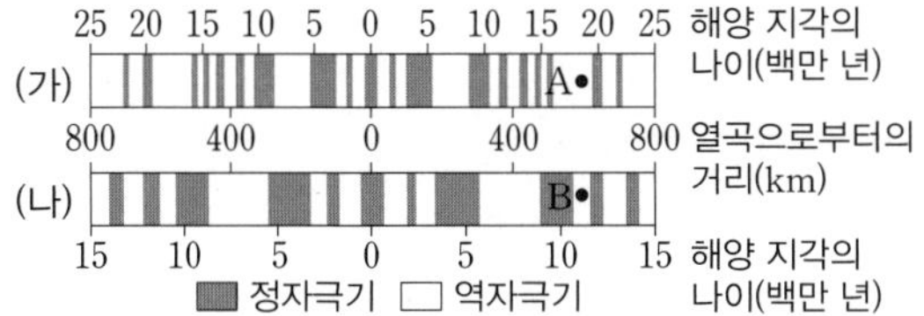

이에 대한 설명으로 옳은 것만을 | 보기 |에서 있는 대로 고르시오.

보기
ㄱ. A와 B에서 고지자기 방향은 남쪽을 가리킨다.
ㄴ. 해저 퇴적물의 두께는 A 지점이 B 지점보다 두껍다.
ㄷ. 해양 지각의 확장 속도는 (가)가 (나)보다 빠르다.

확인 4-1

그림은 어느 지역에서 판의 경계와 판의 상대적인 이동 방향을 나타낸 것이다. 이에 대한 설명으로 옳은 것만을 | 보기 |에서 있는 대로 고르시오.

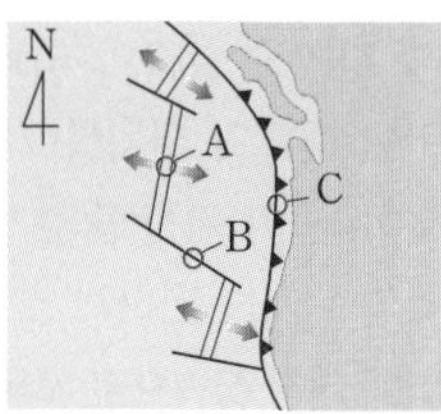

보기
ㄱ. 이 지역에는 총 3개의 판이 존재한다.
ㄴ. 해양 지각의 나이는 B가 A보다 많다.
ㄷ. C에서 동쪽으로 갈수록 진원의 깊이는 얕아진다.

필수 체크 전략 ①

대표 기출 5

2020 6월 학평 9번 유사

그림 (가)는 유럽과 북아메리카 대륙에서 측정한 고지자기 북극의 이동 경로를, (나)는 두 대륙의 자극 이동 경로를 일치시켰을 때 나타나는 대륙의 분포를 나타낸 것이다.

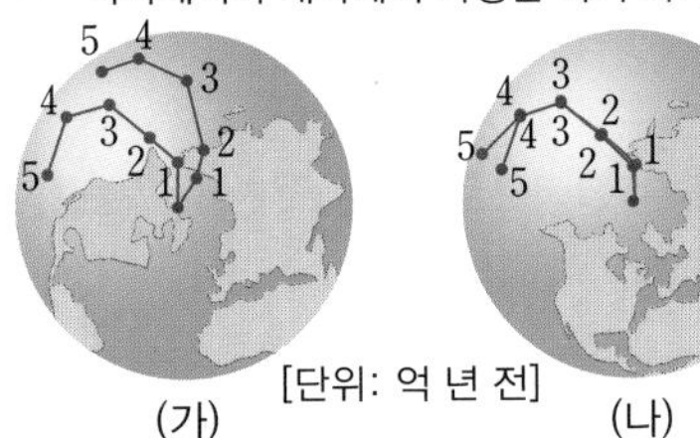

이에 대한 설명으로 옳은 것만을 | 보기 |에서 있는 대로 고른 것은?

> 보기
> ㄱ. 과거에는 2개의 자기 북극이 존재했다.
> ㄴ. 북아메리카 대륙에서 측정한 복각의 크기는 1억 년 전이 3억 년 전보다 크다.
> ㄷ. (가)와 (나)를 통해 대륙이 이동했음을 알 수 있다.

① ㄱ ② ㄷ ③ ㄱ, ㄴ
④ ㄴ, ㄷ ⑤ ㄱ, ㄴ, ㄷ

Tip 복각은 자북극에 가까울수록 크다.

풀이 ㄱ. 고지자기 북극은 항상 1개만 존재했다.
ㄴ. 1억 년 전이 3억 년 전보다 고지자기 북극에 가깝다.
ㄷ. 고지자기 북극의 이동 경로가 다른 것은 대륙이 이동했기 때문이다.

답 ④

대표 기출 6

2019 6월 모평 15번 유사

그림은 어느 해령 주변의 고지자기 분포를 나타낸 것이다.

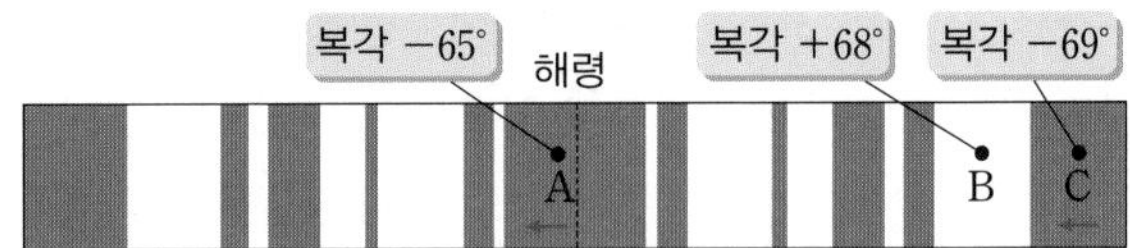

이에 대한 설명으로 옳은 것만을 | 보기 |에서 있는 대로 고른 것은? (단, 진북의 위치는 변하지 않았다.)

> 보기
> ㄱ. 이 해령은 남반구에 위치한다.
> ㄴ. A 지점은 북쪽으로 이동하고 있다.
> ㄷ. A 지점은 C 지점보다 고위도에서 생성되었다.

① ㄱ ② ㄷ ③ ㄱ, ㄴ
④ ㄴ, ㄷ ⑤ ㄱ, ㄴ, ㄷ

Tip 현재 해령 부근의 고지자기 방향이 북쪽 방향이다.

풀이 ㄱ. 해령 부근은 정자극기이며, 복각이 (−)값을 가지므로 남반구에 위치한다.
ㄴ. 해령은 정자극기에 해당하며, A 지점은 고지자기 방향과 같은 방향으로 이동하므로 북쪽으로 이동하고 있다.
ㄷ. 복각의 절댓값은 C 지점이 A 지점보다 크므로, C 지점이 A 지점보다 더 고위도에서 생성되었다.

답 ③

확인 5-1

2020 10월 학평 17번 유사

그림은 6000만 년 전부터 현재까지 인도 대륙의 고지자기 방향으로 추정한 지리상 북극의 위치 변화를 현재 인도 대륙의 위치를 기준으로 나타낸 것이다. 이 기간 동안 실제 지리상 북극의 위치는 변하지 않았다.

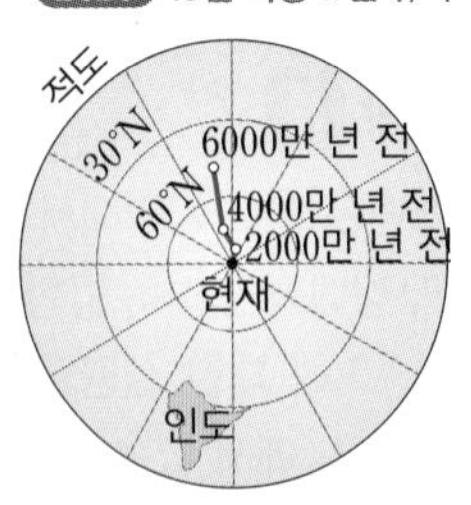

이에 대한 설명으로 옳은 것만을 | 보기 |에서 있는 대로 고르시오.

> 보기
> ㄱ. 6000만 년 전 인도 대륙은 남반구에 위치하였다.
> ㄴ. 인도 대륙의 이동 속도는 점차 빨라졌다.
> ㄷ. 인도 대륙에서 고지자기 복각의 크기는 계속 작아졌다.

확인 6-1

2017 9월 모평 16번 유사

그림은 북반구 중위도에 위치한 어느 해령 부근의 고지자기 분포를 나타낸 것이다.

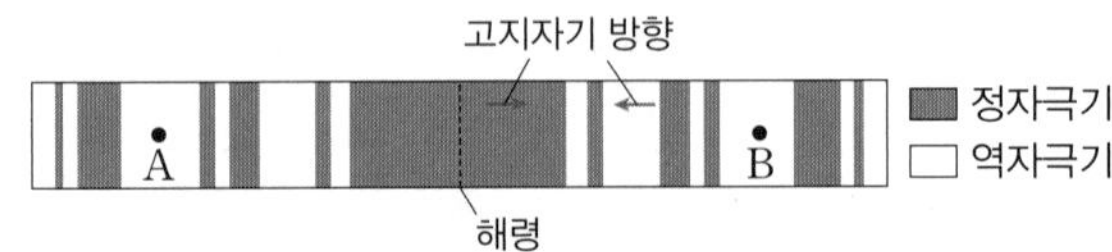

지역 A와 B에 대한 설명으로 옳은 것만을 | 보기 |에서 있는 대로 고르시오.

> 보기
> ㄱ. A에서 고지자기 방향은 북쪽을 가리킨다.
> ㄴ. 위도는 A가 B보다 낮다.
> ㄷ. 고지자기 복각의 크기는 A가 B보다 작다.

대표 기출 7

2021 7월 학평 1번 유사

그림 (가)와 (나)는 고생대 이후 서로 다른 두 시기의 대륙 분포를 나타낸 것이다.

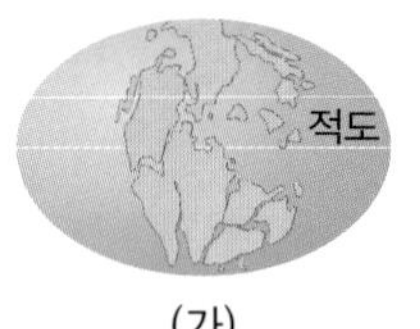

(가)

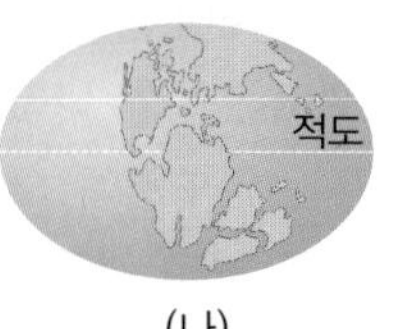

(나)

이에 대한 설명으로 옳은 것만을 | 보기 |에서 있는 대로 고른 것은?

보기
ㄱ. (가) 이후 대륙들이 모여들면서 판게아가 형성되었다.
ㄴ. (나)에는 애팔래치아산맥이 존재한다.
ㄷ. (나) 이후 인도 대륙에서 생성되는 암석의 고지자기 복각은 크기가 계속 커진다.

① ㄱ ② ㄴ ③ ㄱ, ㄷ
④ ㄴ, ㄷ ⑤ ㄱ, ㄴ, ㄷ

Tip 고생대 말에 형성된 판게아는 점차 분리되었고, 신생대에 현재와 같은 수륙 분포를 이루었다.

풀이 ㄱ. (가)와 (나)는 고생대 이후의 모습이므로 판게아는 (가) 이전에 형성되었다.
ㄴ. 애팔래치아산맥은 판게아 형성 과정에서 생성되었으므로 판게아 형성 이후인 (나)에는 애팔래치아산맥이 존재한다.
ㄷ. (나) 이후 인도 대륙은 계속 북쪽으로 이동한다. 따라서 적도 부근까지 이동하는 동안 복각은 감소하다가 북반구에서 다시 커진다.
답 ②

확인 7-1

그림은 고생대 말의 빙하 흔적과 이동 방향을 현재의 대륙 분포에 나타내 것이다. 이에 대한 설명으로 옳은 것만을 | 보기 |에서 있는 대로 고르시오.

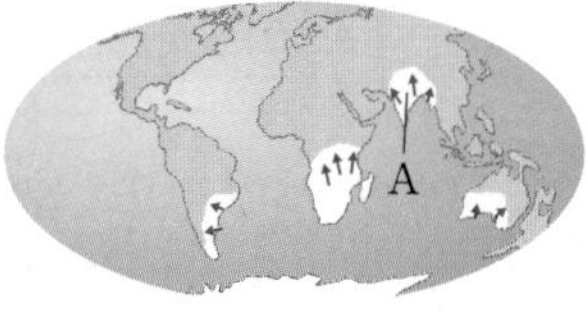

보기
ㄱ. 고생대 말에 A는 북극 근처에 위치하였다.
ㄴ. 고생대 말에는 적도 부근에 빙하가 존재하였다.
ㄷ. 남아메리카 대륙과 아프리카 대륙에 존재하는 빙하 흔적 사이의 거리는 중생대가 현재보다 가까웠을 것이다.

대표 기출 8

2020 10월 학평 8번 유사

그림은 판 구조론이 정립되기까지 제시되었던 이론을 ㉠, ㉡, ㉢으로 순서 없이 나타낸 것이다.

㉠	㉡	㉢
대륙 이동설	해양저 확장설	맨틀 대류설

이에 대한 설명으로 옳은 것만을 | 보기 |에서 있는 대로 고른 것은?

보기
ㄱ. ㉠은 해령을 축으로 대칭적으로 나타나는 고지자기 줄무늬를 근거로 제시되었다.
ㄴ. ㉡은 ㉢보다 나중에 제시되었다.
ㄷ. ㉢에서 맨틀 대류는 맨틀 상하부의 온도 차에 의해 발생한다.

① ㄱ ② ㄷ ③ ㄱ, ㄴ
④ ㄴ, ㄷ ⑤ ㄱ, ㄴ, ㄷ

Tip 이론이 제시된 순서는 대륙 이동설 → 맨틀 대류설 → 해양저 확장설이다.

풀이 ㄱ. 해령을 축으로 대칭적으로 나타나는 고지자기 줄무늬는 해양저 확장설의 증거이다. 대륙 이동설은 빙하 흔적 분포, 화석 분포, 지질 구조의 연속성 등을 근거로 제시되었다.
ㄴ. 맨틀 대류설 이후 해양저 확장설이 등장하였다.
ㄷ. 맨틀 대류는 맨틀 상하부의 온도 차에 의해 발생한다. 답 ④

확인 8-1

2019 4월 학평 12번

그림 (가)와 (나)는 판 구조론이 정립되는 과정에서 제시된 대표적인 증거들을 나타낸 것이다.

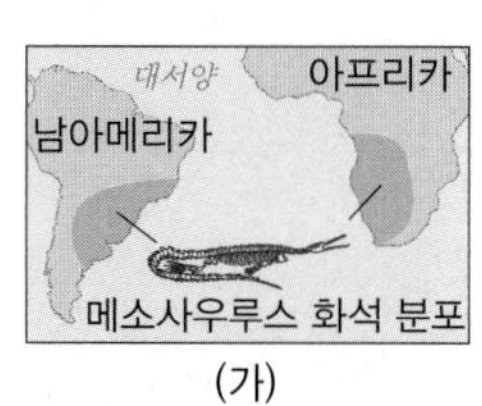

(가)

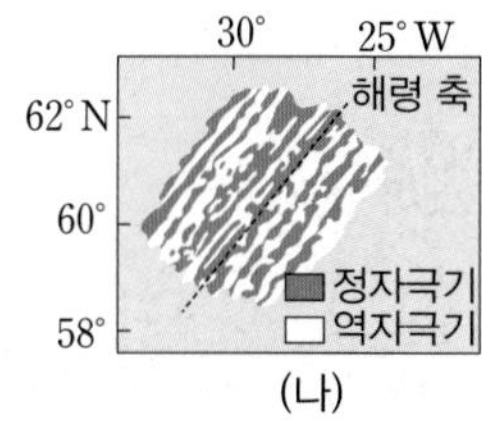

(나)

이에 대한 설명으로 옳은 것만을 | 보기 |에서 있는 대로 고르시오.

보기
ㄱ. (가)는 해양저 확장설의 증거로 제시되었다.
ㄴ. (나)에서 고지자기 줄무늬는 대칭적으로 나타난다.
ㄷ. (가)의 두 대륙 사이에는 (나)와 같은 고지자기 줄무늬의 대칭적인 형태가 나타난다.

필수 체크 전략 ②

최다 오답 문제

1강_ 판 구조론과 대륙 분포의 변화

2020 수능 10번 유사

1 그림 (가)는 판 경계와 해양판 A, B를, (나)는 시간에 따른 A와 B의 확장 속도를 순서 없이 나타낸 것이다.

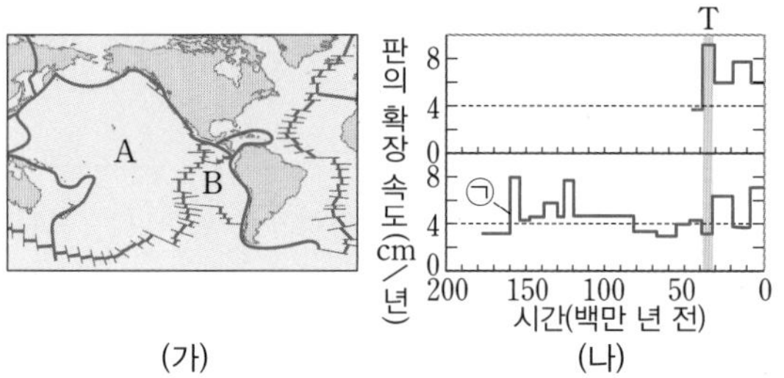

이 자료에 대한 설명으로 옳은 것만을 | 보기 |에서 있는 대로 고른 것은? (단, 태평양에서 심해 퇴적물이 쌓이는 속도는 일정하다.)

보기
ㄱ. ㉠은 A의 확장 속도에 해당한다.
ㄴ. A의 확장 속도가 빨라질 때, B도 빨라졌다.
ㄷ. T 기간에 생성된 판 위에 쌓인 심해 퇴적물의 두께는 A가 B의 2배보다 두껍다.

① ㄱ ② ㄴ ③ ㄷ
④ ㄱ, ㄴ ⑤ ㄱ, ㄷ

Tip 해령으로부터 멀어질수록 해양 지각의 나이가 ❶ 진다. 해양 지각의 나이가 많을수록 심해 퇴적물의 두께가 ❷ 진다.
답 ❶ 많아 ❷ 두꺼워

2 그림은 지질 시대 동안 인도판의 위도 변화를 나타낸 것이다. 인도판에 대한 설명으로 옳은 것만을 | 보기 |에서 있는 대로 고른 것은?

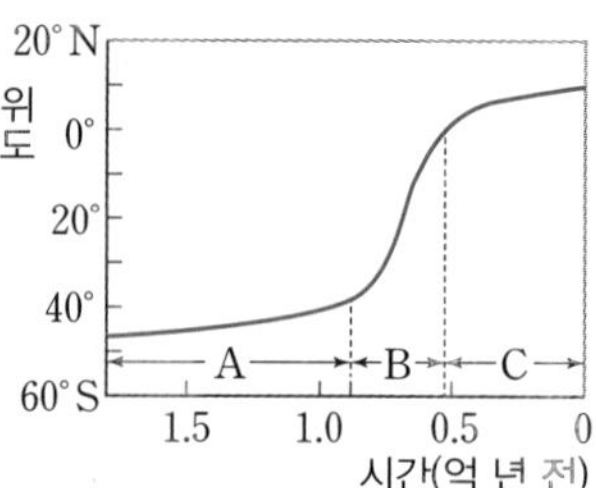

보기
ㄱ. 중생대 초에는 남반구에 위치하였다.
ㄴ. 북쪽으로 이동 속도가 가장 컸던 시기는 B이다.
ㄷ. 이 기간 동안 인도판의 고지자기 복각의 크기는 계속 작아졌다.

① ㄱ ② ㄷ ③ ㄱ, ㄴ
④ ㄴ, ㄷ ⑤ ㄱ, ㄴ, ㄷ

Tip 남반구에서 적도 쪽으로 ❶ 하는 동안 복각의 크기는 ❷ 진다.
답 ❶ 북상 ❷ 작아

2016 수능 20번 유사

3 그림 (가)와 (나)는 서로 다른 두 해령 부근의 고지자기 분포를 나타낸 모식도이다.

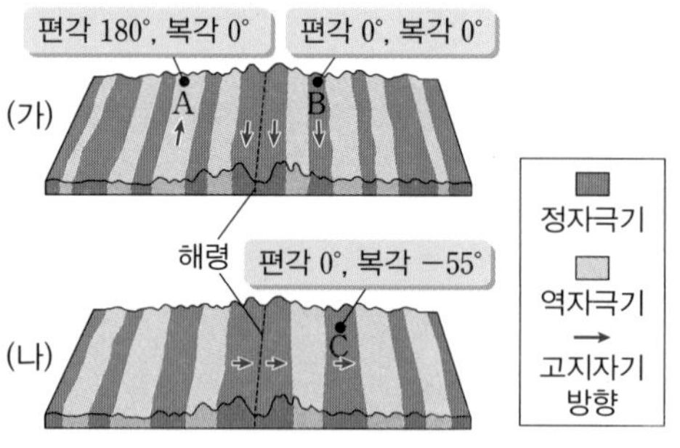

A, B, C 지역에 대한 설명으로 옳은 것만을 | 보기 |에서 있는 대로 고른 것은?

보기
ㄱ. (가)에서 해령은 동서 방향으로 발달해 있다.
ㄴ. 생성 당시의 위도는 B가 C보다 적도에 가깝다.
ㄷ. C는 북쪽으로 이동하고 있다.

① ㄱ ② ㄷ ③ ㄱ, ㄴ
④ ㄴ, ㄷ ⑤ ㄱ, ㄴ, ㄷ

Tip 복각이 (+)이면 ❶ 반구에서 생성된 것이다. 판은 ❷ 을 중심으로 양쪽으로 멀어진다.
답 ❶ 북 ❷ 해령

2021 9월 모평 20번

4 **그림은 유럽과 북아메리카 대륙에서 측정한 5억 년 전부터 ㉢ 시기까지 고지자기극의 겉보기 이동 경로를 겹쳤을 때의 모습을 나타낸 것이다. 고지자기극은 고지자기 방향으로부터 추정한 지리상 북극이고, 실제 진북은 변하지 않았다.**

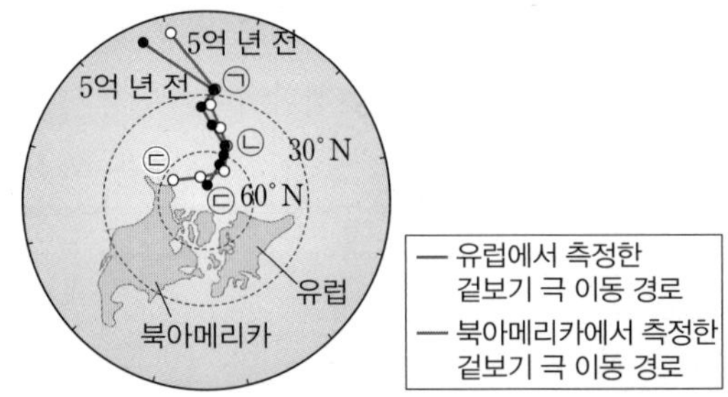

이 자료에 대한 설명으로 옳은 것만을 | 보기 |에서 있는 대로 고른 것은?

| 보기 |
ㄱ. 5억 년 전에 지리상 북극은 적도 부근에 위치하였다.
ㄴ. 북아메리카에서 측정한 고지자기 복각은 ㉡ 시기가 ㉠ 시기보다 크다.
ㄷ. 유럽은 ㉡ 시기부터 ㉢ 시기까지 저위도 방향으로 이동하였다.

① ㄱ ② ㄴ ③ ㄱ, ㄷ
④ ㄴ, ㄷ ⑤ ㄱ, ㄴ, ㄷ

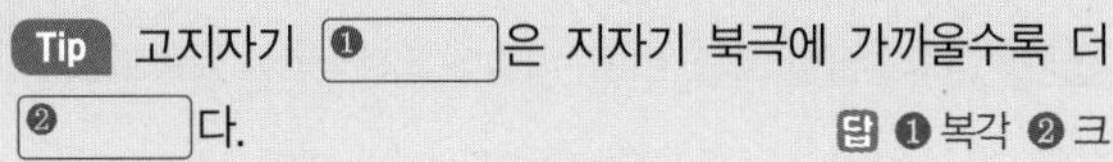

Tip 고지자기 ❶ ☐은 지자기 북극에 가까울수록 더 ❷ ☐다.
답 ❶ 복각 ❷ 크

5 **그림은 어느 시기의 유라시아 대륙과 인도 대륙의 위치를 나타낸 것이다. 이 시기에 대한 설명으로 옳은 것만을 | 보기 |에서 있는 대로 고른 것은?**

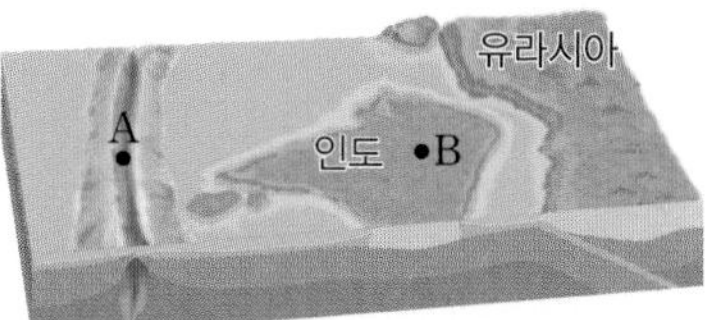

| 보기 |
ㄱ. 이 시기는 중생대이다.
ㄴ. A의 하부에서는 맨틀 물질이 상승하고 있다.
ㄷ. B에서 생성된 암석의 지자기 복각은 (+)값을 갖는다.

① ㄱ ② ㄴ ③ ㄱ, ㄷ
④ ㄴ, ㄷ ⑤ ㄱ, ㄴ, ㄷ

Tip 판게아에서 분리된 인도 대륙은 북상하다가 ❶ ☐에 유라시아 대륙과 충돌하여 ❷ ☐산맥을 형성한다.
답 ❶ 신생대 ❷ 히말라야

2021 3월 학평 3번 유사

6 **그림 (가), (나), (다)는 서로 다른 세 시기의 대륙 분포를 나타낸 것이다.**

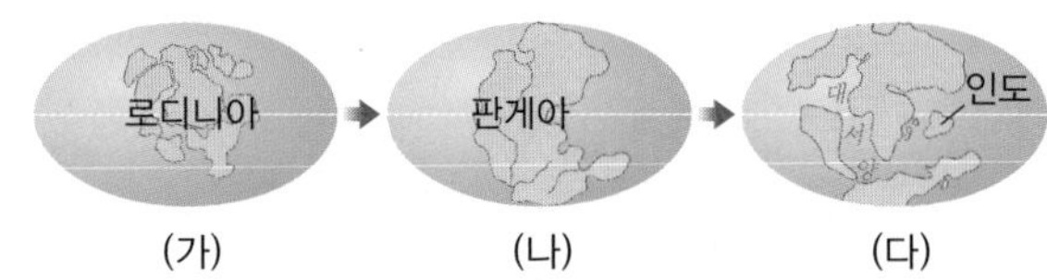

(가) (나) (다)

이에 대한 설명으로 옳은 것만을 | 보기 |에서 있는 대로 고른 것은?

| 보기 |
ㄱ. 애팔래치아산맥은 (가)의 초대륙이 형성되는 과정에서 만들어졌다.
ㄴ. (가) 시기와 (나) 시기는 고생대에 해당한다.
ㄷ. (다) 시기에 대서양에는 판의 발산 경계가 존재하였다.

① ㄱ ② ㄷ ③ ㄱ, ㄴ
④ ㄴ, ㄷ ⑤ ㄱ, ㄴ, ㄷ

Tip 초대륙 ❶ ☐는 약 12억 년 전에 형성되었으며, 이후 흩어진 대륙들이 다시 모여 ❷ ☐ 말에 초대륙 판게아를 형성하였다.
답 ❶ 로디니아 ❷ 고생대

7 **그림은 대륙 이동을 뒷받침할 수 있는 자료를 나타낸 것이다.**

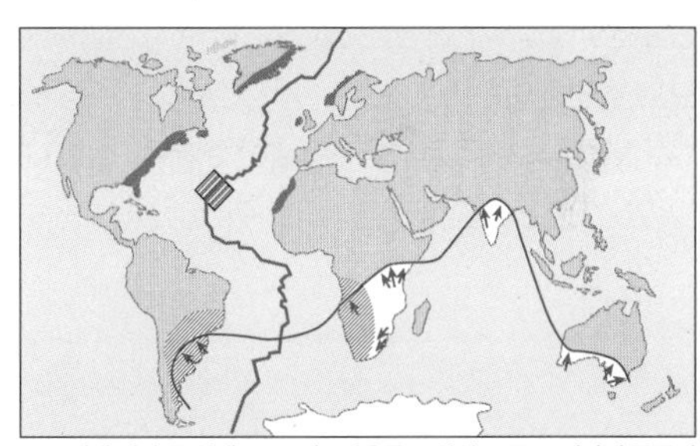

■ 고생대 말 습곡 산맥 ▨ 메소사우루스 화석 ▥ 고지자기 줄무늬
□ 고생대 말 빙하 퇴적층 ⩚ 고생대 말 빙하 이동 흔적

이에 대한 설명으로 옳은 것만을 | 보기 |에서 있는 대로 고른 것은?

| 보기 |
ㄱ. 베게너는 고지자기 줄무늬가 대칭적으로 나타나는 것을 대륙 이동의 증거로 제시하였다.
ㄴ. 고생대 말 습곡 산맥은 판게아 형성과 관련이 있다.
ㄷ. 메소사우루스는 중생대에 번성하였다.

① ㄱ ② ㄴ ③ ㄱ, ㄷ
④ ㄴ, ㄷ ⑤ ㄱ, ㄴ, ㄷ

Tip 고생대 말 습곡 산맥과 빙하 퇴적층 분포의 ❶ ☐과 해안선의 유사성은 ❷ ☐의 증거이다.
답 ❶ 연속성 ❷ 대륙 이동

필수 체크 전략 ①

대표 기출 1

2022 6월 모평 3번 유사

그림은 SiO_2 함량과 결정 크기에 따라 화성암 A, B, C의 상대적인 위치를 나타낸 것이다. A, B, C는 각각 유문암, 현무암, 화강암 중 하나이다. **이에 대한 설명으로 옳은 것만을 보기 에서 있는 대로 고른 것은?**

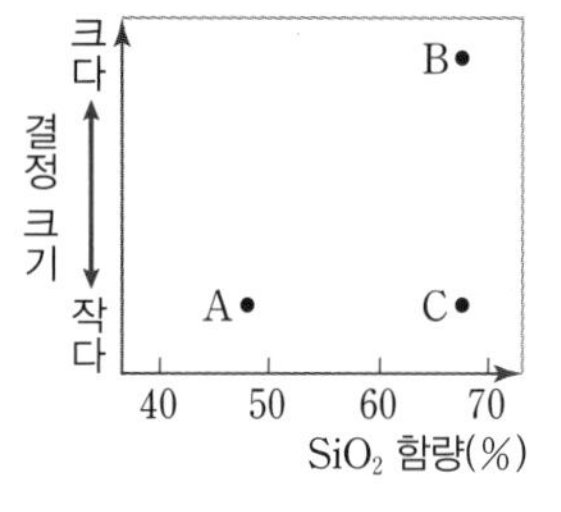

보기
ㄱ. A가 B보다 빠르게 냉각되어 생성된다.
ㄴ. B는 유문암이다.
ㄷ. 암석의 색은 A가 C보다 밝다.

① ㄱ ② ㄷ ③ ㄱ, ㄴ
④ ㄴ, ㄷ ⑤ ㄱ, ㄴ, ㄷ

Tip 마그마의 냉각 속도가 빠를수록 결정의 크기가 작다.

풀이 ㄱ. A는 B보다 결정 크기가 작으므로 B보다 빠르게 냉각되었다.
ㄴ. B는 결정의 크기가 큰 심성암이면서 SiO_2 함량이 63 % 이상이므로 화강암이다.
ㄷ. SiO_2 함량이 낮을수록 암석의 색이 어둡다. 따라서 암석의 색은 A가 C보다 어둡다.

답 ①

대표 기출 2

2019 10월 학평 1번 유사

그림은 마그마 A, B, C를 이루고 있는 성분들의 질량비(%)를 나타낸 것이다. A, B, C는 각각 현무암질, 안산암질, 유문암질 마그마 중 하나이다.

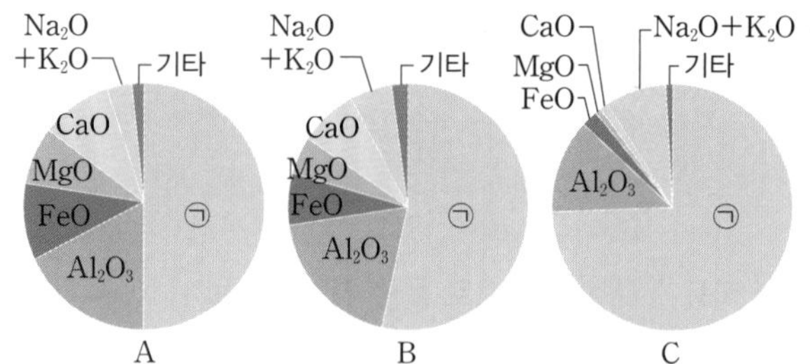

이에 대한 설명으로 옳은 것만을 보기 에서 있는 대로 고른 것은?

보기
ㄱ. ㉠은 SiO_2이다.
ㄴ. A와 C가 혼합되면 B가 될 수 있다.
ㄷ. 열점에서 주로 분출되는 마그마는 C이다.

① ㄱ ② ㄷ ③ ㄱ, ㄴ
④ ㄴ, ㄷ ⑤ ㄱ, ㄴ, ㄷ

Tip 현무암질 마그마는 유문암질에 비해 SiO_2 함량이 낮다.

풀이 ㄱ. 마그마에서 가장 많은 질량을 차지하는 ㉠은 SiO_2이다.
ㄴ. 현무암질 마그마인 A와 유문암질 마그마인 C가 혼합되면 안산암질 마그마인 B가 될 수 있다.
ㄷ. 열점에서는 주로 현무암질 마그마가 분출된다.

답 ③

확인 1-1

2021 3월 학평 2번 유사

그림 (가)는 화성암의 생성 위치를, (나)는 북한산 인수봉의 모습을 나타낸 것이다.

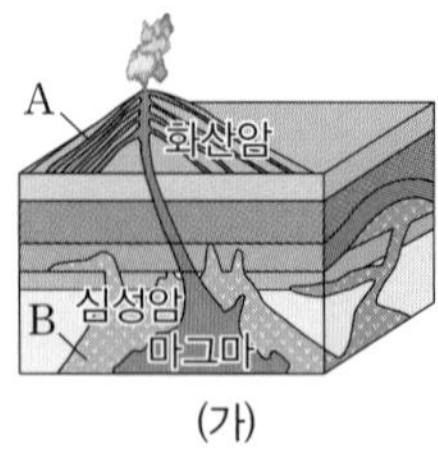

(가)

(나)

이에 대한 설명으로 옳은 것만을 보기 에서 있는 대로 고르시오.

보기
ㄱ. 암석을 이루는 입자의 평균 크기는 A가 B보다 작다.
ㄴ. 주상 절리는 A보다 B에서 잘 발달한다.
ㄷ. (나)의 암석은 A에서 생성되었다.

확인 2-1

2016 9월 학평 8번 유사

그림은 현무암질 마그마와 유문암질 마그마의 SiO_2 함량을 순서 없이 나타낸 것이다. 이에 대한 설명으로 옳은 것만을 보기 에서 있는 대로 고르시오.

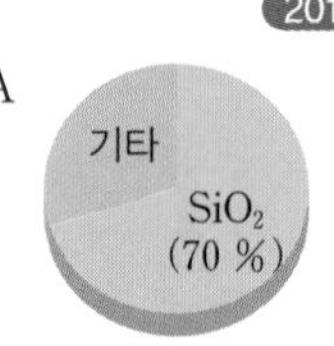

보기
ㄱ. A는 주로 맨틀 물질의 상승으로 인해 생성된다.
ㄴ. 온도는 A가 B보다 낮다.
ㄷ. 대륙판 아래로 해양판이 섭입하는 지역에서 분출하는 마그마의 SiO_2 함량은 대체로 B보다 낮다.

대표 기출 3

2020 6월 학평 10번 유사

그림은 맨틀 대류와 판에 작용하는 힘을 나타낸 것이다. A와 B는 맨틀이 판을 밀어 올리는 힘과 섭입하는 판이 잡아당기는 힘 중 하나이다.

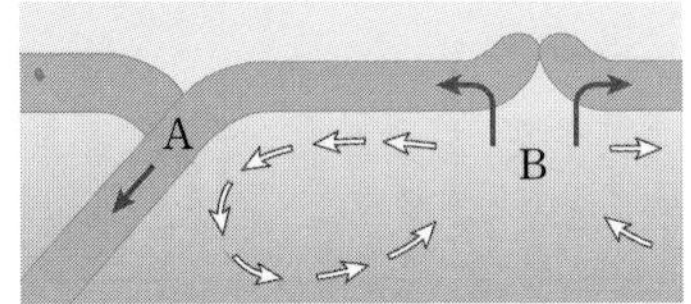

이에 대한 설명으로 옳은 것만을 | 보기 | 에서 있는 대로 고른 것은?

보기
ㄱ. A가 클수록 A가 속한 판의 이동 속도가 빨라진다.
ㄴ. B는 판의 수렴 경계보다 발산 경계에서 주로 작용한다.
ㄷ. 뜨거운 플룸이 존재하는 지역에서는 A가 B보다 크게 작용한다.

① ㄱ ② ㄷ ③ ㄱ, ㄴ
④ ㄴ, ㄷ ⑤ ㄱ, ㄴ, ㄷ

Tip A는 섭입하는 판이 잡아당기는 힘, B는 맨틀이 판을 밀어 올리는 힘이다.

풀이 ㄱ. A는 섭입하는 판이 잡아당기는 힘이므로 A가 클수록 판의 이동 속도가 빨라진다.
ㄴ. B는 맨틀이 상승하는 발산 경계에서 주로 작용한다.
ㄷ. 뜨거운 플룸이 존재하는 지역은 맨틀 물질이 상승한다. 답 ③

대표 기출 4

2020 10월 학평 5번 유사

그림은 뜨거운 플룸이 상승하는 모습을 나타낸 것이다.

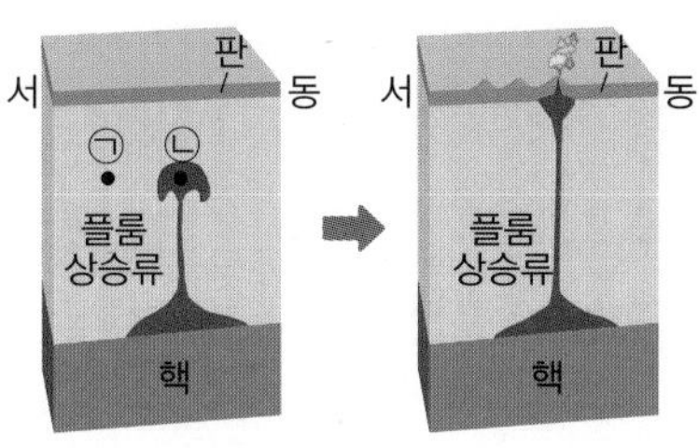

이에 대한 설명으로 옳은 것만을 | 보기 | 에서 있는 대로 고른 것은?

보기
ㄱ. 판은 동쪽으로 이동하였다.
ㄴ. ㉡의 플룸이 상승하는 동안 압력은 감소한다.
ㄷ. 지진파의 속도는 ㉠보다 ㉡에서 빠르다.

① ㄱ ② ㄴ ③ ㄱ, ㄷ
④ ㄴ, ㄷ ⑤ ㄱ, ㄴ, ㄷ

Tip 뜨거운 플룸은 주변보다 온도가 높고 밀도가 작다.

풀이 ㄱ. 열점을 기준으로 화산섬이 서쪽에 분포하므로 판은 서쪽으로 이동하였다.
ㄴ. 플룸이 상승하는 동안 압력은 감소한다.
ㄷ. 지진파의 속도는 맨틀 물질의 온도가 낮아 밀도가 클수록 빠르다. 따라서 지진파의 속도는 온도가 높아 밀도가 작은 ㉡에서 더 느리다. 답 ②

확인 3-1

그림은 남아메리카 주변의 판 경계를 나타낸 것이다. 이에 대한 설명으로 옳은 것만을 | 보기 | 에서 있는 대로 고르시오.

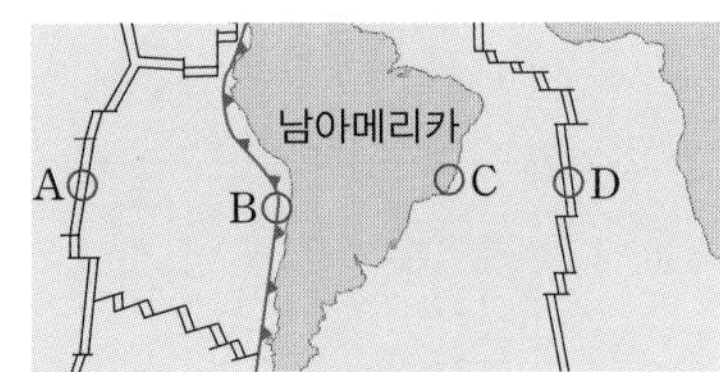

보기
ㄱ. A에서는 맨틀 물질이 상승하면서 판을 밀어내는 힘이 작용한다.
ㄴ. C에서는 섭입하는 해양판이 침강하면서 잡아당기는 힘이 작용한다.
ㄷ. 맨틀 대류가 하강하는 지점은 D이다.

확인 4-1

그림은 지구 내부에서의 뜨거운 플룸과 차가운 플룸의 모습을 나타낸 것이다.

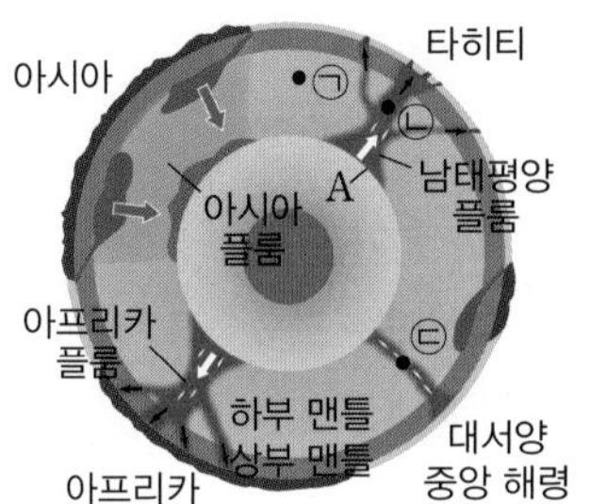

이에 대한 설명으로 옳은 것만을 | 보기 | 에서 있는 대로 고르시오.

보기
ㄱ. A는 외핵과 내핵의 경계이다.
ㄴ. 온도는 ㉠이 ㉡보다 높다.
ㄷ. ㉢에서는 뜨거운 플룸이 상승한다.

필수 체크 전략 ①

대표 기출 5

2020 3월 학평 3번

그림은 두 지역 (가)와 (나)에서 지하의 온도 분포와 판의 구조를 나타낸 것이다. (가)와 (나) 지역에서는 각각 플룸 상승류와 하강류 중 하나가 나타난다.

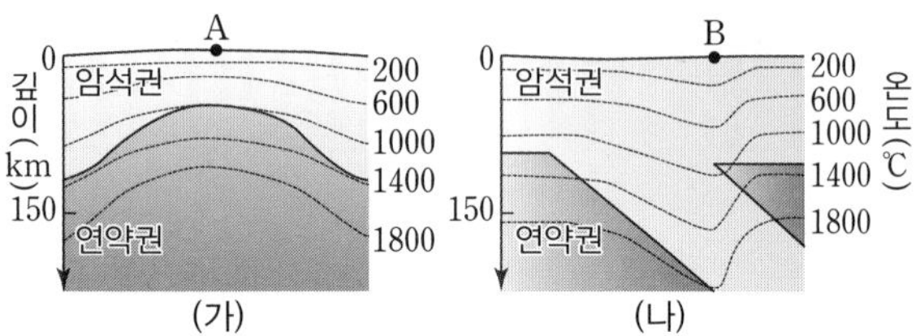

이에 대한 설명으로 옳은 것만을 | 보기 |에서 있는 대로 고른 것은?

보기

ㄱ. 0~150 km 사이에서 깊이에 따른 온도 증가율은 A보다 B에서 크다.
ㄴ. (가)의 하부에는 차가운 플룸이 존재한다.
ㄷ. (나)에서는 섭입하는 판을 지구 내부로 잡아당기는 힘이 작용하고 있다.

① ㄱ ② ㄷ ③ ㄱ, ㄴ ④ ㄴ, ㄷ ⑤ ㄱ, ㄴ, ㄷ

Tip 플룸 상승류가 나타나는 지역은 주변보다 온도가 높고, 하강류가 나타나는 지역은 주변보다 온도가 낮다.

풀이 ㄱ. 지표면에서 온도는 같고, 깊이 150 km에서 온도는 A가 B보다 높다. 따라서 깊이에 따른 온도 증가율은 A가 B보다 크다.
ㄴ. A의 하부는 주변보다 온도가 높으므로 뜨거운 플룸이 존재한다.
ㄷ. (나)에서는 암석권, 즉 해양판이 섭입하고 있으므로 섭입하는 판을 지구 내부로 잡아당기는 힘이 작용하고 있다. 답 ②

확인 5-1

그림은 뜨거운 플룸과 차가운 플룸 중 어느 플룸이 형성되는 모습을 나타낸 것이다. 이에 대한 설명으로 옳은 것만을 | 보기 |에서 있는 대로 고르시오.

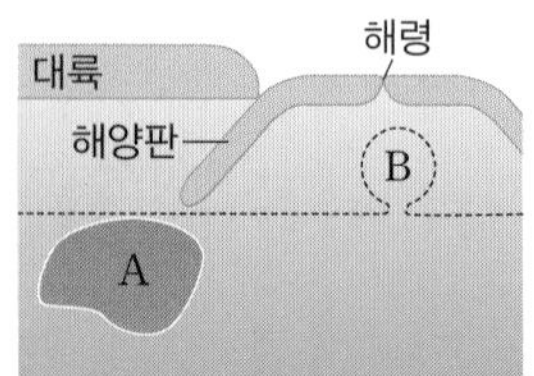

보기

ㄱ. A는 차가운 플룸이다.
ㄴ. B에서는 맨틀 물질이 상승한다.
ㄷ. A가 맨틀 하부에서 녹으면 뜨거운 플룸이 된다.

대표 기출 6

2021 6월 모평 6번 유사

그림 (가)는 지하 온도 분포와 암석의 용융 곡선을, (나)는 마그마가 분출되는 지역 A와 B를 나타낸 것이다.

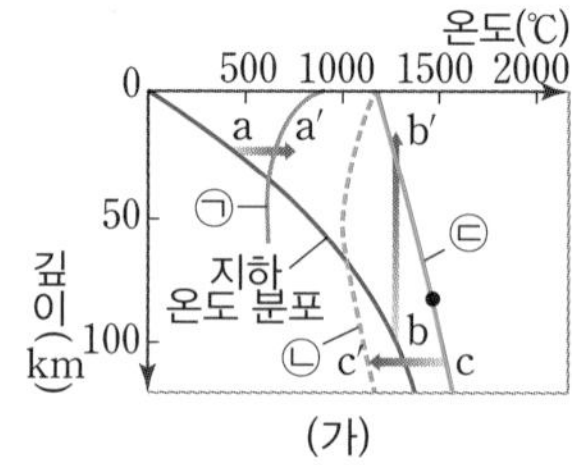

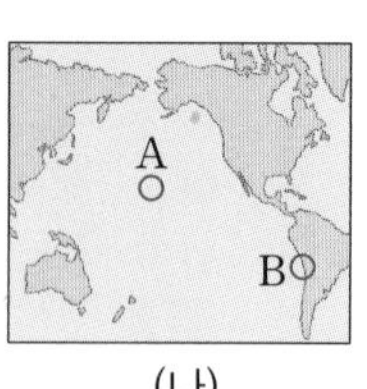

이에 대한 설명으로 옳은 것만을 | 보기 |에서 있는 대로 고른 것은?

보기

ㄱ. ㉠과 ㉡은 모두 물을 포함한 암석의 용융 곡선이다.
ㄴ. A에서는 b → b′ 과정에 의해 마그마가 생성된다.
ㄷ. B에서 분출되는 마그마는 A에서 분출되는 마그마보다 SiO_2 함량이 높다.

① ㄱ ② ㄴ ③ ㄱ, ㄷ ④ ㄴ, ㄷ ⑤ ㄱ, ㄴ, ㄷ

Tip A는 열점, B는 섭입대 부근이다.

풀이 ㄱ. ㉠은 물을 포함한 화강암, ㉡은 물을 포함한 맨틀의 용융 곡선이다.
ㄴ. A는 열점이며, 압력 감소(b → b′)에 의해 마그마가 생성된다.
ㄷ. A에서 현무암질, B에서 안산암질 마그마가 분출된다. 답 ⑤

확인 6-1

2020 10월 학평 6번 유사

그림 (가)는 지하의 온도 분포와 암석의 용융 곡선을, (나)는 어느 판 경계 주변의 단면을 나타낸 것이다.

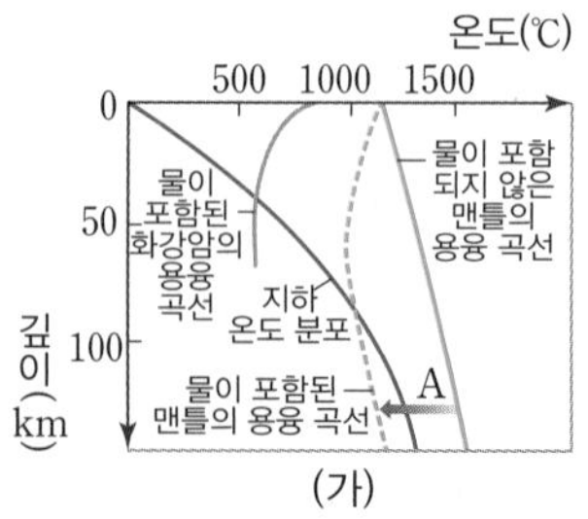

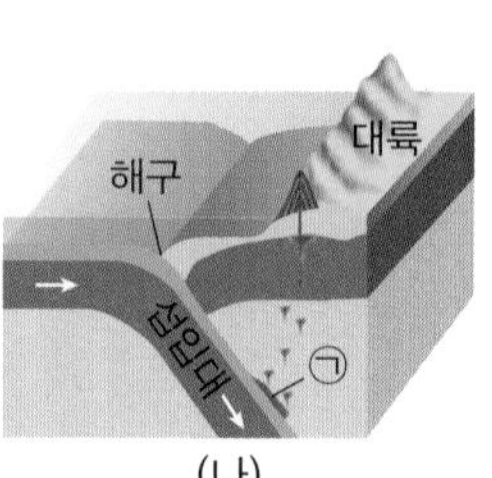

이에 대한 설명으로 옳은 것만을 | 보기 |에서 있는 대로 고르시오.

보기

ㄱ. 용융 온도는 맨틀 물질이 화강암보다 높다.
ㄴ. 열점에서는 A 과정을 통해 마그마가 생성된다.
ㄷ. ㉠의 마그마는 주로 맨틀이 용융되어 생성된다.

대표 기출 7

2020 6월 학평 15번 유사

그림은 하와이 열도의 위치와 절대 연령을 나타낸 것이다. **이에 대한 설명으로 옳은 것만을 |보기|에서 있는 대로 고른 것은?**

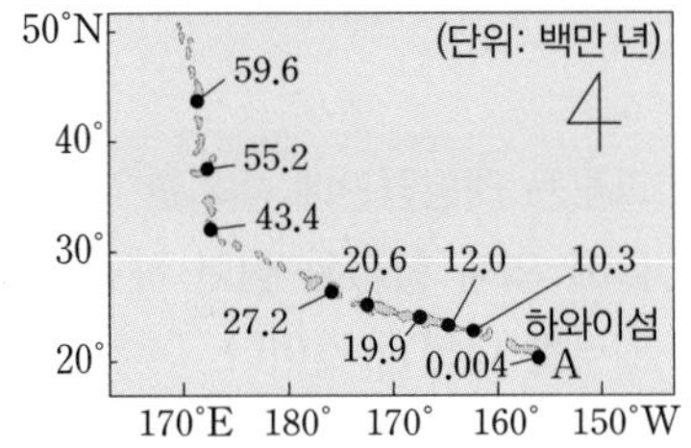

보기
ㄱ. 1200만 년 전에 생성된 화산섬은 남동쪽으로 이동하고 있다.
ㄴ. A 지역은 대부분 유문암으로 이루어져 있다.
ㄷ. 하와이 열도의 섬들은 뜨거운 플룸의 상승으로 생성되었다.

① ㄱ ② ㄷ ③ ㄱ, ㄴ
④ ㄴ, ㄷ ⑤ ㄱ, ㄴ, ㄷ

Tip 현재 열점은 하와이섬의 하부에 위치한다.

풀이 ㄱ. 1200만 년 전에 생성된 화산과 그 주변의 화산은 북서-남동 방향으로 배열되어 있다. 해령은 A에 위치하므로 화산섬은 북서쪽으로 이동하고 있다.
ㄴ. A 지역은 열점에 위치하므로 현무암질 마그마의 분출로 인해 생성된 현무암이 주로 분포한다.
ㄷ. 하와이 열도는 뜨거운 플룸이 상승하는 지역에 형성된 열점에서의 화산 분출로 만들어졌다.

답 ②

대표 기출 8

2020 3월 학평 4번 유사

그림 (가)는 지하의 온도 분포와 암석의 용융 곡선이고, (나), (다)는 울산바위와 용두암의 모습이다.

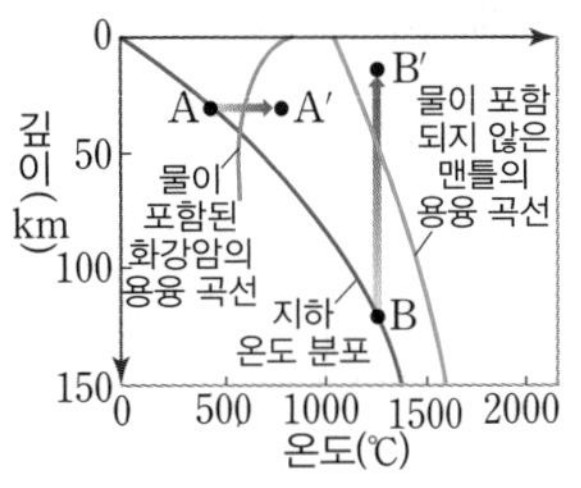

(가)

(나) 설악산 울산바위

(다) 제주도 용두암

이에 대한 설명으로 옳은 것만을 |보기|에서 있는 대로 고른 것은?

보기
ㄱ. 현무암질 마그마는 주로 A－A′의 과정을 거쳐 생성된다.
ㄴ. 암석을 형성한 마그마의 SiO_2 함량은 (나)가 (다)보다 높다.
ㄷ. (나)를 만든 마그마는 B－B′ 과정으로 생성되었다.

① ㄱ ② ㄴ ③ ㄱ, ㄷ
④ ㄴ, ㄷ ⑤ ㄱ, ㄴ, ㄷ

Tip 울산바위는 화강암, 용두암은 현무암으로 이루어져 있다.

풀이 ㄱ. A－A′ 과정으로는 유문암질 마그마가 생성된다. 현무암질 마그마는 주로 맨틀 물질의 용융으로 생성된다.
ㄴ. SiO_2 함량은 화강암이 현무암보다 많다.
ㄷ. (나)를 형성한 마그마는 유문암질 마그마이다.

답 ②

확인 7-1

2019 7월 학평 6번 유사

그림은 아이슬란드가 형성되는 과정을 나타낸 것이다.

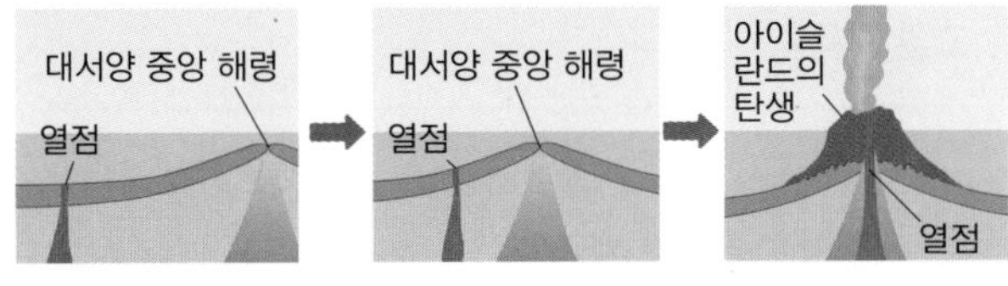

이에 대한 설명으로 옳은 것만을 |보기|에서 있는 대로 고르시오.

보기
ㄱ. 아이슬란드는 맨틀 대류의 상승부에 위치한다.
ㄴ. 아이슬란드의 화산에서 분출하는 마그마는 주로 압력 감소에 의해 생성된다.
ㄷ. 열점에서 분출한 마그마에 의해 생성된 화산과 대서양 중앙 해령 사이의 거리는 점차 가까워진다.

확인 8-1

그림은 지하의 온도 분포와 암석의 용융 곡선을 마그마 생성 과정 A, B와 함께 나타낸 것이다. 이에 대한 설명으로 옳은 것만을 |보기|에서 있는 대로 고르시오.

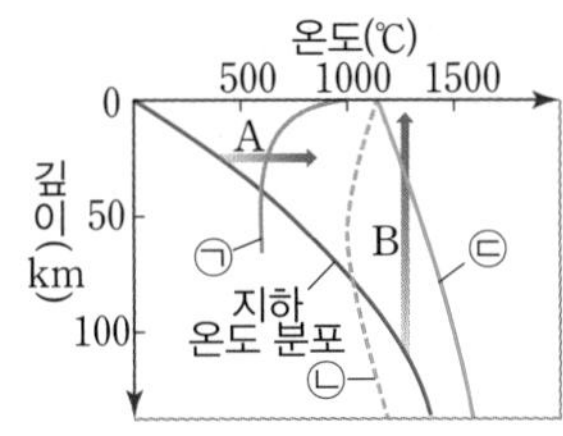

보기
ㄱ. ㉡과 ㉢은 맨틀의 용융 곡선이다.
ㄴ. B 과정은 주로 섭입대 하부에서 일어난다.
ㄷ. 섭입대 하부에서 마그마가 상승하는 동안 A 과정에 의해 마그마가 생성될 수 있다.

필수 체크 전략 ②

최다 오답 문제

2강_ 판 이동의 원동력과 마그마 활동

2021 수능 4번 유사

1 그림 (가)는 마그마가 생성되는 지역 A~D를, (나)는 마그마가 생성되는 과정 중 하나를 나타낸 것이다.

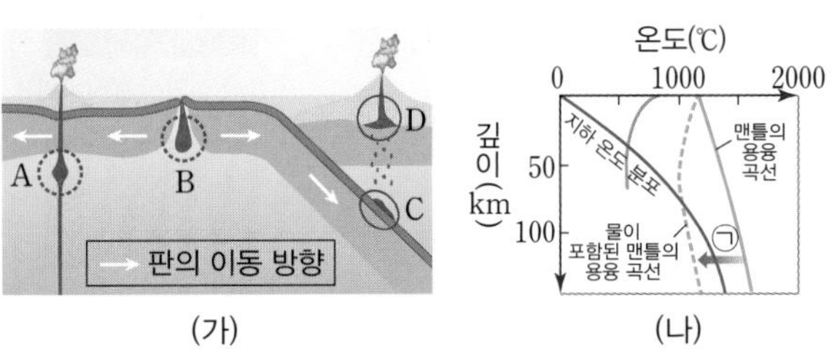

(가) (나)

이에 대한 설명으로 옳은 것만을 | 보기 |에서 있는 대로 고른 것은?

| 보기 |
ㄱ. A의 하부에서는 뜨거운 플룸이 상승한다.
ㄴ. (가)의 B에서는 ㉠ 과정에 의해 마그마가 생성된다.
ㄷ. A~D 중 생성되는 마그마의 SiO_2 함량(%)은 C가 가장 높다.

① ㄱ ② ㄴ ③ ㄱ, ㄷ ④ ㄴ, ㄷ ⑤ ㄱ, ㄴ, ㄷ

Tip 열점에서는 뜨거운 ❶ 의 상승으로 인해 ❷ 가 생성된다.
답 ❶ 플룸 ❷ 마그마

2 표는 해령과 해구 사이에 일직선상의 세 지점 A, B, C에서의 퇴적물 두께와 바닥 퇴적물 나이를 나타낸 것이다.

지점	퇴적물 두께	바닥 퇴적물 나이
A	3 m	1백만 년
B	1000 m	(㉠)년
C	500 m	(㉡)년

이에 대한 설명으로 옳은 것만을 | 보기 |에서 있는 대로 고른 것은?

| 보기 |
ㄱ. 수심은 A가 B보다 얕다.
ㄴ. B는 C보다 해구에 가깝다.
ㄷ. ㉠은 ㉡보다 크다.

① ㄱ ② ㄴ ③ ㄱ, ㄷ ④ ㄴ, ㄷ ⑤ ㄱ, ㄴ, ㄷ

Tip 해령에서 멀어질수록 수심은 ❶ , 바닥 퇴적물의 나이는 ❷ .
답 ❶ 깊어지고 ❷ 많아진다

2021 7월 학평 2번유사

3 그림은 태평양판에 위치한 열점들에 의해 형성된 섬과 해산의 일부를 나타낸 것이다. 이에 대한 설명으로 옳은 것만을 | 보기 |에서 있는 대로 고른 것은?

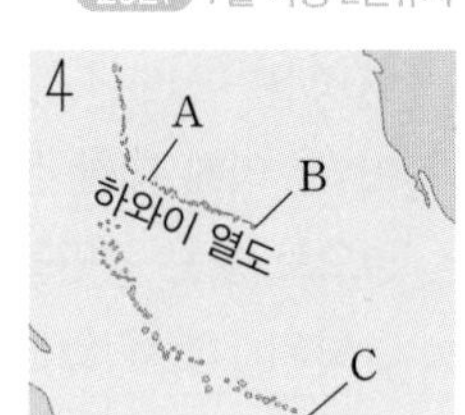

| 보기 |
ㄱ. A가 형성되기 이전 태평양판은 대체로 북북서 방향으로 이동하였다.
ㄴ. 화산섬의 나이는 A가 C보다 많다.
ㄷ. B에는 판의 발산 경계가 존재한다.

① ㄱ ② ㄷ ③ ㄱ, ㄴ ④ ㄴ, ㄷ ⑤ ㄱ, ㄴ, ㄷ

Tip 열점에서는 주로 ❶ 마그마가 분출된다. 화산섬의 나이는 열점에 가까울수록 ❷ .
답 ❶ 현무암질 ❷ 적다

4 그림 (가)는 지구 내부의 플룸 운동을, (나)는 상부 맨틀의 운동을 나타낸 것이다.

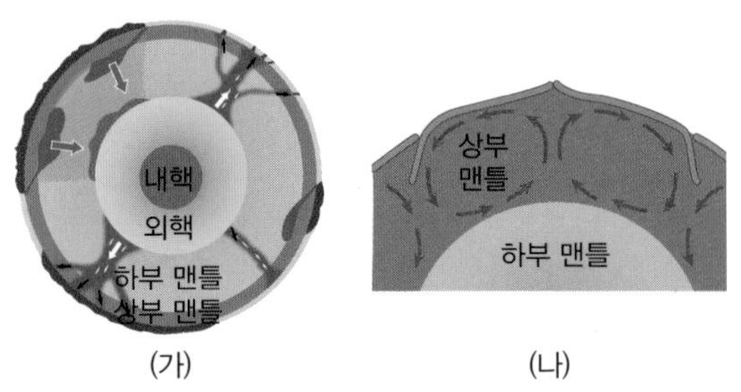

(가) (나)

이에 대한 설명으로 옳은 것만을 | 보기 |에서 있는 대로 고른 것은?

| 보기 |
ㄱ. (가)에서 뜨거운 플룸이 상승하는 곳은 주변보다 지진파의 속도가 빠르다.
ㄴ. 판의 이동은 (나)를 이용하여 설명할 수 있다.
ㄷ. 하와이 열도의 형성은 (가)와 (나)를 이용하여 설명할 수 있다.

① ㄱ ② ㄴ ③ ㄱ, ㄷ ④ ㄴ, ㄷ ⑤ ㄱ, ㄴ, ㄷ

Tip 뜨거운 플룸이 상승하는 곳은 밀도가 ❶ 지진파의 속도가 ❷ .
답 ❶ 작으므로 ❷ 느리다

2021 4월 학평 3번 유사

5 그림 (가)는 판 경계와 열점의 분포를, (나)는 A 또는 B 구간의 깊이에 따른 지진파 속도 분포를 나타낸 것이다.

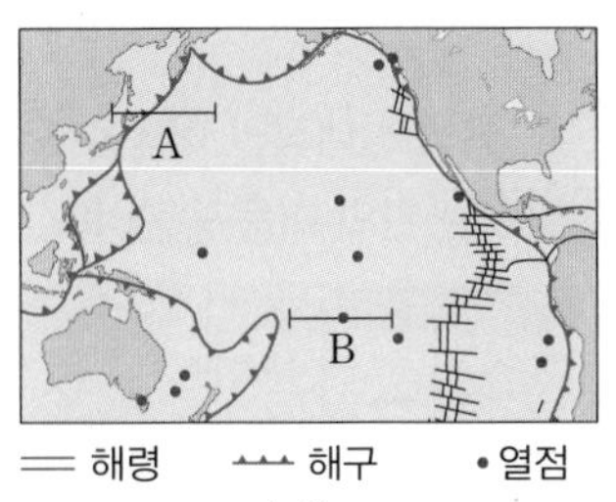

(가)

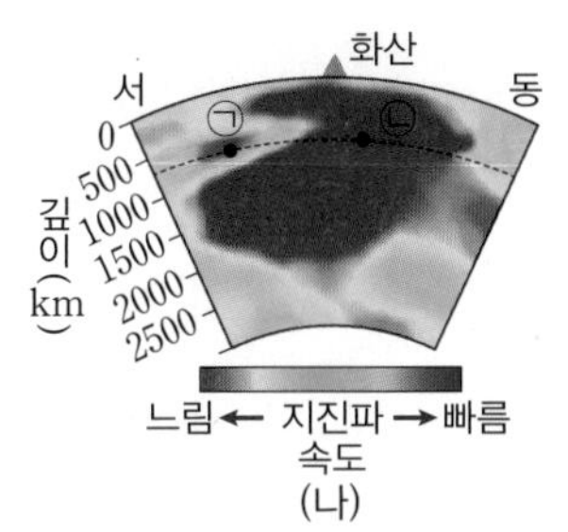

(나)

이에 대한 설명으로 옳은 것만을 ｜보기｜에서 있는 대로 고른 것은?

보기
ㄱ. A 구간에는 뜨거운 플룸의 상승류가 있다.
ㄴ. 온도는 ㉠이 ㉡보다 높다.
ㄷ. (나)는 B 구간의 지진파 속도 분포이다.

① ㄱ ② ㄷ ③ ㄱ, ㄴ ④ ㄴ, ㄷ ⑤ ㄱ, ㄴ, ㄷ

Tip 뜨거운 플룸이 상승하는 지역에서는 맨틀의 온도가 주변보다 ❶ ______아 지진파의 속도가 주변보다 ❷ ______다.

답 ❶ 높 ❷ 느리

6 그림은 해양판과 대륙판이 수렴하는 경계를 나타낸 모식도이다. A, B 지역에 대한 설명으로 옳은 것만을 ｜보기｜에서 있는 대로 고른 것은?

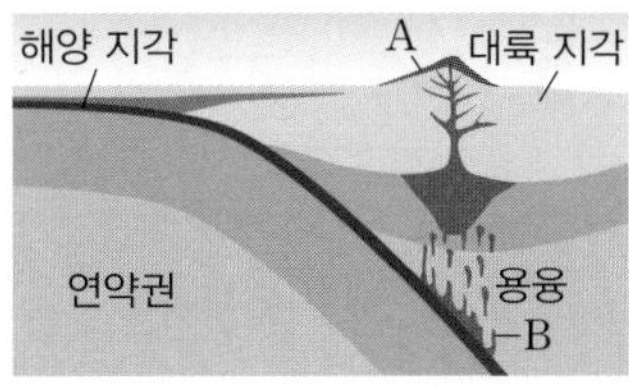

보기
ㄱ. A에 있는 화성암의 SiO_2 함량은 현무암보다 높다.
ㄴ. B의 마그마는 해양 지각이 용융되어 생성된 것이다.
ㄷ. 대륙 지각의 용융점은 B의 마그마 온도보다 낮다.

① ㄱ ② ㄴ ③ ㄱ, ㄷ ④ ㄴ, ㄷ ⑤ ㄱ, ㄴ, ㄷ

Tip 안산암과 유문암에 비해 현무암은 ❶ ______ 함량이 ❷ ______.

답 ❶ SiO_2 ❷ 낮다

2020 6월 학평 7번 유사

7 그림은 화성암 A, B, C를 세 가지 기준으로 분류하여 상대적인 위치를 나타낸 것이다. A, B, C는 각각 유문암, 화강암, 현무암 중 하나이다. 이에 대한 설명으로 옳은 것만을 ｜보기｜에서 있는 대로 고른 것은?

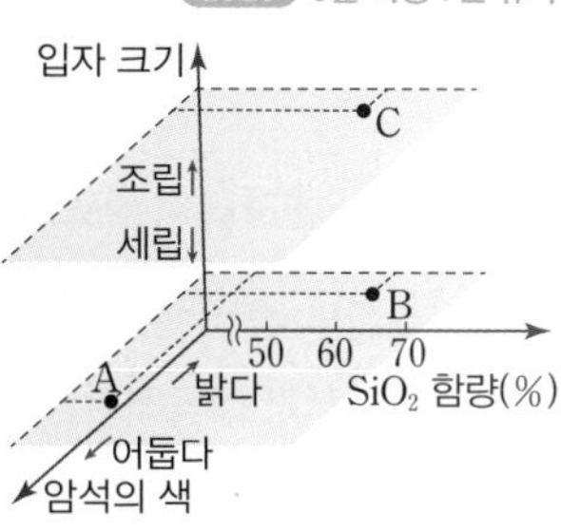

보기
ㄱ. 암석이 생성된 깊이는 A가 C보다 깊다.
ㄴ. 유문암은 B이다.
ㄷ. C는 해령 부근에서 주로 발견된다.

① ㄱ ② ㄴ ③ ㄱ, ㄷ ④ ㄴ, ㄷ ⑤ ㄱ, ㄴ, ㄷ

Tip 현무암, 안산암, 유문암은 세립질인 ❶ ______암이며, 반려암, 섬록암, 화강암은 ❷ ______질인 심성암이다.

답 ❶ 화산 ❷ 조립

8 그림 (가)와 (나)는 각각 일본과 아이슬란드에서 판이 이동하는 방향을 나타낸 것이다.

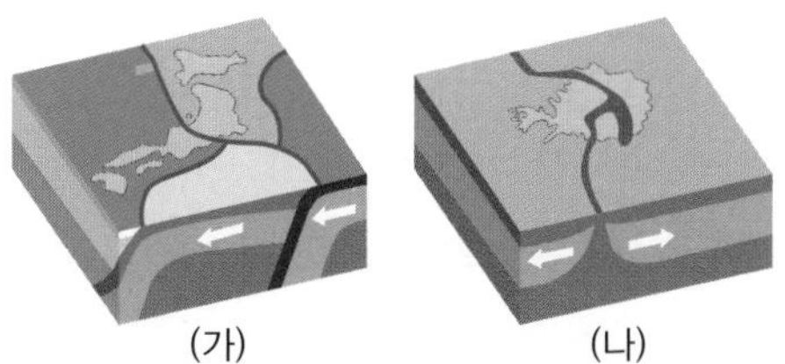
(가) (나)

이에 대한 설명으로 옳은 것만을 ｜보기｜에서 있는 대로 고른 것은?

보기
ㄱ. (가)에는 맨틀 대류의 하강부가 존재한다.
ㄴ. 판 경계 부근에서 해양 지각의 나이는 (가)가 (나)보다 많다.
ㄷ. 섭입하는 해양판이 판을 잡아당기는 힘은 (가)보다 (나)에서 강하게 작용한다.

① ㄱ ② ㄷ ③ ㄱ, ㄴ ④ ㄴ, ㄷ ⑤ ㄱ, ㄴ, ㄷ

Tip 일본은 ❶ ______ 부근의 화산 활동에 의해 형성된 ❷ ______이다.

답 ❶ 해구 ❷ 호상 열도

1강_ 판 구조론과 대륙 분포의 변화

01 그림은 북아메리카 대륙과 유라시아 대륙에서 측정한 고지자기 북극의 위치를 시기별로 나타낸 것이다.

이에 대한 설명으로 옳은 것만을 |보기|에서 있는 대로 고른 것은?

보기
ㄱ. 2억 년 전에는 북아메리카 대륙과 유라시아 대륙 사이의 거리가 현재보다 멀었다.
ㄴ. 3억 년 전에는 지자기 북극이 2개였다.
ㄷ. 북아메리카 대륙에서 측정한 복각은 현재가 2억 년 전보다 크다.

① ㄱ ② ㄷ ③ ㄱ, ㄴ
④ ㄴ, ㄷ ⑤ ㄱ, ㄴ, ㄷ

02 그림은 어느 해양의 해저 지형을 나타낸 것이다.

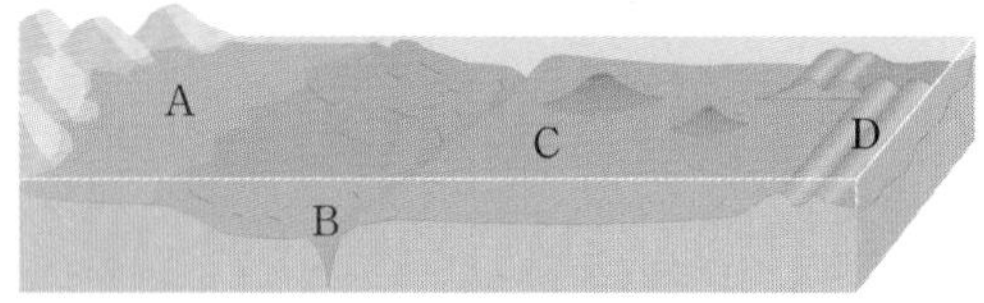

이에 대한 설명으로 옳은 것만을 |보기|에서 있는 대로 고른 것은?

보기
ㄱ. A는 대륙붕, C는 심해저 평원이다.
ㄴ. 음향 측심법을 이용할 때 초음파의 왕복 시간은 B가 D보다 길다.
ㄷ. B와 D는 판의 경계에 해당한다.

① ㄱ ② ㄴ ③ ㄱ, ㄷ
④ ㄴ, ㄷ ⑤ ㄱ, ㄴ, ㄷ

03 그림은 서로 다른 두 판 A, B의 상대적인 이동을 모식적으로 나타낸 것이다. 화살표는 판의 이동 방향이다.

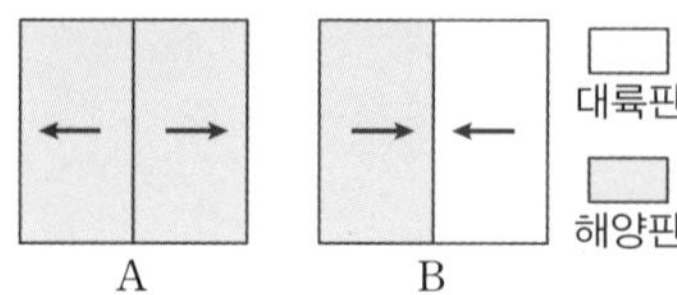

A와 B에 발달하는 해저 지형을 각각 쓰시오.

( )

04 그림은 대륙이 이동하는 모습을 나타낸 것이다.

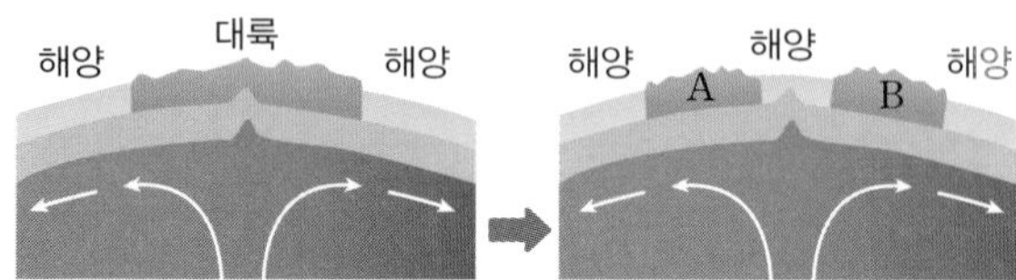

이에 대한 설명으로 옳은 것만을 |보기|에서 있는 대로 고른 것은?

보기
ㄱ. 대륙이 이동하는 원인은 맨틀의 대류이다.
ㄴ. A와 B 사이에는 판의 발산 경계가 존재한다.
ㄷ. 맨틀에서는 열대류가 일어나고 있다.

① ㄱ ② ㄴ ③ ㄱ, ㄷ
④ ㄴ, ㄷ ⑤ ㄱ, ㄴ, ㄷ

05 다음은 판 구조론이 정립되기까지 제시된 이론이다.

A. 맨틀 대류설	B. 대륙 이동설
C. 해양저 확장설	D. 판 구조론

이에 대한 설명으로 옳은 것만을 |보기|에서 있는 대로 고른 것은?

보기
ㄱ. 이론이 등장한 순서는 B → A → C → D이다.
ㄴ. 변환 단층의 발견은 C의 증거가 될 수 있다.
ㄷ. D는 판 내부에서 일어나는 화산 활동을 설명할 수 있다.

① ㄱ ② ㄷ ③ ㄱ, ㄴ
④ ㄴ, ㄷ ⑤ ㄱ, ㄴ, ㄷ

2강_ 판 이동의 원동력과 마그마 활동

06 그림은 지구 내부의 깊이에 따른 온도 분포와 화강암 및 맨틀의 용융 곡선을 나타낸 것이다. ㉠과 ㉡은 각각 물을 포함한 경우와 물을 포함하지 않은 경우의 맨틀 용융 곡선 중 하나이다.

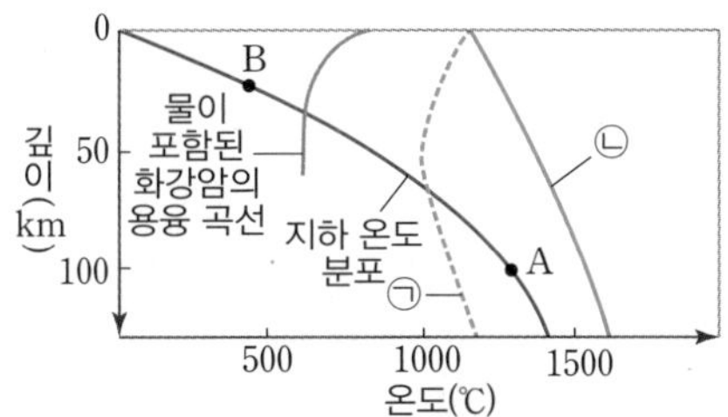

이에 대한 설명으로 옳은 것만을 | 보기 |에서 있는 대로 고른 것은?

| 보기 |

ㄱ. 물을 포함한 맨틀의 용융 곡선은 ㉠이다.
ㄴ. A의 깊이에서 맨틀에 물이 포함되면 맨틀 물질이 용융될 수 있다.
ㄷ. B의 환경에서 온도 변화 없이 압력이 감소하면 마그마가 생성될 수 있다.

① ㄱ ② ㄷ ③ ㄱ, ㄴ
④ ㄴ, ㄷ ⑤ ㄱ, ㄴ, ㄷ

07 그림은 마그마 A, B, C의 생성 장소를 나타낸 것이다.

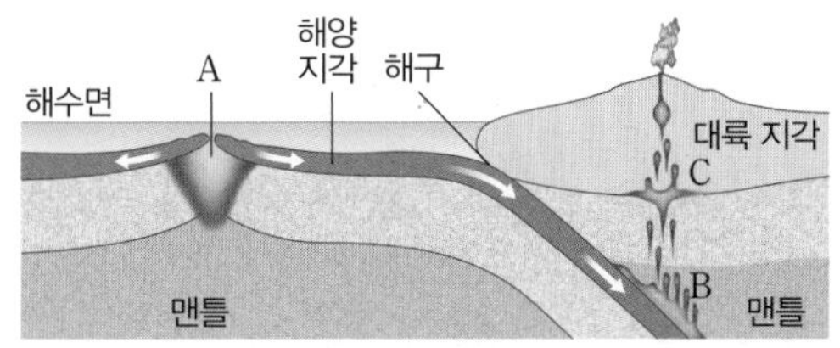

이에 대한 설명으로 옳은 것만을 | 보기 |에서 있는 대로 고른 것은?

| 보기 |

ㄱ. SiO_2 함량은 A가 C보다 높다.
ㄴ. 마그마의 온도는 B가 C보다 높다.
ㄷ. A, B, C 중 압력 감소에 의해 생성된 마그마는 A이다.

① ㄱ ② ㄴ ③ ㄱ, ㄷ
④ ㄴ, ㄷ ⑤ ㄱ, ㄴ, ㄷ

08 그림은 하와이 열도의 모습을 나타낸 것이다. 화산섬 A, B, C를 먼저 생성된 것부터 차례대로 나열하시오.

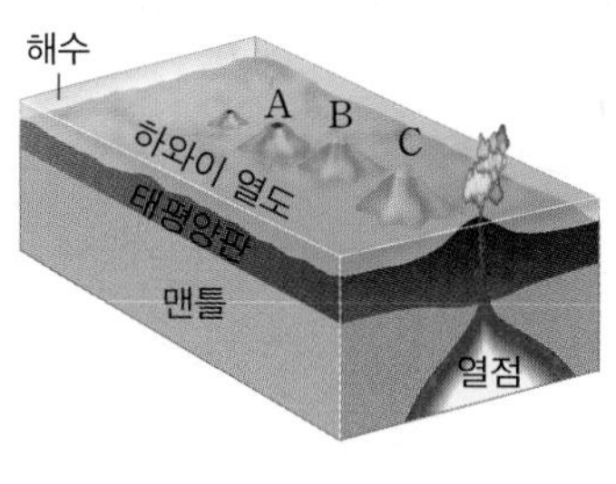

( )

09 그림은 화강암과 현무암을 물리량 A, B에 따라 구분한 것이다. A, B로 적절한 것을 바르게 짝지은 것은?

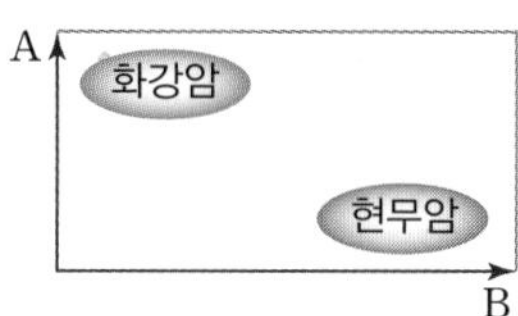

	A	B
①	냉각 속도	결정 크기
②	냉각 속도	SiO_2 함량
③	결정 크기	SiO_2 함량
④	결정 크기	냉각 속도
⑤	SiO_2 함량	결정 크기

10 그림은 플룸 구조론을 모식적으로 나타낸 것이다.

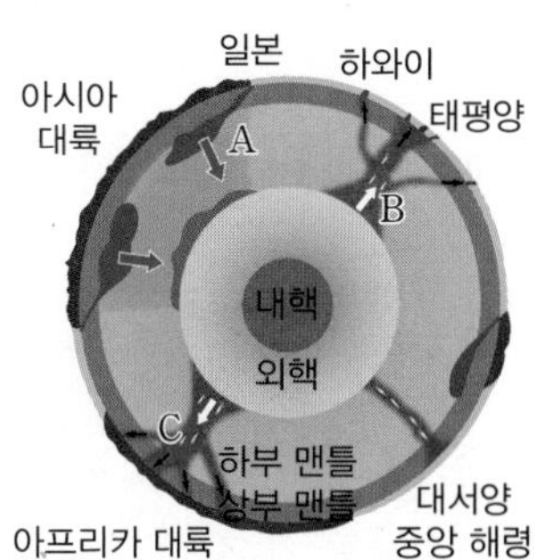

이에 대한 설명으로 옳은 것만을 | 보기 |에서 있는 대로 고른 것은?

| 보기 |

ㄱ. A는 차가운 플룸, B는 뜨거운 플룸이다.
ㄴ. 지진파의 속도는 A가 B보다 빠르다.
ㄷ. 밀도는 A가 C보다 크다.

① ㄱ ② ㄴ ③ ㄱ, ㄷ
④ ㄴ, ㄷ ⑤ ㄱ, ㄴ, ㄷ

창의·융합·코딩 전략

1강_ 판 구조론과 대륙 분포의 변화

2019 11월 학평 4번 유사

01 그림은 해양저의 탐사 결과를 나타낸 것이다.

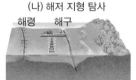

(가) 고지자기 분석

■정자극기 □역자극기

해령과 나란하게 배열된 고지자기 줄무늬를 발견함.

(나) 해저 지형 탐사

해령 해구

해령에서 해구로 갈수록 수심이 깊어진다는 것을 발견함.

이에 대한 설명으로 옳은 것만을 | 보기 | 에서 있는 대로 고른 것은?

| 보기 |

ㄱ. (가)에서 고지자기 줄무늬는 해령을 중심으로 대칭적으로 나타난다.

ㄴ. (나)에서 수심은 해령이 해구보다 얕다.

ㄷ. (가)와 (나)를 이용하여 해양저 확장설을 설명할 수 있다.

① ㄱ ② ㄴ ③ ㄱ, ㄷ
④ ㄴ, ㄷ ⑤ ㄱ, ㄴ, ㄷ

Tip ❶ [   ] 줄무늬는 ❷ [   ]을 축으로 대칭적으로 나타난다. 이를 통해 해령에서 새로운 해양 지각이 생성되어 양쪽으로 확장되고 있음을 알 수 있다.

답 ❶ 고지자기 ❷ 해령

2020 3월 학평 7번 유사

02 다음은 판게아에 대해 학생들이 나눈 대화이다.

판게아가 형성되는 과정에서 히말라야 산맥이 형성되었어.
이 시기에 인도 대륙은 남반구에 위치했어.
판게아는 고생대 초부터 존재했어.
학생 A
학생 B
학생 C

제시한 내용이 옳은 학생만을 있는 대로 고른 것은?

① A ② C ③ A, B
④ B, C ⑤ A, B, C

Tip 판게아는 ❶ [   ] 말에 형성되었으며, 판게아가 형성되는 과정에서 ❷ [   ]산맥과 칼레도니아산맥이 형성되었다.

답 ❶ 고생대 ❷ 애팔래치아

2020 6월 학평 4번 유사

03 다음은 해양 탐사선이 기준점을 출발하여 해양의 중심부 쪽으로 이동하면서, 해저에 음파를 발사하고 음파가 되돌아오는 데 걸리는 시간을 측정하여 해저 지형을 추정하는 탐구 활동이다.

| 탐구 과정 |

(1) 각 위치에서 수심을 계산하여 표에 기록한다.

기준점과의 거리(km)	10	…	25	30	35	40	…	55
음파의 왕복 시간(s)	6.7	…	3.5	2.0	2.4	4.5	…	6.7

(2) 계산한 값을 바탕으로 해저 지형의 모습을 그린다.

| 탐구 결과 |

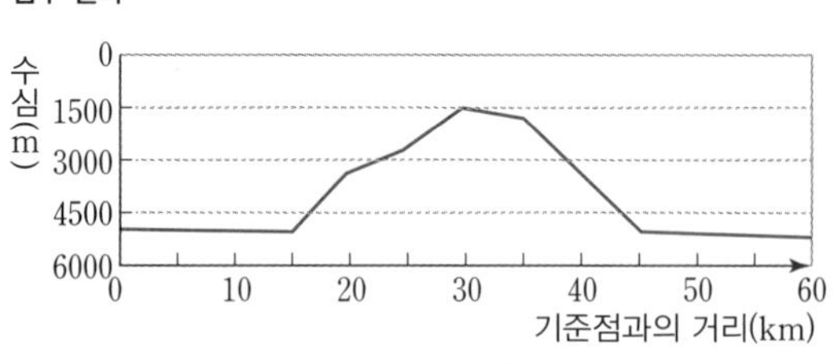

이에 대한 설명으로 옳은 것만을 | 보기 | 에서 있는 대로 고른 것은? (단, 물속에서 음파의 속력은 1500 m/s이다.)

| 보기 |

ㄱ. 음파의 왕복 시간이 길수록 수심이 깊다.

ㄴ. 기준점과의 거리가 35 km인 지점의 수심은 2000 m보다 깊다.

ㄷ. 이 해역에 발달한 해저 지형은 해구이다.

① ㄱ ② ㄴ ③ ㄱ, ㄷ
④ ㄴ, ㄷ ⑤ ㄱ, ㄴ, ㄷ

Tip 음향 측심법에서 해저면에서 반사된 음파가 되돌아오는 데 걸린 시간이 길수록 수심이 ❶ [   ]다. 해령은 주변보다 수심이 얕으며, 해구는 주변보다 수심이 ❷ [   ]다.

답 ❶ 깊 ❷ 깊

2009 수능 2번 유사

04 그림은 아프리카판을 기준으로 주변 판의 상대적인 이동 속도(cm/년)를 나타낸 것이다. 이에 대한 설명으로 옳은 것만을 | 보기 |에서 있는 대로 고른 것은?

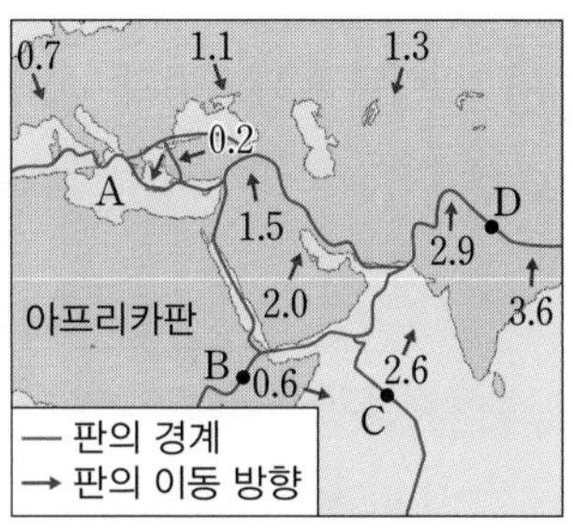

보기

ㄱ. A의 바다는 점점 좁아질 것이다.

ㄴ. B 지역의 하부에서는 맨틀 대류가 하강한다.

ㄷ. 암석의 연령은 C 지역이 D 지역보다 많다.

① ㄱ ② ㄴ ③ ㄱ, ㄷ
④ ㄴ, ㄷ ⑤ ㄱ, ㄴ, ㄷ

Tip 맨틀 대류가 ❶ ______ 하는 발산 경계에서는 새로운 지각이 ❷ ______ 된다.

답 ❶ 상승 ❷ 생성

2015 6월 학평 15번

05 다음은 판 이동의 원리를 알아보기 위한 실험이다.

| 실험 과정 |

(가) 내열 유리그릇에 식용유를 채우고 녹차 잎 조각을 넣은 뒤 잘 섞는다.

(나) 나무판을 식용유에 띄운 후 알코올 램프로 가열한다.

(다) 녹차 잎 조각의 움직임과 나무판의 이동 방향을 확인한다.

| 실험 결과 |

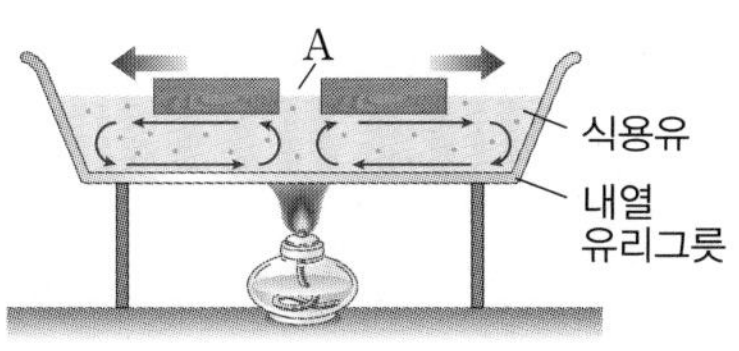

이에 대한 설명으로 옳은 것만을 | 보기 |에서 있는 대로 고른 것은?

보기

ㄱ. 식용유는 맨틀에 해당한다.

ㄴ. 알코올 램프로 가열한 부분에서 식용유는 상승한다.

ㄷ. 해구는 A에 해당하는 판 경계에서 형성될 수 있다.

① ㄱ ② ㄷ ③ ㄱ, ㄴ
④ ㄴ, ㄷ ⑤ ㄱ, ㄴ, ㄷ

Tip 해구는 맨틀 대류가 ❶ ______ 하는 ❷ ______ 경계에서 형성된다.

답 ❶ 하강 ❷ 수렴

2018 6월 모평 10번 유사

06 그림은 서로 다른 두 해역 (가)와 (나)의 해저 퇴적물 시추 코어에서 측정한 잔류 자기의 복각과 자극기를 깊이에 따라 나타낸 것이다. 점선은 두 해저 퇴적물의 절대 연령이 같은 깊이를 연결한 것이다.

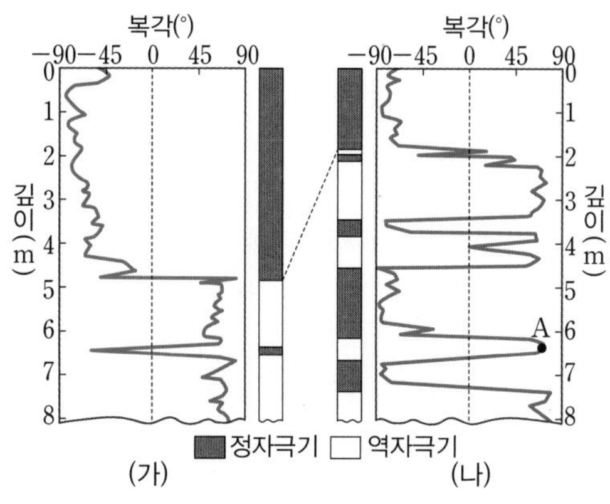

이에 대한 설명으로 옳은 것만을 | 보기 |에서 있는 대로 고른 것은?

보기

ㄱ. (가)에서 깊이 1 m의 해저 퇴적물이 퇴적될 때 자북극은 북반구에 위치하였다.

ㄴ. 깊이 0~6 m의 해저 퇴적물이 퇴적된 기간은 (가)가 (나)보다 길다.

ㄷ. A가 형성될 당시 (나)는 남반구에 위치하였다.

① ㄱ ② ㄴ ③ ㄱ, ㄷ
④ ㄴ, ㄷ ⑤ ㄱ, ㄴ, ㄷ

Tip ❶ ______ 일 때 복각은 북반구에서 (+) 값을, 남반구에서 (−) 값을 갖는다. 정자극기일 때 자북극은 북반구에, 역자극기일 때 자북극은 ❷ ______ 에 위치한다.

답 ❶ 정자극기 ❷ 남반구

2강_ 판 이동의 원동력과 마그마 활동

2008 6월 모평 19번 유사

07 다음은 해양판 위에 심해저 퇴적층이 퇴적되는 과정을 알아보기 위한 탐구이다.

탐구 과정

(가) 눈의 크기가 균일한 체에 모래를 담는다.

(나) 컨베이어 벨트를 가동시킨다.

(다) 그림과 같이 모래가 컨베이어 벨트 전체에 떨어지도록 체를 흔든다.

(라) 컨베이어 벨트가 한 바퀴 이상 회전하면 정지시키고 쌓인 모래의 두께를 관찰한다.

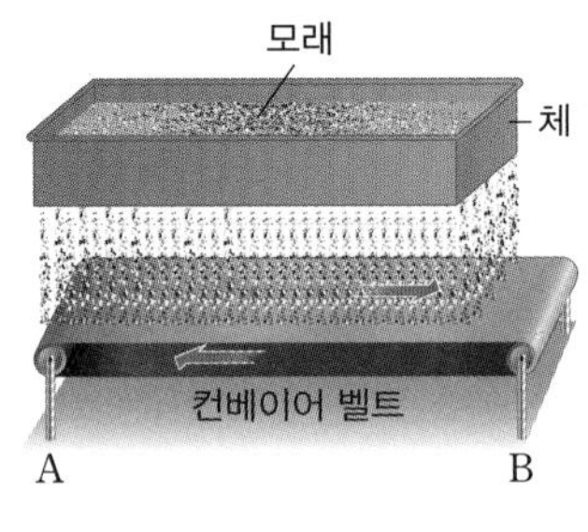

이에 대한 설명으로 옳은 것만을 | 보기 | 에서 있는 대로 고른 것은?

보기

ㄱ. A에서 B로 갈수록 쌓인 모래의 두께가 두껍다.

ㄴ. 컨베이어 벨트의 이동 속도가 빠를수록 A와 B에 쌓인 모래의 두께 차가 커진다.

ㄷ. 이 실험을 통해 해령으로부터 멀어질수록 심해저 퇴적층이 두꺼워지는 이유를 설명할 수 있다.

① ㄱ ② ㄴ ③ ㄱ, ㄷ ④ ㄴ, ㄷ ⑤ ㄱ, ㄴ, ㄷ

Tip ❶ [ ]에서 생성된 판은 양쪽으로 멀어지며, 판이 이동하는 동안 해저 퇴적물이 퇴적되므로, 해령에서 멀어질수록 심해저 퇴적물의 두께가 ❷ [ ]진다.

답 ❶ 해령 ❷ 두꺼워

2007 수능 3번 유사

08 그림은 특징에 따라 화성암을 분류한 과정을 나타낸 것이다.

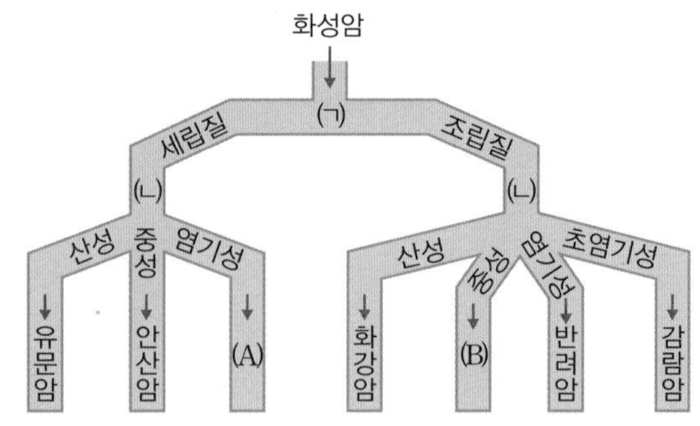

이에 대한 설명으로 옳은 것을 | 보기 | 에서 모두 고른 것은?

보기

ㄱ. (ㄱ)은 입자의 크기에 따라 분류한 것이다.

ㄴ. (ㄴ)은 SiO_2 함량에 따라 분류한 것이다.

ㄷ. A는 현무암, B는 섬록암에 해당한다.

① ㄱ ② ㄴ ③ ㄱ, ㄷ ④ ㄴ, ㄷ ⑤ ㄱ, ㄴ, ㄷ

Tip 화성암은 입자의 ❶ [ ] 및 ❷ [ ] 함량에 따라 구분한다.

답 ❶ 크기 ❷ SiO_2

2007 수능 2번 유사

09 그림 (가)는 하와이 열도의 위치를, (나)는 하와이섬의 화성 활동을 나타낸 모식도이다.

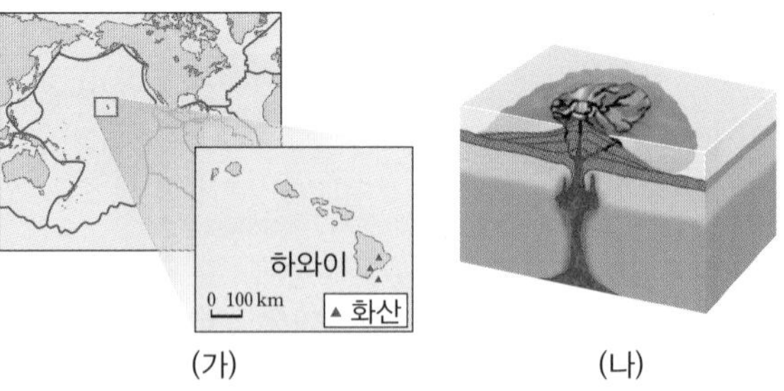

(가) (나)

이에 대한 설명으로 옳은 것을 | 보기 | 에서 모두 고른 것은?

보기

ㄱ. 뜨거운 플룸의 상승부에 위치한다.

ㄴ. 습곡 산맥이 발달해 있다.

ㄷ. 해령의 열곡을 따라 분포한다.

① ㄱ ② ㄴ ③ ㄱ, ㄷ ④ ㄴ, ㄷ ⑤ ㄱ, ㄴ, ㄷ

Tip 열점은 뜨거운 플룸이 ❶ [ ]하는 지역에 발달하며, ❷ [ ]를 생성하기도 한다.

답 ❶ 상승 ❷ 열도

2021 3월 학평 1번

10 **다음은 플룸 상승류를 관찰하기 위한 모형 실험이다.**

| 실험 과정 |

(가) 그림 Ⅰ과 같이 찬물을 담은 비커 바닥에 스포이트로 잉크를 조금씩 떨어뜨린다.

(나) 그림 Ⅱ와 같이 잉크가 가라앉은 부분을 촛불로 가열한다.

(다) 비커에서 잉크가 움직이는 모양을 관찰한다.

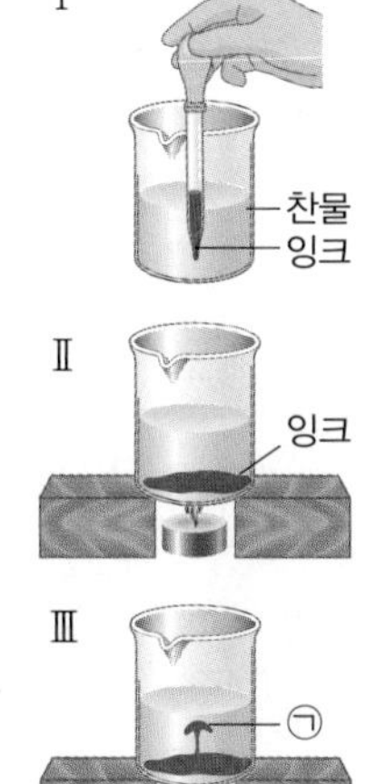

| 실험 결과 |

• 그림 Ⅲ과 같이 바닥에 가라앉은 잉크 일부가 버섯 모양으로 상승하는 모습이 나타났다.

이 실험 결과에 대한 설명으로 옳은 것만을 | 보기 |에서 있는 대로 고른 것은?

| 보기 |

ㄱ. 밀도는 ㉠이 주변의 찬물보다 작다.

ㄴ. ㉠과 같은 잉크의 움직임은 주로 대륙 지각 하부에서 나타난다.

ㄷ. 잉크와 비커 바닥의 경계 부분은 지구에서 지각과 맨틀의 경계에 해당한다.

① ㄱ ② ㄴ ③ ㄱ, ㄷ
④ ㄴ, ㄷ ⑤ ㄱ, ㄴ, ㄷ

Tip 뜨거운 플룸은 ❶ ______과 맨틀의 경계 부근에서 밀도가 작아진 맨틀 물질이 상승하면서 만들어지며, 뜨거운 플룸이 상승하는 지역에는 ❷ ______이나 해령이 발달한다.

답 ❶ (외)핵 ❷ 열점

11 **그림은 마그마를 현무암질, 유문암질, 안산암질로 구분하는 과정을 나타낸 것이다. 이에 대한 설명으로 옳은 것만을 | 보기 |에서 있는 대로 고른 것은?**

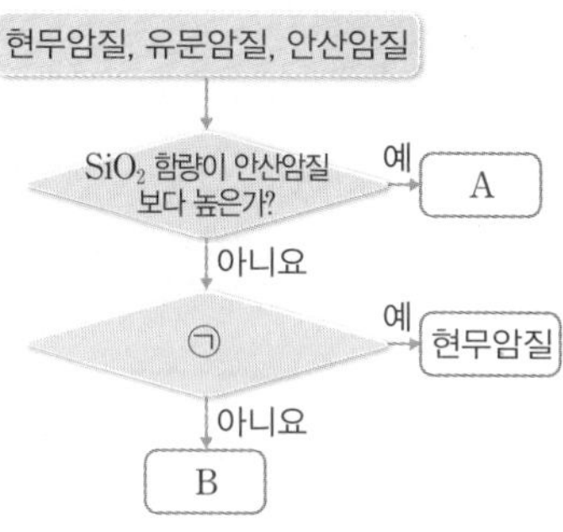

| 보기 |

ㄱ. A는 유문암질이다.

ㄴ. '해령 하부에서 압력 감소에 의해 맨틀 물질이 녹아 생성되는가?'는 ㉠에 해당한다.

ㄷ. 마그마의 점성은 A가 B보다 크다.

① ㄱ ② ㄴ ③ ㄱ, ㄷ
④ ㄴ, ㄷ ⑤ ㄱ, ㄴ, ㄷ

Tip 마그마는 SiO_2 함량에 따라 구분하며, SiO_2 함량이 52 % 이하이면 ❶ ______, ❷ ______ % 이상이면 유문암질 마그마이다.

답 ❶ 현무암질 ❷ 63

2005 수능 6번 유사

12 **그림 (가)는 해령 부근의 단면을 나타낸 것이고, (나)는 해양 지각의 연령과 수심과의 관계를 나타낸 것이다.**

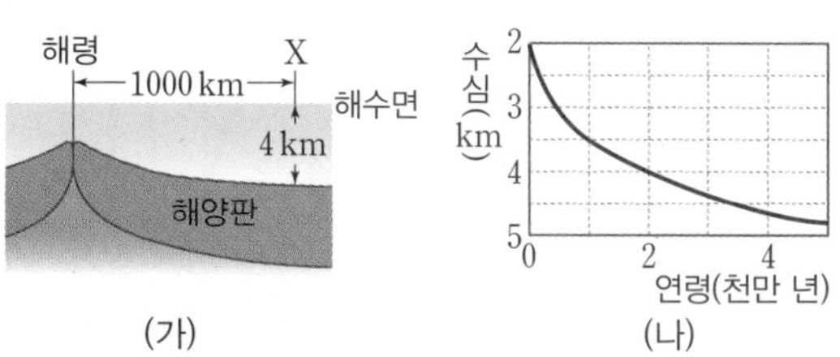

이에 대한 설명으로 옳은 것만을 | 보기 |에서 있는 대로 고른 것은?

| 보기 |

ㄱ. 해령으로부터 멀어질수록 수심은 깊어진다.

ㄴ. X 지점의 해양 지각 연령은 약 2천만 년이다.

ㄷ. X 지점의 침강 속도는 점차 빨라지고 있다.

① ㄱ ② ㄷ ③ ㄱ, ㄴ
④ ㄴ, ㄷ ⑤ ㄱ, ㄴ, ㄷ

Tip 해령으로부터 멀어질수록 수심은 ❶ ______지고, 해양 지각의 연령은 ❷ ______진다.

답 ❶ 깊어 ❷ 많아

WEEK

2 Ⅱ 지구의 역사

3강_ 퇴적암과 지질 구조

학습할 내용	3강_ 퇴적암과 지질 구조	• 퇴적암 • 습곡 • 단층 • 부정합
	4강_ 지구의 역사	• 지사학의 법칙 • 상대 연령과 절대 연령 • 화석 • 지질 시대

4강_ 지구의 역사

개념 돌파 전략 ①

개념 1 퇴적암의 생성 과정

1 **퇴적암** 퇴적물이 쌓이고 다져져 굳어진 암석

2 **퇴적암의 생성**

- 풍화 작용 ➡ 침식 · 운반 작용 ➡ 퇴적 작용 ➡ ❶ ( ) 작용 ➡ 퇴적암
- 속성 작용
  - 다짐 작용: 퇴적물이 쌓이면서 퇴적물 사이의 공극이 줄어들며, 치밀하고 단단해짐
  - ❷ ( ) 작용: 퇴적물 입자 사이의 간격을 메우고 서로 붙여주는 과정

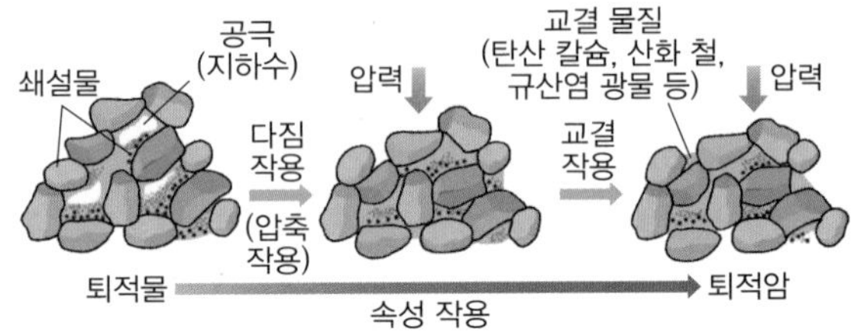

답 ❶ 속성 ❷ 교결

확인 Q 1

퇴적물이 퇴적암이 되기까지의 모든 과정을 무엇이라고 하는가?

개념 2 퇴적암의 종류

■ **퇴적물의 기원, 퇴적암의 생성 과정에 따라 구분**

구분	생성 과정	퇴적물	퇴적암
쇄설성 퇴적암	암석이 풍화 · 침식 작용을 받아 생긴 쇄설성 퇴적물이나 화산 쇄설물이 쌓여 생성	자갈, 모래, 점토	역암
		모래, 점토	사암
		점토	셰일
		화산재	응회암
❶ ( ) 퇴적암	호수나 바다 등에서 물에 녹아 있던 물질이 화학적으로 침전되거나 물이 증발하면서 침전되어 생성	탄산 칼슘	❷ ( )
		규질	처트
		염화 나트륨	암염
유기적 퇴적암	동식물이나 미생물의 유해가 쌓여 생성	식물체	석탄
		석회질 생물체	석회암
		규질 생물체	처트

답 ❶ 화학적 ❷ 석회암

확인 Q 2

동식물이나 미생물의 유해가 퇴적되어 생성된 퇴적암은 (   ) 퇴적암이다.

개념 3 퇴적 구조

1 **퇴적 구조** 퇴적 당시의 환경, 지층의 상하 관계와 역전 여부 등을 알 수 있음

2 **퇴적 구조의 종류와 특징**

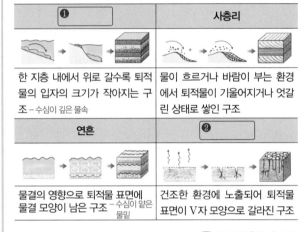

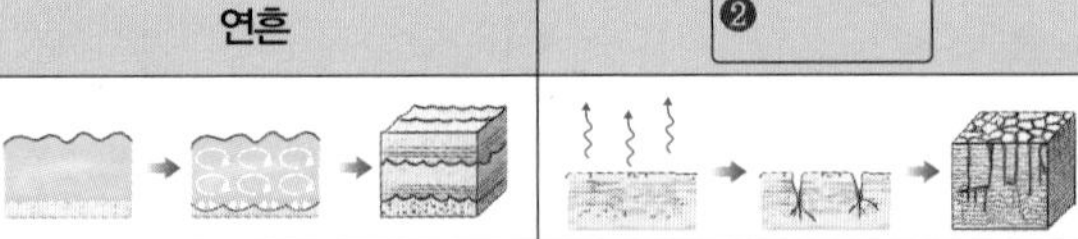

❶ ( )	사층리
한 지층 내에서 위로 갈수록 퇴적물의 입자의 크기가 작아지는 구조 – 수심이 깊은 물속	물이 흐르거나 바람이 부는 환경에서 퇴적물이 기울어지거나 엇갈린 상태로 쌓인 구조
연흔	**❷ ( )**
물결의 영향으로 퇴적물 표면에 물결 모양이 남은 구조 – 수심이 얕은 물밑	건조한 환경에 노출되어 퇴적물 표면이 V자 모양으로 갈라진 구조

답 ❶ 점이 층리 ❷ 건열

확인 Q 3

물이 흐르거나 바람이 부는 환경에서 퇴적물이 기울어지거나 엇갈린 상태로 쌓인 구조를 무엇이라고 하는가?

개념 4 퇴적 환경

1 **육상 환경** 육지 내의 퇴적 환경으로, 하천, 호수, 사막, 범람원, ❶ ( ) 등이 있음

2 **연안 환경** 육상 환경과 해양 환경 사이에 있는 곳으로, ❷ ( ), 해빈, 사주, 강 하구 등이 있음

3 **해양 환경** 가장 넓은 면적을 차지하는 퇴적 환경으로, 대륙붕, 대륙 사면, 대륙대, 심해저 등이 있음

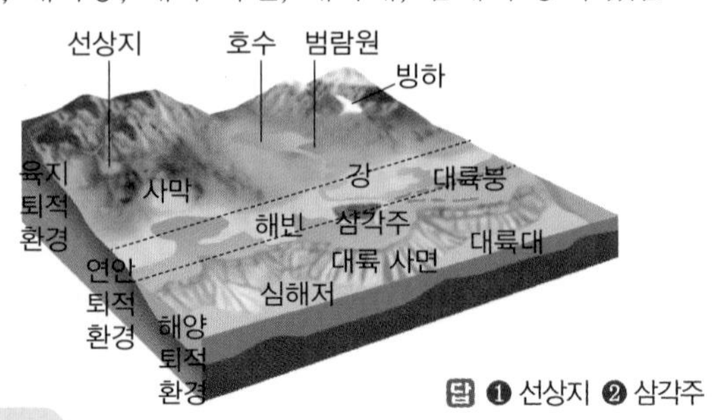

답 ❶ 선상지 ❷ 삼각주

확인 Q 4

삼각주나 강 하구 등은 퇴적 환경 중 (   ) 환경에 해당한다.

개념 5 습곡과 단층

1 **습곡** 지층이 ❶ ______ 을 받아 휘어진 지질 구조

정습곡	경사 습곡	횡와 습곡
습곡축을 포함하는 면		
습곡축면이 수평면에 대해 거의 수직인 습곡	습곡축면이 수직에서 기울어진 습곡	습곡축면이 거의 수평으로 누운 습곡

2 **단층** 단층면 위쪽에 놓인 부분은 ❷ ______, 아래쪽에 놓인 부분은 하반이라고 함

정단층	역단층	주향 이동 단층
하반 / 상반	상반 / 하반	
장력이 작용하여 상반이 아래로 이동한 단층	횡압력이 작용하여 상반이 위로 이동한 단층	수평 방향으로 힘이 작용하여 지층이 수평으로 이동한 단층

답 ❶ 횡압력 ❷ 상반

확인 Q5

습곡과 역단층은 모두 (장력 , 횡압력)을 받아 형성된 지질 구조이다.

개념 6 절리

1 **절리** 암석 내에 형성된 틈이나 균열

❶ ______	판상 절리
• 다각형 기둥 모양 • 화산암에서 잘 나타남 • 지표로 분출한 용암이 빠르게 냉각되는 과정에서 수축에 의해 형성	• 얇은 판 모양의 절리 • 심성암에서 잘 나타남 • 암석이 융기할 때 압력이 ❷ ______ 하면서 팽창하여 형성

답 ❶ 주상 절리 ❷ 감소

확인 Q6

지표로 분출한 용암이 빠르게 냉각되는 과정에서 수축이 일어나 생성되는 절리는 무엇인가?

개념 7 관입과 포획

1 **관입** 지하에서 마그마가 지층 사이를 뚫고 들어가 ❶ ______ 으로 굳어진 구조

2 **포획** 마그마가 ❷ ______ 할 때 주위의 암석이나 지층의 조각이 떨어져 나와 마그마에 포함되어 굳은 구조

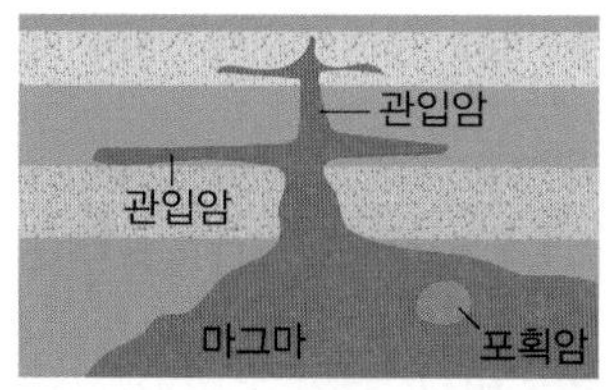

답 ❶ 화성암 ❷ 관입

확인 Q7

관입암에서 포획암이 발견되었을 때, 관입암과 포획암 중 먼저 생성된 암석은 무엇인가?

개념 8 부정합

1 **부정합** 상하 지층 사이에 큰 시간 차이가 있는 불연속적인 두 지층의 관계

2 **부정합의 형성 과정** 퇴적 ➡ 융기 ➡ 풍화 · 침식 ➡ ❶ ______ 및 퇴적

3 **부정합의 종류**

종류	그림	설명
평행 부정합		• 부정합면을 경계로 상하 지층이 나란한 부정합 • 대부분 조륙 운동을 받은 지층에서 나타난다.
❷ ______ 부정합		• 부정합면 아래 지층이 경사져 있는 부정합 • 대부분 조산 운동을 받은 지층에서 나타난다.
난정합	심성암	• 지하에서 형성된 심성암이나 변성암이 지표까지 융기하여 침식되고 그 위에 지층이 퇴적되어 생긴 부정합

답 ❶ 침강 ❷ 경사

확인 Q8

부정합이 형성되기 위해서는 지층의 (   )로 인해 풍화 · 침식 작용을 받은 후 침강이 일어나야 한다.

WEEK 2 DAY 1

개념 돌파 전략 ①

4강_ 지구의 역사

개념 1 지사학의 법칙

1 **수평 퇴적의 법칙** 퇴적물은 수평으로 퇴적된다.

2 **지층 누중의 법칙** 먼저 퇴적된 지층이 나중에 퇴적된 지층보다 ❶ [ ] 에 위치한다.

3 **관입의 법칙** 관입한 암석은 관입 당한 암석보다 ❷ [ ] 에 생성되었다.

4 **부정합의 법칙** 부정합면을 기준으로 위아래 지층 사이에는 긴 시간 간격이 있다.

5 **동물군 천이의 법칙** 퇴적 시기가 다른 지층에서 발견되는 화석의 종류와 진화 정도가 다르다.

답 ❶ 아래 ❷ 나중

확인 Q 1

오래된 지층에서 새로운 지층으로 갈수록 더 복잡하고 진화된 화석이 발견된다는 지사학의 법칙은 (   )의 법칙이다.

개념 2 상대 연령

1 **상대 연령** 지층이나 암석의 생성 시기 및 지질학적 사건을 상대적인 선후 관계로 나타낸 것

2 **지층의 대비**

- 암상에 의한 대비: 암석의 종류나 성분, 조직, 퇴적 구조 등을 이용하여 지층의 선후 관계를 파악하는 방법. 비교적 ❶ [ ] 거리에 있는 지층의 대비에 이용
  - * **건층(열쇠층)**: 석탄층, 응회암층과 같이 비교적 짧은 시간 동안 넓은 지역에서 동시에 퇴적되어 뚜렷한 특징을 지닌 지층 ➡ 지층 대비의 기준이 됨
- 화석에 의한 대비: 특정한 시기의 지층에서만 발견되는 화석을 이용하여 지층의 선후 관계를 파악하는 방법. 가까운 거리뿐만 아니라 멀리 떨어져 있는 지층의 대비에도 이용됨. 동물군 천이의 법칙과 ❷ [ ] 을 이용

답 ❶ 가까운 ❷ 표준 화석

확인 Q 2

비교적 짧은 시간 동안 넓은 지역에서 동시에 퇴적되어 뚜렷한 특징을 지닌 지층으로, 지층 대비의 기준이 되는 지층을 무엇이라고 하는가?

개념 3 절대 연령

1 **절대 연령** 지층이나 암석의 생성 시기 및 지질학적 사건의 발생 시기를 수치로 나타낸 것 ➡ 방사성 동위 원소의 ❶ [ ] 를 이용하여 알아냄

- 방사성 동위 원소: 외부의 온도나 압력 조건에 관계없이 항상 일정한 비율로 붕괴하여 안정한 원소로 변함
- 반감기: 방사성 동위 원소가 붕괴하여 ❷ [ ] 의 양이 처음 양의 반으로 줄어드는 데 걸리는 시간

2 **방사성 동위 원소의 붕괴 곡선**

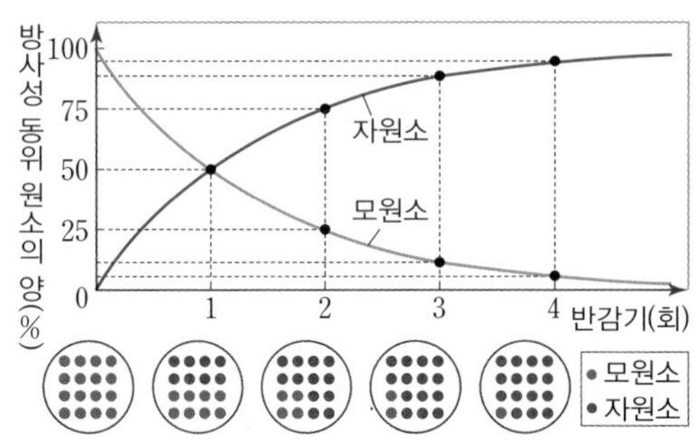

답 ❶ 반감기 ❷ 모원소

확인 Q 3

어느 암석에 반감기가 T인 어느 방사성 원소가 처음 양의 $\frac{1}{4}$이 남아 있을 때, 이 암석의 절대 연령은 (   )이다.

개념 4 표준 화석과 시상 화석

1 **표준 화석** 특정 시기에 출현하여 일정 기간 번성하다가 멸종한 생물의 화석

- 분포 면적이 넓고 개체 수가 많으며 생존 기간이 짧아야 함 예 삼엽충(고생대), 공룡(중생대), 매머드(❶ [ ])

2 **시상 화석** 환경 변화에 민감하여 특정한 환경에서만 번성하는 생물의 화석

- 지리적으로 좁은 특정한 환경에서만 분포하며, 생존 기간이 ❷ [ ] 함 예 산호(수심이 얕은 따뜻한 바다), 고사리(따뜻하고 습한 육지)

답 ❶ 신생대 ❷ 길어야

확인 Q 4

시상 화석은 표준 화석에 비해 분포 면적이 (넓 , 좁)다.

개념 5 고기후 연구 방법

1 **산소 동위 원소비($\frac{^{18}O}{^{16}O}$) 연구** 빙하를 구성하는 물 분자, 유공충과 같은 화석, 석회 동굴의 석순 등에 포함된 산소 동위 원소비($\frac{^{18}O}{^{16}O}$)를 연구하여 과거의 기후를 알 수 있음

2 **빙하 코어 연구** 빙하 형성 당시의 ❶ [ ]을 알 수 있음

3 ❷ [ ] **분석** 식물의 종류나 번성했던 식물을 통해 과거의 기온을 알 수 있음

4 **나무의 나이테 연구** 나이테의 밀도와 폭을 조사하여 기온과 강수량의 변화를 알 수 있음

5 **산호의 성장률 연구** 수온이 높을수록 산호의 성장 속도가 빠르므로 과거의 수온을 알 수 있음

답 ❶ 대기 조성 ❷ 꽃가루

확인 Q 5

한랭한 시기에는 온난한 시기에 비해 무거운 ^{18}O의 증발량이 ^{16}O에 비해 상대적으로 감소하므로 빙하의 산소 동위 원소비 ($\frac{^{18}O}{^{16}O}$)가 (커 , 작아)진다.

개념 6 지질 시대의 구분

1 **지질 시대** 지구가 생긴 이후 지질 활동이 있었던 모든 시기

- 구분 기준: 고생물의 출현과 멸종, 지각 변동, 기후 변화 등
- 구분 단위: 누대 ➡ ❶ [ ] ➡ 기

2 **지질 시대의 구분**

시생 누대	원생 누대	현생 누대											
		고생대						중생대			신생대		
선캄브리아 시대		캄브리아기	오르도비스기	실루리아기	데본기	석탄기	페름기	트라이아스기	쥐라기	백악기	팔레오기	네오기	제4기

▲46억 년 전 ▲5.41억 년 전 ▲2.52억 년 전 ▲6600만 년 전

- 선캄브리아 시대 ➡ 고생대 ➡ 중생대 ➡ 신생대로 올수록 지질 시대의 길이가 ❷ [ ]

답 ❶ 대 ❷ 짧아

확인 Q 6

지질 시대의 길이는 현재와 가까운 지질 시대일수록 (길어 , 짧아)진다.

개념 7 지질 시대의 환경과 생물

1 선캄브리아 시대

구분		
환경	오존층 형성 이전 시기로 지표까지 강한 자외선이 도달하여 대부분의 생물이 바다에 서식	
번성한 생물	• 화석이 거의 발견되지 않는다. ➡ 지각 변동을 받아 대부분의 화석이 변형되거나 소실되었다.	
	시생 누대	❶ [ ] 출현
	원생 누대	다세포 생물 출현

2 고생대

구분		
환경	• 오존층 형성으로 자외선 차단 ➡ 육상 생물 등장 • 고생대 말기에 판게아 형성 ➡ 판의 충돌로 여러 차례 조산 운동이 발생	
기후	대체로 온난하다가 후기에 빙하기	
번성한 생물	해양 무척추동물(삼엽충), 양서류, 양치식물 번성	
	캄브리아기	삼엽충, 완족류 등
	오르도비스기	두족류, 필석류 등
	실루리아기	갑주어 번성, ❷ [ ] 출현
	데본기	어류 번성, 양서류 출현
	석탄기	양서류 번성, 파충류 출현, 양치식물 번성(석탄층 형성)
	페름기	겉씨식물 출현, 생물의 대멸종

3 중생대

구분		
환경	트라이아스기 말부터 판게아 분리 ➡ 다양한 생물 서식지 형성	
기후	빙하기가 없는 온난한 기후 지속	
번성한 생물	파충류(공룡), 암모나이트, ❸ [ ]식물 번성	
	트라이아스기	암모나이트, 파충류, 겉씨식물 번성, 말기에 포유류 출현
	쥐라기	육지에서 파충류(공룡) 번성, 말기에 시조새 출현
	백악기	속씨식물 출현, 말기에 생물의 대멸종

4 신생대

구분		
환경	오늘날과 비슷한 수륙 분포 형성, ❹ [ ]산맥 형성	
기후	팔레오기와 네오기는 대체로 온난 제4기부터 빙하기와 간빙기가 반복	
번성한 생물	포유류, 화폐석, 속씨식물 번성	
	팔레오기, 네오기	겉씨식물 쇠퇴, 속씨식물 번성, 조류 출현, 포유류 번성, 화폐석 출현 및 멸종
	제4기	대형 포유류(매머드) 번성, 인류의 조상 출현

답 ❶ 남세균 ❷ 육상 식물 ❸ 겉씨 ❹ 히말라야

확인 Q 7

중생대는 (   )가 없었던 온난한 기후였으며, 가장 큰 규모의 대멸종은 (   ) 말에 일어났다.

개념 돌파 전략 ②

3강_ 퇴적암과 지질 구조

1 그림은 어느 지역의 지질 단면도를 나타낸 것이다. 지층 A, B, C에 대한 설명으로 옳지 않은 것은?

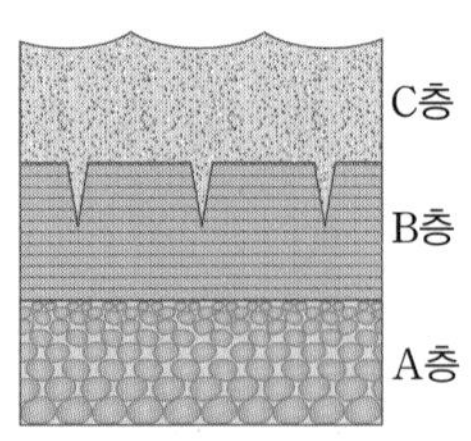

① A에서는 점이 층리가 나타난다.
② A는 B보다 수심이 깊은 곳에서 잘 형성된다.
③ B는 형성 과정 중 수면 위로 노출된 적이 있다.
④ C층의 퇴적 구조를 통해 퇴적 당시 물이 흐른 방향을 알 수 있다.
⑤ 이 지역의 지층은 역전되지 않았다.

문제 해결 전략

한 지층 내에서 위로 갈수록 퇴적물의 입자 크기가 ❶ ______ 지는 퇴적 구조는 점이 층리이며, 대체로 수심이 깊은 곳에서 잘 형성된다. ❷ ______ 는 퇴적물이 기울어지거나 엇갈린 상태로 퇴적된 구조로, 물이나 바람의 이동 방향을 알 수 있다.

답 ❶ 작아 ❷ 사층리

2 그림은 수평으로 쌓인 지층이 어떤 힘을 받아 형성된 지질 구조 A와 B를 나타낸 것이다. 이에 대한 설명으로 옳지 않은 것은?

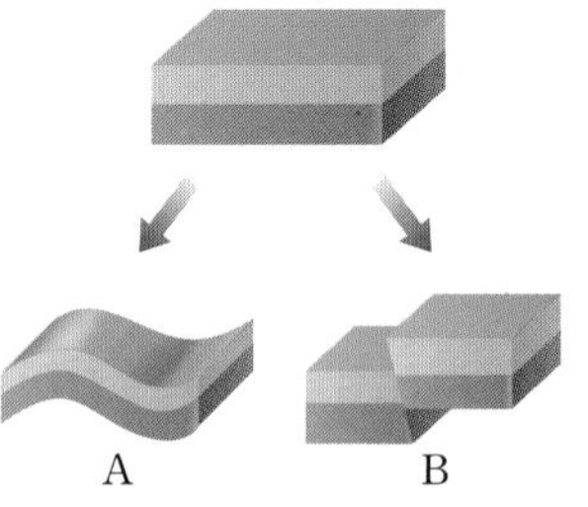

① A는 습곡이다.
② A는 주로 발산 경계보다 수렴 경계 부근에서 발달한다.
③ B는 단층면을 경계로 상반이 하반보다 아래에 위치한다.
④ B는 역단층이다.
⑤ A와 B는 모두 형성 과정에서 횡압력을 받았다.

문제 해결 전략

습곡은 지층이 ❶ ______ 을 받아 형성된다. 단층면에 대해 상반이 하반보다 아래에 위치하면 정단층, 상반이 하반보다 위에 위치하면 역단층이며, 정단층은 장력이 작용하는 ❷ ______ 경계 부근에서, 역단층은 횡압력이 작용하는 수렴 경계 부근에서 잘 형성된다.

답 ❶ 횡압력 ❷ 발산

3 그림은 어느 지역의 지질 단면도를 나타낸 것이다. 이 지역에 대한 설명으로 옳지 않은 것은?

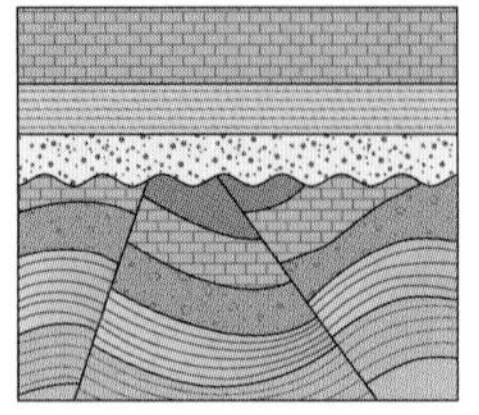

① 역단층이 나타난다.
② 횡압력을 받은 적이 있다.
③ 평행 부정합이 나타난다.
④ 수면 위로 융기한 적이 있다.
⑤ 습곡 작용을 받은 후 단층이 만들어졌다.

문제 해결 전략

부정합이 형성되기 위해서는 융기 → 풍화·침식 → 침강의 과정이 필요하며, 수면 위로 융기된 기간 동안 새로운 지층이 퇴적되지 않고 ❶ ______ 이 일어난다. ❷ ______ 은 부정합면을 경계로 상하 지층이 나란한 부정합이다.

답 ❶ 침식 ❷ 평행 부정합

4강_ 지구의 역사

4 그림은 어느 지역에 분포하는 지층의 단면을 나타낸 것이다. 이 지역의 지층은 역전되지 않았다. 이에 대한 설명으로 옳은 것만을 |보기|에서 있는 대로 고른 것은?

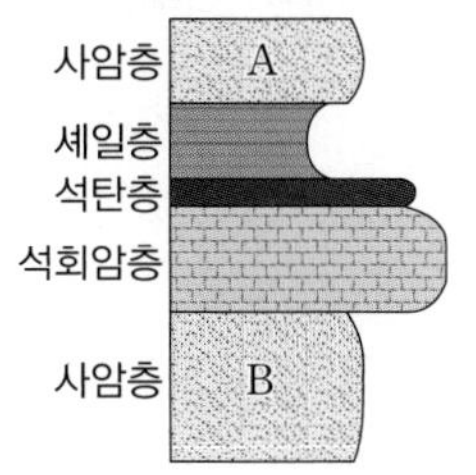

보기
ㄱ. A는 B보다 나중에 생성되었다.
ㄴ. 건층으로 가장 적당한 지층은 셰일층이다.
ㄷ. 석회암층의 절대 연령은 방사성 동위 원소의 반감기를 이용하여 구할 수 있다.

① ㄱ ② ㄷ ③ ㄱ, ㄴ
④ ㄴ, ㄷ ⑤ ㄱ, ㄴ, ㄷ

문제 해결 전략

지층의 ❶ ☐ 연령은 지층의 대비를 통해 알 수 있으며, 건층이나 화석을 이용한다. 지층 누중의 법칙에 따르면 먼저 퇴적된 지층이 나중에 퇴적된 지층보다 아래에 위치하며, 관입의 법칙에 따르면 관입한 암석은 관입당한 암석보다 ❷ ☐에 생성된 것이다.

답 ❶ 상대 ❷ 나중

5 그림은 시간에 따른 방사성 동위 원소 X와 X의 붕괴로 생성된 Y의 양(%)을 나타낸 것이다. 이에 대한 설명으로 옳지 않은 것은?

① X는 모원소, Y는 자원소이다.
② X는 ㉡이다.
③ X의 반감기는 T이다.
④ 반감기가 2번 지났을 때 X는 처음 양의 25 %가 남아 있다.
⑤ 반감기가 3번 지났을 때 X와 Y의 비는 1 : 7이다.

문제 해결 전략

반감기는 방사성 동위 원소가 붕괴하여 처음 양의 ❶ ☐으로 줄어드는 데 걸리는 시간이다. 어느 암석에 반감기가 T인 방사성 원소가 처음 양의 25 %가 남아 있다면 이 암석의 절대 연령은 ❷ ☐이다.

답 ❶ 반($\frac{1}{2}$) ❷ $2T$

6 다음 중 지질 시대의 특징에 대한 설명으로 옳은 것은?

① 지질 시대의 길이는 고생대가 중생대보다 짧다.
② 중생대에는 빙하기와 간빙기가 반복되었다.
③ 겉씨식물은 중생대에 출현하였다.
④ 암모나이트는 신생대에 번성하였다.
⑤ 고생대 페름기 말에는 생물의 대멸종이 있었다.

문제 해결 전략

지질 시대 중 빙하기가 없고 기후가 가장 온난했던 시대는 ❶ ☐이다. 겉씨식물은 고생대에 출현하였고, 암모나이트는 ❷ ☐에 번성하였다.

답 ❶ 중생대 ❷ 남세균

필수 체크 전략 ①

대표 기출 1

2018 9월 모평 2번

그림은 쇄설성 퇴적암과 퇴적 구조에 대해 학생 A, B, C가 대화하는 모습이다.

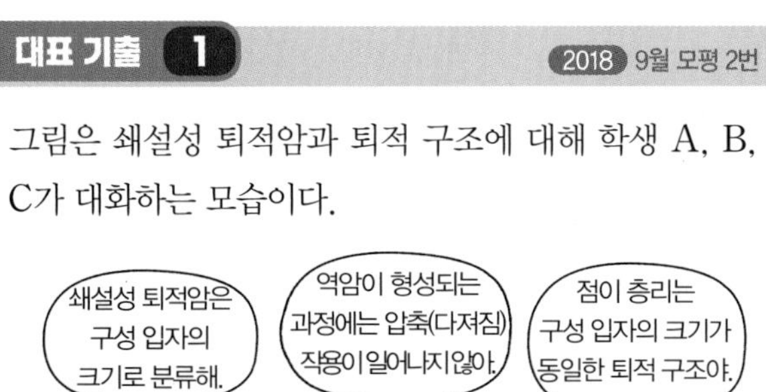

쇄설성 퇴적암은 구성 입자의 크기로 분류해.
역암이 형성되는 과정에는 압축(다져짐) 작용이 일어나지 않아.
점이 층리는 구성 입자의 크기가 동일한 퇴적 구조야.

제시한 내용이 옳은 학생만을 있는 대로 고른 것은?

① A ② B ③ C
④ A, B ⑤ A, C

Tip 쇄설성 퇴적암은 압축(다짐) 작용과 교결 작용을 거쳐 생성된다.

풀이 A. 쇄설성 퇴적암은 입자의 크기에 따라 셰일, 사암, 역암 등으로 구분한다.
B. 역암도 쇄설성 퇴적암이므로 다짐 작용과 교결 작용을 거쳐 형성된다.
C. 점이 층리는 위로 갈수록 입자의 크기가 작아지는 퇴적 구조이다.

답 ①

대표 기출 2

2014 6월 모평 3번 유사

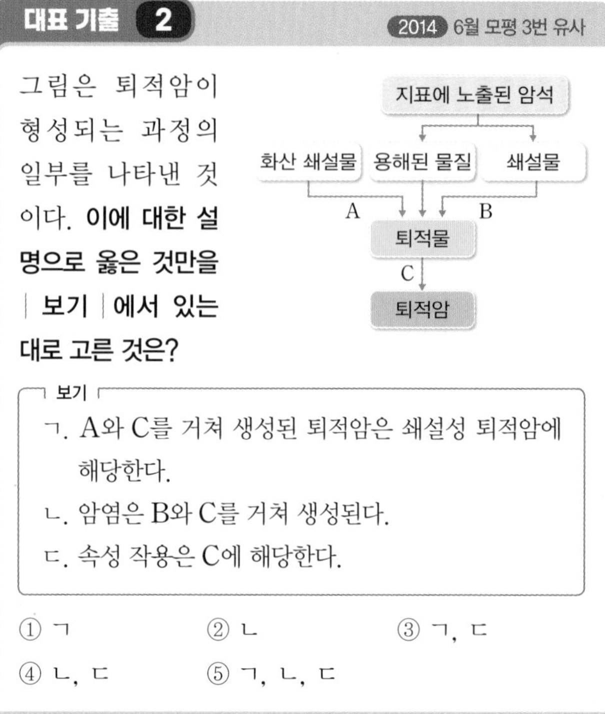

그림은 퇴적암이 형성되는 과정의 일부를 나타낸 것이다. **이에 대한 설명으로 옳은 것만을 |보기|에서 있는 대로 고른 것은?**

보기
ㄱ. A와 C를 거쳐 생성된 퇴적암은 쇄설성 퇴적암에 해당한다.
ㄴ. 암염은 B와 C를 거쳐 생성된다.
ㄷ. 속성 작용은 C에 해당한다.

① ㄱ ② ㄴ ③ ㄱ, ㄷ
④ ㄴ, ㄷ ⑤ ㄱ, ㄴ, ㄷ

Tip 퇴적암은 생성 원인에 따라 쇄설성, 화학적, 유기적 퇴적암으로 구분한다.

풀이 ㄱ. A와 C는 화산 쇄설물이 퇴적암이 되는 과정이므로 이 과정을 통해 응회암과 같은 쇄설성 퇴적암이 생성된다.
ㄴ. 암염은 쇄설물이 퇴적되어 생성된 것이 아닌 화학적 퇴적암에 해당한다.
ㄷ. C는 퇴적물이 퇴적암이 되는 과정이므로, 다짐 작용과 교결 작용을 포함하는 속성 작용에 해당한다.

답 ③

확인 1-1

2019 4월 학평 7번 유사

그림은 모래로 이루어진 퇴적물로부터 퇴적암이 생성되는 과정을 나타낸 것이다.

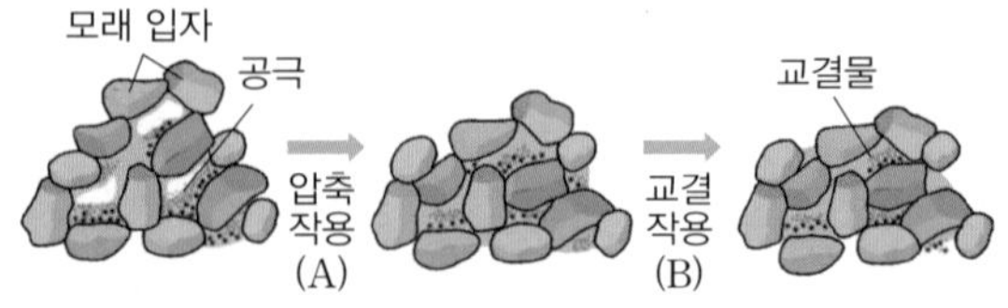

이에 대한 설명으로 옳은 것을 |보기|에서 모두 고르시오.

보기
ㄱ. A에 의해 퇴적층의 밀도는 커진다.
ㄴ. A와 B는 속성 작용에 해당한다.
ㄷ. 이 과정에 의해 생성된 암석은 사암이다.

확인 2-1

그림은 서로 다른 퇴적암이 생성되는 과정을 나타낸 것이다.

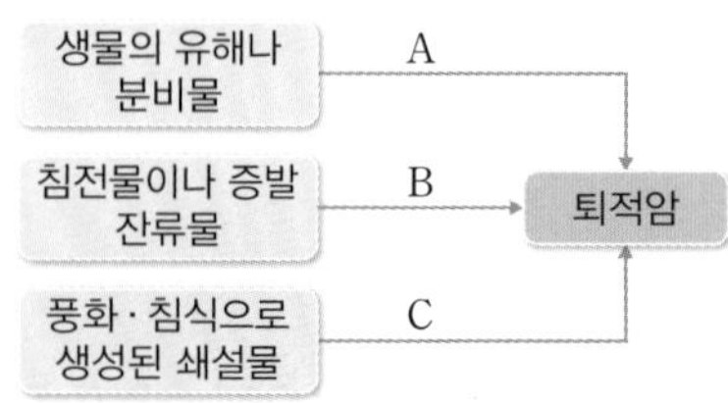

이에 대한 설명으로 옳은 것을 |보기|에서 모두 고르시오.

보기
ㄱ. A 과정에 의해 생성된 퇴적암은 유기적 퇴적암이다.
ㄴ. 처트는 A나 B 과정에 의해 생성될 수 있다.
ㄷ. C 과정에서 퇴적물 사이의 공극은 감소한다.

대표 기출 3

2019 7월 학평 9번 유사

그림 (가)는 퇴적 환경의 일부를, (나)는 지층의 퇴적 구조를 나타낸 것이다.

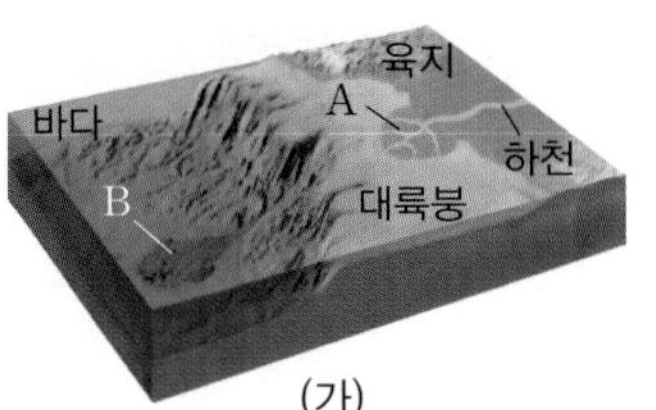

(가)

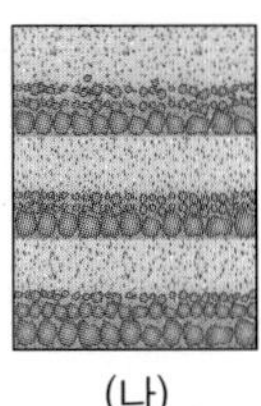
(나)

이에 대한 설명으로 옳은 것만을 | 보기 | 에서 있는 대로 고른 것은?

보기
ㄱ. A는 삼각주이다.
ㄴ. A와 B는 모두 해양 환경에 해당한다.
ㄷ. (나)는 A보다 B에서 주로 발견된다.

① ㄱ ② ㄴ ③ ㄱ, ㄷ
④ ㄴ, ㄷ ⑤ ㄱ, ㄴ, ㄷ

Tip 퇴적 환경은 육상 환경, 연안 환경, 해양 환경으로 구분한다.

풀이 ㄱ. A는 하천과 바다가 만나는 지점에서 퇴적물이 쌓여 형성된 지형이므로 삼각주이다.
ㄴ. 삼각주인 A는 연안 환경, 대륙 사면 끝의 경사가 완만한 지형인 대륙대(B)는 해양 환경에 해당한다.
ㄷ. (나)는 점이 층리이며, 점이 층리는 수심이 깊은 환경에서 잘 발달하므로 A보다 B에서 주로 발견된다.

답 ③

대표 기출 4

2020 수능 1번 유사

그림 (가), (나), (다)는 어느 지역에서 관찰되는 건열, 사층리, 연흔을 순서 없이 나타낸 것이다.

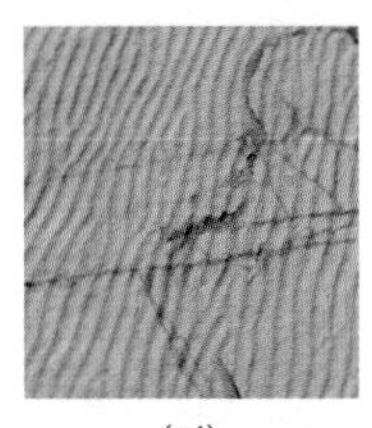
(가)

(나)

(다)

이에 대한 설명으로 옳은 것만을 | 보기 | 에서 있는 대로 고른 것은?

보기
ㄱ. 건열은 (가)이다.
ㄴ. (다)를 통해 퇴적물의 공급 방향을 알 수 있다.
ㄷ. (가), (나), (다) 모두 지층의 역전 여부를 판단하는 데 이용할 수 있다.

① ㄱ ② ㄷ ③ ㄱ, ㄴ
④ ㄴ, ㄷ ⑤ ㄱ, ㄴ, ㄷ

Tip (가)는 연흔, (나)는 건열, (다)는 사층리이다.

풀이 ㄱ. 건열은 층리면에 갈라진 틈이 나타나는 (나)이다.
ㄴ. 사층리인 (다)에서 층리면이 기울어진 방향을 통해 퇴적물의 공급 방향을 알 수 있다.
ㄷ. 연흔, 건열, 사층리 모두 지층의 역전 여부를 판단하는 데 이용할 수 있다.

답 ④

확인 3-1

그림 (가)와 (나)는 퇴적 구조를 나타낸 것이다.

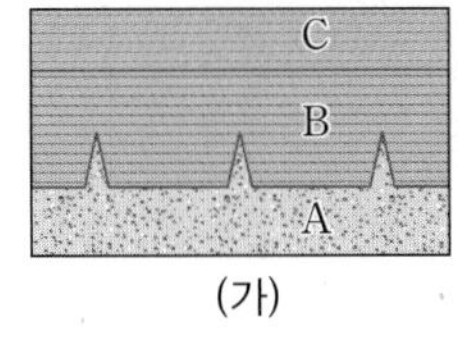

(가)

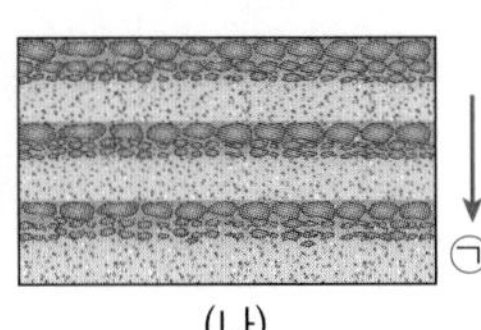

(나)

이에 대한 설명으로 옳은 것을 | 보기 | 에서 모두 고르시오.

보기
ㄱ. (가)에서 지층은 C → B → A 순으로 생성되었다.
ㄴ. 퇴적층이 형성된 수심은 (가)가 (나)보다 깊다.
ㄷ. (나)에서 퇴적물이 낙하한 방향은 ㉠이다.

확인 4-1

2015 수능 3번 유사

그림은 어느 지역에서 퇴적암과 퇴적 구조를 나타낸 것이다.

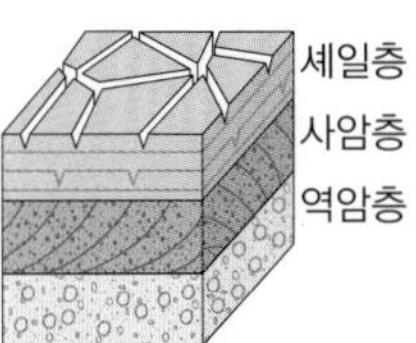

이에 대한 설명으로 옳은 것을 | 보기 | 에서 모두 고르시오.

보기
ㄱ. 역암층에는 점이 층리가 발달해 있다.
ㄴ. 사암층을 통해 퇴적 당시 퇴적물 이동 방향을 알 수 있다.
ㄷ. 셰일층은 형성 과정 중 수면 밖으로 노출된 시기가 있었다.

필수 체크 전략 ①

대표 기출 5

2019 6월 모평 5번 유사

그림은 어느 지역의 단층 구조를 모식적으로 나타낸 것이다.

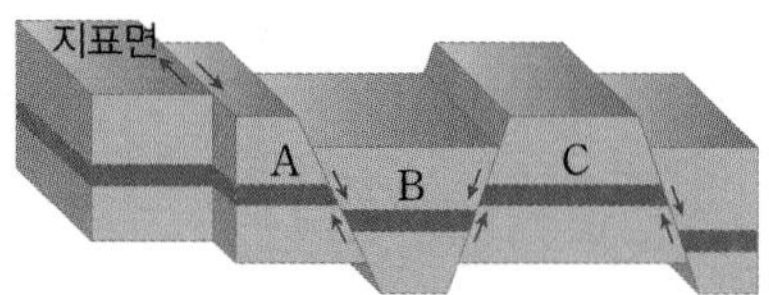

이 지역에 대한 설명으로 옳은 것만을 | 보기 |에서 있는 대로 고른 것은?

보기
ㄱ. A와 B 사이의 단층면을 기준으로 할 때 A는 하반이다.
ㄴ. B와 C 사이의 단층은 정단층이다.
ㄷ. 수렴 경계에 위치한다.

① ㄱ ② ㄷ ③ ㄱ, ㄴ
④ ㄴ, ㄷ ⑤ ㄱ, ㄴ, ㄷ

Tip 상반이 하반보다 위로 올라가면 역단층, 상반이 아래로 내려가면 정단층이다.

풀이 ㄱ. 단층면을 기준으로 A가 아래쪽에 위치하므로, A는 하반, B는 상반이다.
ㄴ. 상반인 B가 아래로 내려갔으므로 정단층이다.
ㄷ. 수렴 경계에서는 횡압력이 작용하므로 습곡이나 역단층이 발달한다. 이 지역은 정단층이 발달해 있으므로 장력이 작용하는 발산 경계에 위치할 가능성이 크다.

답 ③

대표 기출 6

2010 9월 모평 3번 유사

그림 (가)와 (나)는 두 지역의 지질 단면을 나타낸 것이다. 두 지역 화성암의 절대 연령은 같다.

(가)
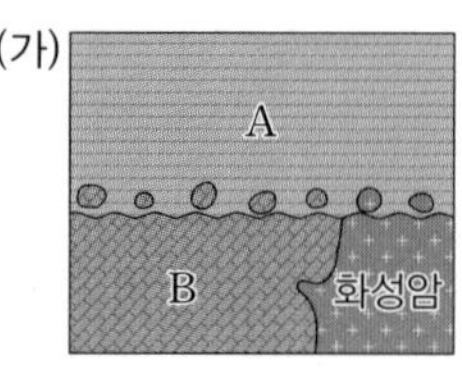

(나)
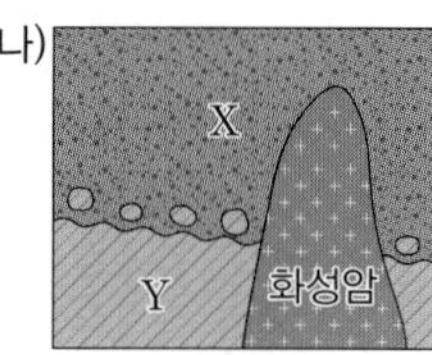

이에 대한 설명으로 옳은 것만을 | 보기 |에서 있는 대로 고른 것은?

보기
ㄱ. (가)에서 화성암은 A를 관입하였다.
ㄴ. A는 X보다 나중에 생성되었다.
ㄷ. (가)와 (나)에는 모두 난정합이 나타난다.

① ㄱ ② ㄴ ③ ㄱ, ㄷ
④ ㄴ, ㄷ ⑤ ㄱ, ㄴ, ㄷ

Tip 관입한 암석은 관입 당한 암석보다 나중에 생성된 것이다.

풀이 ㄱ. (가)에서 B가 퇴적된 후 화성암이 관입하였고, 이후 융기로 인해 B와 화성암이 침식된 후 A가 퇴적되었다. 따라서 화성암은 A를 관입하지 않았다.
ㄴ. (나)에서 Y가 퇴적된 후 X가 퇴적되었고 이후 화성암이 X와 Y를 관입하였다. 따라서 X는 화성암보다 먼저 생성되었다. 결국 A는 X보다 나중에 생성되었다.
ㄷ. (가)에서는 부정합면 아래 침식된 화성암이 존재하므로 난정합이 나타나지만, (나)에서 화성암은 관입한 것이므로 난정합이 아니다.

답 ②

확인 5-1

그림은 어느 지역의 지질 단면도이다.

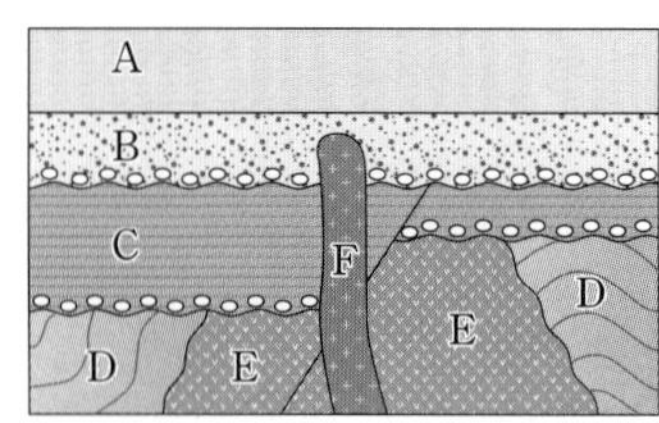

이에 대한 설명으로 옳은 것만을 | 보기 |에서 있는 대로 고르시오.

보기
ㄱ. 경사 부정합과 난정합이 나타난다.
ㄴ. 역단층이 발달해 있다.
ㄷ. F에는 C와 E가 포획암으로 존재할 수 있다.

확인 6-1

2019 4월 학평 16번 유사

그림 (가)와 (나)는 서로 다른 두 지역의 지질 단면도이다.

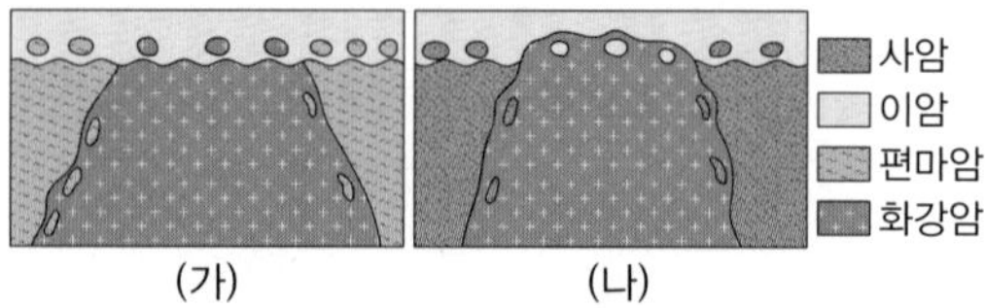

이에 대한 설명으로 옳은 것만을 | 보기 |에서 있는 대로 고르시오.

보기
ㄱ. (가)에서 암석의 생성 순서는 편마암 → 화강암 → 이암이다.
ㄴ. (나)에서 화강암은 이암을 관입하였다.
ㄷ. (나)에서 포획암의 나이는 사암이 이암보다 많다.

대표 기출 7

2020 6월 학평 5번 유사

그림 (가)는 북한산 인수봉, (나)는 제주도 해안이다.

(가)

(나)

이에 대한 설명으로 옳은 것만을 | 보기 | 에서 있는 대로 고른 것은?

보기
ㄱ. (가)의 암석은 마그마가 지표 부근에서 빠르게 냉각되면서 생성되었다.
ㄴ. (가)의 절리는 암석이 팽창하면서 형성되었다.
ㄷ. (나)에는 주상 절리가 발달해 있다.

① ㄱ ② ㄷ ③ ㄱ, ㄴ
④ ㄴ, ㄷ ⑤ ㄱ, ㄴ, ㄷ

Tip 북한산 인수봉은 화강암, 제주도 해안의 암석은 현무암이다.

풀이 ㄱ. (가)의 암석은 화강암이며, 화강암은 지하 깊은 곳에서 마그마가 천천히 냉각되어 생성된다.
ㄴ. (가)에는 지하 깊은 곳에 있던 화강암이 지표로 융기하면서 압력이 감소함에 따라 팽창하면서 판상 절리가 발달해 있다.
ㄷ. (나)에는 용암이 지표에서 빠르게 냉각되면서 생성되는 기둥 모양의 주상 절리가 발달해 있다. 답 ④

확인 7-1

그림 (가)는 두 지역 A와 B의 모습을, (나)는 A, B 중 어느 한 지역의 옛 지표면과 현재의 지표면을 나타낸 것이다.

(가)

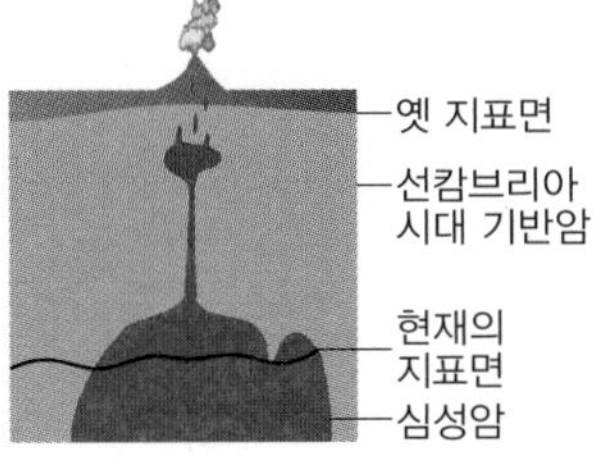

(나)

이에 대한 설명으로 옳은 것만을 | 보기 | 에서 있는 대로 고르시오.

보기
ㄱ. A에는 주상 절리가 발달해 있다.
ㄴ. (나)의 심성암에 작용하는 압력은 점차 작아졌다.
ㄷ. (나) 지역의 현재 모습은 B이다.

대표 기출 8

2019 6월 모평 1번 유사

그림은 어느 지역의 지질 단면도와 산출되는 화석을 나타낸 것이다.

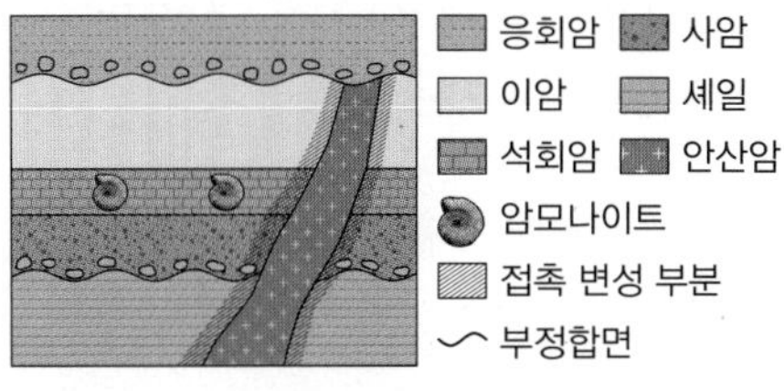

이 자료에 대한 설명으로 옳은 것만을 | 보기 | 에서 있는 대로 고른 것은?

보기
ㄱ. 이암층은 고생대에 퇴적되었다.
ㄴ. 기저 역암의 나이는 안산암이 가장 적다.
ㄷ. 이 지역은 최소 2회 융기한 적이 있다.

① ㄱ ② ㄴ ③ ㄱ, ㄷ
④ ㄴ, ㄷ ⑤ ㄱ, ㄴ, ㄷ

Tip 부정합이 형성되기 위해서는 반드시 융기와 침강을 거쳐야 한다.

풀이 ㄱ. 석회암층에는 중생대의 표준 화석인 암모나이트 화석이 산출되므로, 석회암층 위에 있는 이암층은 중생대 또는 중생대 이후에 퇴적된 것이다.
ㄴ. 기저 역암은 셰일, 이암, 안산암으로 이루어져 있으며, 이 중 가장 나중에 생성된 암석은 안산암이다.
ㄷ. 2개의 부정합면이 나타나므로, 이 지역은 최소 2회 수면 위로 융기한 적이 있다. 답 ④

확인 8-1

2020 10월 학평 11번 유사

그림은 어느 지역의 지질 구조를 나타낸 것이다. A는 화성암, B~E는 퇴적암이고, 단층은 C와 D층이 기울어지기 전에 형성되었다. 이 지역에 대한 설명으로 옳은 것만을 | 보기 | 에서 있는 대로 고르시오.

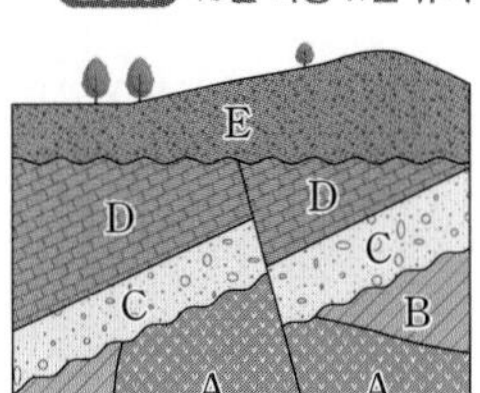

보기
ㄱ. A와 C는 난정합 관계이다.
ㄴ. 정단층이 나타난다.
ㄷ. 암석의 생성 순서는 B → A → C → D → E이다.

필수 체크 전략 ②

최다 오답 문제

3강_ 퇴적암과 지질 구조

2016 수능 3번 유사

1 그림 (가)와 (나)는 두 지역의 지질 단면도이다. (가)와 (나)에서 화강암의 관입 시기는 같다.

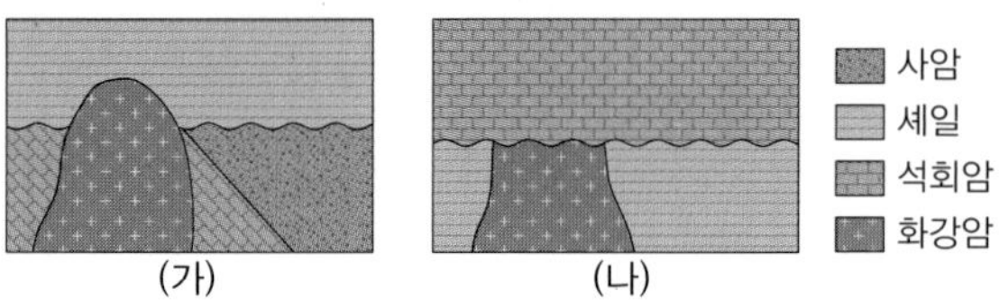

이에 대한 설명으로 옳은 것만을 | 보기 |에서 있는 대로 고른 것은?

보기
ㄱ. (가)에서는 난정합이 나타난다.
ㄴ. (가)와 (나)에서 가장 나중에 생성된 지층은 (나)의 석회암층이다.
ㄷ. (가)와 (나)의 셰일은 모두 화강암보다 먼저 생성되었다.

① ㄱ ② ㄴ ③ ㄱ, ㄷ ④ ㄴ, ㄷ ⑤ ㄱ, ㄴ, ㄷ

Tip 부정합면 아래 경사층이 있으면 ❶ ____, 관입암이나 변성암이 있으면 ❷ ____이다. 답 ❶ 경사 부정합 ❷ 난정합

2 그림은 어느 지역에서 암염, 셰일, 사암이 생성되는 과정을 나타낸 것이다.

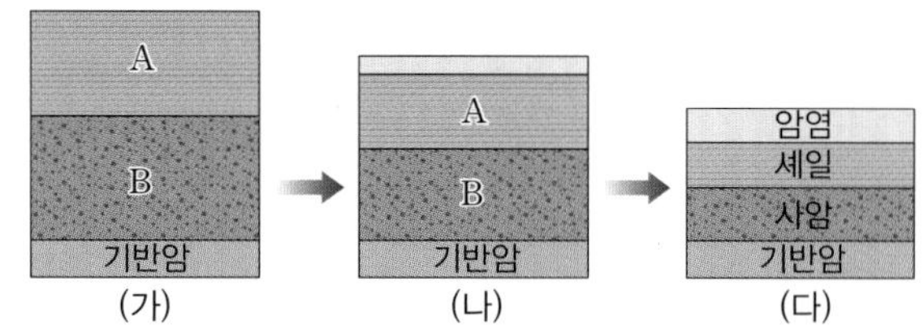

퇴적층 A, B에 대한 설명으로 옳은 것만을 | 보기 |에서 있는 대로 고른 것은?

보기
ㄱ. A는 모래로 이루어져 있다.
ㄴ. (가) → (나) 과정에서 A와 B의 밀도는 증가하였다.
ㄷ. (나)에서 A와 B는 수면 위에 위치하였다.

① ㄱ ② ㄴ ③ ㄱ, ㄷ ④ ㄴ, ㄷ ⑤ ㄱ, ㄴ, ㄷ

Tip 퇴적물이 ❶ ____ 작용을 받으면 공극이 감소하고 밀도가 ❷ ____. 답 ❶ 다짐 ❷ 커진다

2020 6월 학평 11번 유사

3 그림 (가)는 지층의 퇴적 구조를, (나)는 해양 퇴적 환경의 일부를 나타낸 것이다.

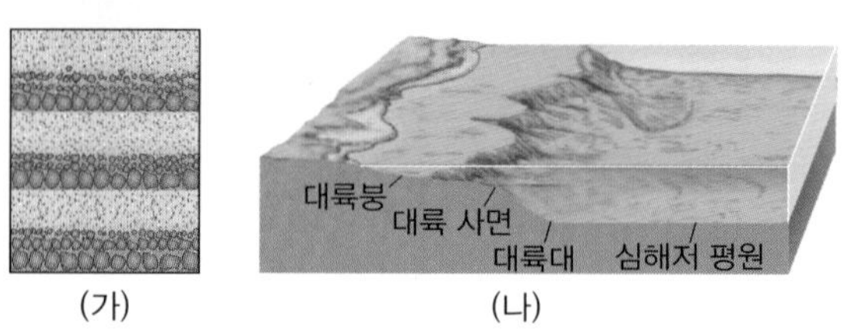

이에 대한 설명으로 옳은 것만을 | 보기 |에서 있는 대로 고른 것은?

보기
ㄱ. (가)의 지층은 역전되지 않았다.
ㄴ. (나)의 대륙붕은 퇴적 환경 중 연안 환경에 해당한다.
ㄷ. (가)는 주로 심해저 평원에서 발견된다.

① ㄱ ② ㄴ ③ ㄱ, ㄷ
④ ㄴ, ㄷ ⑤ ㄱ, ㄴ,

Tip 점이 층리는 대체로 수심이 ❶ ____ 곳에서 입자 크기에 따른 낙하 속도 차에 의해 위로 갈수록 입자의 크기가 ❷ ____지는 퇴적 구조이다. 답 ❶ 깊은 ❷ 작아

4 그림 (가)와 (나)는 퇴적암에서 관찰되는 퇴적 구조이다.

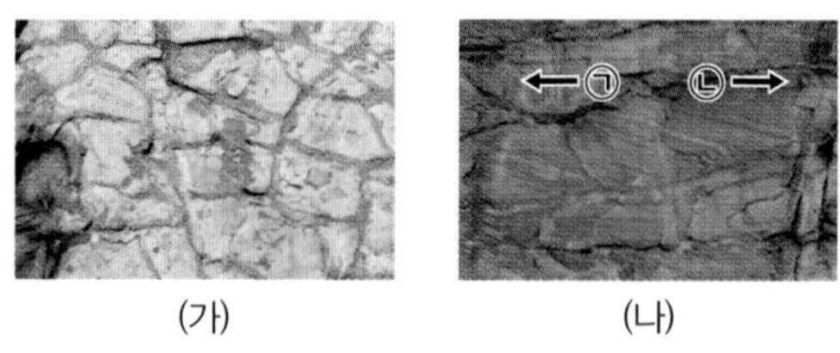

이에 대한 설명으로 옳은 것만을 | 보기 |에서 있는 대로 고른 것은?

보기
ㄱ. (가)는 건열이다.
ㄴ. (나)에서 퇴적물은 ㉠ 방향으로 이동하였다.
ㄷ. (가)와 (나)는 모두 층리면에서 관찰한 모습이다.

① ㄱ ② ㄴ ③ ㄱ, ㄷ
④ ㄴ, ㄷ ⑤ ㄱ, ㄴ, ㄷ

Tip 사층리는 층리가 ❶ ____ 방향을 통해 퇴적물이 이동한 ❷ ____을 알 수 있다. 답 ❶ 기울어진 ❷ 방향

2021 4월 학평 4번 유사

5 그림 (가)~(다)는 서로 다른 퇴적 구조를 나타낸 것이다.

(가) 연흔

(나) 점이 층리

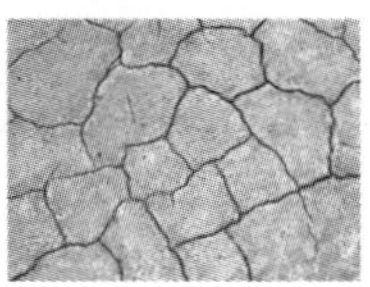
(다) 건열

이에 대한 설명으로 옳은 것만을 | 보기 | 에서 있는 대로 고른 것은?

보기
ㄱ. (가)와 (나)는 모두 층리면에서 관찰되는 퇴적 구조이다.
ㄴ. (다)는 형성 과정에서 수면 위로 노출된 적이 있었다.
ㄷ. (가)와 (다)는 퇴적물 입자의 크기가 클수록 잘 형성된다.

① ㄱ ② ㄴ ③ ㄱ, ㄷ
④ ㄴ, ㄷ ⑤ ㄱ, ㄴ, ㄷ

Tip 연흔은 퇴적층 표면에 ❶ [ ] 모양의 흔적이 남아 있는 퇴적 구조이며, ❷ [ ]은 수면 위로 노출되어 건조되면서 갈라진 틈이 발달해 있는 퇴적 구조이다.
답 ❶ 물결 ❷ 건열

6 그림은 어느 지역의 지질 단면도이다. 이에 대한 설명으로 옳은 것만을 | 보기 | 에서 있는 대로 고른 것은?

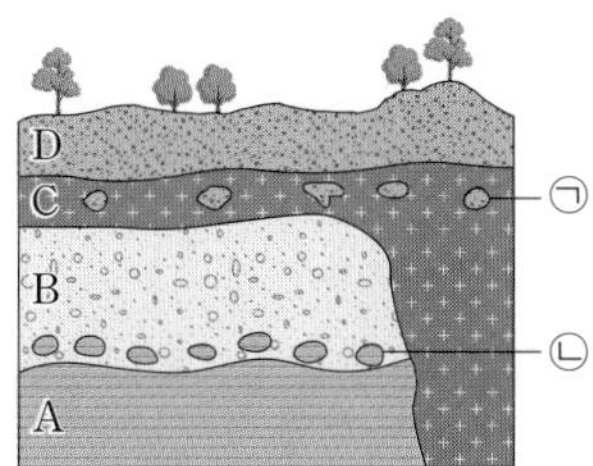

보기
ㄱ. ㉠과 ㉡은 기저 역암이다.
ㄴ. 지층과 암석의 생성 순서는 A → B → D → C이다.
ㄷ. 이 지역은 최소 3회 이상 융기한 적이 있다.

① ㄱ ② ㄴ ③ ㄱ, ㄷ
④ ㄴ, ㄷ ⑤ ㄱ, ㄴ, ㄷ

Tip 부정합면 위에는 부정합면 아래 지층의 침식으로 인해 생성된 ❶ [ ]이 존재하며, 관입암에는 관입 당한 암석의 조각이 ❷ [ ]으로 산출된다.
답 ❶ 기저 역암 ❷ 포획암

7 그림 (가)는 습곡을, (나)는 단층을 나타낸 것이다.

(가)

(나)

이에 대한 설명으로 옳은 것만을 | 보기 | 에서 있는 대로 고른 것은?

보기
ㄱ. (가)는 (나)보다 대체로 더 깊은 곳에서 잘 형성된다.
ㄴ. (나)는 장력을 받아 형성되었다.
ㄷ. (가)와 (나)는 주로 퇴적암층에서 잘 관찰된다.

① ㄱ ② ㄴ ③ ㄱ, ㄷ
④ ㄴ, ㄷ ⑤ ㄱ, ㄴ, ㄷ

Tip 습곡은 지층이 지하 깊은 곳의 고온 고압 환경에서 ❶ [ ]을 받을 때 형성되며, 습곡과 단층은 대체로 ❷ [ ]층에서 잘 나타난다.
답 ❶ 횡압력 ❷ 퇴적암

8 그림은 어느 지역의 지질 단면도이다.

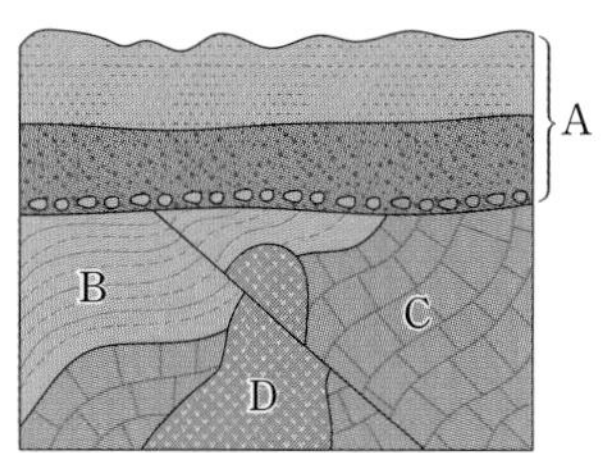

이에 대한 설명으로 옳은 것만을 | 보기 | 에서 있는 대로 고른 것은?

보기
ㄱ. 이 지역은 횡압력을 받은 적이 있다.
ㄴ. B와 D의 생성 순서를 파악하는 데에는 관입의 법칙이 이용된다.
ㄷ. 기저 역암의 나이는 D보다 많다.

① ㄱ ② ㄴ ③ ㄱ, ㄷ
④ ㄴ, ㄷ ⑤ ㄱ, ㄴ, ㄷ

Tip 습곡과 역단층은 ❶ [ ]을 받아 형성된다. 기저 역암의 나이는 부정합면 위에 있는 지층의 나이보다 ❷ [ ]다.
답 ❶ 횡압력 ❷ 많

필수 체크 전략 ①

대표 기출 1

2014 9월 모평 18번 유사

다음은 과거의 기후를 추정하는 데 사용하는 자료이다.

(가) 산호 화석　　　　(나) 나무의 나이테
(다) 빙하 코어 속 공기 방울

이 자료에 대한 설명으로 옳은 것만을 | 보기 |에서 있는 대로 고른 것은?

보기
ㄱ. (가)가 산출되는 지역은 과거에 따뜻한 바다 환경이었음을 알 수 있다.
ㄴ. (나)가 조밀하면 고온 다습한 기후였음을 알 수 있다.
ㄷ. (다)는 빙하 생성 당시의 대기 성분을 포함한다.

① ㄱ　② ㄴ　③ ㄱ, ㄷ　④ ㄴ, ㄷ　⑤ ㄱ, ㄴ, ㄷ

Tip 산호는 따뜻하고 얕은 바다에 서식한다. 빙하 생성 당시 얼음 입자 사이에 포함된 대기로 당시의 대기 성분을 알 수 있다.

풀이 ㄴ. 나무는 고온 다습한 환경에서 생장이 활발해져 나이테의 간격이 넓어진다.

답 ③

확인 1-1

그림 (가)와 (나)는 각각 과거 42만 년 동안의 기온 편차와 해양 생물의 껍질에서 측정한 산소 동위 원소비($\frac{^{18}O}{^{16}O}$)이다.

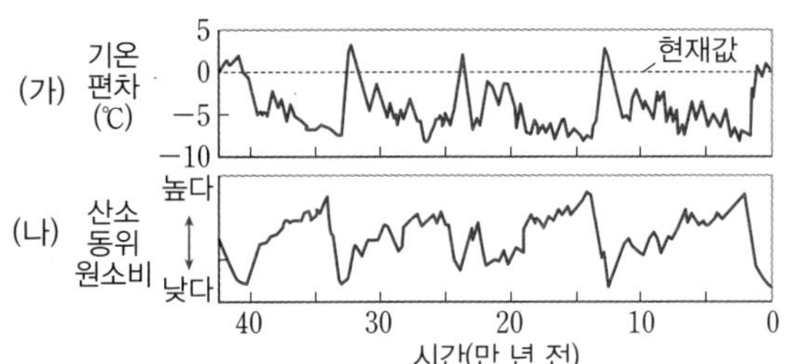

이에 대한 설명으로 옳은 것만을 | 보기 |에서 있는 대로 고르시오.

보기
ㄱ. 과거 42만 년 동안 평균 기온은 현재보다 낮았다.
ㄴ. 해양 생물 껍질의 산소 동위 원소비가 높을수록 평균 기온은 높다.
ㄷ. 해양 생물 껍질의 산소 동위 원소비가 높을수록 빙하의 산소 동위 원소비도 높을 것이다.

대표 기출 2

2012 9월 모평 3번 유사

그림 (가), (나), (다)는 공룡, 암모나이트, 시조새 화석을 나타낸 것이다.

(가)

(나)

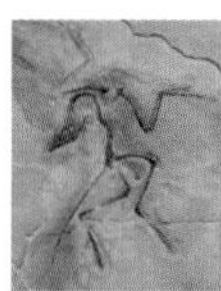
(다)

이에 대한 설명으로 옳은 것만을 | 보기 |에서 있는 대로 고른 것은?

보기
ㄱ. (가)가 살았던 지질 시대에는 겉씨식물이 번성하였다.
ㄴ. (가)와 (다)는 육성층에서 산출된다.
ㄷ. (가), (나), (다) 모두 표준 화석이다.

① ㄱ　② ㄷ　③ ㄱ, ㄴ　④ ㄴ, ㄷ　⑤ ㄱ, ㄴ, ㄷ

Tip 공룡, 암모나이트, 시조새는 모두 중생대의 표준 화석이다.

풀이 ㄱ. 공룡은 중생대에 번성하였으며, 이 시기에는 겉씨식물이 번성하였다.
ㄴ. 공룡과 시조새는 모두 육지에서 서식하였다.
ㄷ. 공룡, 암모나이트, 시조새는 모두 중생대의 표준 화석이다.

답 ⑤

확인 2-1

다음은 서로 다른 지역의 지층 A~D에서 산출되는 화석을 나타낸 것이다.

지층	A	B	C	D
화석	공룡 발자국	삼엽충	산호	화폐석

이에 대한 설명으로 옳은 것만을 | 보기 |에서 있는 대로 고르시오.

보기
ㄱ. A는 D보다 먼저 생성되었다.
ㄴ. B, D는 바다에서 퇴적된 지층이다.
ㄷ. C는 수심이 얕고 따뜻한 바다 환경에서 퇴적되었다.

대표 기출 3

2021 9월 모평 6번 유사

그림은 방사성 동위 원소 A와 B의 붕괴 곡선을 나타낸 것이다. **이에 대한 설명으로 옳은 것만을 | 보기 | 에서 있는 대로 고른 것은?**

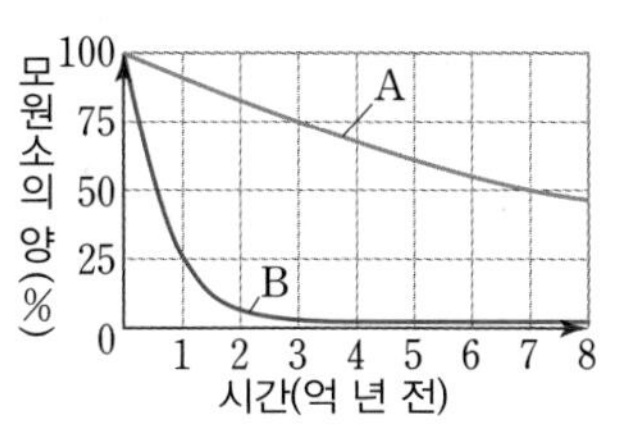

보기

ㄱ. 반감기는 A가 B보다 7배 길다.

ㄴ. 3.5억 년 전 생성된 화성암에 포함된 A는 처음 양의 75 %가 남아 있다.

ㄷ. 암석에 포함된 $\frac{\text{A의 자원소 양}}{\text{A의 양}}$이 3이 되는 데 걸리는 시간은 14억 년이다.

① ㄱ ② ㄷ ③ ㄱ, ㄴ
④ ㄴ, ㄷ ⑤ ㄱ, ㄴ, ㄷ

Tip 반감기는 모원소의 양이 50 %로 감소하는 데 걸린 시간이다.

풀이 ㄱ. A의 반감기는 7억 년, B의 반감기는 약 0.5억 년이다.

ㄴ. 절대 연령이 3.5억 년인 화성암에는 A가 처음 양의 75 %보다 적게 남아 있다.

ㄷ. A의 반감기는 7억 년이며, $\frac{\text{A의 자원소 양}}{\text{A의 양}}$이 3이 되기 위해서는 모원소와 자원소의 비율이 1 : 3이어야 한다. 따라서 반감기가 2번 지나야 하므로, 14억 년이 걸린다. 답 ②

확인 3-1

2019 9월 모평 2번 유사

그림은 서로 다른 방사성 원소 A, B, C의 붕괴 곡선을 나타낸 것이다. 이에 대한 설명으로 옳은 것만을 | 보기 | 에서 있는 대로 고르시오.

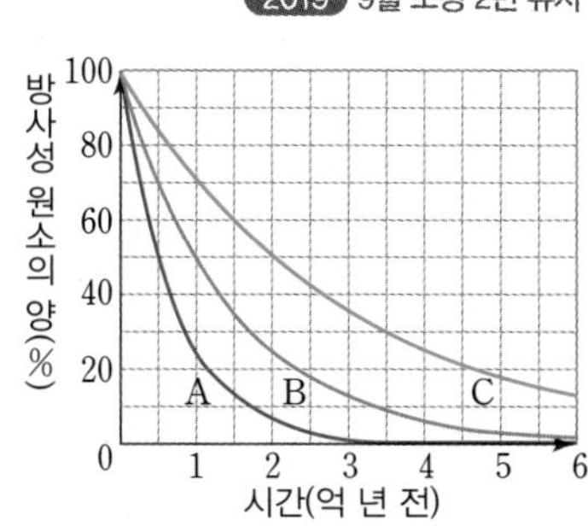

보기

ㄱ. 반감기는 A가 B보다 짧다.

ㄴ. 방사성 원소가 처음 양의 25 %가 될 때까지 걸리는 시간은 B가 C보다 짧다.

ㄷ. 암석에 포함된 C의 양이 처음 양의 70 %에서 35 %로 감소하는 데 걸리는 시간은 2억 년이다.

대표 기출 4

2020 6월 모평 4번 유사

그림 (가)는 지질 시대 Ⅰ~Ⅴ에 생존했던 생물의 화석 a~d를, (나)는 세 지역 ㉠, ㉡, ㉢의 각 지층에서 산출되는 화석을 나타낸 것이다. Ⅰ~Ⅴ는 오래된 지질 시대 순이다.

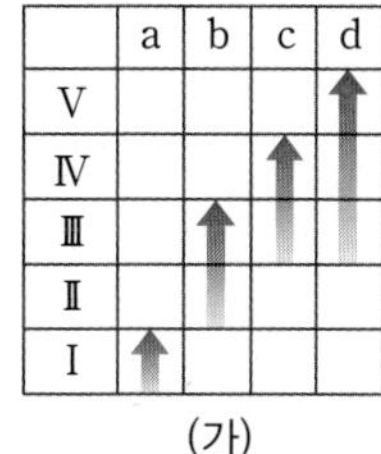

(가)

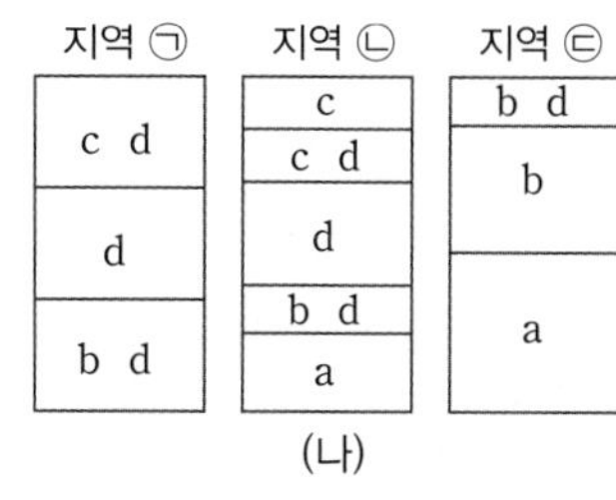

(나)

이에 대한 설명으로 옳은 것만을 | 보기 | 에서 있는 대로 고른 것은? (단, 지층은 역전되지 않았다.)

보기

ㄱ. a~d 중 표준 화석으로 가장 적합한 것은 d이다.

ㄴ. ㉠에서 d만 산출되는 지층은 Ⅴ시대에 퇴적되었다.

ㄷ. 세 지역 모두 Ⅲ시대에 생성된 지층이 존재한다.

① ㄱ ② ㄷ ③ ㄱ, ㄴ
④ ㄴ, ㄷ ⑤ ㄱ, ㄴ, ㄷ

Tip 표준 화석은 생존 기간이 짧고 분포 면적이 넓어야 한다.

풀이 ㄱ. 표준 화석으로는 생존 기간이 가장 짧은 a가 가장 적합하다.

ㄴ. ㉠에서 c와 d가 산출되는 지층은 Ⅲ 또는 Ⅳ 시대에 퇴적된 것이다. 따라서 이보다 아래 지층은 Ⅴ시대에 퇴적될 수 없다.

ㄷ. b와 d가 동시에 산출되는 지층은 Ⅲ 시대에 생성된 것이다. ㉠, ㉡, ㉢ 모두 b와 d가 동시에 산출되는 지층이 발견되므로 세 지역 모두 Ⅲ 시대에 생성된 지층이 존재한다. 답 ②

확인 4-1

2017 9월 모평 5번 유사

그림은 인접한 두 지역 (가)와 (나)의 지질 단면과 지층에서 산출되는 화석을 나타낸 것이다. 이에 대한 설명으로 옳은 것만을 | 보기 | 에서 있는 대로 고르시오.

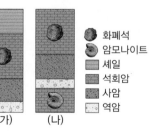

(가) (나)

화폐석 / 암모나이트 / 셰일 / 석회암 / 사암 / 역암

보기

ㄱ. 가장 최근에 생성된 지층은 (가)의 셰일층이다.

ㄴ. (가)와 (나)의 석회암층은 건층으로 이용된다.

ㄷ. (나)에는 고생대 퇴적층이 있다.

필수 체크 전략 ①

대표 기출 5

2018 수능 4번 유사

그림은 어느 지역의 지질 단면도를, 표는 화성암 D와 F에 포함된 방사성 원소 X와 이 원소가 붕괴되어 생성된 자원소의 함량비이다. **이 지역에 대한 설명으로 옳은 것만을 | 보기 |에서 있는 대로 고른 것은?**

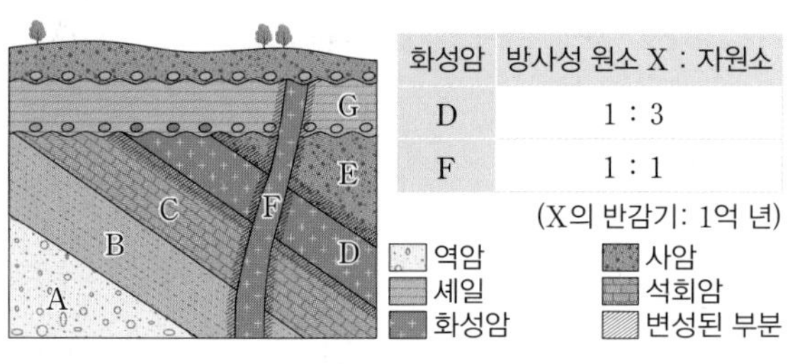

화성암	방사성 원소 X : 자원소
D	1 : 3
F	1 : 1

(X의 반감기: 1억 년)

보기
ㄱ. 지층과 암석의 생성 순서는 A → B → C → E → D → G → F이다.
ㄴ. 절대 연령은 D가 F보다 2배 많다.
ㄷ. G에는 삼엽충 화석이 발견될 수 있다.

① ㄱ　② ㄷ　③ ㄱ, ㄴ　④ ㄴ, ㄷ　⑤ ㄱ, ㄴ, ㄷ

Tip 모원소와 자원소의 비가 1 : 3이면 반감기가 2번 지났다.

풀이 ㄱ. 퇴적층 A → B → C → E가 퇴적된 후 D가 관입하였으며, G가 퇴적된 후 F가 관입하였다.
ㄴ. F는 반감기가 1번 지나 1억 년, D는 반감기가 2번 지나 2억 년이므로 절대 연령은 D가 F보다 2배 많다.
ㄷ. D의 절대 연령은 2억 년이며, G는 D보다 이후에 생성되었으므로 고생대 표준 화석인 삼엽충 화석이 발견될 수 없다. 답 ③

확인 5-1

그림 (가)는 어느 지역의 지질 단면도를, (나)는 화성암 B에 포함된 방사성 원소 X의 붕괴로 생긴 자원소 Y의 함량을 나타낸 것이다. 현재 B에 포함된 X의 양은 처음 양의 10 %이다.

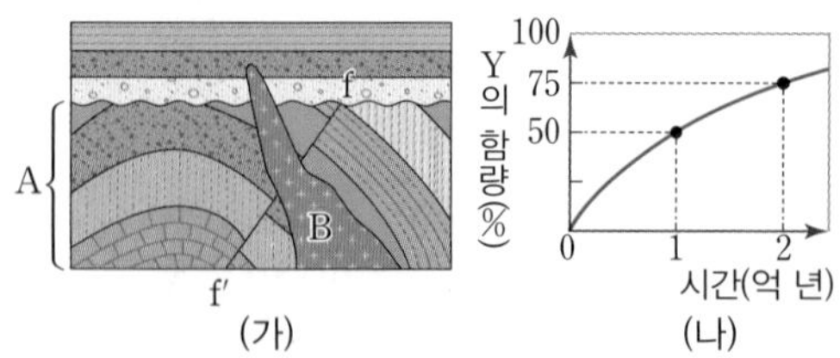

(가)　(나)

이에 대한 설명으로 옳은 것만을 | 보기 |에서 있는 대로 고르시오.

보기
ㄱ. 단층 f－f′는 습곡이 일어난 후에 형성되었다.
ㄴ. A는 횡압력과 장력을 모두 받았다.
ㄷ. A에서는 삼엽충 화석이 발견될 수 있다.

대표 기출 6

2017 3월 학평 7번

그림은 세 지질 시대를 구분하는 과정을 나타낸 것이다.

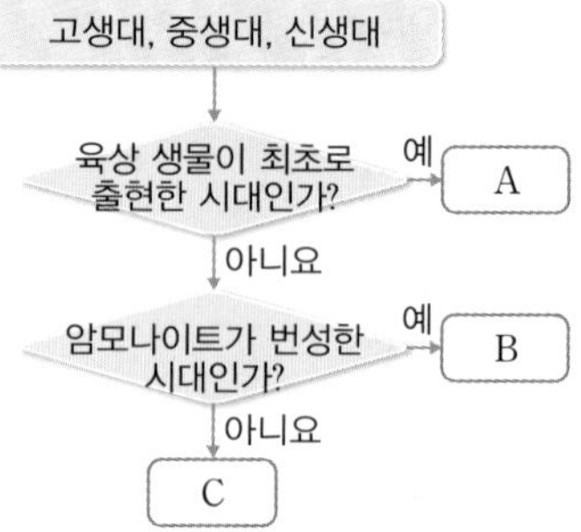

이에 대한 설명으로 옳은 것만을 | 보기 |에서 있는 대로 고른 것은?

보기
ㄱ. 지질 시대의 길이는 A가 B보다 길다.
ㄴ. 최초의 속씨식물은 B 시기에 출현하였다.
ㄷ. C 시기에는 빙하기가 없었다.

① ㄱ　② ㄷ　③ ㄱ, ㄴ　④ ㄴ, ㄷ　⑤ ㄱ, ㄴ, ㄷ

Tip 최초의 육상 생물은 고생대 실루리아기에 출현하였다.

풀이 ㄱ. A는 육상 생물이 최초로 출현한 시대이므로 고생대이다. B는 암모나이트가 번성한 시대이므로 중생대이다. 지질 시대의 길이는 고생대인 A가 중생대인 B보다 길다.
ㄴ. 최초의 속씨식물은 중생대 말에 출현하였으므로 중생대인 A 시기 말에 출현하였다.
ㄷ. C는 신생대이며, 신생대 제4기에는 빙하기와 간빙기가 반복되었다. 빙하기가 없었던 지질 시대는 중생대이다. 답 ③

확인 6-1

그림은 지질 시대를 시간의 상대적인 길이에 따라 A~D로 나타낸 것이다. A~D는 각각 선캄브리아 시대, 고생대, 중생대, 신생대 중 하나이다. 이에 대한 설명으로 옳은 것만을 | 보기 |에서 있는 대로 고르시오.

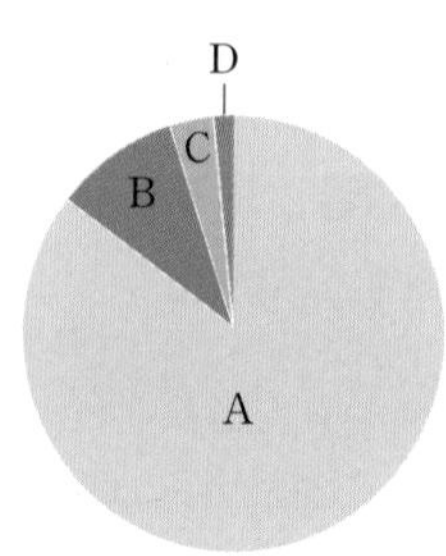

보기
ㄱ. A는 고생대이다.
ㄴ. 최초의 광합성 생명체는 B 시기에 등장하였다.
ㄷ. 히말라야산맥은 D 시기에 형성되었다.

대표 기출 7

2017 수능 1번 유사

그림은 현생 누대 동안 해양 무척추동물과 육상 식물과의 수 변화를 나타낸 것이다.

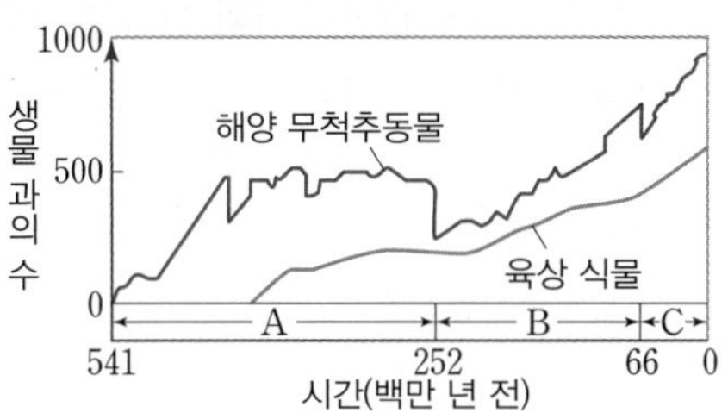

이에 대한 설명으로 옳은 것만을 | 보기 | 에서 있는 대로 고른 것은?

보기
ㄱ. 해양 무척추동물이 육상 식물보다 먼저 출현하였다.
ㄴ. 최초의 광합성 생명체는 A 시기에 출현하였다.
ㄷ. 평균 기온은 B 시기가 C 시기보다 높았다.

① ㄱ ② ㄴ ③ ㄱ, ㄷ
④ ㄴ, ㄷ ⑤ ㄱ, ㄴ, ㄷ

Tip A는 고생대, B는 중생대, C는 신생대이다.

풀이 ㄱ. 해양 무척추동물은 선캄브리아 시대에 출현하였으며, 육상 식물은 고생대 실루리아기에 출현하였다.
ㄴ. 최초의 광합성 생명체는 시생 누대에 출현하였으므로 A 시기 이전에 출현하였다.
ㄷ. 평균 기온은 중생대인 B가 신생대인 C보다 높았다. 답 ③

확인 7-1

그림은 지구에서 일어난 주요 사건을 시간 순으로 나타낸 것이다.

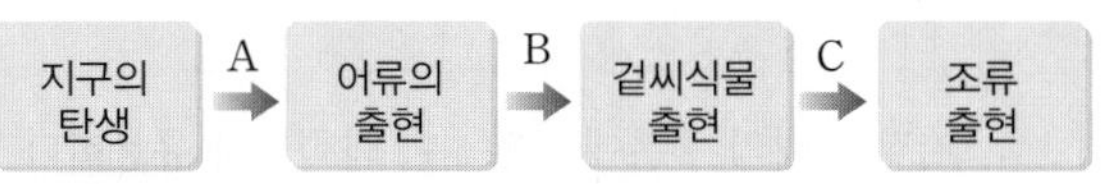

A, B, C 기간에 대한 설명으로 옳은 것만을 | 보기 | 에서 있는 대로 고르시오.

보기
ㄱ. A는 B와 C를 더한 것보다 길다.
ㄴ. 육상 식물은 A 동안에 출현하였다.
ㄷ. B는 2.9억 년보다 짧다.

대표 기출 8

2020 수능 17번 유사

그림은 현생 누대 동안의 해수면 높이와 해양 생물 과의 수를 나타낸 것이다. **이에 대한 설명으로 옳은 것만을 | 보기 | 에서 있는 대로 고른 것은?**

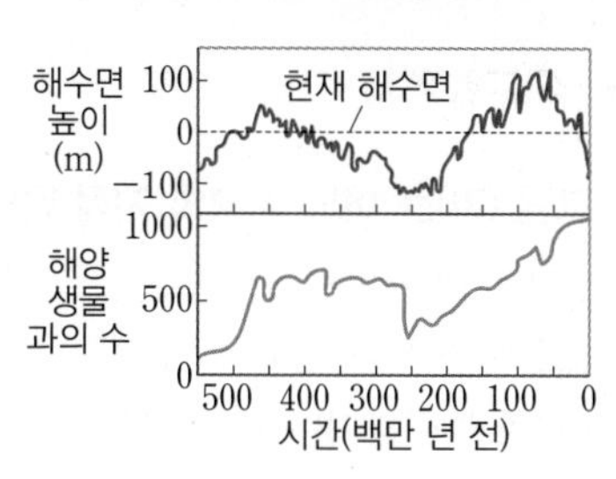

보기
ㄱ. 중생대에는 해수면의 높이가 대체로 높아졌다.
ㄴ. 판게아가 형성되었던 시기에 해수면의 높이가 가장 높았다.
ㄷ. 해양 생물 과의 수는 석탄기가 트라이아스기보다 많았다.

① ㄱ ② ㄴ ③ ㄱ, ㄷ
④ ㄴ, ㄷ ⑤ ㄱ, ㄴ, ㄷ

Tip 판게아는 고생대 말에 형성되었다.

풀이 ㄱ. 중생대는 약 2.52억 년 전~약 0.66억 년 전까지이다. 이 시기에 해수면의 높이는 대체로 높아졌다.
ㄴ. 판게아는 고생대 말에 형성되었고, 이 시기에 해수면의 높이는 고생대와 중생대의 평균 해수면 높이보다 낮았다.
ㄷ. 트라이아스기는 중생대 초, 석탄기는 고생대 후기에 해당한다. 고생대 말에 대멸종이 일어나 해양 생물 과의 수가 급격히 감소하였으므로 해양 생물 과의 수는 석탄기가 트라이아스기보다 많았다. 답 ③

확인 8-1

2021 4월 학평 5번 유사

그림 (가)는 지질 시대의 평균 기온 변화를, (나)는 암모나이트 화석을 나타낸 것이다.

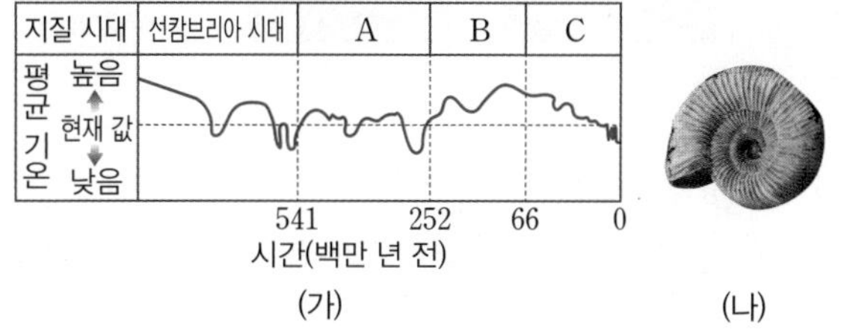

(가) (나)

이에 대한 설명으로 옳은 것만을 | 보기 | 에서 있는 대로 고르시오.

보기
ㄱ. 최초의 다세포 동물은 A 시기에 출현하였다.
ㄴ. B 시기에는 빙하기가 없었다.
ㄷ. (나)는 C 시기의 표준 화석이다.

필수 체크 전략 ②

최다 오답 문제

4강_ 지구의 역사

2022 6월 모평 20번

1 그림 (가)는 어느 지역의 지질 단면도로, A~E는 퇴적암, F와 G는 화성암, f−f′은 단층이다. 그림 (나)는 F와 G에 포함된 방사성 원소 X의 함량을 붕괴 곡선에 나타낸 것이다. X의 반감기는 1억 년이다. 이에 대한 설명으로 옳은 것만을 | 보기 | 에서 있는 대로 고른 것은?

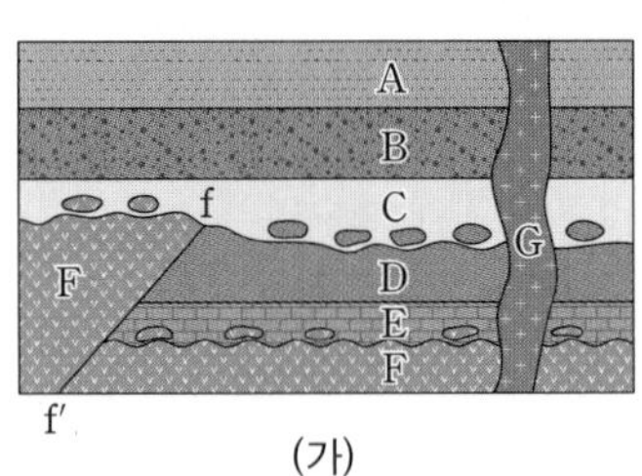

(가)

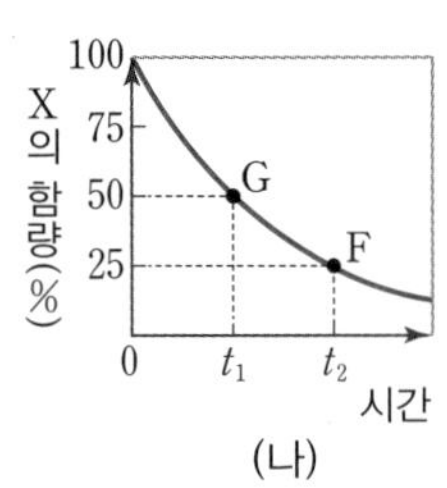

(나)

보기
ㄱ. A는 고생대에 퇴적되었다.
ㄴ. D가 퇴적된 이후 f−f′이 형성되었다.
ㄷ. 단층 상반에 위치한 F는 최소 2회 수면 위로 노출되었다.

① ㄴ ② ㄷ ③ ㄱ, ㄴ ④ ㄴ, ㄷ ⑤ ㄱ, ㄴ, ㄷ

Tip 부정합이 형성되기 위해서는 반드시 ❶ [ ]와 ❷ [ ]의 과정이 일어나야 한다. 답 ❶ 융기 ❷ 침강

2 그림은 (가)와 (나) 지역의 지질 단면도이다. 두 지역의 공통점에 대한 설명으로 옳은 것만을 | 보기 | 에서 있는 대로 고른 것은?

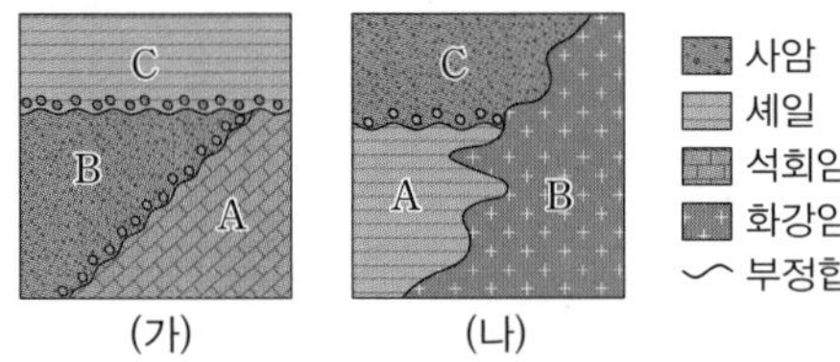

(가) (나)

보기
ㄱ. 평행 부정합이 나타난다.
ㄴ. C에서 A의 암석으로 이루어진 기저 역암이 발견될 수 있다.
ㄷ. 암석의 생성 순서는 A → B → C이다.

① ㄱ ② ㄷ ③ ㄱ, ㄴ ④ ㄴ, ㄷ ⑤ ㄱ, ㄴ, ㄷ

Tip 상하 두 지층이 ❶ [ ]을 경계로 나란한 부정합은 ❷ [ ]이다. 답 ❶ 부정합면 ❷ 평행 부정합

2019 6월 모평 13번 유사

3 그림 (가)는 현생 누대 동안 완족류와 삼엽충 과의 수 변화를, (나)는 현생 누대 동안 생물 과의 멸종 비율이다. A와 B는 각각 완족류와 삼엽충 중 하나이다. 이에 대한 설명으로 옳은 것만을 | 보기 | 에서 있는 대로 고른 것은?

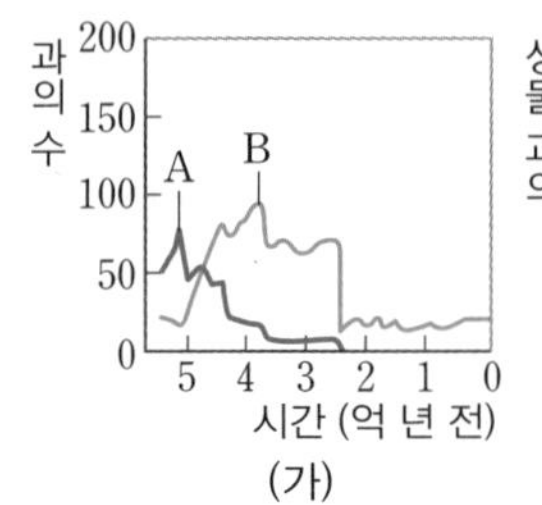

(가)

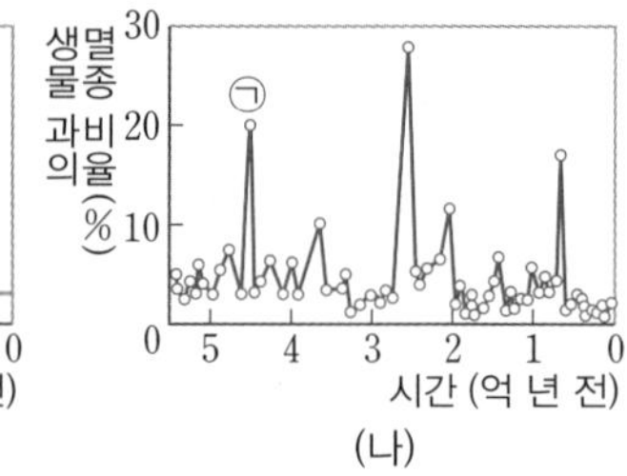

(나)

보기
ㄱ. A는 삼엽충이다.
ㄴ. 완족류 과의 수 감소율은 고생대 중기가 고생대 말보다 크다.
ㄷ. 방추충은 ㉠ 시기에 멸종하였다.

① ㄱ ② ㄴ ③ ㄱ, ㄷ ④ ㄴ, ㄷ ⑤ ㄱ, ㄴ, ㄷ

Tip 지질 시대 동안 대멸종은 ❶ [ ]회 있었고, 가장 큰 규모의 대멸종은 ❷ [ ] 말에 있었다. 답 ❶ 5 ❷ 고생대

4 그림은 어느 지역의 지층을 몇 가지 기준에 의해 구분한 후, 그 결과를 지질 시대와 대비한 것이다. 이에 대한 설명으로 옳은 것만을 | 보기 | 에서 있는 대로 고른 것은?

암석	해양 동물 화석	식물 화석	지질 시대
사암	C	고사리	Ⅳ
	암모나이트	b	Ⅲ
석회암	B	a	Ⅱ
셰일	A		Ⅰ

보기
ㄱ. 지질 시대의 구분에는 암석이 화석보다 유용하다.
ㄴ. 표준 화석으로는 A가 a보다 적당하다.
ㄷ. 겉씨식물은 b에 해당할 수 있다.

① ㄱ ② ㄴ ③ ㄱ, ㄷ ④ ㄴ, ㄷ ⑤ ㄱ, ㄴ, ㄷ

Tip 표준 화석은 생존 기간이 ❶ [ ], 분포 면적은 ❷ [ ]한다. 답 ❶ 짧고 ❷ 넓어야

2021 7월 학평 5번 유사

5 그림은 어느 지역의 지질 단면도를, 표는 화성암 P와 Q에 포함된 방사성 원소 X와 이 원소가 붕괴되어 생성된 자원소의 함량을 나타낸 것이다.

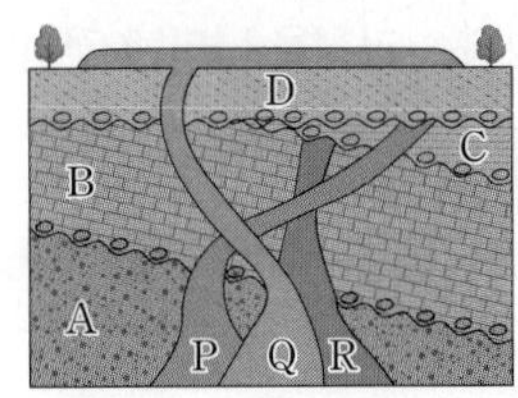

구분	방사성 원소 X(%)	자원소 (%)
P	24	76
Q	52	48

이에 대한 설명으로 옳은 것만을 보기 에서 있는 대로 고른 것은? (단, 화성암 P, Q는 생성될 당시에 방사성 원소 X의 자원소가 포함되지 않았다.)

보기
ㄱ. 이 지역에는 평행 부정합이 존재한다.
ㄴ. R는 C가 퇴적된 후 관입하였다.
ㄷ. 암석의 절대 연령은 P가 Q의 2배보다 많다.

① ㄱ ② ㄴ ③ ㄱ, ㄷ
④ ㄴ, ㄷ ⑤ ㄱ, ㄴ, ㄷ

Tip 부정합면 위아래의 지층이 나란하면 ❶ [ ] 부정합, 부정합면 아래에 화성암이 존재하면 ❷ [ ]이다.

답 ❶ 평행 ❷ 난정합

6 그림은 어느 지역에서 관찰되는 지층과 화석을 나타낸 단면도이다. 이 지역에 대한 설명으로 옳은 것만을 보기 에서 있는 대로 고른 것은?

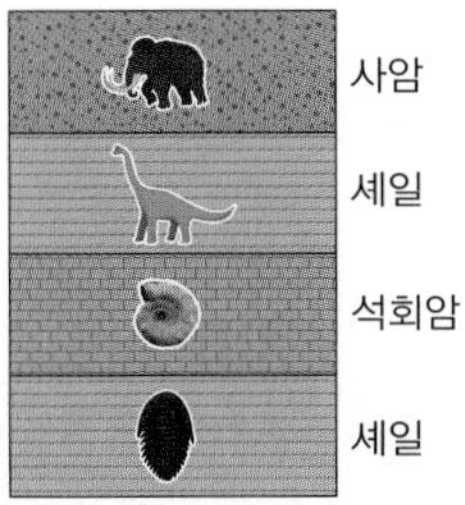

보기
ㄱ. 셰일층은 모두 같은 지질 시대에 퇴적되었다.
ㄴ. 고생대 지층은 해성층, 신생대 지층은 육성층이다.
ㄷ. 중생대에는 융기가 일어났다.

① ㄱ ② ㄴ ③ ㄱ, ㄷ
④ ㄴ, ㄷ ⑤ ㄱ, ㄴ, ㄷ

Tip 암모나이트는 ❶ [ ], 매머드는 신생대의 표준 화석이다. 공룡이나 매머드 화석이 발견되는 지층은 ❷ [ ] 환경에서 퇴적된 것이다.

답 ❶ 중생대 ❷ 육상

2021 3월 학평 8번 유사

7 그림은 지질 시대 동안 일어난 주요 사건을 나타낸 것이다.

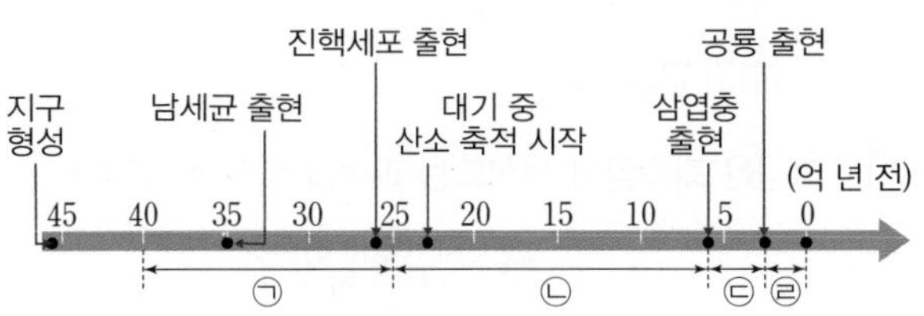

이에 대한 설명으로 옳은 것만을 보기 에서 있는 대로 고른 것은?

보기
ㄱ. 최초의 광합성은 ㉠ 시기에 시작되었다.
ㄴ. ㉡, ㉢, ㉣은 현생 누대에 해당한다.
ㄷ. 최초의 척추동물은 ㉡ 시기에 출현하였다.

① ㄱ ② ㄴ ③ ㄱ, ㄷ
④ ㄴ, ㄷ ⑤ ㄱ, ㄴ, ㄷ

Tip 최초의 광합성 생명체인 남세균은 ❶ [ ] 누대에, 최초의 다세포 생물은 ❷ [ ] 누대에 출현하였다.

답 ❶ 시생 ❷ 원생

8 그림은 현생 누대 동안 해양 동물과 육상 식물 과의 수 변화를 A와 B로 순서 없이 나타낸 것이다.

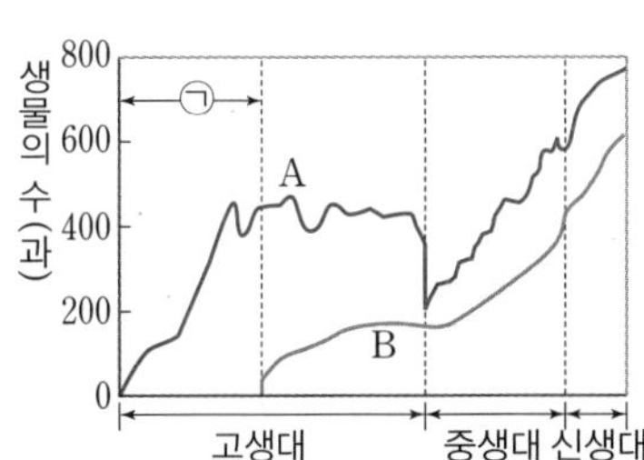

이에 대한 설명으로 옳은 것만을 보기 에서 있는 대로 고른 것은?

보기
ㄱ. 육상 식물은 B이다.
ㄴ. ㉠ 시기에는 대기 중에 산소가 존재하지 않았다.
ㄷ. ㉠ 시기에는 바다에 어류가 서식하였다.

① ㄴ ② ㄷ ③ ㄱ, ㄴ
④ ㄱ, ㄷ ⑤ ㄱ, ㄴ, ㄷ

Tip 육상 식물은 ❶ [ ] 형성 이후에 등장하였으며, 해양 동물은 ❷ [ ] 말 대멸종에 의해 생물 과의 수가 급격히 감소하였다.

답 ❶ 오존층 ❷ 고생대

3강_ 퇴적암과 지질 구조

01 그림은 퇴적암이 생성되는 과정을 나타낸 것이다.

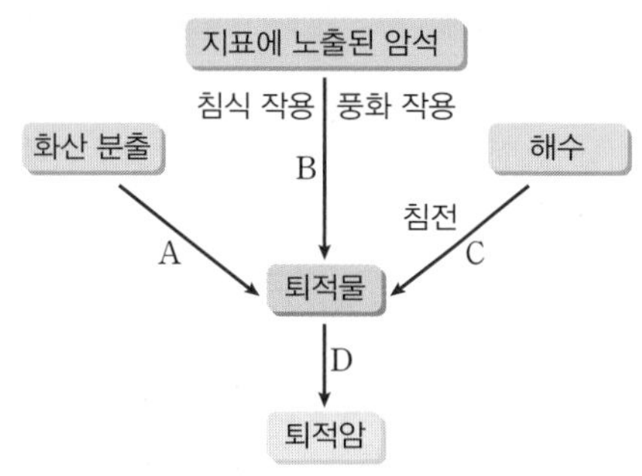

이에 대한 설명으로 옳은 것만을 | 보기 |에서 있는 대로 고른 것은?

| 보기 |
ㄱ. 응회암은 A → D 과정을 거쳐 생성된다.
ㄴ. 암석 형성 과정에서 A나 B 과정을 거친 퇴적암은 쇄설성 퇴적암이다.
ㄷ. D 과정에서 속성 작용이 일어난다.

① ㄱ ② ㄴ ③ ㄱ, ㄷ
④ ㄴ, ㄷ ⑤ ㄱ, ㄴ, ㄷ

02 그림은 퇴적 환경을 세 가지로 분류한 것이다.

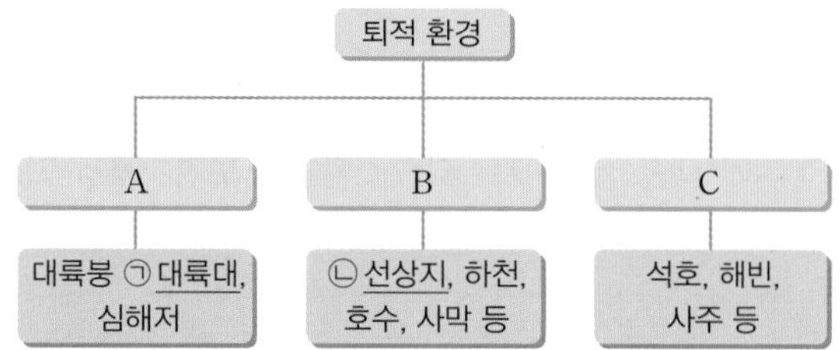

이에 대한 설명으로 옳은 것만을 | 보기 |에서 있는 대로 고른 것은?

| 보기 |
ㄱ. 육상 환경은 A이다.
ㄴ. 점이 층리는 ㉠보다 ㉡에 잘 발달한다.
ㄷ. 삼각주는 C에 해당한다.

① ㄱ ② ㄷ ③ ㄱ, ㄴ
④ ㄴ, ㄷ ⑤ ㄱ, ㄴ, ㄷ

03 그림은 어느 부정합이 형성되는 과정을 나타낸 것이다.

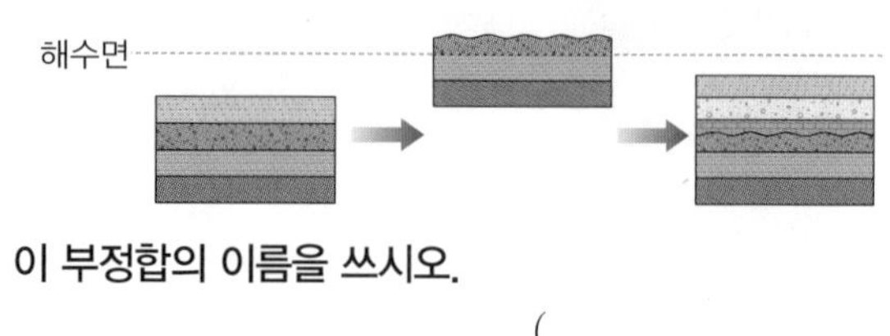

이 부정합의 이름을 쓰시오.

( )

04 그림은 어느 지역의 지질 단면도를 나타낸 것이다. 이에 대한 설명으로 옳은 것만을 | 보기 |에서 있는 대로 고른 것은?

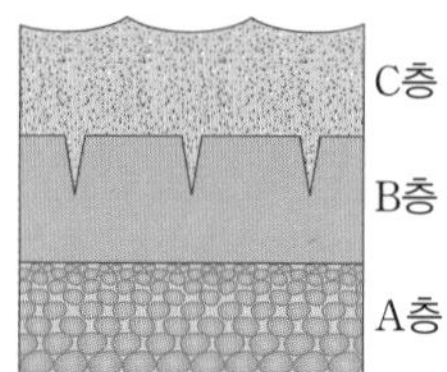

| 보기 |
ㄱ. A층에는 점이 층리가 나타난다.
ㄴ. A층은 B층과 C층보다 수심이 깊은 곳에서 형성되었다.
ㄷ. 이 지역의 지층은 역전되었다.

① ㄱ ② ㄷ ③ ㄱ, ㄴ
④ ㄴ, ㄷ ⑤ ㄱ, ㄴ, ㄷ

05 그림은 어느 지역의 지질 단면도를 나타낸 것이다. 이 지역에 대한 설명으로 옳은 것만을 | 보기 |에서 있는 대로 고른 것은?

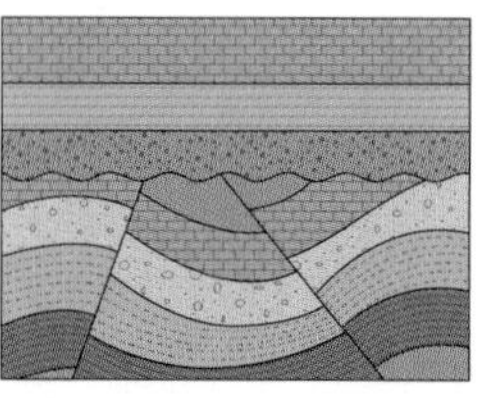

| 보기 |
ㄱ. 습곡과 역단층이 나타난다.
ㄴ. 경사 부정합이 나타난다.
ㄷ. 오랜 기간 동안 퇴적이 중단된 시기가 있었다.

① ㄱ ② ㄴ ③ ㄱ, ㄷ
④ ㄴ, ㄷ ⑤ ㄱ, ㄴ, ㄷ

4강_ 지구의 역사

06 그림은 세 지역 A, B, C에 분포하는 지층의 단면과 산출되는 표준 화석의 종류를 기호로 나타낸 것이다.

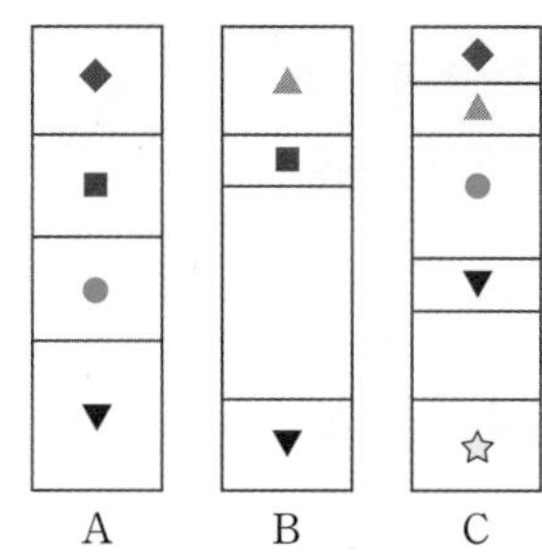

이에 대한 설명으로 옳은 것만을 | 보기 |에서 있는 대로 고른 것은? (단, 지층의 역전은 없었다.)

| 보기 |
ㄱ. 가장 오래된 표준 화석은 ▼이다.
ㄴ. A에는 퇴적이 중단된 시기가 있다.
ㄷ. 가장 오래된 지층과 가장 젊은 지층의 나이 차는 A가 C보다 크다.

① ㄱ ② ㄴ ③ ㄱ, ㄷ
④ ㄴ, ㄷ ⑤ ㄱ, ㄴ, ㄷ

07 그림은 어느 지역에서 관찰되는 지층과 화석을 나타낸 단면도이다. 이에 대한 설명으로 옳은 것만을 | 보기 |에서 있는 대로 고른 것은?

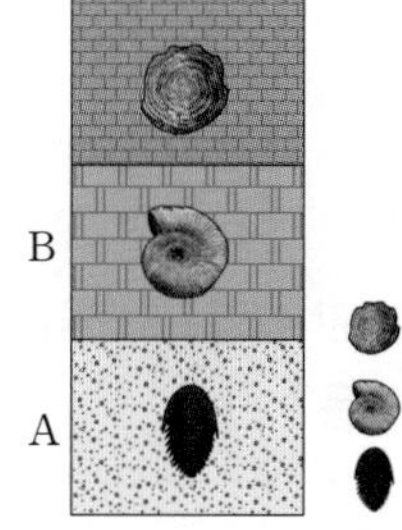

화폐석
암모나이트
삼엽충

| 보기 |
ㄱ. A가 퇴적된 지질 시대에는 초대륙이 존재하였다.
ㄴ. B의 지층에서는 겉씨식물 화석이 발견될 수 있다.
ㄷ. 이 지역의 지층은 역전되었다.

① ㄱ ② ㄴ ③ ㄱ, ㄷ
④ ㄴ, ㄷ ⑤ ㄱ, ㄴ, ㄷ

08 그림 (가)는 방사성 원소 X가 포함된 어느 암석을, (나)는 (가)로부터 1.8억 년이 지났을 때의 X와, X의 붕괴로 생성된 자원소의 상대적인 양을 나타낸 것이다.

● 방사성 원소 X ● 자원소

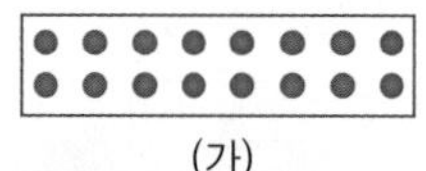
(가)

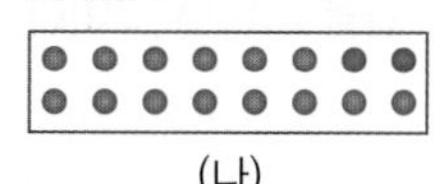
(나)

X의 반감기는 몇 년인가?

( )

09 그림은 인접한 두 지역 A, B의 지층 단면을 나타낸 것이다. 이 지역에서는 한 번의 화산 분출이 있었다. 이 지역에 대한 설명으로 옳은 것만을 | 보기 |에서 있는 대로 고른 것은?

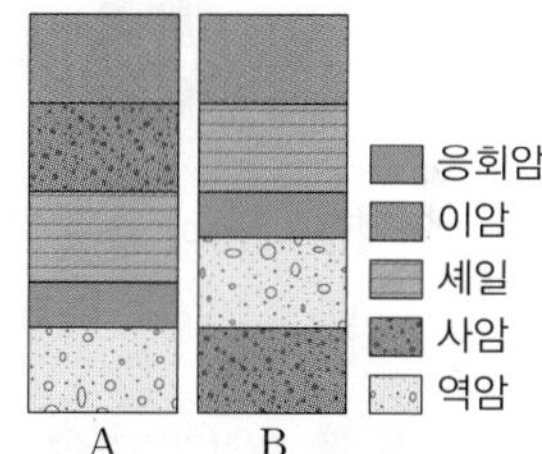

| 보기 |
ㄱ. 건층으로는 응회암층이 가장 적합하다.
ㄴ. 가장 오래된 지층은 A에 존재한다.
ㄷ. B에는 부정합이 존재한다.

① ㄱ ② ㄴ ③ ㄱ, ㄷ
④ ㄴ, ㄷ ⑤ ㄱ, ㄴ, ㄷ

10 그림은 고생대를 기 수준으로 구분한 것이다. 이에 대한 설명으로 옳은 것만을 | 보기 |에서 있는 대로 고른 것은?

고생대	
	페름기
	석탄기
	㉡
	실루리아기
	오르도비스기
	㉠

| 보기 |
ㄱ. ㉠ 시기에 육상 식물이 출현하였다.
ㄴ. ㉡은 데본기이다.
ㄷ. ㉡ 시기에는 바다에 척추동물이 서식하였다.

① ㄱ ② ㄴ ③ ㄱ, ㄷ
④ ㄴ, ㄷ ⑤ ㄱ, ㄴ, ㄷ

3강_ 퇴적암과 지질 구조

2021 6월 모평 1번

01 다음은 어느 지층의 퇴적 구조에 대한 학생 A, B, C의 대화를 나타낸 것이다.

제시한 내용이 옳은 학생만을 있는 대로 고른 것은?

① A ② C ③ A, B ④ B, C ⑤ A, B, C

Tip 층리가 기울어지거나 어긋난 퇴적 구조는 ❶ [ ] 이고, 층리면에 물결 모양의 흔적이 남아 있는 퇴적 구조는 ❷ [ ] 이다.

답 ❶ 사층리 ❷ 연흔

02 그림 (가)와 (나)는 각각 한탄강 주상 절리와 북한산 인수봉의 판상 절리를 나타낸 것이다.

(가) 한탄강 주상 절리

(나) 북한산 인수봉 판상 절리

이에 대한 설명으로 옳은 것만을 | 보기 | 에서 있는 대로 고른 것은?

| 보기 |
ㄱ. 암석이 생성된 깊이는 (가)가 (나)보다 깊다.
ㄴ. (나)의 절리는 다각형의 기둥 모양으로 발달한다.
ㄷ. (가)와 (나) 모두 절리를 따라 풍화와 침식 작용이 일어나고 있다.

① ㄱ ② ㄷ ③ ㄱ, ㄴ ④ ㄴ, ㄷ ⑤ ㄱ, ㄴ, ㄷ

Tip 화산암에는 ❶ [ ], 심성암에는 ❷ [ ] 가 주로 나타난다.

답 ❶ 주상 절리 ❷ 판상 절리

2020 6월 학평 16번 유사

03 그림은 퇴적암 중 역암, 석탄, 암염을 구분하는 과정을 나타낸 것이다. 이에 대한 설명으로 옳은 것만을 | 보기 | 에서 있는 대로 고른 것은?

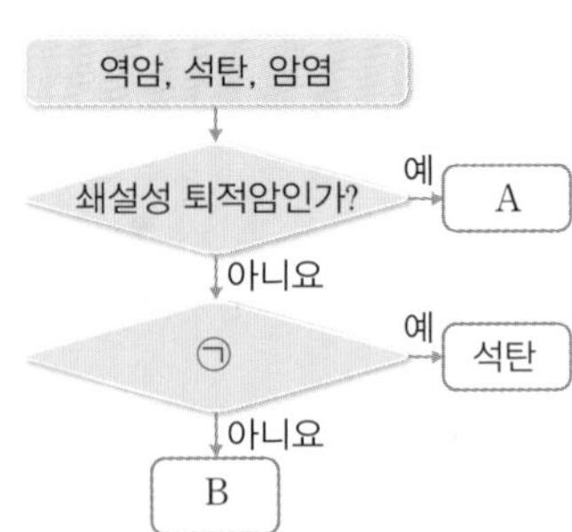

| 보기 |
ㄱ. A는 속성 작용을 거쳐 생성되었다.
ㄴ. '생물의 유해가 퇴적되어 생성되는가?'는 ㉠으로 적절하다.
ㄷ. B는 암염이다.

① ㄱ ② ㄴ ③ ㄱ, ㄷ ④ ㄴ, ㄷ ⑤ ㄱ, ㄴ, ㄷ

Tip 풍화 · 침식 쇄설물이 퇴적되어 ❶ [ ] 퇴적암이, 생물의 유해나 골격이 퇴적되어 ❷ [ ] 퇴적암이 생성된다.

답 ❶ 쇄설성 ❷ 유기적

2019 11월 학평 3번 유사

04 그림은 퇴적암을 쇄설성, 유기적, 화학적 퇴적암으로 분류하고, 그 예를 나타낸 것이다.

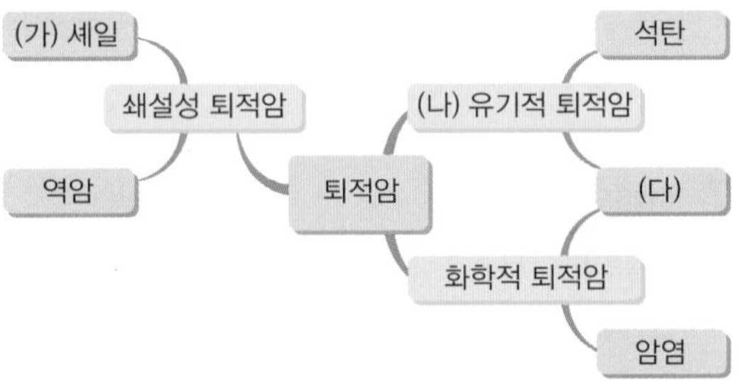

이에 대한 설명으로 옳은 것만을 | 보기 | 에서 있는 대로 고른 것은?

| 보기 |
ㄱ. (가)는 생성 과정에서 다짐 작용과 교결 작용을 받았다.
ㄴ. (나)는 물속의 화학 물질이 침전되면서 생성된다.
ㄷ. 처트는 (다)에 해당한다.

① ㄱ ② ㄴ ③ ㄱ, ㄷ ④ ㄴ, ㄷ ⑤ ㄱ, ㄴ, ㄷ

Tip 퇴적암의 속성 작용에는 ❶ [ ] 과 ❷ [ ] 이 있다.

답 ❶ 다짐 작용 ❷ 교결 작용

2009 수능 7번 유사

05 표는 우리나라의 세 지역을 답사하여 관찰한 내용이다.

답사 지역	관찰 내용
(가)	• 현무암이 분포함 • 용암 동굴이 분포함
(나)	• 층리가 발달함 • 삼엽충과 필석 화석이 관찰됨
(다)	• 연흔과 건열이 나타남 • 공룡 발자국 화석이 관찰됨

이에 대한 설명으로 옳은 것만을 | 보기 |에서 있는 대로 고른 것은?

보기
ㄱ. (가)에서 판상 절리보다 주상 절리가 주로 관찰된다.
ㄴ. 지층의 형성 순서는 (나)가 (다)보다 먼저이다.
ㄷ. (다) 지역의 지층은 육상에서 형성되었다.

① ㄱ ② ㄴ ③ ㄱ, ㄷ ④ ㄴ, ㄷ ⑤ ㄱ, ㄴ, ㄷ

Tip 용암이 빠르게 ❶ [ ] 되는 과정에서 기둥 모양으로 ❷ [ ] 가 형성된다. 답 ❶ 냉각 ❷ 주상 절리

2020 6월 학평 19번 유사

06 그림은 지층의 생성 과정을 통해 지사학 법칙을 이해하는 수업을 나타낸 것이다.

학생들의 설명과 관련된 지사학 법칙을 옳게 짝지은 것은?

	A	B	C
①	수평 퇴적의 법칙	부정합의 법칙	관입의 법칙
②	수평 퇴적의 법칙	관입의 법칙	부정합의 법칙
③	지층 누중의 법칙	부정합의 법칙	관입의 법칙
④	지층 누중의 법칙	관입의 법칙	부정합의 법칙
⑤	부정합의 법칙	수평 퇴적의 법칙	지층 누중의 법칙

Tip 관입의 법칙은 ❶ [ ] 한 암석이 기존 암석보다 ❷ [ ] 생성되었다는 법칙이다. 답 ❶ 관입 ❷ 나중에

2008 6월 모평 13번 유사

07 다음은 어느 지역의 지층에 대한 신문 기사의 일부이다.

도로변에 노출되어 있는 응회암층에서 매머드 발자국 화석이 발견되었다. 이 지층에서는 연흔과 사층리 등의 퇴적 구조도 나타났다.

이 지층에 대한 설명으로 옳은 것만을 | 보기 |에서 있는 대로 고른 것은?

보기
ㄱ. 고생대에 퇴적되었다.
ㄴ. 수심이 얕은 물 밑에서 퇴적되었다.
ㄷ. 퇴적될 당시 주변에 화산 활동이 있었다.

① ㄱ ② ㄷ ③ ㄱ, ㄴ
④ ㄴ, ㄷ ⑤ ㄱ, ㄴ, ㄷ

Tip 매머드는 ❶ [ ] 에 번성한 포유류이다. 응회암은 ❷ [ ] 가 퇴적되어 생성된다. 답 ❶ 신생대 ❷ 화산재

2019 4월 학평 15번 유사

08 그림은 지질 구조에 대해 수업하는 장면을 나타낸 것이다.

설명한 내용이 옳은 학생만을 있는 대로 고른 것은?

① A ② B ③ C
④ A, C ⑤ B, C

Tip 단층면의 위쪽에 위치한 ❶ [ ] 이 하반에 대해 아래로 내려오면 ❷ [ ] 을 받아 형성된 정단층이다. 답 ❶ 상반 ❷ 장력

4강_ 지구의 역사

2022 6월 모평 1번 유사

09 다음은 지질 시대의 특징에 대하여 학생 A, B, C가 나눈 대화를 나타낸 것이다. (가), (나), (다)는 각각 고생대, 중생대, 신생대 중 하나이다.

지질 시대 | 특징
(가) · 판게아가 분리되기 시작하였다. · 파충류가 번성하였다.
(나) · 히말라야산맥이 형성되었다. · 속씨식물이 번성하였다.
(다) · 육상에 식물이 출현하였다. · 삼엽충이 번성하였다.
(가)의 지층에서는 공룡 화석이 발견될 수 있어.
(나)는 신생대야.
(다) 시기에는 매머드가 번성하였어.
학생 A
학생 B
학생 C

제시한 내용이 옳은 학생만을 있는 대로 고른 것은?

① A ② B ③ C ④ A, B ⑤ A, C

Tip 처음으로 ❶ ___이 등장한 시대는 ❷ ___이다.

답 ❶ 육상 식물 ❷ 고생대

2020 10월 학평 7번 유사

10 다음은 스트로마톨라이트에 대한 설명과, A, B, C 누대의 특징이다. A, B, C는 각각 시생 누대, 원생 누대, 현생 누대 중 하나이다.

스트로마톨라이트는 광합성을 하는 (㉠)이 만든 층상 구조의 석회질 암석으로, 따뜻하고 수심이 얕은 바다에서 형성된다.

누대	특징
A	대륙 지각 형성 시작
B	에디아카라 동물군 출현
C	겉씨식물 출현

이에 대한 설명으로 옳은 것만을 | 보기 |에서 있는 대로 고른 것은?

보기
ㄱ. ㉠은 B 누대에 출현하였다.
ㄴ. 대기 중 산소의 농도는 A 누대가 B 누대보다 낮았다.
ㄷ. 누대의 길이는 B가 C보다 길다.

① ㄱ ② ㄷ ③ ㄱ, ㄴ ④ ㄴ, ㄷ ⑤ ㄱ, ㄴ, ㄷ

Tip 스트로마톨라이트는 ❶ ___ 누대에 등장한 남세균의 광합성 활동으로 인해 형성되었다. 최초의 다세포 동물은 ❷ ___ 누대에 등장하였다.

답 ❶ 시생 ❷ 원생

2018 6월 모평 15번 유사

11 그림은 어느 지층의 A−B 구간에 해당하는 각 암석의 연령을 나타낸 것이다.

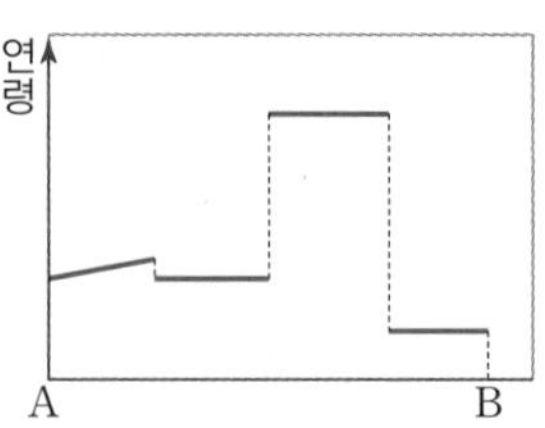

이에 해당하는 지질 단면으로 가장 적절한 것은?

① 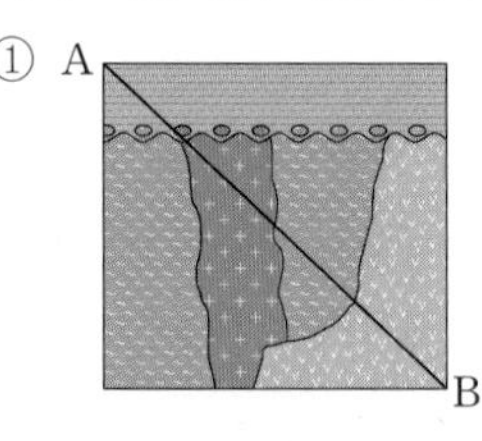

② 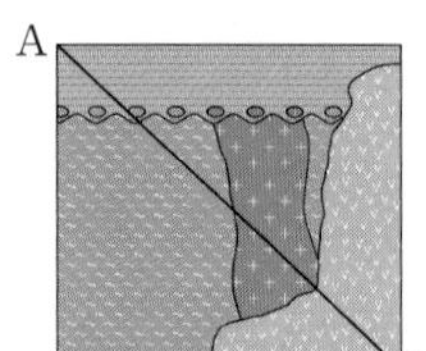

③ 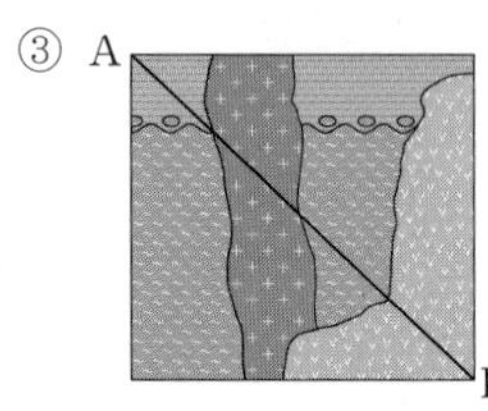

④ 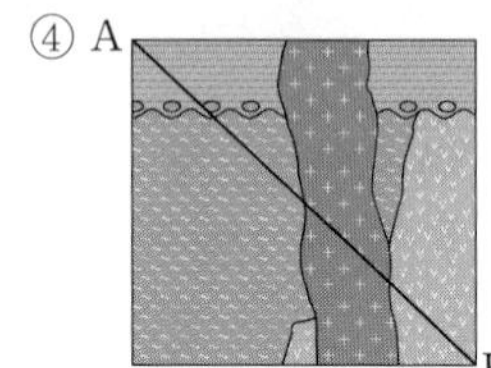

⑤ 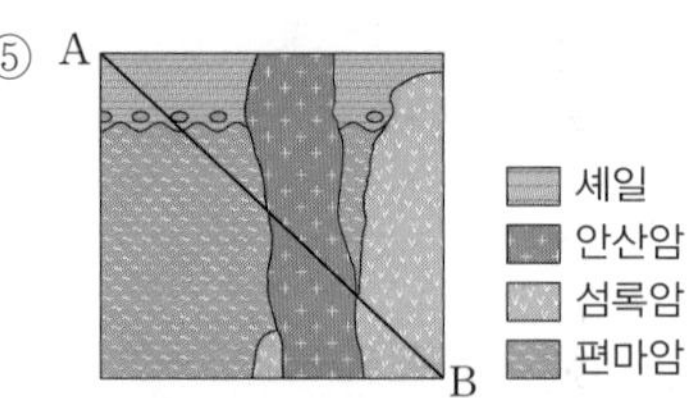

Tip 일반적으로 지층이 역전되지 않았다면 퇴적암층은 지표에 가까워질수록 연령이 ❶ ___진다. 관입의 법칙에 의하면 관입 당한 암석은 관입한 암석보다 ❷ ___ 생성된 것이다.

답 ❶ 적어 ❷ 먼저

2006 6월 모평 10번 유사

12 다음은 철수가 과학반 탐구 활동으로 어느 지역의 지층을 이루는 암석과 화석을 조사하여 작성한 보고서의 일부이다.

탐구 활동 보고서
- 지점 A: 셰일층에서 삼엽충과 필석류의 화석을 발견함
- 지점 B: 셰일층에서 다량의 고사리 화석을 발견함
- 지점 C: 석회암층에서 방추충과 산호 화석을 발견함

세 지점 A, B, C에 대한 설명으로 옳은 것만을 | 보기 | 에서 있는 대로 고른 것은?

보기
ㄱ. A와 C의 셰일층과 석회암층은 고생대에 퇴적되었다.
ㄴ. B는 육상에서 퇴적되었다.
ㄷ. B와 C의 셰일층과 석회암층이 퇴적될 당시 기후는 한랭하였다.

① ㄱ ② ㄷ ③ ㄱ, ㄴ
④ ㄴ, ㄷ ⑤ ㄱ, ㄴ, ㄷ

Tip 삼엽충, 필석류, 방추충은 ❶ ☐ 의 표준 화석이다. 고사리나 산호는 퇴적 당시 환경을 알 수 있는 ❷ ☐ 화석에 해당한다.
답 ❶ 고생대 ❷ 시상

2021 7월 학평 6번 유사

13 다음은 지질 시대에 대한 원격 수업 장면이다.

지질 시대	설명
(가)	갑주어를 비롯한 어류가 번성하였고 최초의 양서류가 출현하였다.
(나)	양서류가 전성기를 이루었으며 최초의 파충류가 출현하였다.
(다)	해안의 낮은 습지에서 최초의 육상 식물이 출현하였다.

(가), (나), (다)는 각각 실루리아기, 데본기, 석탄기 중 하나입니다.
학생 A
오존층은 (가) 이전에 형성되었어요.
학생 B
(나)는 석탄기예요.
학생 C
지질 시대는 (가) → (나) → (다) 순이에요.

제시한 내용이 옳은 학생만을 있는 대로 고른 것은?

① A ② C ③ A, B
④ B, C ⑤ A, B, C

Tip 오존층 형성 후 최초의 ❶ ☐ 이 출현하였다. 최초의 척추동물인 ❷ ☐ 의 출현 후 양서류가 등장하였다.
답 ❶ 육상 식물 ❷ 어류

2019 11월 학평 9번 유사

14 그림은 현생 누대의 평균 기온 변화와 생물 A, B, C의 생존 시기를 나타낸 것이다.

지질 시대	평균 기온 (낮음 ← 현재값 → 높음)	생존 시기
제4기		
네오기		
팔레오기		
백악기		
쥐라기		A, B
트라이아스기		
페름기		
석탄기		
데본기		C
실루리아기		
오르도비스기		
캄브리아기		

A, B, C에 대한 설명으로 옳은 것만을 | 보기 | 에서 있는 대로 고른 것은?

보기
ㄱ. 표준 화석으로는 A가 가장 적합하다.
ㄴ. B가 생존한 시기에는 빙하기가 있었다.
ㄷ. C가 생존한 시기에는 최초의 파충류가 출현하였다.

① ㄱ ② ㄷ ③ ㄱ, ㄴ
④ ㄴ, ㄷ ⑤ ㄱ, ㄴ, ㄷ

Tip 고생대는 캄브리아기부터 ❶ ☐ 까지, 중생대는 트라이아스기부터 백악기까지, 신생대는 ❷ ☐ 부터이다.
답 ❶ 페름기 ❷ 팔레오기

마무리 전략

핵심 한눈에 보기

1강_ 판 구조론과 대륙 분포의 변화 ~ 2강_ 판 이동의 원동력과 마그마 활동

지권의 변동

해저 확장설

음향 측심법

$$수심(H) = \frac{1}{❶\boxed{\quad}} \times 음파\ 속도(v) \times 시간(t)$$

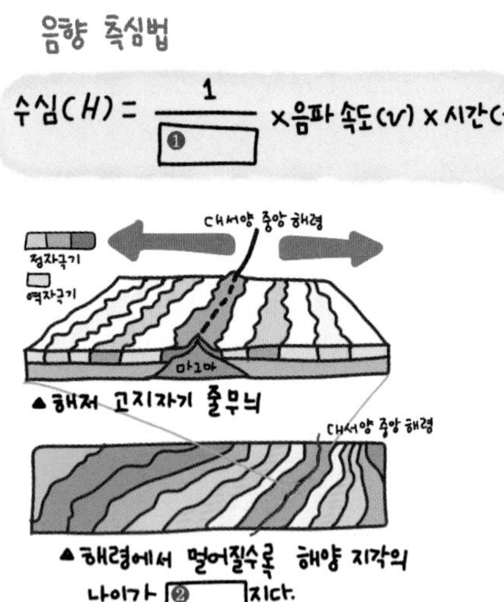

▲ 해저 고지자기 줄무늬

▲ 해령에서 멀어질수록 해양 지각의 나이가 ❷ ☐ 진다.

판의 경계

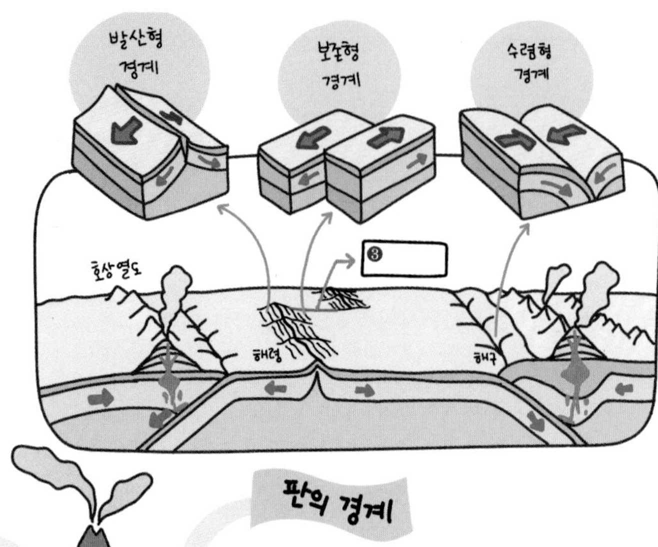

대륙 분포의 변화

지자기 북극의 이동 경로와 대륙의 이동

북아메리카 대륙에서 측정

유럽 대륙에서 측정

(단위: 억 년 전)

▲ 현재의 대륙 분포와 자북극의 이동 경로

▲ 대륙이 붙어 있을 때 자북극의 이동 경로

마그마 생성 조건

① 온도 상승 ② 압력 감소 ③ 물 공급

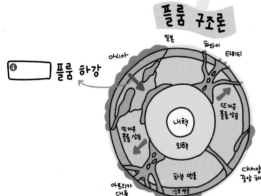

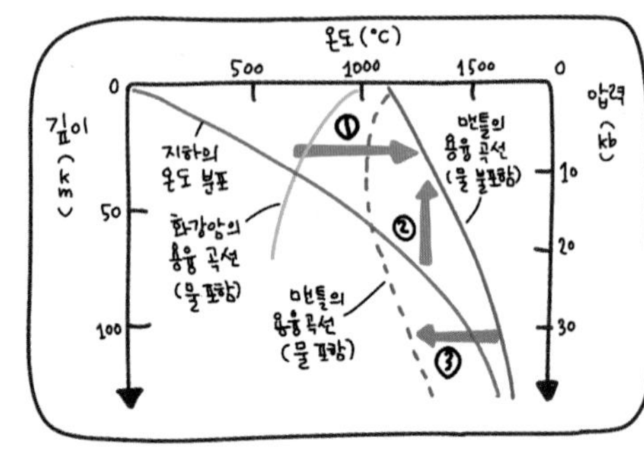

플룸 구조론

❹ ☐ 플룸 하강

일본, 하와이, 타히티, 아시아, 뜨거운 플룸 상승, 내핵, 외핵, 하부 맨틀, 상부 맨틀, 아프리카 대륙, 대서양 중앙 해령

마그마 생성 장소

종류	마그마 종류
발산 경계	현무암질 마그마
❺ ☐ 경계	현무암질, 유문암질, 안산암질 마그마
열점	현무암질 마그마

현무암질 마그마는 유문암질 마그마보다 온도는 높고 점성이 작다고 하네~!!

답 ❶ 2 ❷ 많아 ❸ 변환 단층 ❹ 차가운 ❺ 수렴

3강_ 퇴적암과 지질 구조 ~ 4강_ 지구의 역사

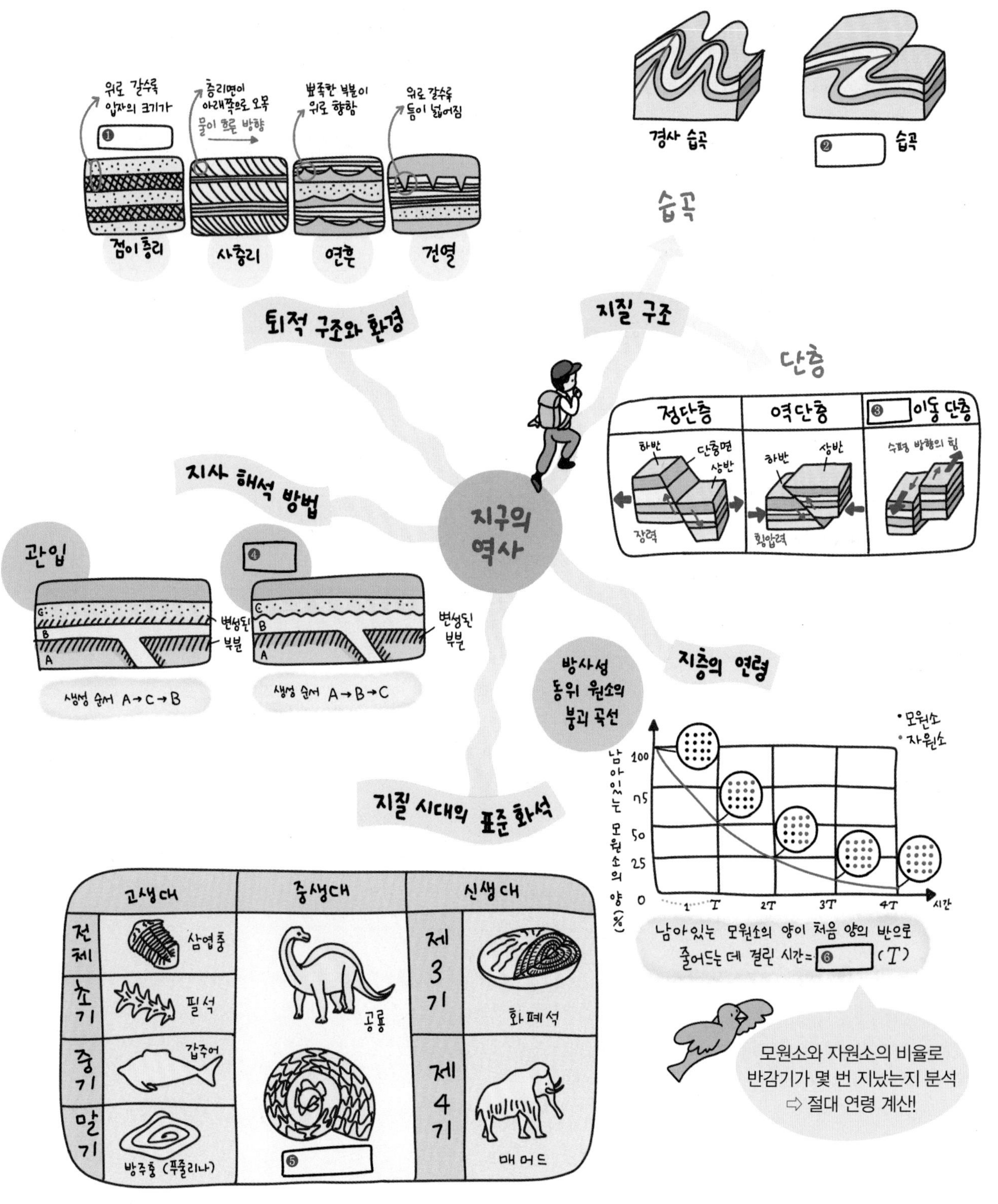

답 ❶ 작아진다. ❷ 횡와 ❸ 주향 ❹ 분출 ❺ 암모나이트 ❻ 반감기

신유형·신경향 전략

신유형 전략

01 인도 대륙의 이동

2020 7월 학평 2번 유사

그림은 인도 대륙 중앙의 한 지점에서 채취한 암석 A, B, C의 나이와 암석이 생성될 당시 고지자기의 방향과 복각을 나타낸 것이다.

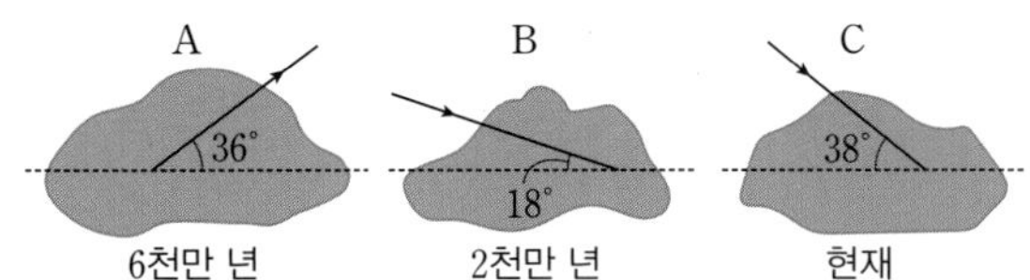

이에 대한 설명으로 옳은 것만을 〈보기〉에서 있는 대로 고른 것은? (단, A, B, C는 정자극기에 생성되었고, 지리상 북극의 위치는 변하지 않았다.)

보기

ㄱ. A, B, C 모두 복각은 (+) 값을 갖는다.

ㄴ. B는 C보다 고위도에서 생성되었다.

ㄷ. A → B 기간 동안 인도 대륙은 적도에 위치한 적이 있다.

① ㄱ ② ㄷ ③ ㄱ, ㄴ
④ ㄴ, ㄷ ⑤ ㄱ, ㄴ, ㄷ

Tip 인도 대륙은 판게아 형성 당시 남반구의 남극 부근에 위치하였으나 점차 북상하였고, 신생대에는 유라시아판과 충돌하면서 히말라야산맥을 형성하였다. 자기 적도에서 복각은 ❶ [ ]°이며, 자북극과 자남극으로 갈수록 복각의 크기는 ❷ [ ]진다.

답 ❶ 0 ❷ 커

02 마그마의 종류와 생성 장소

2021 9월 모평 9번 유사

그림은 해양판이 섭입하면서 마그마가 생성되는 어느 해구 지역의 지진파 단층 촬영 영상을 나타낸 것이다.

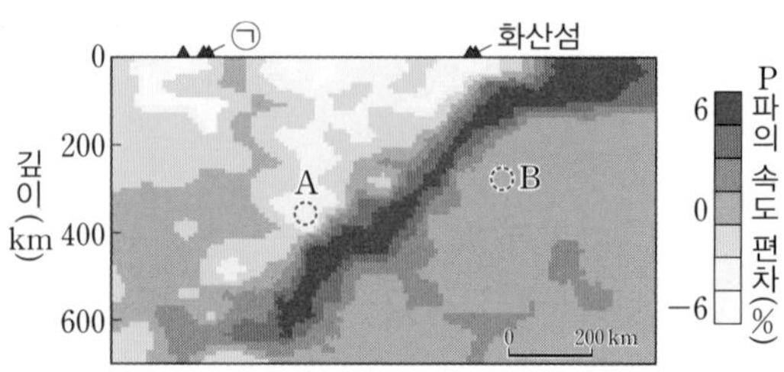

이에 대한 설명으로 옳은 것만을 〈보기〉에서 있는 대로 고른 것은?

보기

ㄱ. ㉠은 열점이다.

ㄴ. A 지점에서는 주로 SiO_2의 함량이 52 %보다 낮은 마그마가 생성된다.

ㄷ. B 지점에서 맨틀 대류는 상승한다.

① ㄱ ② ㄴ ③ ㄱ, ㄷ
④ ㄴ, ㄷ ⑤ ㄱ, ㄴ, ㄷ

Tip 해양판이 섭입하는 해구 부근의 섭입대에서는 섭입한 해양판에서 빠져나온 물에 의해 맨틀 물질의 용융점이 ❶ [ ]지면서 현무암질 마그마가 생성된다. 이 현무암질 마그마는 상승하면서 대륙 지각을 녹여 유문암질 마그마를 생성하고, 두 마그마의 혼합으로 인해 섭입대 부근에서 분출되는 마그마는 대체로 ❷ [ ] 마그마이다.

답 ❶ 낮아 ❷ 안산암질

03 퇴적암의 생성

2022 6월 모평 16번 유사

그림 (가)는 어느 쇄설성 퇴적층의 단면을, (나)는 속성 작용이 일어나는 동안 (가)의 모래층에서 모래 입자 사이 공간(㉠)의 부피 변화를 나타낸 것이다.

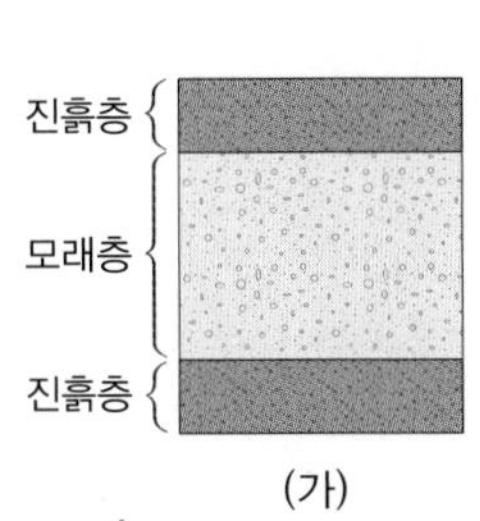

(가)

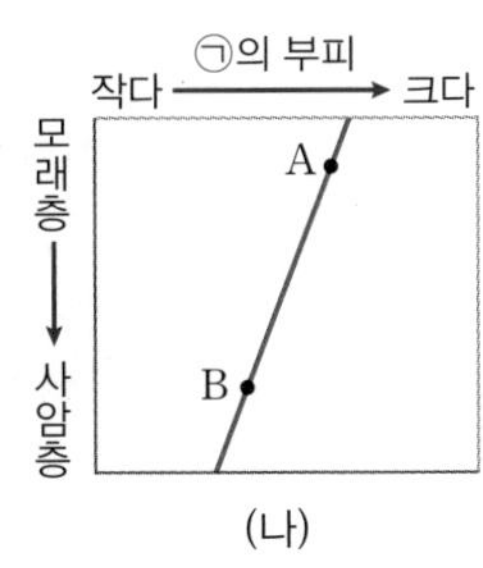

(나)

(가)의 모래층에서 속성 작용이 일어나는 동안 나타나는 변화에 대한 설명으로 옳은 것만을 | 보기 | 에서 있는 대로 고른 것은?

보기

ㄱ. 모래층에서 ㉠이 차지하는 비율은 작아진다.

ㄴ. 공극에서 교결 물질이 차지하는 비율은 작아진다.

ㄷ. 밀도는 커진다.

① ㄱ ② ㄴ ③ ㄱ, ㄷ
④ ㄴ, ㄷ ⑤ ㄱ, ㄴ, ㄷ

Tip 퇴적물이 퇴적암이 되는 과정을 ❶ [ ] 이라고 하며, 속성 작용에는 다짐 작용과 교결 작용이 포함된다. ❷ [ ] 이 일어나는 동안 공극은 감소하고, 퇴적물의 밀도는 커진다.

답 ❶ 속성 작용 ❷ 다짐 작용

04 절대 연령

2020 10월 학평 18번 유사

그림 (가)는 마그마가 식으면서 두 종류의 광물이 생성된 때의 모습을, (나)는 (가) 이후 P의 반감기가 n회 지났을 때 화성암에 포함된 두 광물의 모습을 나타낸 것이다. 이 화성암에는 방사성 원소 P, Q와 P, Q의 자원소 P′, Q′가 포함되어 있다.

(가)

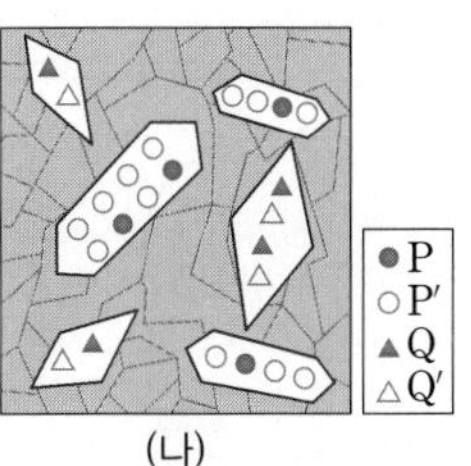

(나)

이에 대한 설명으로 옳은 것만을 | 보기 | 에서 있는 대로 고른 것은?

보기

ㄱ. (나)에서 P는 처음 양의 25 %가 남아 있다.

ㄴ. 반감기는 P가 Q보다 길다.

ㄷ. 광물에 포함된 모원소의 양이 많을수록 반감기는 길어진다.

① ㄱ ② ㄴ ③ ㄱ, ㄷ
④ ㄴ, ㄷ ⑤ ㄱ, ㄴ, ㄷ

Tip 방사성 동위 원소가 붕괴되어 처음 양의 반이 남을 때까지 걸린 시간을 ❶ [ ] 라고 하며, 방사성 원소의 붕괴 속도가 빠를수록 반감기가 ❷ [ ] 다.

답 ❶ 반감기 ❷ 짧

신경향 전략

05 판 구조론의 정립 과정

2021 수능 1번

다음은 판 구조론이 정립되는 과정에서 등장한 두 이론에 대하여 학생 A, B, C가 나눈 대화를 나타낸 것이다.

이론	내용
㉠	고생대 말에 판게아가 존재하였고, 약 2억 년 전에 분리되기 시작하여 현재와 같은 대륙 분포가 되었다.
㉡	맨틀이 대류하는 과정에서 대륙이 이동할 수 있다.

대서양 양쪽에 있는 남아메리카 대륙과 아프리카 대륙의 해안선 모양이 비슷한 것은 ㉠의 증거가 될 수 있어.
㉡에 의하면 맨틀 대류가 상승하는 곳에 해구가 형성돼.
베게너는 음향 측심 자료를 이용하여 ㉠을 설명했어.
학생 A
학생 B
학생 C

제시한 내용이 옳은 학생만을 있는 대로 고른 것은?

① A ② B ③ A, C
④ B, C ⑤ A, B, C

Tip 베게너는 대서양 양쪽 대륙 해안선 굴곡의 유사성, 화석 분포, 고생대 말 빙하 퇴적층의 분포와 빙하 이동 흔적 등을 증거로 ❶ ______ 을 주장하였다.
1950년대 이후 음향 측심 자료를 통해 해령, 해구 등의 해저 지형을 발견하였으며, 이는 ❷ ______ 이 등장하는 데 중요한 역할을 하였다.

답 ❶ 대륙 이동설 ❷ 해양저 확장설

06 플룸 구조론과 열점의 분포

2021 6월 모평 11번 유사

그림 (가)는 지구의 플룸 구조 모식도이고, (나)는 판의 경계와 열점의 분포를 나타낸 것이다. (가)의 ㉠~㉣은 플룸이 상승하거나 하강하는 곳이고, 이들의 대략적 위치는 각각 (나)의 A~D 중 하나이다.

(가)

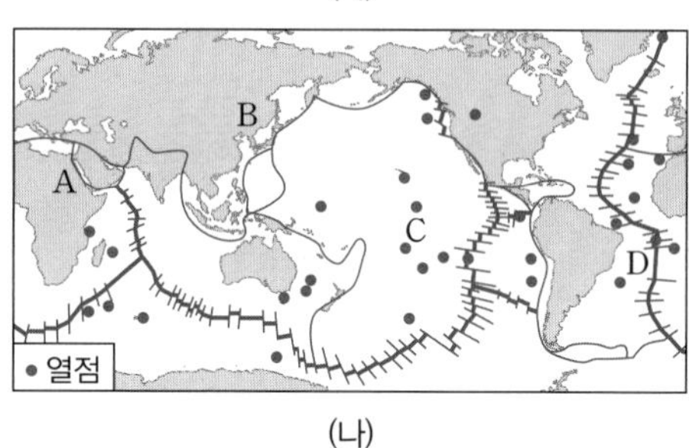

(나)

이에 대한 설명으로 옳은 것만을 | 보기 | 에서 있는 대로 고른 것은?

보기
ㄱ. ㉠은 B에 해당한다.
ㄴ. ㉢에는 판의 발산 경계가 발달해 있다.
ㄷ. C에서 분출되는 마그마는 대부분 해양 지각의 용융으로 생성된다.

① ㄱ ② ㄷ ③ ㄱ, ㄴ
④ ㄴ, ㄷ ⑤ ㄱ, ㄴ, ㄷ

Tip 차가운 플룸은 판의 ❶ ______ 경계에서 섭입한 판이 맨틀과 외핵의 경계 쪽으로 가라앉으면서 생성된다. 뜨거운 플룸은 맨틀과 ❷ ______ 의 경계에서 뜨거운 맨틀 물질이 상승하면서 생성된다. 현재 남태평양과 아프리카 대륙 아래에서 거대한 뜨거운 플룸이 상승하고 있다.

답 ❶ 수렴 ❷ 외핵

07 퇴적 구조와 지층의 연령

2020 4월 학평 5번 유사

그림 (가)는 어느 지역의 지질 단면을, (나)는 X−Y 구간에 해당하는 암석의 생성 시기를 나타내 것이다.

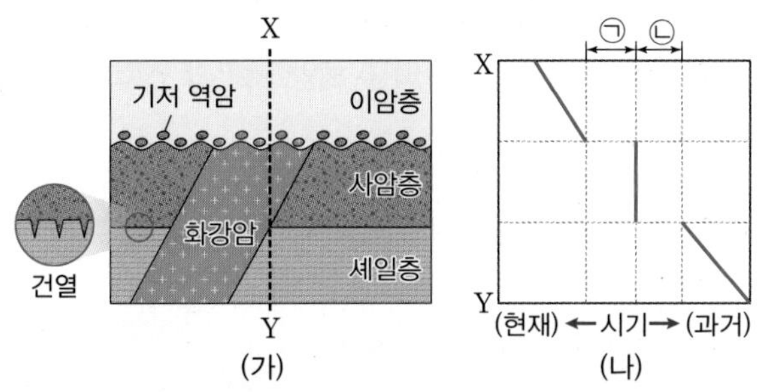

(가) (나)

이에 대한 설명으로 옳은 것만을 | 보기 | 에서 있는 대로 고른 것은?

보기
ㄱ. 기저 역암을 구성하는 암석들은 ㉠ 시기에 생성되었다.
ㄴ. 사암층은 ㉡ 시기 중에 퇴적되었다.
ㄷ. 셰일층과 사암층은 모두 수면 위로 노출된 적이 있었다.

① ㄱ ② ㄴ ③ ㄱ, ㄷ
④ ㄴ, ㄷ ⑤ ㄱ, ㄴ, ㄷ

Tip 퇴적암층에서는 ❶ [ ] 로 갈수록 암석의 나이가 적어지며, ❷ [ ] 을 경계로 상하의 두 지층은 퇴적 시기에 큰 시간적 간격이 있다.

답 ❶ 위 ❷ 부정합면

08 지질 시대의 환경과 생물

2020 4월 학평 4번 유사

그림 (가)는 현생 누대 동안 대륙 수의 변화를, (나)는 서로 다른 시기의 대륙 분포를 나타낸 것이다. A, B, C는 각각 ㉠, ㉡, ㉢ 시기의 대륙 분포 중 하나이다.

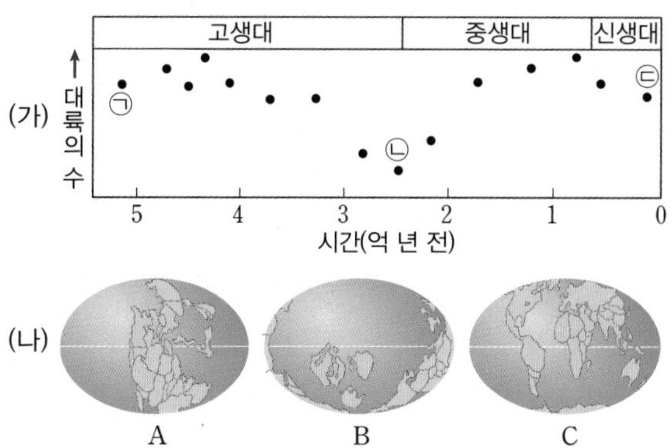

(가)
(나)

이에 대한 설명으로 옳은 것만을 | 보기 | 에서 있는 대로 고른 것은?

보기
ㄱ. (가)의 기간 동안 대륙 분포는 A → B → C 순으로 변하였다.
ㄴ. ㉡ 시기에 대멸종이 있었다.
ㄷ. 애팔래치아산맥은 ㉢ 시기에 형성되었다.

① ㄱ ② ㄴ ③ ㄱ, ㄷ
④ ㄴ, ㄷ ⑤ ㄱ, ㄴ, ㄷ

Tip 고생대 말 초대륙인 ❶ [ ] 가 형성되었으므로 이 시기에는 대륙의 수가 다른 시기에 비해 적다. 히말라야산맥은 신생대에 형성되었으며, 판게아가 형성된 시기에는 대륙들의 충돌로 ❷ [ ] 과 칼레도니아산맥이 형성되었다.

답 ❶ 판게아 ❷ 애팔래치아산맥

1·2등급 확보 전략 1회

빈출도 ● > ● > ●

1강_ 판 구조론과 대륙 분포의 변화

01 그림은 고지자기 복각과 위도의 관계를 나타낸 것이고, 표는 어느 대륙의 한 지역에서 생성된 화성암 A~D의 생성 시기와 고지자기 복각을 측정한 자료이다.

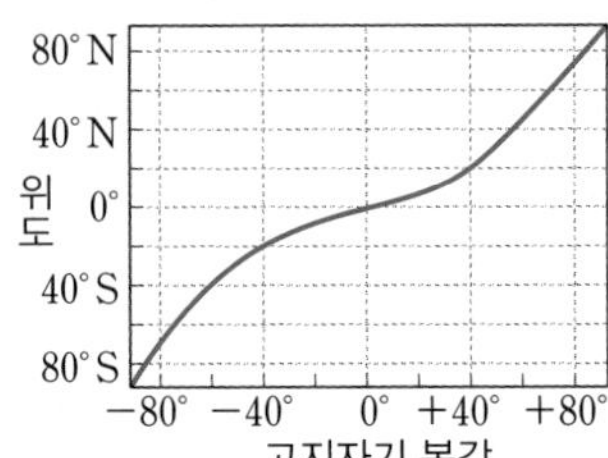

화성암	생성 시기	고지자기 복각
A	현재	+38°
B	↑	+18°
C	↓	−37°
D	과거	−48°

이 지역에 대한 설명으로 옳은 것만을 | 보기 |에서 있는 대로 고른 것은? (단, 화성암 A~D는 정자극기일 때 생성되었고, 지리상 북극의 위치는 변하지 않았다.)

보기

ㄱ. A와 B가 생성된 시기에는 북반구에 위치하였다.

ㄴ. A~D 중 적도에 가장 가까웠던 시기는 B가 생성된 시기이다.

ㄷ. D가 생성된 시기에 이 지역의 위도는 40°S보다 높다.

① ㄱ ② ㄷ ③ ㄱ, ㄴ ④ ㄴ, ㄷ ⑤ ㄱ, ㄴ, ㄷ

⁂ 1등급 킬러 2019 수능 19번 유사

02 그림은 어느 지괴의 현재 위치와 시기별 고지자기극 위치를 나타낸 것이다. 고지자기극은 이 지괴의 고지자기 방향으로 추정한 지리상 북극이고, 실제 지리상 북극의 위치는 변하지 않았다. 이 지괴에 대한 설명으로 옳은 것만을 | 보기 |에서 있는 대로 고른 것은?

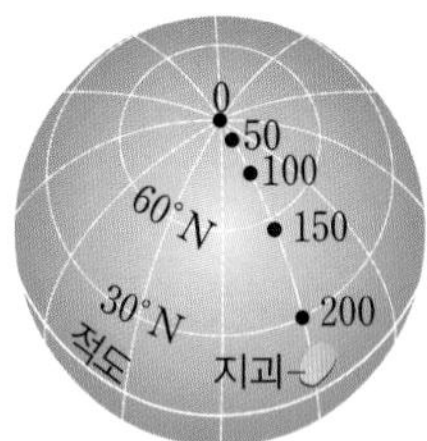

단위: 백만 년 전(Ma)

보기

ㄱ. 고지자기 복각은 150 Ma보다 200 Ma에 컸다.

ㄴ. 200 Ma~0 Ma 동안 북쪽으로 이동하였다.

ㄷ. 200 Ma~0 Ma 동안 이동 속도는 점차 느려졌다.

① ㄱ ② ㄴ ③ ㄱ, ㄷ ④ ㄴ, ㄷ ⑤ ㄱ, ㄴ, ㄷ

2021 7월 학평 4번 유사

03 그림 (가)와 (나)는 각각 태평양과 대서양에서 측정한 해령으로부터의 거리에 따른 해양 지각의 연령과 수심을 나타낸 것이다.

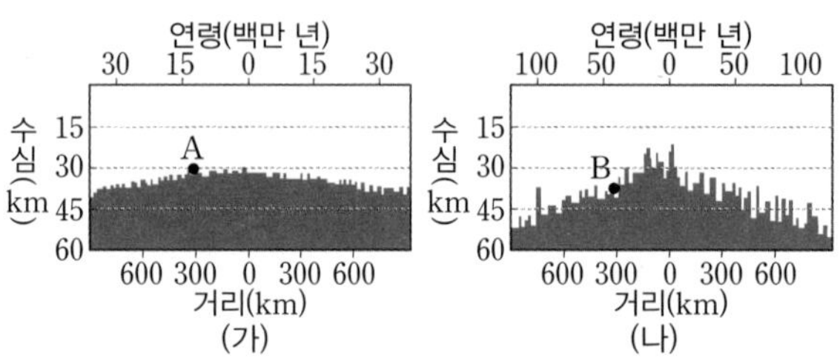

이에 대한 설명으로 옳은 것만을 | 보기 |에서 있는 대로 고른 것은? (단, 태평양과 대서양에서 심해 퇴적물이 쌓이는 속도는 같다.)

보기

ㄱ. 해령으로부터의 거리에 따른 수심 변화는 (가)가 (나)보다 작다.

ㄴ. 최상부와 최하부 퇴적물의 퇴적 시기 차이는 A가 B보다 크다.

ㄷ. 최근 3천만 년 동안 해양 지각의 평균 확장 속도는 (가)가 (나)보다 빠르다.

① ㄱ ② ㄴ ③ ㄱ, ㄷ ④ ㄴ, ㄷ ⑤ ㄱ, ㄴ, ㄷ

2020 수능 8번 유사

04 그림은 태평양 어느 지역의 판 경계를 나타낸 것이다.

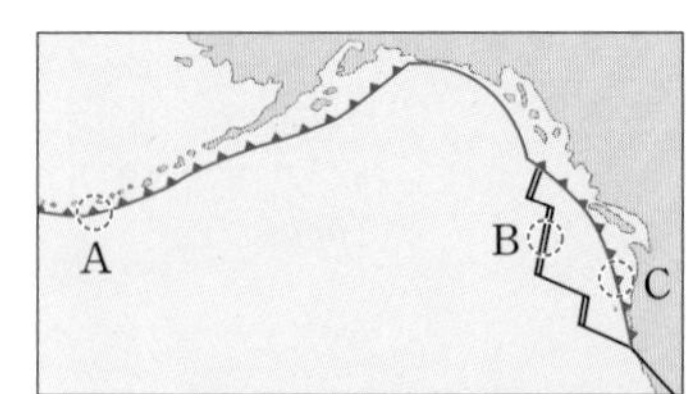

지역 A, B, C에 대한 설명으로 옳은 것만을 | 보기 |에서 있는 대로 고른 것은?

보기

ㄱ. A에서는 주로 현무암질 마그마가 분출된다.

ㄴ. B는 맨틀 대류의 상승부에 위치한다.

ㄷ. 해양 지각의 연령은 A가 B보다 많다.

① ㄱ ② ㄷ ③ ㄱ, ㄴ ④ ㄴ, ㄷ ⑤ ㄱ, ㄴ, ㄷ

2019 9월 모평 4번 유사

05 다음은 컴퓨터를 활용하여 태평양에서 마그마가 분출하는 두 지역의 해저 지형과 마그마 특성을 알아보는 탐구 활동이다.

[탐구 과정]

(가) 태평양에서 마그마가 분출하는 지역 A와 B를 결정한다.

(나) 그림과 같이 A와 B를 각각 가로지르는 두 구간 a_1-a_2와 b_1-b_2를 그리고, 각 구간의 수심 자료를 수집한다.

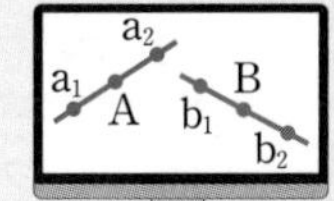

(다) 수심 자료를 이용하여 해저 지형 그래프를 그린다.

(라) A와 B 지역에서 분출하는 마그마의 특성에 대해 정리한 후 해저 지형 그래프와 비교한다.

[탐구 결과]

○구간별 수심 자료

구간 a_1-a_2		구간 b_1-b_2	
거리(km)	수심(m)	거리(km)	수심(m)
0	5602	0	4269
200	5420	200	4085
400	4871	400	4008
600	4297	600	3881
800	121	800	3456
1000	5194	1000	3097
1200	5093	1200	3447
1400	5491	1400	3734
1600	5372	1600	4147
1800	5315	1800	4260
2000	5151	2000	4328

○구간별 해저 지형 그래프
…(이하 생략)…

탐구 결과에 대한 설명으로 옳은 것만을 보기 에서 있는 대로 고른 것은?

보기

ㄱ. A는 발산 경계에 위치한다.

ㄴ. B에서는 현무암질 마그마가 분출한다.

ㄷ. A와 B에서 분출되는 마그마는 주로 압력 감소에 의해 생성된다.

① ㄱ ② ㄷ ③ ㄱ, ㄴ ④ ㄴ, ㄷ ⑤ ㄱ, ㄴ, ㄷ

1등급 킬러 2020 7월 학평 9번 유사

06 그림은 어느 해령 부근의 X－X′ 구간을 직선 이동하며 측정한 해양 지각의 나이를 나타낸 것이다.

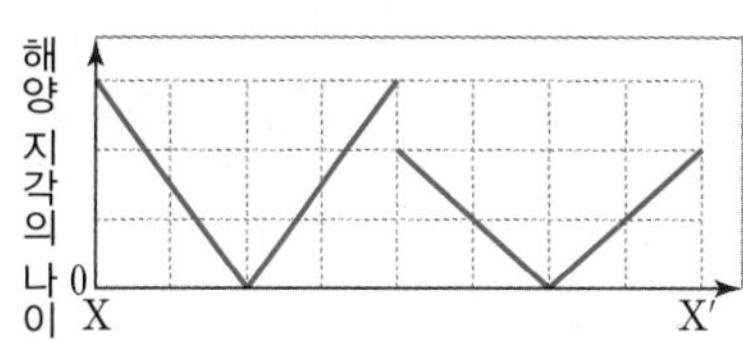

측정한 지역 부근의 고지자기 분포로 가장 적절한 것은? (단, ■은 정자극기, □은 역자극기이다.)

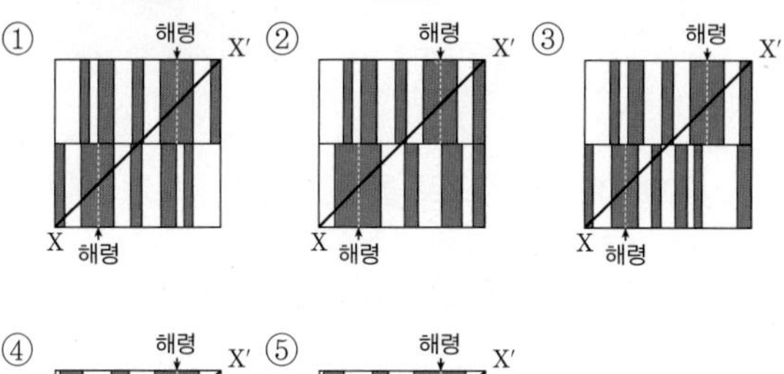

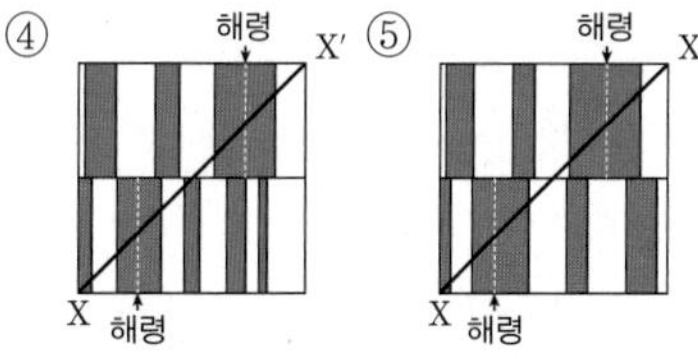

07 그림은 어느 지괴 A의 현재 위치 및 A에서 측정한 지질 시대 동안 고지자기극의 위치 변화를 나타낸 것이다. 고지자기극은 고지자기 방향으로부터 추정한 지리상의 남극이며, 지리상 남극은 변하지 않았다. 현재 지자기 남극은 지리상 남극과 일치한다.

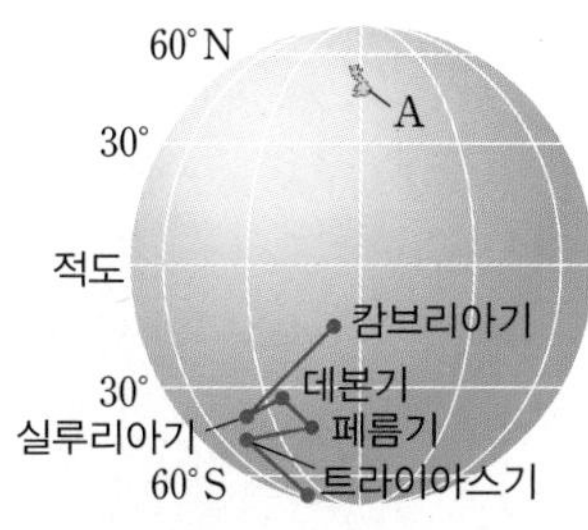

A에 대한 설명으로 옳은 것만을 보기 에서 있는 대로 고른 것은?

보기

ㄱ. 캄브리아기일 때 고지자기 복각의 부호는 (－)였다.

ㄴ. 위도는 트라이아스기가 데본기일 때보다 낮았다.

ㄷ. 중생대 이후 대체로 북상하였다.

① ㄱ ② ㄴ ③ ㄱ, ㄷ ④ ㄴ, ㄷ ⑤ ㄱ, ㄴ, ㄷ

2강_ 판 이동의 원동력과 마그마 활동

2022 수능 9번 유사

08 그림 (가)는 깊이에 따른 지하의 온도 분포와 암석의 용융 곡선을 나타낸 것이고, (나)는 반려암과 화강암을 A와 B로 순서 없이 나타낸 것이다. A와 B는 각각 (가)의 ㉠ 과정과 ㉡ 과정으로 생성된 마그마가 굳어진 암석 중 하나이다.

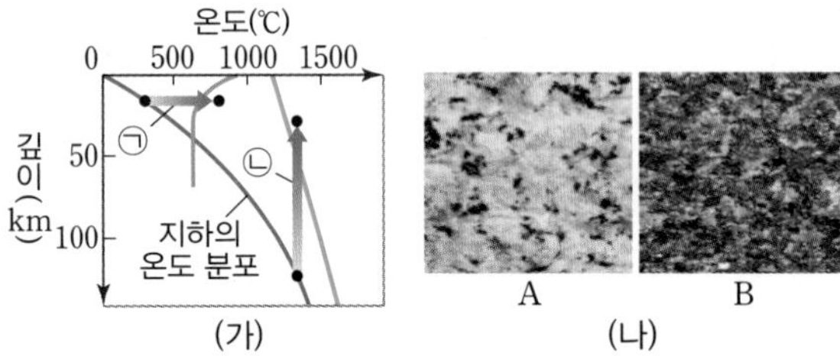

이에 대한 설명으로 옳은 것만을 | 보기 | 에서 있는 대로 고른 것은?

보기
ㄱ. 해령에서는 ㉡ 과정으로 인해 마그마가 생성된다.
ㄴ. ㉠ 과정으로 생성된 마그마의 냉각으로 생성된 암석은 B이다.
ㄷ. ㉡ 과정으로 마그마가 생성되기 위해서는 반드시 열의 공급이 필요하다.

① ㄱ ② ㄴ ③ ㄱ, ㄷ
④ ㄴ, ㄷ ⑤ ㄱ, ㄴ, ㄷ

2020 4월 학평 3번 유사

09 그림은 섭입대 부근에서 생성된 마그마 A와 B의 위치를 나타낸 것이다.

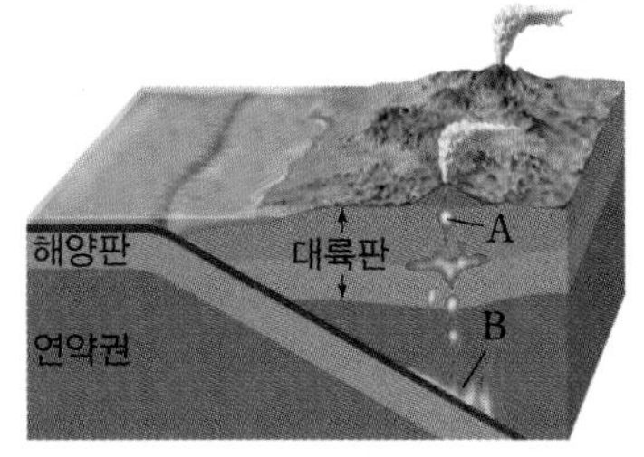

이에 대한 설명으로 옳은 것만을 | 보기 | 에서 있는 대로 고른 것은?

보기
ㄱ. 온도는 A가 B보다 낮다.
ㄴ. 점성은 A가 B보다 크다.
ㄷ. B는 주로 해양 지각이 용융되어 생성된 것이다.

① ㄱ ② ㄷ ③ ㄱ, ㄴ
④ ㄴ, ㄷ ⑤ ㄱ, ㄴ, ㄷ

1등급 킬러 2020 9월 모평 5번 유사

10 그림 (가)는 어느 판 경계부에서 지하 온도 분포와 암석 용융 곡선을, (나)는 이 경계부에서 마그마가 생성될 때 (가)의 암석 용융 곡선이 변화한 것을 나타낸 것이다.

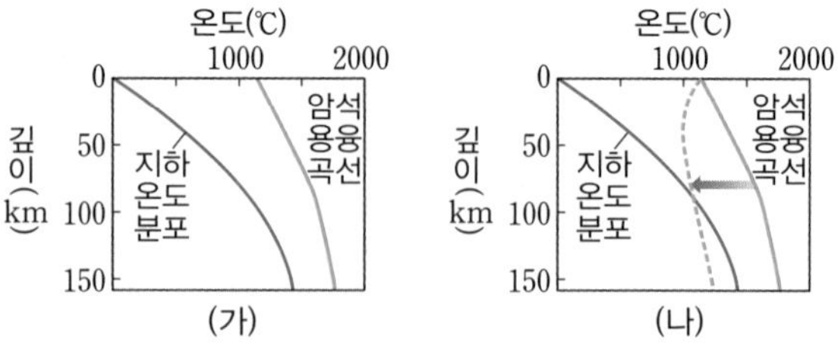

이에 대한 설명으로 옳은 것만을 | 보기 | 에서 있는 대로 고른 것은?

보기
ㄱ. (가)에서 암석의 용융 곡선은 물이 포함된 맨틀의 용융 곡선이다.
ㄴ. (나)에서 생성된 마그마의 SiO_2 함량은 63 %보다 크다.
ㄷ. 해양판이 섭입하는 섭입대 부근에서는 (나)와 같은 조건에서 마그마가 생성된다.

① ㄱ ② ㄷ ③ ㄱ, ㄴ
④ ㄴ, ㄷ ⑤ ㄱ, ㄴ, ㄷ

2018 수능 5번 유사

11 그림은 태평양 주변에서 최근 1만 년 이내에 분출한 적이 있는 화산의 분포를 나타낸 것이다. 지역 A, B, C에 대한 설명으로 옳은 것만을 | 보기 | 에서 있는 대로 고른 것은?

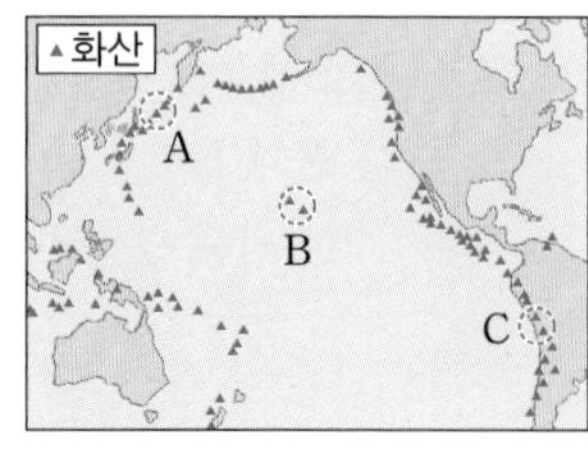

보기
ㄱ. A의 하부에서는 뜨거운 플룸이 상승하고 있다.
ㄴ. 화산에서 분출되는 용암의 평균 SiO_2 함량은 B가 C보다 낮다.
ㄷ. C의 하부에서는 주로 압력 감소에 의해 마그마가 생성된다.

① ㄱ ② ㄴ ③ ㄱ, ㄷ
④ ㄴ, ㄷ ⑤ ㄱ, ㄴ, ㄷ

2022 수능 19번 유사

12 그림은 고정된 열점에서 형성된 화산섬 A, B, C를, 표는 A, B, C의 연령, 위도, 고지자기 복각을 나타낸 것이다. A, B, C는 동일 경도에 위치한다.

화산섬	A	B	C
연령 (백만 년)	0	15	40
위도	10°N	20°N	40°N
고지자기 복각	( )	(㉠)	(㉡)

이 자료에 대한 설명으로 옳은 것만을 보기에서 있는 대로 고른 것은? (단, 고지자기극은 고지자기 방향으로 추정한 지리상 북극이고, 지리상 북극은 변하지 않았다.)

보기
ㄱ. ㉠과 ㉡은 서로 같다.
ㄴ. 판은 남쪽으로 이동하고 있다.
ㄷ. 각각의 화산섬에서 구한 고지자기극의 위도는 B가 C보다 높다.

① ㄱ ② ㄴ ③ ㄱ, ㄷ
④ ㄴ, ㄷ ⑤ ㄱ, ㄴ, ㄷ

13 그림은 대서양 주변부에서 일어난 화산 활동에 의해 형성된 카나리아 제도의 화산섬 분포와 연령을 나타낸 것이다.

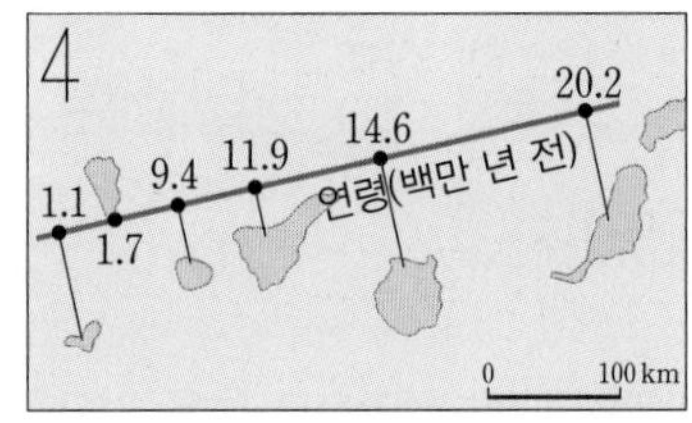

이 화산섬들에 대한 설명으로 옳은 것만을 보기에서 있는 대로 고른 것은?

보기
ㄱ. 섭입대 부근에서의 화산 활동에 의해 형성되었다.
ㄴ. 대서양 중앙 해령보다 동쪽에 위치한다.
ㄷ. 이 지역 부근의 하부에서는 차가운 맨틀이 하강한다.

① ㄱ ② ㄴ ③ ㄱ, ㄷ
④ ㄴ, ㄷ ⑤ ㄱ, ㄴ, ㄷ

14 그림은 현무암, 반려암, 유문암, 화강암의 모습을 A~D로 순서 없이 나타낸 것이다.

A	B
C	D

이에 대한 설명으로 옳은 것만을 보기에서 있는 대로 고른 것은?

보기
ㄱ. 암석을 형성한 마그마의 냉각 속도는 A가 D보다 빨랐다.
ㄴ. SiO_2 함량은 B가 C보다 많다.
ㄷ. 암석의 밀도는 B가 D보다 크다.

① ㄱ ② ㄷ ③ ㄱ, ㄴ
④ ㄴ, ㄷ ⑤ ㄱ, ㄴ, ㄷ

15 그림은 플룸과 판의 운동을 모식적으로 나타낸 것이다.

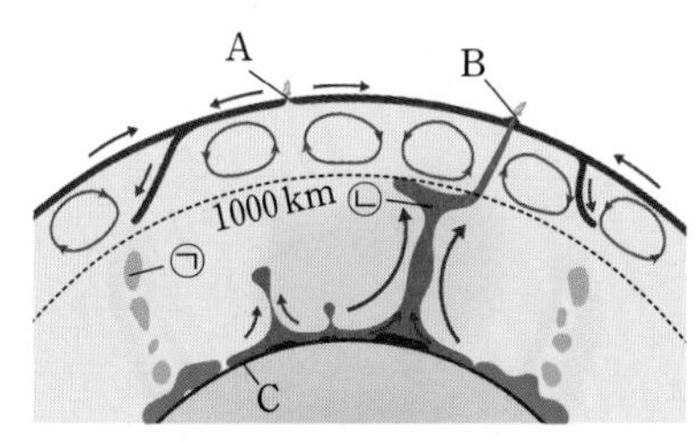

이에 대한 설명으로 옳은 것만을 보기에서 있는 대로 고른 것은?

보기
ㄱ. A와 B는 모두 판의 발산 경계에 해당한다.
ㄴ. C는 맨틀과 외핵의 경계이다.
ㄷ. 지진파의 속도는 ㉠ 지점이 ㉡ 지점에서보다 빠르다.

① ㄱ ② ㄷ ③ ㄱ, ㄴ
④ ㄴ, ㄷ ⑤ ㄱ, ㄴ, ㄷ

1·2등급 확보 전략 2회

빈출도 ● > ● > ●

3강_ 퇴적암과 지질 구조

2021 3월 학평 6번 유사

01 그림 (가)와 (나)는 각각 관입암과 포획암이 존재하는 암석의 모습을 나타낸 것이다. (가)와 (나)에 있는 관입암과 포획암의 나이는 같다.

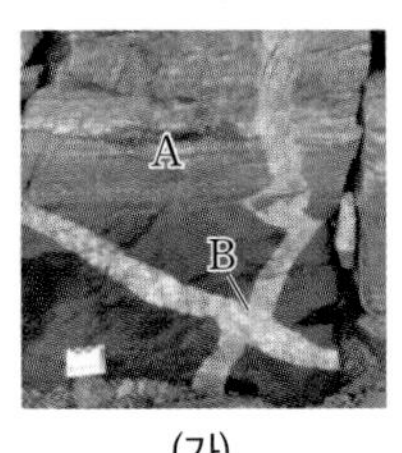

(가)

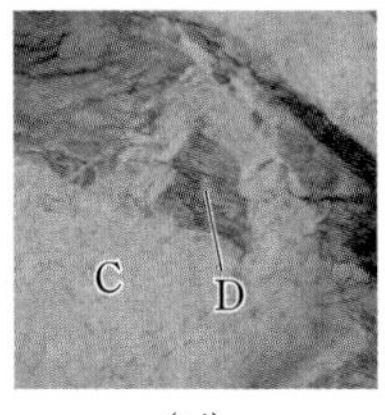

(나)

암석 A~D에 대한 설명으로 옳은 것만을 | 보기 |에서 있는 대로 고른 것은?

보기
ㄱ. 관입에 의해 A에는 열에 의한 변성 작용을 받은 흔적이 나타난다.
ㄴ. C는 화성암이다.
ㄷ. 암석의 나이는 B가 가장 많다.

① ㄱ ② ㄴ ③ ㄱ, ㄷ
④ ㄴ, ㄷ ⑤ ㄱ, ㄴ, ㄷ

2021 9월 모평 1번 유사

02 표는 퇴적물의 기원에 따른 퇴적암의 종류를 나타낸 것이다.

구분	퇴적물	퇴적암
A	식물	석탄
	규조	㉠
B	모래	사암
	㉡	응회암

이에 대한 설명으로 옳은 것만을 | 보기 |에서 있는 대로 고른 것은?

보기
ㄱ. A는 유기적 퇴적암이다.
ㄴ. ㉠은 석회암이다.
ㄷ. ㉡의 평균 입자 크기는 자갈보다 크다.

① ㄱ ② ㄷ ③ ㄱ, ㄴ
④ ㄴ, ㄷ ⑤ ㄱ, ㄴ, ㄷ

2021 6월 모평 2번 유사

03 그림 (가), (나), (다)는 습곡, 포획, 절리를 순서 없이 나타낸 것이다.

(가)

(나)

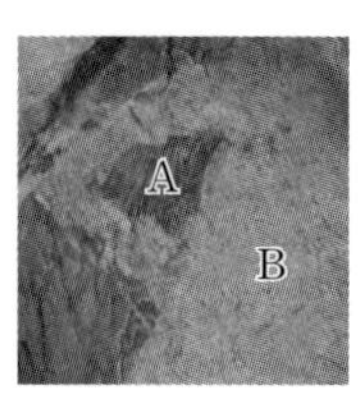

(다)

이에 대한 설명으로 옳은 것만을 | 보기 |에서 있는 대로 고른 것은?

보기
ㄱ. (가)의 지역에서는 역단층이 정단층보다 잘 발달한다.
ㄴ. (나)는 지하 깊은 곳에서 생성된 후 융기한 것이다.
ㄷ. (다)에서 A는 화성암, B는 퇴적암이다.

① ㄱ ② ㄷ ③ ㄱ, ㄴ
④ ㄴ, ㄷ ⑤ ㄱ, ㄴ, ㄷ

2021 수능 6번 유사

04 그림 (가)는 해수면이 상승하는 과정에서 형성된 퇴적층의 단면이고, (나)는 (가)의 퇴적층에서 나타나는 퇴적 구조 A와 B이다.

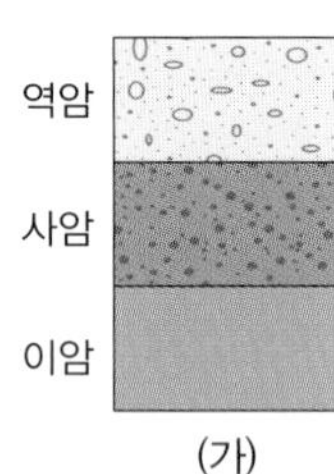

(가)

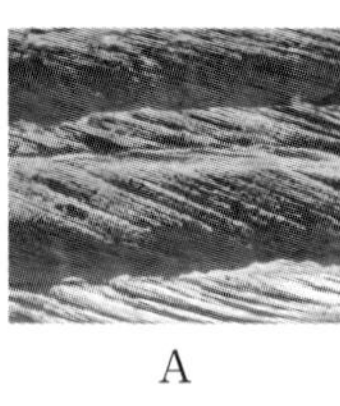
A

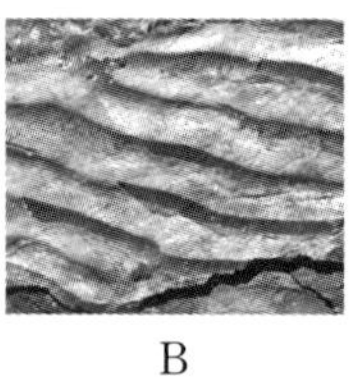
B

(나)

이 자료에 대한 설명으로 옳은 것만을 | 보기 |에서 있는 대로 고른 것은?

보기
ㄱ. 퇴적층이 형성된 깊이는 역암층이 이암층보다 얕다.
ㄴ. A를 통해 퇴적물이 이동한 방향을 알 수 있다.
ㄷ. (가)에서 B가 나타날 가능성은 역암층이 이암층보다 크다.

① ㄱ ② ㄴ ③ ㄱ, ㄷ
④ ㄴ, ㄷ ⑤ ㄱ, ㄴ, ㄷ

2019 수능 6번 변형

05 그림은 서로 다른 두 지역의 지질 단면과 지층에서 관찰된 퇴적 구조를 나타낸 것이다. (가)와 (나)의 퇴적층은 각각 해수면이 상승하는 동안과 하강하는 동안에 생성된 것 중 하나이다. 두 지역에서 화강암의 절대 연령은 같다.

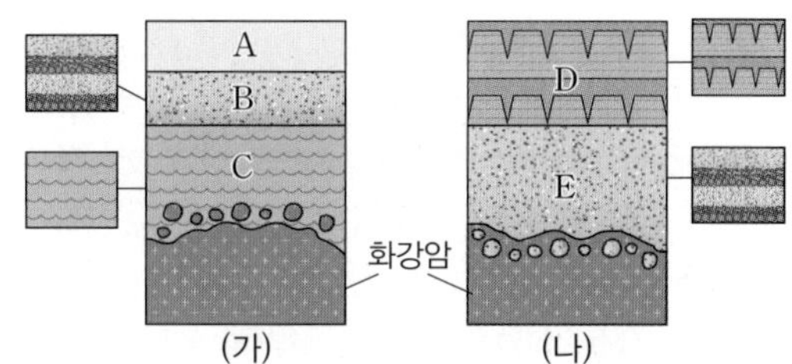

이에 대한 설명으로 옳은 것만을 |보기|에서 있는 대로 고른 것은?

|보기|
ㄱ. (가)의 지역은 해수면이 하강하였다.
ㄴ. (나)의 지층 E와 화강암층 사이에는 부정합면이 존재한다.
ㄷ. A~E 중 가장 먼저 생성된 지층은 E이다.

① ㄱ ② ㄷ ③ ㄱ, ㄴ
④ ㄴ, ㄷ ⑤ ㄱ, ㄴ, ㄷ

2019 6월 모평 3번 유사

06 그림은 퇴적암 중 사암, 규조토, 암염을 구분하는 과정을 나타낸 것이다.

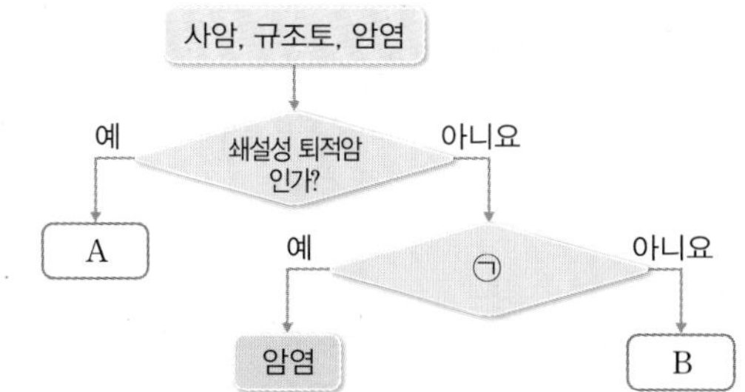

이에 대한 설명으로 옳은 것만을 |보기|에서 있는 대로 고른 것은?

|보기|
ㄱ. 퇴적물 입자의 평균 크기는 A가 역암보다 작다.
ㄴ. '유기적 퇴적암인가?'는 ㉠에 해당한다.
ㄷ. B는 주로 석회질 생물체가 퇴적되어 생성된다.

① ㄱ ② ㄷ ③ ㄱ, ㄴ
④ ㄴ, ㄷ ⑤ ㄱ, ㄴ, ㄷ

2022 수능 4번 변형

07 다음은 어느 퇴적 구조가 형성되는 원리를 알아보기 위한 실험이다.

|실험 목표|
• (㉠)의 형성 원리를 설명할 수 있다.

|실험 과정|
(가) 입자의 크기가 2 mm 이하인 모래, 2~4 mm인 왕모래, 4~6 mm인 잔자갈을 각각 100 g씩 준비하여 물이 담긴 원통에 넣는다.
(나) 원통을 흔들어 입자들을 골고루 섞은 후, 원통을 세워 입자들이 가라앉기를 기다린다.
(다) 그림과 같이 원통의 퇴적물을 같은 간격의 세 구간 A, B, C로 나눈다.

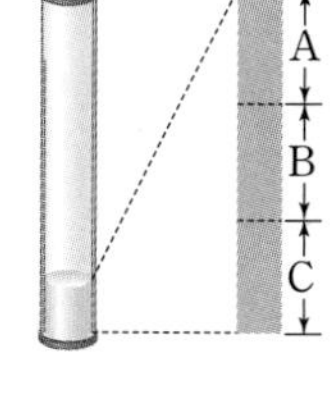

(라) 각 구간의 퇴적물을 모래, 왕모래, 잔자갈로 구분하여 각각의 질량을 측정한다.

|실험 결과|
• A, B, C 구간별 입자 종류에 따른 질량비

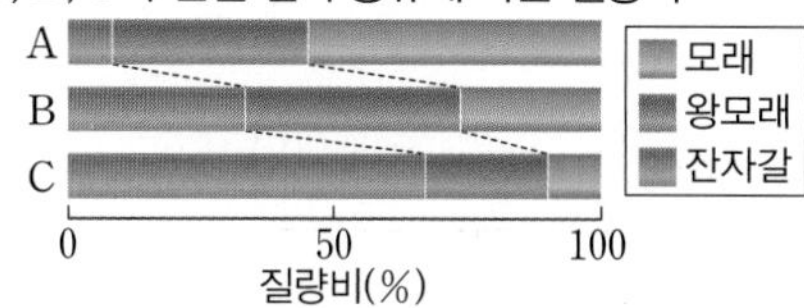

• 퇴적물 입자의 크기가 (㉡)수록 천천히 가라앉는다.

이에 대한 설명으로 옳은 것만을 |보기|에서 있는 대로 고른 것은?

|보기|
ㄱ. '점이 층리'는 ㉠에 해당한다.
ㄴ. '작을'은 ㉡에 해당한다.
ㄷ. (나)와 같은 과정은 대륙대보다 대륙붕에서 주로 일어난다.

① ㄱ ② ㄷ ③ ㄱ, ㄴ
④ ㄴ, ㄷ ⑤ ㄱ, ㄴ, ㄷ

08 그림 (가), (나), (다)는 부정합이 나타나는 세 지역의 지질 단면을 나타낸 것이다.

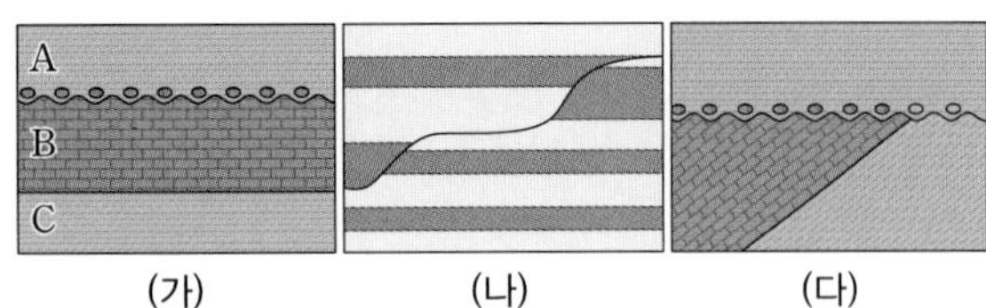

이에 대한 설명으로 옳은 것만을 | 보기 |에서 있는 대로 고른 것은?

보기
ㄱ. (가)에서 발견되는 기저 역암은 주로 A의 암석으로 이루어져 있다.
ㄴ. (나)에는 경사 부정합이 발달해 있다.
ㄷ. (다) 지역은 융기 이전에 습곡 작용을 받은 적이 있다.

① ㄱ ② ㄷ ③ ㄱ, ㄴ
④ ㄴ, ㄷ ⑤ ㄱ, ㄴ, ㄷ

1등급 킬러 2020 7월 학평 10번 변형

10 그림은 어느 지역의 지질 단면도이다. 관입암 P, Q에 포함된 방사성 원소 X의 양은 각각 처음의 45 %, 30 %이고, X의 반감기는 1억 년이다.

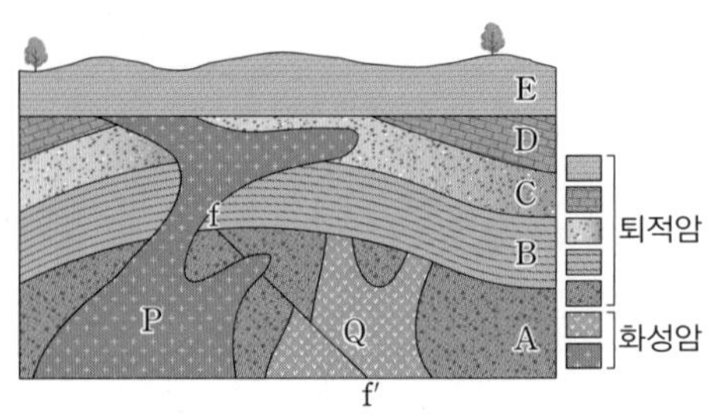

이에 대한 설명으로 옳은 것만을 | 보기 |에서 있는 대로 고른 것은? (단, 지층의 역전은 없었다.)

보기
ㄱ. B와 C에서는 공룡 화석이 발견될 수 있다.
ㄴ. 이 지역에는 경사 부정합과 난정합이 나타난다.
ㄷ. 단층 f−f′는 장력에 의해 형성되었다.

① ㄱ ② ㄷ ③ ㄱ, ㄴ
④ ㄴ, ㄷ ⑤ ㄱ, ㄴ, ㄷ

4강_ 지구의 역사

1등급 킬러 2021 9월 모평 2번 유사

09 그림은 현생 누대 동안 동물 과의 수를 현재 동물 과의 수에 대한 비로 나타낸 것이다.

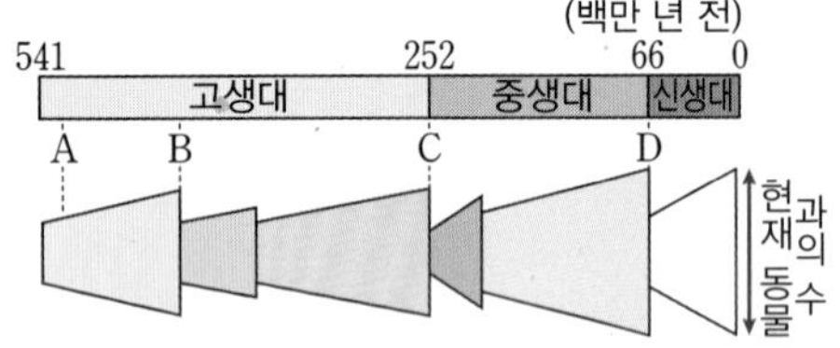

이에 대한 설명으로 옳은 것만을 | 보기 |에서 있는 대로 고른 것은?

보기
ㄱ. 최초의 다세포 동물은 A 시기에 출현하였다.
ㄴ. 평균 기온은 B 시기가 D 시기보다 낮았다.
ㄷ. 동물 과의 멸종 비율은 C 시기가 D 시기보다 크다.

① ㄱ ② ㄴ ③ ㄱ, ㄷ
④ ㄴ, ㄷ ⑤ ㄱ, ㄴ, ㄷ

2020 9월 모평 1번 유사

11 그림은 서로 다른 지역 (가)와 (나)의 지질 주상도와 각 지층에서 산출되는 화석을 나타낸 것이다.

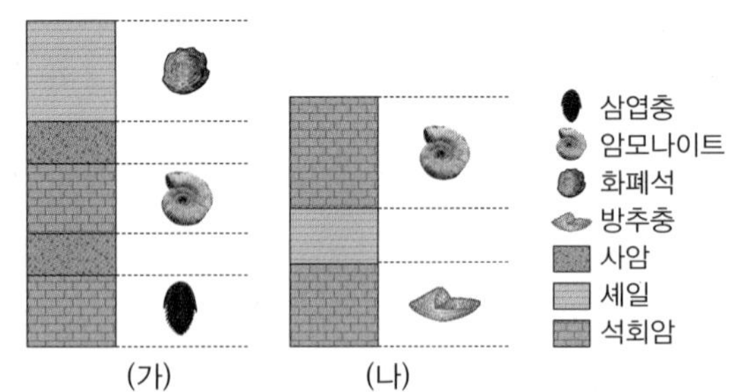

이 자료에 대한 설명으로 옳은 것만을 | 보기 |에서 있는 대로 고른 것은?

보기
ㄱ. (가)의 셰일층은 해성층이다.
ㄴ. 셰일층이 퇴적된 시기는 (가)가 (나)보다 먼저이다.
ㄷ. 석회암층은 모두 같은 지질 시대에 퇴적되었다.

① ㄱ ② ㄷ ③ ㄱ, ㄴ
④ ㄴ, ㄷ ⑤ ㄱ, ㄴ, ㄷ

2021 수능 5번 변형

12 그림은 40억 년 전부터 현재까지의 지질 시대를 3개의 누대로 나타낸 것이다.

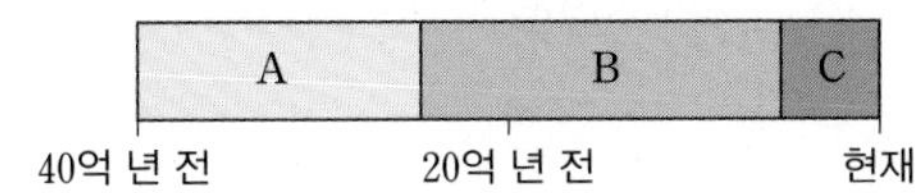

이에 대한 설명으로 옳은 것만을 | 보기 | 에서 있는 대로 고른 것은?

보기
ㄱ. 남세균은 A 시기에 출현하였다.
ㄴ. 삼엽충은 B 시기에 번성하였다.
ㄷ. A와 B는 선캄브리아 시대에 해당한다.

① ㄱ ② ㄴ ③ ㄱ, ㄷ
④ ㄴ, ㄷ ⑤ ㄱ, ㄴ, ㄷ

2022 수능 16번 변형

13 그림은 습곡과 단층이 나타나는 어느 지역의 지질 단면도이다.

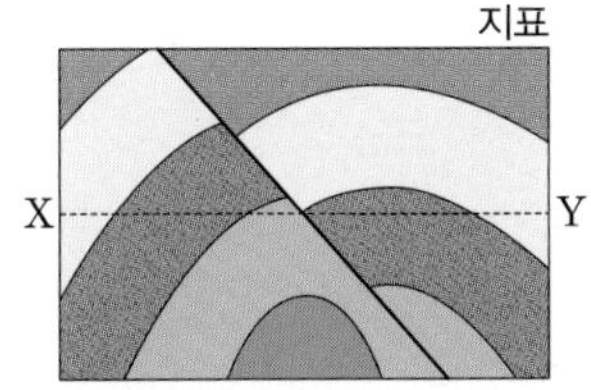

X－Y 구간에 해당하는 지층의 연령 분포로 가장 적절한 것은?

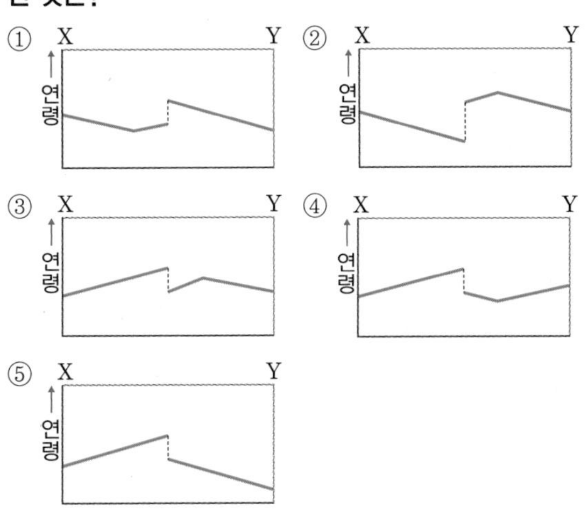

14 다음은 지질 시대 동안 일어난 주요 사건 A~D를 나타낸 것이다.

A. 최초의 원시 포유류 출현
B. 최초의 속씨식물 출현
C. 최초의 광합성 생명체 출현
D. 최초의 척추동물 출현

이에 대한 설명으로 옳은 것만을 | 보기 | 에서 있는 대로 고른 것은?

보기
ㄱ. A와 B는 모두 중생대에 일어났다.
ㄴ. B－C 기간이 B－D 기간보다 길다.
ㄷ. D는 오존층 형성 이후에 일어났다.

① ㄱ ② ㄷ ③ ㄱ, ㄴ
④ ㄴ, ㄷ ⑤ ㄱ, ㄴ, ㄷ

1등급 킬러 2021 수능 19번 변형

15 그림 (가)는 어느 지역의 지표에 나타난 화강암 A, B와 셰일 C의 분포를, (나)는 화강암 A, B에 포함된 방사성 원소의 붕괴 곡선 X, Y를 순서 없이 나타낸 것이다. A는 B를 관입하고 있고, B와 C는 부정합으로 접하고 있다. A, B에 포함된 방사성 원소의 양은 각각 처음 양의 50 %와 45 %이다.

A B C

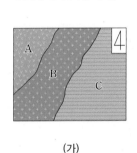

(가)

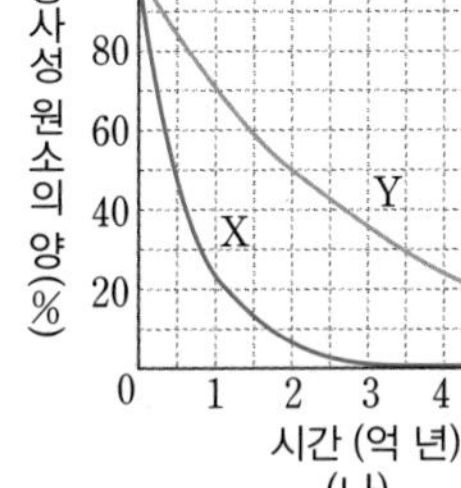

(나)

A, B, C에 대한 설명으로 옳은 것만을 | 보기 | 에서 있는 대로 고른 것은?

보기
ㄱ. A에 포함된 방사성 원소의 붕괴 곡선은 Y이다.
ㄴ. 절대 연령은 B가 A의 4배보다 많다.
ㄷ. C에서는 삼엽충 화석이 발견될 수 있다.

① ㄱ ② ㄴ ③ ㄱ, ㄷ
④ ㄴ, ㄷ ⑤ ㄱ, ㄴ, ㄷ

memo
시
험
대
박

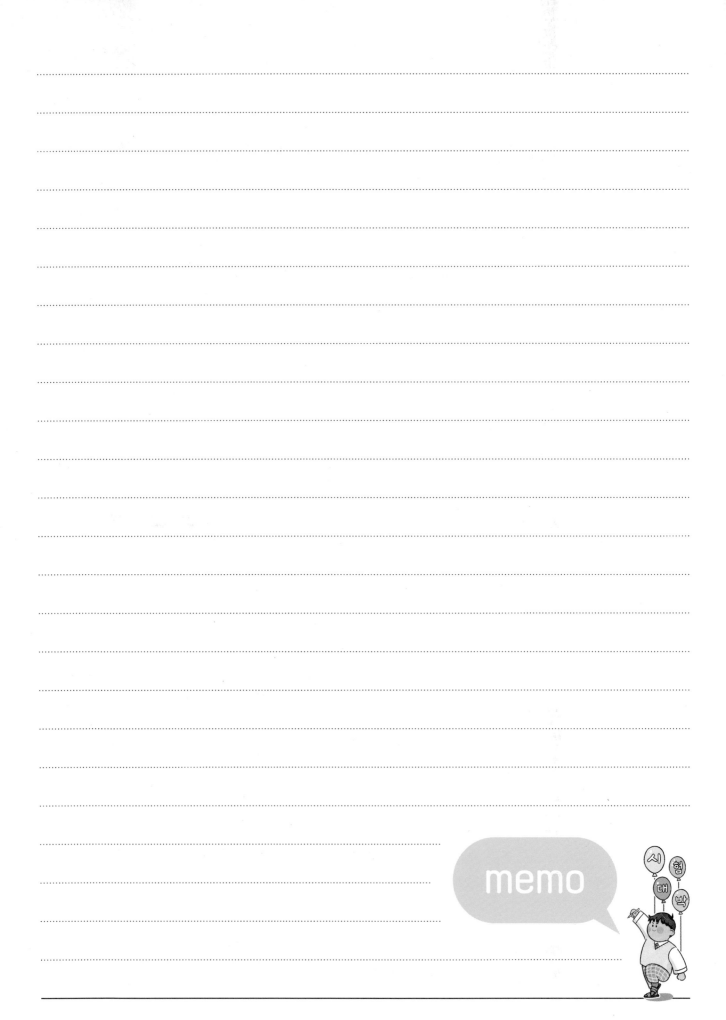

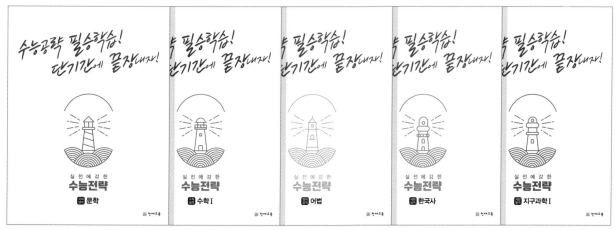

book.chunjae.co.kr

교재 내용 문의 ·························· 교재 홈페이지 ▸ 고등 ▸ 교재상담
교재 내용 외 문의 ····················· 교재 홈페이지 ▸ 고객센터 ▸ 1:1문의
발간 후 발견되는 오류 ················ 교재 홈페이지 ▸ 고등 ▸ 학습지원 ▸ 학습자료실

수능공략 필승학습!
단기간에 끝장내자!

BOOK 2

과탐영역 지구과학 I

천재교육

실전에 강한

수능전략

지구과학 I

수능전략

과·학·탐·구·영·역

지구과학 I

수능에 꼭 나오는

필수 유형 ZIP 2

차례 2권

수능에 꼭 나오는
필수 유형 ZIP

필수 유형

01 기상 위성 영상 해석

수능 전략 Key 가시광선 영상과 적외 영상에서 밝게 나타나는 영역의 특징을 알고, 전선의 종류에 따른 구름의 특징을 기상 영상과 관련지어 이해할 수 있어야 한다.

그림 (가)와 (나)는 어느 날 같은 시각에 우리나라 부근을 촬영한 기상 위성 영상을 나타낸 것이다.

B가 A보다 밝다.
→ 구름의 두께: A<B

B가 A보다 밝다.
→ 구름 최상부 높이: A<B

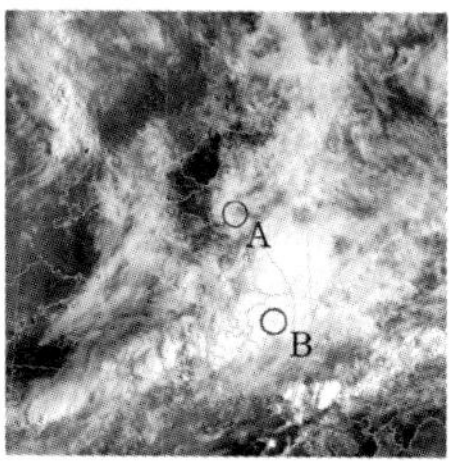

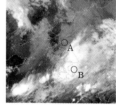

(가) 가시광선 영상

(나) 적외선 영상

이에 대한 설명으로 옳은 것만을 보기에서 있는 대로 고른 것은?

보기

ㄱ. (가)에서는 구름이 두꺼운 곳일수록 밝게 보인다.
ㄴ. 구름 최상부의 온도는 B가 A보다 높다.
ㄷ. 집중 호우가 발생할 가능성은 B가 A보다 높다.

① ㄱ ② ㄴ ③ ㄱ, ㄷ ④ ㄴ, ㄷ ⑤ ㄱ, ㄴ, ㄷ

개념 꼭!

* 가시광선 영상(가시 영상)에서는 구름이 두꺼울수록 밝게 보이고, 적외선 영상(적외 영상)에서는 구름 최상부의 ❶ [ ] 가 낮을수록 밝게 보인다.
* 가시광선 영상은 ❷ [ ] 의 반사광을 이용하고, 적외선 영상은 물체가 방출하는 적외선을 이용한다.

답 ❶ 온도 ❷ 햇빛

자료 해석

* (가): 가시광선 영상에서는 구름이 두꺼울수록 밝게 보인다.
  → A는 약간 흰색, B는 밝은 흰색으로 보인다.
  → 구름의 두께는 B가 A보다 ❸ ______.
* (나): 적외선 영상에서는 구름 최상부의 온도가 낮을수록 밝게 보인다.
  → A는 어두운 회색, B는 밝은 흰색으로 보인다.
  → 구름 최상부의 높이는 B가 A보다 ❹ ______.
* 적외선 영상은 적외선 에너지양이 많을수록 어둡고, 적을수록 밝게 보이도록 처리한 역상 영상이다.
  → 구름 최상부의 온도가 낮을수록, 즉 높이가 높을수록 밝게 보인다.
* (가)와 (나)로부터 A, B의 특징을 다음과 같이 나타낼 수 있다.

구분	A	B
구름의 두께	약간 두껍다	매우 두껍다
구름 최상부 높이	낮다	높다
구름의 종류	하층운	적란운

답 ❸ 두껍다 ❹ 높다

Point 해설

ㄱ. (가)의 가시광선 영상에서는 구름이 두꺼울수록 햇빛 반사량이 많아 밝게 보인다.

ㄴ. (나)의 적외선 영상에서 더 밝게 보이는 B가 A보다 구름 최상부의 온도가 낮다.

ㄷ. 적란운이 발달한 B가 A보다 집중 호우가 발생할 가능성이 높다.

답 ③

전략 비법 노트

* 가시광선 영상 → 낮에만 이용 가능, 두꺼운 구름이 밝게 보임
* 적외 영상 → 낮과 밤에 모두 이용 가능, 구름 최상부의 높이가 높은 구름이 밝게 보임

필수 유형

02 태풍과 날씨

수능 전략 Key

태풍의 세력과 중심 기압의 관계를 알고, 태풍 이동 경로를 기준으로 위험 반원과 안전 반원을 판단할 수 있어야 한다.

그림은 어느 태풍의 이동 경로를, 표는 이 태풍이 이동하는 동안 관측소 A에서 관측한 풍향과 태풍의 중심 기압을 나타낸 것이다. A의 위치는 ㉠과 ㉡ 중 하나이다.

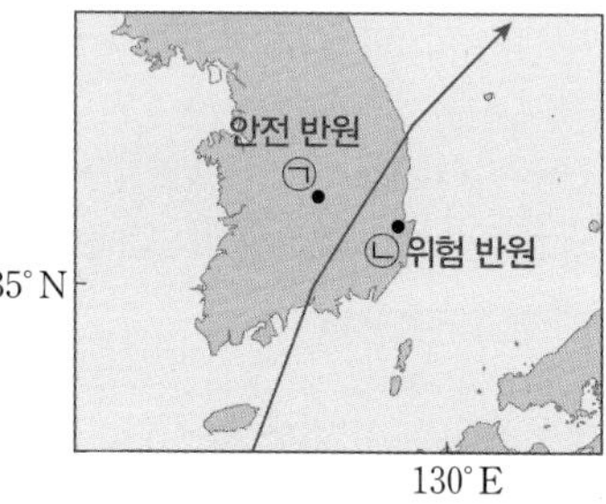

일시	풍향	태풍의 중심 기압 (hPa)
12일 21시	동	955
13일 00시	남동	960
13일 03시	남남서	970
13일 06시	남서	970

풍향이 시계 방향으로 변함 → 위험 반원에 위치

중심 기압이 높아짐 → 세력이 약해짐

이에 대한 설명으로 옳은 것만을 보기 에서 있는 대로 고른 것은?

보기

ㄱ. A의 위치는 ㉡에 해당한다.

ㄴ. 태풍의 세력은 13일 03시가 12일 21시보다 강하다.

ㄷ. 태풍은 12일 21시~13일 06시 사이에 전향점을 통과하였다.

① ㄱ ② ㄴ ③ ㄱ, ㄷ ④ ㄴ, ㄷ ⑤ ㄱ, ㄴ, ㄷ

개념 꼭!

* 태풍의 중심 기압이 ❶ ______ 수록 세력이 강하고, 세력이 약해짐에 따라 중심 기압이 높아진다.
* 북반구에서 태풍 진행 방향의 오른쪽 지역을 ❷ ______ 반원이라고 하며, 이 곳에서는 태풍이 이동함에 따라 풍향이 점차 시계 방향으로 변한다.

답 ❶ 낮을 ❷ 위험

자료 해석

* 태풍이 이동함에 따라 관측소 A에서 풍향은 점차 동풍 → 남동풍 → 남남서풍 → 남서풍으로 바뀌었다. ➜ 풍향이 점차 시계 방향으로 바뀌었으므로 A는 태풍의 위험 반원에 위치하였다. ➜ A는 태풍 이동 방향의 ❸ [ ] 에 위치한 ㉡이다.

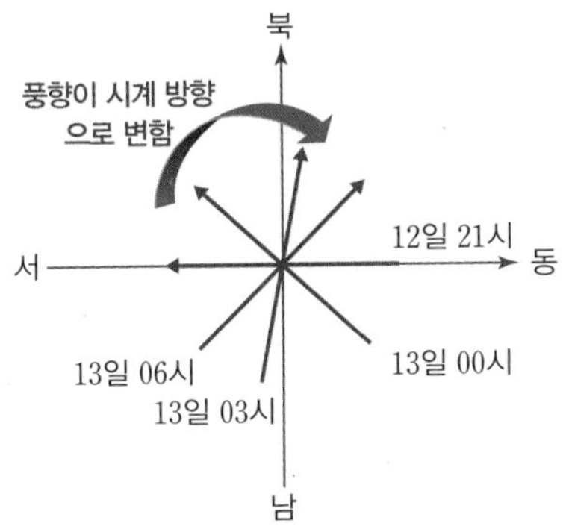

* 태풍의 중심 기압이 낮을수록 태풍의 세력이 강하다. ➜ 이 기간 동안 태풍의 중심 기압은 대체로 ❹ [ ] 졌다. ➜ 태풍의 세력은 12일 21시가 13일 03시보다 강하다.
* 이 기간 동안 태풍은 편서풍의 영향으로 북동쪽으로 이동하였다. ➜ 태풍이 진로를 바꾸는 위치를 전향점이라고 하므로, 이 태풍은 12일 21시 이전에 전향점을 통과하였다.

답 ❸ 오른쪽 ❹ 높아

Point 해설

㉠ A에서 풍향이 시계 방향으로 변하였으므로 A는 위험 반원에 위치한 ㉡이다.

ㄴ. 태풍의 세력은 중심 기압이 낮은 12일 21시가 13일 03시보다 강하다.

ㄷ. 이 기간 동안 태풍은 북동쪽으로 진행하였으므로 전향점을 이미 통과하였다.

답 ①

전략 비법 노트

- 태풍 발생 초기 → 무역풍의 영향으로 북서쪽으로 진행
  위도 30° 부근 통과 → 편서풍의 영향으로 북동쪽으로 진행
- 태풍 진행 방향의 오른쪽 지역 → 위험 반원으로 풍향이 점차 시계 방향으로 변함
- 태풍의 에너지원 → 수증기의 응결열 → 육지에 상륙하면 세력이 급격히 약해짐

필수 유형

03 온대 저기압과 날씨

수능 전략 Key 온대 저기압의 이동에 따른 날씨 변화를 알아야 한다. 특히 전선 통과 전후에 나타나는 기압, 기온, 풍향 변화 등에 대해 알아야 한다.

그림 (가)와 (나)는 어느 온대 저기압이 우리나라를 지날 때 12시간 간격으로 작성한 지상 일기도를 순서대로 나타낸 것이다. 일기 기호는 A 지점에서 관측한 기상 요소를 표시한 것이다.

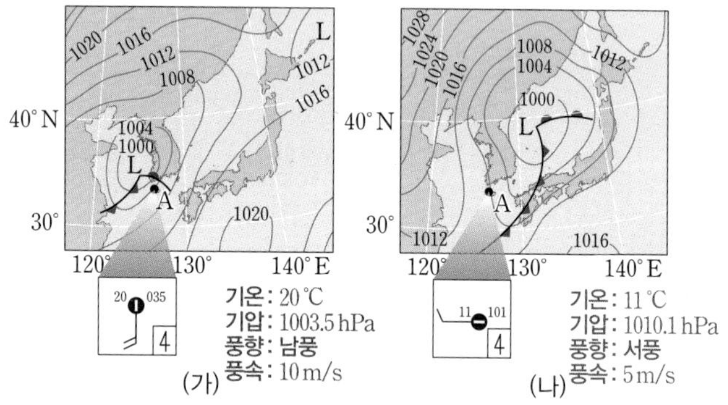

(가) (나)

이에 대한 설명으로 옳은 것만을 보기 에서 있는 대로 고른 것은?

보기

ㄱ. A 지점에서 풍향은 시계 방향으로 바뀌었다.

ㄴ. (가)에서 A 지점 상공에 전선면이 위치한다.

ㄷ. 한랭 전선이 통과한 후에 A 지점에서 기온은 9 ℃ 하강하였다.

① ㄱ ② ㄴ ③ ㄱ, ㄷ ④ ㄴ, ㄷ ⑤ ㄱ, ㄴ, ㄷ

개념 꼭!

* 우리나라 주변에서 온대 저기압은 ❶ [ ] 의 영향으로 서쪽에서 동쪽으로 이동한다.
* ❷ [ ] 전선이 통과하면 기온 상승, 기압 하강, 풍향은 남동풍에서 남서풍으로 바뀐다.
* 한랭 전선이 통과하면 기온 하강, 기압 상승, 풍향은 남서풍에서 북서풍으로 바뀐다.

답 ❶ 편서풍 ❷ 온난

자료 해석

* (가): A 지점은 온난 전선과 한랭 전선 사이에 위치해 있다. A에서 관측한 일기 기호로부터 기온은 20 ℃, 기압은 1003.5 hPa, 풍향은 남풍, 풍속은 약 10 m/s 이다.
* (나): A 지점은 ❸ ______ 전선 후면에 위치해 있다. A에서 관측한 일기 기호로부터 기온은 11 ℃, 기압은 1010.1 hPa, 풍향은 서풍, 풍속은 약 5 m/s이다.
* 이 기간 동안 A 지점에서는 한랭 전선이 통과하였다.
  ➡ 한랭 전선 통과 후 기온은 9 ℃ 하강하였고, 기압은 6.6 hPa 상승하였다. 풍향은 ❹ ______ 방향으로 변하였고, 풍속은 5 m/s 감소하였다.
* 온대 저기압에 동반된 온난 전선과 한랭 전선의 전선면은 찬 공기가 위치하는 상공에 존재한다.
  ➡ (가)에서 A 지점에는 따뜻한 공기가 있으므로 A 지점 상공에 전선면이 위치하지 않는다.

답 ❸ 한랭 ❹ 시계

Point 해설

㉠ A 지점에서 풍향은 (가)에서 남풍, (나)에서 서풍이므로 시계 방향으로 바뀌었다.

ㄴ. 전선면은 찬 공기가 위치한 지역의 상공에 위치하므로 (가)에서 A 지점 상공에 전선면은 없다.

㉢ A에서 기온은 (가)에서 20 ℃, (나)에서 11 ℃이므로 한랭 전선 통과 후에 9 ℃ 하강하였다.

답 ③

전략 비법 노트

- 온대 저기압의 일생: 정체 전선 형성 → 파동 형성 → 한랭 전선과 온난 전선 발달 → 폐색 전선 형성 → 온대 저기압 소멸
- 우리나라에서의 온대 저기압 → 중위도 지역에 위치 → 편서풍의 영향으로 대체로 서쪽에서 동쪽으로 이동
- 온대 저기압이 통과할 때 → 먼저 온난 전선 통과 후 한랭 전선이 통과
- 일기 기호

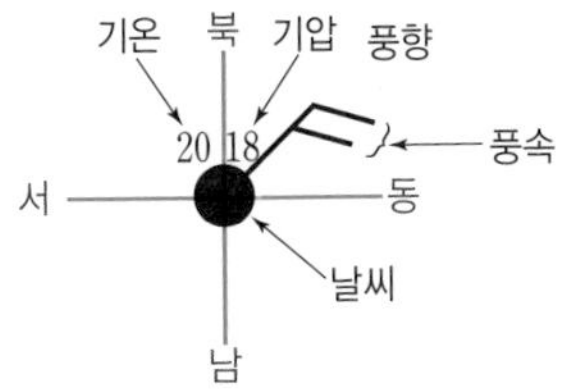

필수 유형

04 우리나라의 주요 악기상

수능 전략 Key

우리나라에서 자주 발생하는 악기상(뇌우, 황사, 집중 호우, 폭염, 한파, 강풍 등)의 종류와 특징에 대해 알고 있어야 한다.

다음은 뇌우와 우박에 대하여 학생 A, B, C가 나눈 대화를 나타낸 것이다.

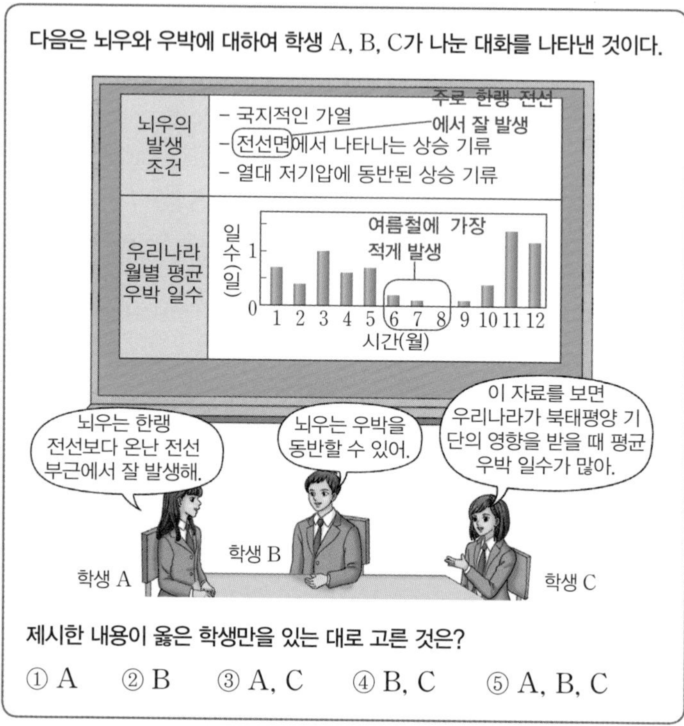

뇌우의 발생 조건
- 국지적인 가열
- 전선면에서 나타나는 상승 기류
- 열대 저기압에 동반된 상승 기류
주로 한랭 전선에서 잘 발생
우리나라 월별 평균 우박 일수
일수(일)
여름철에 가장 적게 발생
시간(월)
뇌우는 한랭 전선보다 온난 전선 부근에서 잘 발생해.
뇌우는 우박을 동반할 수 있어.
이 자료를 보면 우리나라가 북태평양 기단의 영향을 받을 때 평균 우박 일수가 많아.
학생 A
학생 B
학생 C

제시한 내용이 옳은 학생만을 있는 대로 고른 것은?

① A ② B ③ A, C ④ B, C ⑤ A, B, C

개념 꼭!

* 뇌우는 강한 ❶ ______ 기류에 의해 적란운이 발달하면서 천둥, 번개를 동반한 폭풍우를 말하며, 종종 돌풍, 호우, 우박, 폭설 등이 함께 나타난다.
* ❷ ______은 얼음 결정 주위에 물방울이 얼어붙어 성장한 얼음 덩어리가 땅 위로 떨어지는 현상이다.

답 ❶ 상승 ❷ 우박

자료 해석

* 뇌우의 발생 조건: 강한 상승 기류에 의해 형성된다.
  ① 뇌우는 여름철 강한 햇빛을 받은 지표 부근의 공기가 국지적으로 가열되어 활발하게 상승할 때 잘 발생한다.
  ② ❸ [　　] 전선에서 찬 공기가 따뜻한 공기를 파고들어 따뜻한 공기가 빠르게 상승할 때 잘 발생한다.
  ③ 태풍에 의해 대기가 불안정하여 강한 상승 기류가 발달할 때 잘 발생한다.
* 우박의 월별 평균 일수를 비교하면 11월~12월에 가장 많고, 6월~9월에 가장 적다.
  → 우박은 구름 내부에서 상승과 하강을 반복하며 얼음 덩어리가 성장해야 하는데, 여름철에는 기온이 높아 얼음 덩어리가 성장하기에 부적합하다.
  → 우박은 ❹ [　　]철에 가장 적게 발생한다.

답 ❸ 한랭 ❹ 여름

Point 해설

A. 뇌우는 상승 기류가 더 우세하게 나타나는 한랭 전선 부근에서 잘 나타날 수 있다.

Ⓑ 우박은 강한 상승 기류에 의해 형성되므로 뇌우에 동반되어 나타날 수 있다.

C. 평균 우박 일수는 북태평양 기단의 영향을 받는 여름철에 가장 적다.

답 ②

전략 비법 노트

- 뇌우: 적운 단계 → 성숙 단계 → 소멸 단계를 거침
- 뇌우는 강한 상승 기류에 의해 형성 → 태풍이나 한랭 전선 등에 동반
- 우박이 한여름에 거의 발생하지 않는 이유 → 대기 상층의 온도가 상대적으로 높아 얼음이 존재하기 어렵고, 얼음이 생성되더라도 떨어지는 동안에 녹아서 없어지기 때문

필수 유형

05 해수의 성질

수능 전략 Key

해수의 주요 성질인 수온, 염분, 밀도, 용존 산소량에 대해 알아야 한다. 특히 수온과 염분 분포에 미치는 요인과 그에 따른 해수의 밀도 분포에 대해 알아야 한다.

그림은 북대서양의 연평균 (증발량−강수량) 값 분포를 나타낸 것이다.

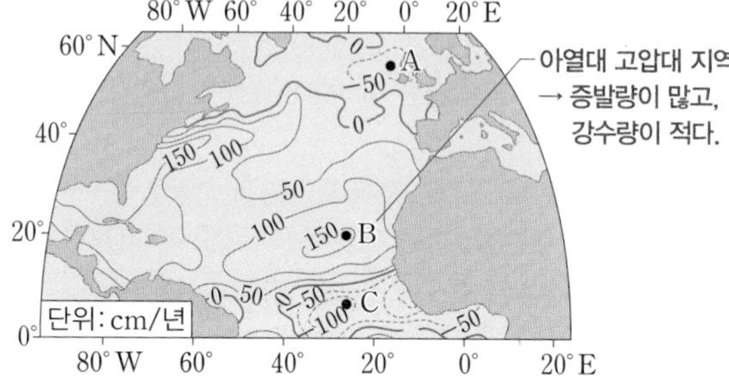

(증발량−강수량): B>A>C
→ 표층 염분: B>A>C

표층 수온: A<B<C
→ 용존 산소량: A>B>C

A, B, C 지점에 대한 설명으로 옳은 것만을 보기 에서 있는 대로 고른 것은?

보기

ㄱ. 표층 염분은 C에서 가장 높다.

ㄴ. 표층 해수의 용존 산소량은 A 지점에서 가장 많다.

ㄷ. B 지점은 대기 대순환에 의해 형성된 저압대에 위치한다.

① ㄱ ② ㄴ ③ ㄱ, ㄷ ④ ㄴ, ㄷ ⑤ ㄱ, ㄴ, ㄷ

개념 꼭!

* 표층 염분에 가장 큰 영향을 주는 요인은 증발량과 강수량이다. 표층 염분은 대체로 (증발량−강수량) 값이 ❶ ______ 수록 높다.
* 증발량이 강수량보다 많은 아열대 ❷ ______ 압대의 해양에서는 표층 염분이 높게 나타난다.
* 표층 해수의 용존 산소량은 수온이 낮을수록 높게 나타난다.

답 ❶ 클 ❷ 고

자료 해석

* 북대서양에서 연평균 (증발량−강수량) 값은 B > A > C이다.
* A 지점 : 고위도 저압대 부근에 위치하여 증발량보다 강수량이 많아 (증발량−강수량) 값은 (−)이다.
* B 지점 : ❸ [　　　] 순환과 페렐 순환이 만나 하강 기류가 나타나는 아열대 고압대에 위치한다.
  ➔ 증발량이 많고, 강수량이 적어 (증발량−강수량) 값이 가장 크다.
* C 지점 : 해들리 순환의 상승 기류가 나타나는 적도 수렴대에 위치한다.
  ➔ 증발량보다 강수량이 많기 때문에 (증발량−강수량) 값이 (−)이다.
* 표층 염분 분포는 (증발량−강수량) 값이 클수록 대체로 높게 나타난다.

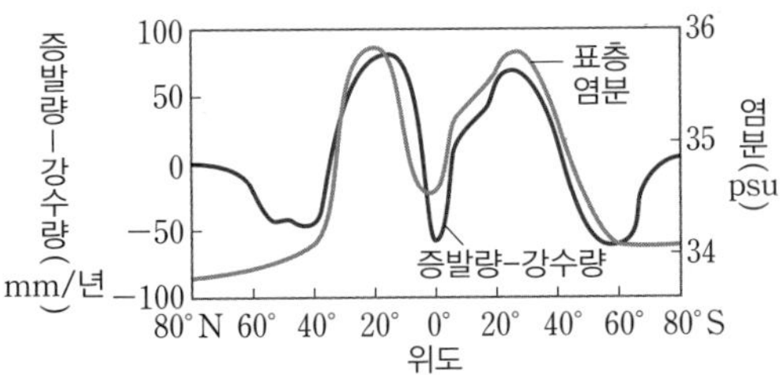

* 용존 산소량은 수온이 ❹ [　　　] 수록 많다.
  ➔ 표층 수온은 A < B < C이므로 표층 해수의 용존 산소량은 A > B > C이다.

답 ❸ 해들리 ❹ 낮을

Point 해설

ㄱ. 표층 염분은 연평균 (증발량−강수량) 값이 가장 큰 B 지점이 가장 높다.

ⓛ 표층 해수의 용존 산소량은 표층 수온이 가장 낮은 A 지점에서 가장 많다.

ㄷ. B 지점은 해들리 순환의 하강 기류에 의해 형성된 아열대 고압대에 위치한다.

답 ②

전략 비법 노트

- 표층 염분을 **증가**시키는 요인: 해수의 **증발**, 해수의 **결빙**
- 표층 염분을 **감소**시키는 요인: 강수, 육지로부터 **담수**의 **유입**, 빙하의 **융해**
- 아열대 고압대(위도 30° 부근) ➔ **(증발량−강수량) 값 큼** ➔ 표층 염분 높음
- 육지에서 **담수가 흘러들어오는 연안**은 대양의 중심부보다 표층 **염분이 낮음**

필수 유형

06 우리나라 주변의 해류

2021 6월 모평 5번 유사

수능 전략 Key 우리나라 주변 해역에서 한류와 난류의 분포를 알고, 계절에 따른 변화에 대해서 이해하고 있어야 한다.

그림 (가)와 (나)는 서로 다른 계절에 관측된 우리나라 주변 표층 해류의 평균 속력과 이동 방향을 나타낸 것이다.

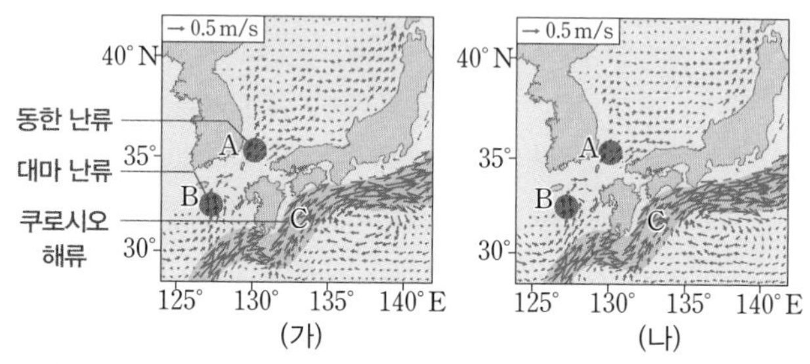

이 자료에 대한 설명으로 옳은 것만을 |보기|에서 있는 대로 고른 것은?

보기

ㄱ. 동한 난류의 평균 속력은 (나)보다 (가)에서 빠르다.

ㄴ. 해역 B 부근에 조경 수역이 형성된다.

ㄷ. 해역 C에 흐르는 해류는 북태평양 아열대 순환의 일부이다.

① ㄱ ② ㄴ ③ ㄷ ④ ㄱ, ㄴ ⑤ ㄱ, ㄷ

개념 꼭! * 우리나라 주변 해역을 흐르는 난류는 동한 난류, 황해 난류, 대마 난류가 있고, 한류는 연해주 한류, 북한 한류가 있다.

자료 해석 * A 해역에는 ❶ ______ 난류가 흐르고, B 해역에는 대마 난류가 흐르며, C 해역에는 ❷ ______ 해류가 흐른다.

답 ❶ 동한 ❷ 쿠로시오

Point 해설 ㉠ A는 동해안을 따라 북상하는 동한 난류이며, (나)보다 (가)에서 빠르다.

ㄴ. 조경 수역은 동해에 형성된다.

㉢ C 해역의 해류는 북태평양 아열대 순환의 일부인 쿠로시오 해류이다. 답 ⑤

전략 비법 노트

• 조경 수역 → 동한 난류와 북한 한류가 만나는 동해에서 형성

필수 유형

07 북대서양의 심층 순환

2021 수능 13번 유사

수능 전략 Key 심층 순환과 표층 순환의 관계를 이해하고, 심층 순환이 지구의 기후에 미치는 영향에 대해 알아야 한다.

그림은 북대서양 심층 순환의 세기 변화를 시간에 따라 나타낸 것이다.
이에 대한 설명으로 옳은 것만을 |보기|에서 있는 대로 고른 것은?

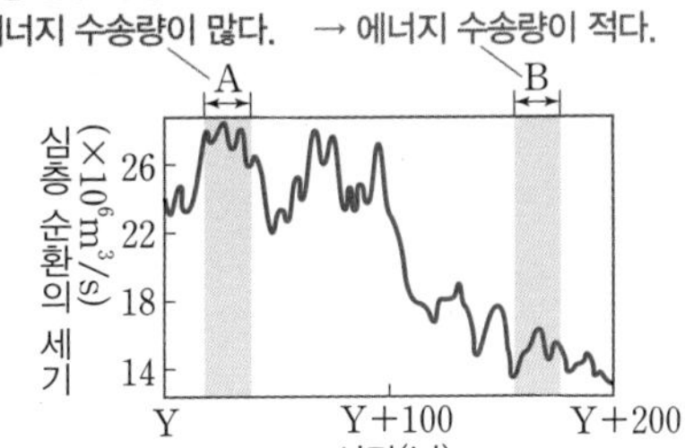

|보기|

ㄱ. 북대서양 심층수의 평균 밀도는 A 시기가 B 시기보다 작다.

ㄴ. 북대서양에서 저위도와 고위도의 표층 수온 차는 A 시기가 B 시기보다 작다.

ㄷ. 북대서양에서 고위도로 흐르는 표층 해류는 A 시기가 B 시기보다 강하다.

① ㄱ ② ㄷ ③ ㄱ, ㄴ ④ ㄴ, ㄷ ⑤ ㄱ, ㄴ, ㄷ

개념 꼭! * 심층 순환은 표층 순환과 연결되어 저위도에서 고위도로 에너지를 수송하여 위도 간 열수지 불균형을 해소시키는 역할을 한다.

자료 해석 * 심층 순환의 세기는 A 시기>B 시기이다. ➜ 해수의 침강은 A 시기가 B 시기보다 잘 일어난다. ➜ 침강하는 해수의 밀도는 A 시기가 B 시기보다 ❶____다. 심층 순환이 활발해지면 표층 순환도 ❷____하다.

답 ❶ 크 ❷ 활발

Point 해설 ㄱ. A 시기에 침강이 더 우세하므로 북대서양 심층수의 밀도는 A 시기에 더 크다.

ⓛ A 시기에 고위도로 수송되는 에너지양이 더 많으므로 표층 수온 차는 감소한다.

ⓒ 심층 순환이 강한 A 시기에 표층 해류도 강하게 흐른다.

답 ④

전략 비법 노트

- **심층 순환이 강함 → 에너지 수송량이 많음**

필수 유형

08 해수의 표층 순환

수능 전략 Key

대양의 표층 순환을 주요 표층 해류와 관련지어 알고 있어야 하며, 표층 순환과 대기 대순환의 관계를 설명할 수 있어야 한다.

그림 (가)는 태평양의 해역 A, B, C를, (나)는 이 세 해역에서 관측한 수온과 염분을 수온-염분도에 ㉠, ㉡, ㉢으로 순서 없이 나타낸 것이다.

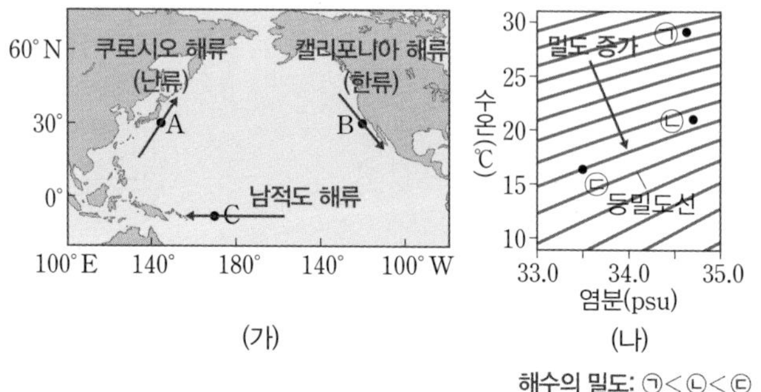

해수의 밀도: ㉠<㉡<㉢

이에 대한 설명으로 옳은 것만을 |보기|에서 있는 대로 고른 것은?

보기

ㄱ. 표층 해수의 염분은 A보다 B에서 높다.

ㄴ. A, B, C에서 해수의 밀도는 B>A>C이다.

ㄷ. C에 흐르는 해류는 무역풍에 의해 형성된다.

① ㄱ ② ㄷ ③ ㄱ, ㄴ ④ ㄴ, ㄷ ⑤ ㄱ, ㄴ, ㄷ

개념 꼭!

* 무역풍대의 해류와 편서풍대의 해류로 이루어진 순환을 ❶ ______ 순환이라고 한다.
* 북태평양 아열대 순환은 북적도 해류, 쿠로시오 해류, 북태평양 해류, 캘리포니아 해류로 이루어져 있으며, ❷ ______ 방향으로 순환한다.
* 해수의 표층 순환은 적도 부근을 경계로 북반구와 남반구가 거의 대칭을 이루면서 순환한다.

답 ❶ 아열대 ❷ 시계

자료 해석

* (가): A에서는 ❸ [ ] 해류가 저위도에서 고위도로 흐르고, B에서는 캘리포니아 해류가 고위도에서 저위도로 흐른다. C에서는 남적도 해류가 동쪽에서 서쪽으로 흐른다.
* (나): 수온이 낮고, 염분이 높을수록 해수의 밀도가 크다.
  → 수온-염분도에서는 오른쪽 아래로 갈수록 밀도가 크다.
  → 해수의 밀도는 B > A > C이다.
* (나)에서 수온이 가장 높은 ㉠은 적도 부근에 위치한 C에서 관측한 것이다. 쿠로시오 해류는 캘리포니아 해류보다 수온과 염분이 높으므로 ㉡이 A에서, ㉢이 B에서 관측한 것이다.
* C에서는 남동 ❹ [ ]에 의해 형성된 남적도 해류가 동쪽에서 서쪽으로 흐른다.

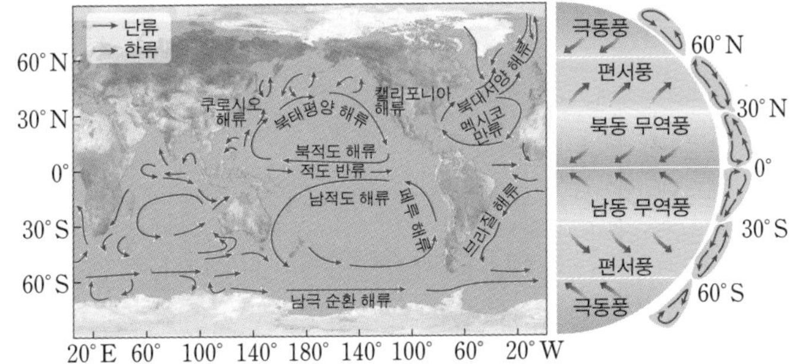

답 ❸ 쿠로시오 ❹ 무역풍

Point 해설

ㄱ. 표층 해수의 염분은 한류가 흐르는 B보다 난류가 흐르는 A에서 높다.

ㄴ A는 ㉡, B는 ㉢, C는 ㉠에 해당하므로 해수의 밀도는 B > A > C이다.

ㄷ C에서는 무역풍에 의해 형성된 남적도 해류가 동쪽에서 서쪽으로 흐른다.

답 ④

전략 비법 노트

- 북태평양 아열대 순환 → 시계 방향
- 아열대 순환: 대양의 서쪽 → 난류, 동쪽 → 한류
- 해수의 밀도 → 수온 - 염분도에서 수온이 낮을수록, 염분이 높을수록 증가

필수 유형

09 연안 용승

수능 전략 Key

바람에 의해 용승이 일어나는 원리를 이해하고, 대양에서 용승이 활발하게 일어나는 해역의 특징을 알아야 한다.

그림은 동태평양의 7월 평균 표층 수온 분포를 나타낸 것이다.

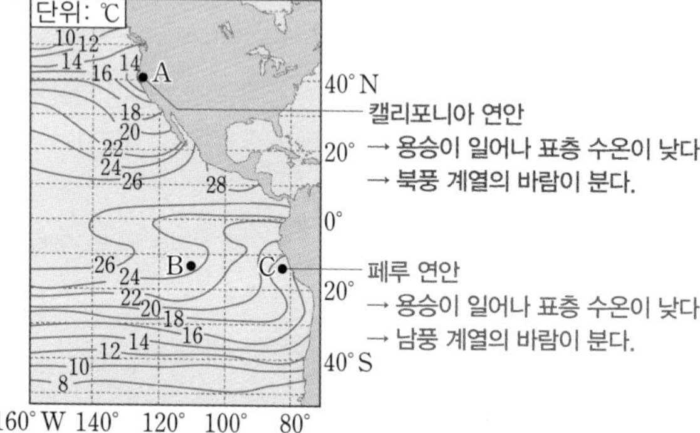

이에 대한 설명으로 옳은 것만을 보기 에서 있는 대로 고른 것은?

보기

ㄱ. A 해역에서는 용승이 나타난다.

ㄴ. B 해역에서 C 해역으로 갈수록 수온 약층이 나타나는 깊이는 얕아진다.

ㄷ. C 해역에서는 북풍 계열의 바람이 지속적으로 불고 있다.

① ㄱ ② ㄷ ③ ㄱ, ㄴ ④ ㄴ, ㄷ ⑤ ㄱ, ㄴ, ㄷ

개념 꼭!

* 대륙의 연안에서 바람에 의해 해수가 먼 바다로 이동하면 심층에서 찬 해수가 올라오는데 이를 연안 ❶ ______ 이라고 한다.
* 해수면 위에서 바람이 일정한 방향으로 계속 불 때, ❷ ______ 반구에서는 표층 해수가 바람 방향의 오른쪽 직각 방향으로, ❸ ______ 반구에서는 바람 방향의 왼쪽 직각 방향으로 이동한다.

답 ❶ 용승 ❷ 북 ❸ 남

자료 해석

* A(캘리포니아 연안): 연안에서 표층 수온이 먼 바다보다 낮게 나타난다. ➜ 연안 용승이 일어난다. ➜ ❹ ______ 계열의 바람이 불고 있다.
* C(페루 연안): 남동 무역풍이 불고 있다. ➜ 표층 해수가 먼 바다(B 해역)로 이동한다. ➜ 심층에서 찬 해수가 용승하여 표층 수온이 낮다. ➜ 찬 해수가 용승하면 수온 약층이 시작되는 깊이가 ❺ ______ 진다.

<바람에 의한 표층 해수의 이동 방향(북반구)>

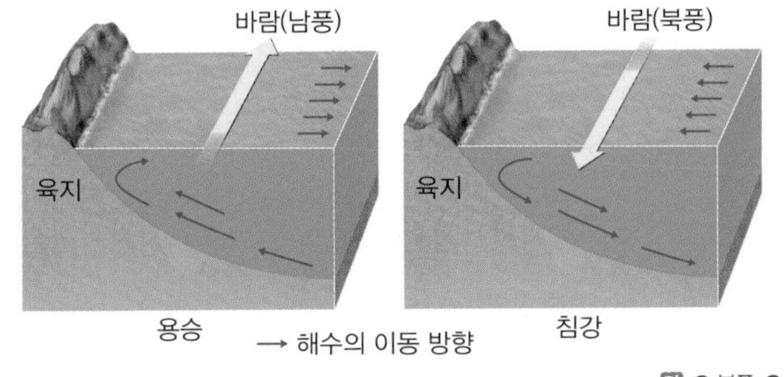

답 ❹ 북풍 ❺ 얕아

Point 해설

㉠ A 해역에서는 연안 용승이 일어나 먼 바다보다 표층 수온이 낮다.

㉡ 표층 해수가 C 해역에서 B 해역으로 이동하므로 수온 약층이 나타나는 깊이는 C 해역으로 갈수록 얕아진다.

ㄷ. 남반구에 위치한 C 해역에서는 남풍 계열의 바람이 불어 연안 용승이 일어난다.

답 ③

전략 비법 노트

- 바람에 의한 표층 해수의 이동 방향: 북반구 → 풍향의 오른쪽 직각 방향
  남반구 → 풍향의 왼쪽 직각 방향
- 연안 용승 → 연안에서 표층 수온은 낮아지고, 용존 산소량은 많아짐
  따뜻한 해수가 먼 바다로 이동, 해수면의 높이는 먼 바다보다 연안에서 낮음

필수 유형

10 엘니뇨와 라니냐

수능 전략 Key 태평양 적도 부근 해역에서 관측된 기압 편차 자료를 해석하여 엘니뇨 또는 라니냐를 판단할 수 있어야 하며, 해당 시기에 나타나는 대기와 해양의 변화를 이해할 수 있어야 한다.

그림은 2014년부터 2016년까지 관측한 태평양 적도 부근 해역의 해수면 기압 편차(관측 기압 − 평년 기압)를 나타낸 것이다. A는 엘니뇨 시기와 라니냐 시기 중 하나이다.

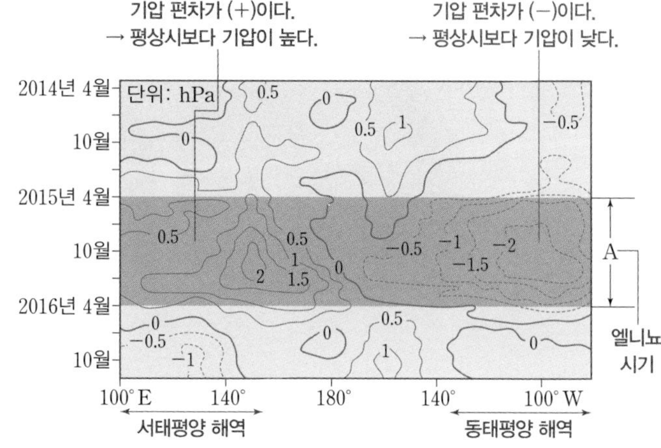

A 시기에 대한 설명으로 옳은 것만을 ⌈보기⌉에서 있는 대로 고른 것은?

보기

ㄱ. 라니냐 시기이다.

ㄴ. 평상시보다 서태평양 적도 부근 해역에서 강수량이 적다.

ㄷ. 평상시보다 동태평양 적도 부근 해역에서의 용승이 강하다.

① ㄱ ② ㄴ ③ ㄱ, ㄷ ④ ㄴ, ㄷ ⑤ ㄱ, ㄴ, ㄷ

개념 꼭!

* 무역풍이 평상시보다 약해지면 엘니뇨가, 평상시보다 강해지면 ❶ [ ]가 발생한다.
* 엘니뇨 시기에는 동태평양 해역에서 용승이 약해져 표층 수온이 평상시보다 높다.
* 라니냐 시기에는 서태평양 해역에서 ❷ [ ] 기류가 강해져 평상시보다 강수량이 많아진다.

답 ❶ 라니냐 ❷ 상승

자료 해석

* A 시기에 동태평양 해역의 기압 편차가 (−)이므로 평상시보다 기압이 낮다. ➜ 동태평양 해역에서 평상시보다 기압이 낮은 이유는 표층 수온이 평상시보다 높기 때문이다. ➜ A 시기는 ❸ [　　　] 시기이다.
* A 시기에 서태평양 해역의 기압 편차가 (+)이므로 평상시보다 기압이 높다. ➜ 평상시보다 하강 기류가 우세하다. ➜ 평상시보다 강수량이 감소하여 가뭄, 산불 피해 등이 빈번하다.
* 엘니뇨 시기에는 무역풍이 평상시보다 약하므로 동태평양 해역에서 ❹ [　　　]이 약하다.

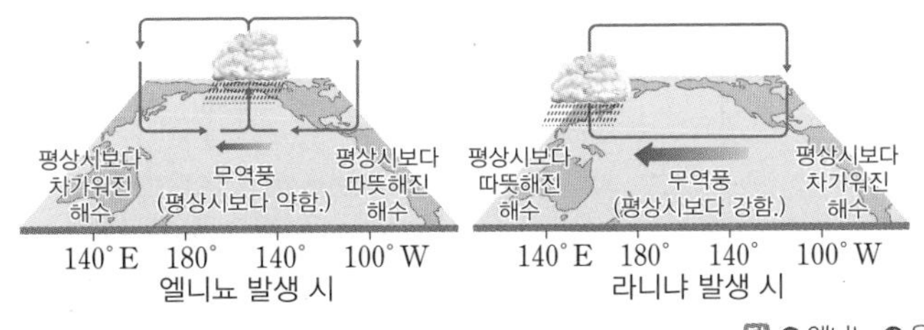

답 ❸ 엘니뇨 ❹ 용승

Point 해설

ㄱ. A 시기는 동태평양 해역의 기압이 평상시보다 낮은 엘니뇨 시기이다.

ㄴ. 엘니뇨 시기에는 서태평양 적도 부근 해역에서 하강 기류가 우세하여 강수량이 적다.

ㄷ. 엘니뇨 시기에는 무역풍이 약해져 동태평양 적도 부근 해역에서 용승이 평상시보다 약해진다.

답 ②

전략 비법 노트

- 엘니뇨 시기: 평상시에 비해 무역풍이 약함 → 동태평양 해역에서 연안 용승이 약해지고, 표층 수온이 높아짐 → 평상시보다 기압이 낮아져 상승 기류 우세, 강수량이 증가
- 라니냐 시기: 평상시에 비해 무역풍이 강함 → 동태평양 해역에서 연안 용승이 강해지고, 표층 수온이 낮아짐 → 평상시보다 기압이 높아져 하강 기류 우세, 강수량이 감소

필수 유형

11 기후 변화의 요인

수능 전략 Key

기후 변화를 일으키는 지구 외적 요인의 종류를 이해하고, 각 요인의 변화에 따라 우리나라의 기후가 어떻게 변하는지 알아야 한다.

그림은 지구 공전 궤도 이심률의 변화와 자전축 기울기의 변화를 나타낸 것이다.

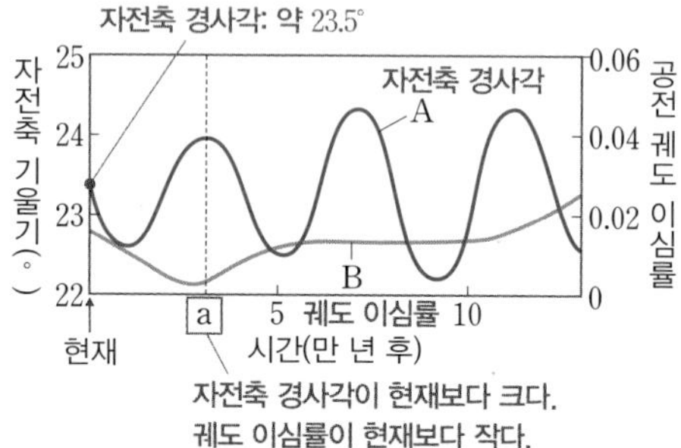

이 자료에 대한 설명으로 옳은 것만을 |보기|에서 있는 대로 고른 것은? (단, 지구 공전 궤도 이심률, 자전축 기울기 외의 요인은 고려하지 않는다.)

보기

ㄱ. 자전축 기울기의 변화 주기는 공전 궤도 이심률 변화 주기보다 길다.

ㄴ. 현재 근일점에 위치할 때 우리나라는 겨울이다.

ㄷ. 우리나라에서 기온의 연교차는 현재보다 a 시기에 커진다.

① ㄱ ② ㄷ ③ ㄱ, ㄴ ④ ㄴ, ㄷ ⑤ ㄱ, ㄴ, ㄷ

개념 꼭!

* 지구 공전 궤도 이심률이 현재보다 ❶ ______ 지면 근일점 거리는 현재보다 멀어지고, 원일점 거리는 현재보다 가까워지므로 우리나라에서 기온의 연교차는 증가한다.
* 지구 자전축의 경사각이 현재보다 작아지면 여름철에 태양의 평균 남중 고도가 낮아지고, 겨울철에 태양의 평균 남중 고도가 증가하여 우리나라에서 기온의 연교차는 ❷ ______ 한다.

답 ❶ 작아 ❷ 감소

2020 7월 학평 19번 유사

자료 해석

* 현재 지구 자전축의 경사각은 약 23.5°이다. ➡ A는 지구 자전축 경사각 변화이다.
* A의 변화 주기는 대략 4만 년, B의 변화 주기는 대략 10만 년이다.
* 현재 지구가 원일점 부근에 위치할 때 북반구는 여름이고, 남반구는 겨울이며, 근일점 부근에 위치할 때는 이와 반대가 된다.

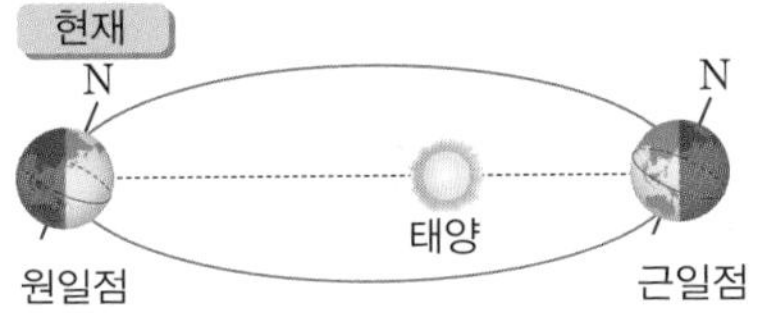

* 지구 자전축의 기울기가 변하면 각 위도에서 받는 일사량이 변하므로 기후 변화가 생긴다. ➡ 자전축 경사각이 ❸ ______ 수록 계절별 태양의 남중 고도 변화가 커지므로 기온의 연교차가 커진다.
* a 시기에는 지구 자전축의 기울기가 현재보다 크다. ➡ 우리나라에서 여름과 겨울에 태양의 평균 남중 고도 차가 ❹ ______ 져 기온의 연교차가 커진다.
* a 시기에는 공전 궤도 이심률이 현재보다 작다. ➡ 근일점 거리는 멀어지고, 원일점 거리는 가까워진다. ➡ 우리나라에서 기온의 연교차가 커진다.

답 ❸ 클 ❹ 커

Point 해설

ㄱ. A는 자전축 기울기, B는 공전 궤도 이심률이므로 주기는 A가 더 짧다.

ⓛ 현재 북반구에 위치한 우리나라는 근일점일 때 겨울, 원일점일 때 여름이다.

ⓒ a 시기에 자전축 경사각은 현재보다 크고, 공전 궤도 이심률은 현재보다 작으므로 우리나라에서 기온의 연교차는 현재보다 크다.

답 ④

전략 비법 노트

- **기후 변화를 일으키는 지구 외적 요인** ➝ **세차 운동**, 지구 **자전축의 경사각 변화**, 지구 **공전 궤도 이심률 변화**
- 지구 **자전축 경사각**이 현재보다 **커지면** ➝ 북반구와 남반구에서 모두 **기온의 연교차**는 **커짐**
- **공전 궤도 이심률이 작아지면** ➝ 기온의 연교차는 **북반구**에서 **커지고, 남반구**에서 **작아짐**

필수 유형

12 지구 온난화

수능 전략 Key

지구 온난화로 인한 빙하량 변화가 해수면 변화에 미치는 영향을 이해하고, 그에 따른 지구 환경 변화를 알아야 한다.

그림 (가)는 2004년부터의 그린란드 빙하의 누적 융해량을, (나)는 전 지구에서 일어난 빙하 융해와 해수 열팽창에 의한 평균 해수면의 높이 편차(관측값 − 2004년 값)를 나타낸 것이다.

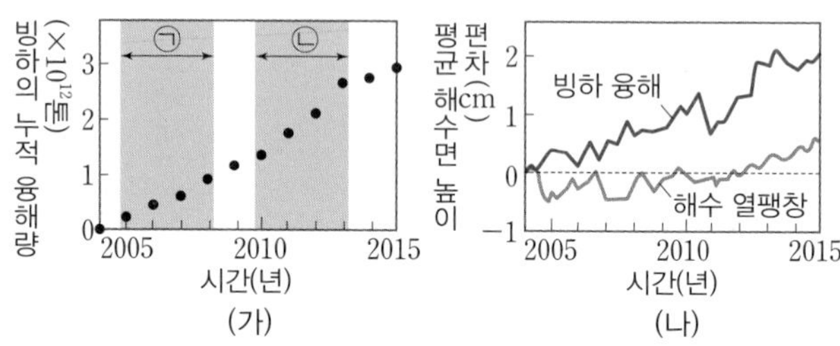

(가) (나)

이 자료에 대한 설명으로 옳은 것만을 보기에서 있는 대로 고른 것은?

보기

ㄱ. 그린란드 빙하의 융해량은 ㉠ 기간이 ㉡ 기간보다 적다.

ㄴ. 해수의 평균 온도 상승량은 2005~2010년이 2010~2015년보다 적다.

ㄷ. 2005~2015년 동안 평균 해수면의 상승률은 해수 열팽창에 의한 것이 빙하 융해에 의한 것보다 작다.

① ㄱ ② ㄴ ③ ㄱ, ㄷ ④ ㄴ, ㄷ ⑤ ㄱ, ㄴ, ㄷ

개념 꼭!

* 지구 ❶ [ ] 의 영향으로 빙하의 융해량이 증가하여, 대륙 빙하와 만년설이 계속 감소하는 추세이다.
* 평균 해수면을 증가시키는 주요 원인은 지구 온난화로 인한 빙하의 융해와 해수의 ❷ [ ] 이다.

답 ❶ 온난화 ❷ 열팽창

자료 해석

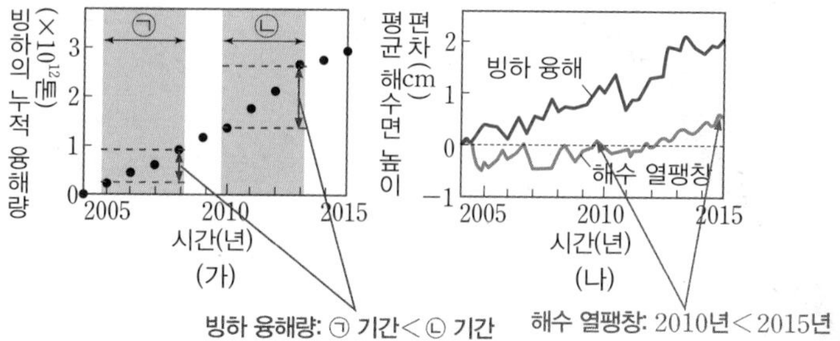

* (가): 2004년~ 2015년까지 빙하의 누적 융해량이 계속 ❸ ______ 하고 있다.
  → 지구의 평균 기온이 상승하면서 그린란드 빙하가 녹아 해양으로 흘러들어가 해수면 높이를 상승시킨다.
* (가): ㉠ 기간 동안 빙하의 융해량은 약 1×10^{12}톤이고, ㉡ 기간 동안 빙하의 융해량은 약 1.5×10^{12}톤이다.
* (나)에서 빙하 융해와 해수 열팽창에 의한 평균 해수면 높이 편차는 모두 (+)이다.
  → 높이 편차가 (+)이므로, 두 요인은 모두 해수면 높이를 증가시키는 역할을 한다.
* (나)에서 평균 해수면 높이 편차의 크기는 빙하 융해가 해수 열팽창보다 크다.
  → 평균 해수면 높이를 증가시키는 데 미치는 영향은 빙하 융해가 해수 열팽창보다 ❹ ______.

답 ❸ 증가 ❹ 크다

Point 해설

㉠ (가)에서 그린란드 빙하의 융해량은 ㉠ 기간이 ㉡ 기간보다 적다.

㉡ 해수 열팽창은 2005~2010년이 2010~2015년보다 작으므로 해수의 평균 온도 상승량도 2005~2010년이 더 적다.

㉢ (나)에서 관측 기간 동안 평균 해수면의 상승률은 해수 열팽창에 의한 것이 빙하 융해에 의한 것보다 작다. 답 ⑤

전략 비법 노트

- 지구 온난화의 영향 → 빙하량이 감소하고 해수면이 상승
- 최근 들어 빙하의 융해 속도는 점점 증가하는 추세
- 빙하량의 감소로 지구의 반사율이 감소 → 태양 복사 에너지 흡수량이 증가
  → 지구 온난화를 가속화

필수 유형

13 별의 물리량

수능 전략 Key

파장에 따른 복사 에너지 분포로부터 별의 표면 온도를 비교할 수 있어야 하며, 별의 광도와 표면 온도를 이용하여 반지름을 구하는 방법을 알아야 한다.

그림은 태양과 별 (가), (나)의 파장에 따른 복사 에너지 분포를, 표는 세 별의 절대 등급을 나타낸 것이다.

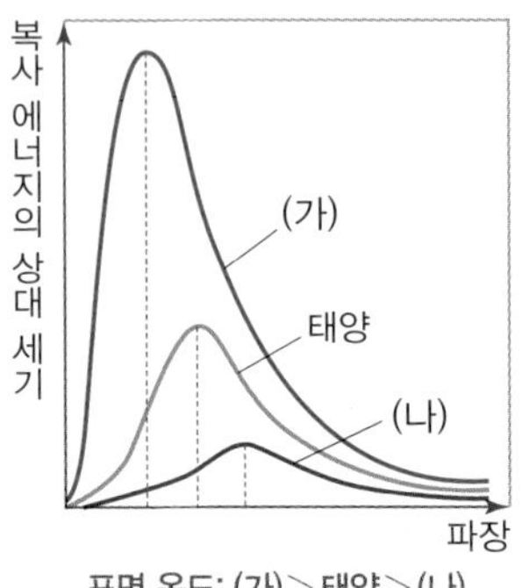

표면 온도: (가) > 태양 > (나)

별	절대 등급
태양	+5.0
(가)	+1.0
(나)	−5.0

절대 등급이 작을수록 광도가 크다.
→ 광도: (나) > (가) > 태양

태양과 별 (가), (나)에 대한 설명으로 옳은 것만을 보기 에서 있는 대로 고른 것은?

보기

ㄱ. (가)는 붉은색 별이다.

ㄴ. 별이 단위 시간 동안 단위 면적에서 방출하는 에너지양은 태양이 가장 적다.

ㄷ. 별의 반지름은 (나)가 가장 크다.

① ㄱ ② ㄷ ③ ㄱ, ㄴ ④ ㄴ, ㄷ ⑤ ㄱ, ㄴ, ㄷ

개념 꼭 !

* 별의 표면 온도가 ❶ [　　　] 수록 최대 복사 에너지를 방출하는 파장이 짧다.
* 별이 단위 시간에 단위 면적당 방출하는 에너지양은 표면 온도의 ❷ [　　　] 제곱에 비례한다.
* 별의 광도는 별의 표면적과 별이 단위 시간 동안 단위 면적에서 내보내는 에너지양을 곱하여 얻을 수 있다.

답 ❶ 높을 ❷ 4

자료 해석

* 파장에 따른 복사 에너지 분포 곡선에서 최대 에너지 세기를 갖는 파장이 짧은 별일수록 표면 온도가 높다. ➜ 별의 표면 온도는 (가) > 태양 > (나)이다.
* 표면 온도가 높은 별은 파란색으로 보이고, 표면 온도가 낮은 별은 붉은색으로 보인다. 태양은 표면 온도가 약 5800 K인 별로 ❸ [　　　　]색으로 보인다. ➜ (가)는 태양보다 표면 온도가 높으므로 파란색 또는 흰색으로 보이고, (나)는 태양보다 표면 온도가 낮으므로 주황색 또는 붉은색으로 보인다.
* 표면 온도가 높을수록 단위 시간 동안 단위 면적에서 방출하는 에너지양이 많다. ➜ 단위 시간 동안 단위 면적에서 방출하는 에너지양은 (나)가 가장 적다.
* 별이 단위 시간 동안 방출하는 에너지의 양을 광도라고 하는데, 광도는 절대 등급이 ❹ [　　　　]수록 크다. ➜ 별의 광도는 (나) > (가) > 태양이다.
* 별의 반지름은 광도가 클수록, 표면 온도가 낮을수록 크다. ➜ 별의 반지름은 (나)가 가장 크다.

답 ❸ 노란 ❹ 작을

Point 해설

ㄱ. (가)는 태양보다 **표면 온도가 높은 별**이므로 파란색 별 또는 흰색 별이다.

ㄴ. 별이 단위 시간 동안 단위 면적에서 방출하는 에너지양은 **표면 온도가 가장 낮은** (나)가 가장 적다.

ⓒ 별의 반지름은 **표면 온도가 가장 낮고**, 광도가 가장 큰 (나)가 가장 크다.

답 ②

전략 비법 노트

* **빈의 변위 법칙: 흑체가 최대 복사 에너지를 방출하는 파장(λ_{max})은 표면 온도(T)가 높을수록 짧음**

$$\lambda_{max}=\frac{a}{T}\ (a=2.898\times10^{3}\mu\mathrm{m}\cdot\mathrm{K})$$

* **별의 광도와 크기 관계: 별의 스펙트럼을 분석하여 표면 온도(T)를 알아내고, 별의 절대 등급을 이용하여 별의 광도(L)를 알아내면 별의 반지름(R)을 구할 수 있음**

$$L=4\pi R^{2}\times\sigma T^{4}\ \rightarrow\ R\propto\frac{\sqrt{L}}{T^{2}}$$

필수 유형

14 H-R도와 별의 종류

수능 전략 Key H-R도에 표시한 별들을 4개의 집단으로 구분할 수 있어야 하며, 각 집단의 특징을 알고 있어야 한다.

그림은 분광형과 광도를 기준으로 한 H-R도이고, 표의 (가), (나), (다)는 각각 H-R도에 분류된 별의 집단 ㉠, ㉡, ㉢의 특징 중 하나이다.

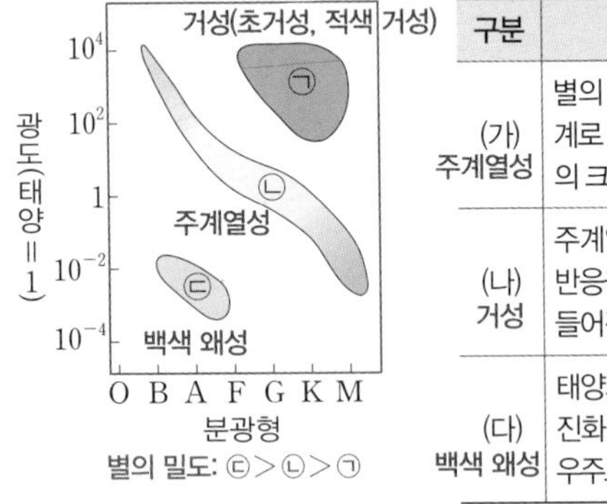

구분	특징
(가) 주계열성	별의 일생의 대부분을 보내는 단계로 정역학 평형 상태에 놓여 별의 크기가 거의 일정하게 유지된다.
(나) 거성	주계열을 벗어난 단계로, 핵융합 반응을 통해 무거운 원소들이 만들어진다.
(다) 백색 왜성	태양과 질량이 비슷한 별의 최종 진화 단계로, 별의 바깥층 물질이 우주로 방출된 후 중심핵만 남는다.

이에 대한 설명으로 옳은 것만을 보기 에서 있는 대로 고른 것은?

보기

ㄱ. ㉠에 속한 별의 특징은 (나)이다.

ㄴ. 대부분의 별들은 집단 ㉡에 속한다.

ㄷ. 별의 평균 밀도는 (다)>(가)>(나)이다.

① ㄱ ② ㄷ ③ ㄱ, ㄴ ④ ㄴ, ㄷ ⑤ ㄱ, ㄴ, ㄷ

개념 꼭!

* 가로축에 표면 온도나 분광형 또는 색지수를, 세로축에 절대 등급 또는 광도를 나타낸 그래프를 ❶ ______ 라고 한다.

* H-R도에서 별의 집단은 크게 ❷ ______ , 적색 거성, 초거성, 백색 왜성으로 구분할 수 있다.

답 ❶ H-R도 ❷ 주계열성

자료 해석

* ㉠은 주계열의 오른쪽 위쪽에 위치한 거성(적색 거성, 초거성)이다.
  ➡ 거성 단계에서 헬륨보다 무거운 원소들이 생성되므로 (나)는 ㉠의 특징이다.
* ㉡은 대부분의 별들이 위치한 ❸ [   ]이다.
  ➡ 별은 일생의 대부분을 주계열 단계에서 보내므로 (가)는 ㉡의 특징이다.
* ㉢은 주계열의 왼쪽 아래쪽에 위치한 백색 왜성이다.
  ➡ 백색 왜성은 별의 중심부가 남아 형성된 고밀도의 별이다.
* H-R도에서는 오른쪽 위쪽으로 갈수록 ❹ [   ]이 커지고, 왼쪽 아래쪽으로 갈수록 밀도가 커진다.
  ➡ 별의 반지름은 ㉠ > ㉡ > ㉢이고, 별의 밀도는 ㉢ > ㉡ > ㉠이다.

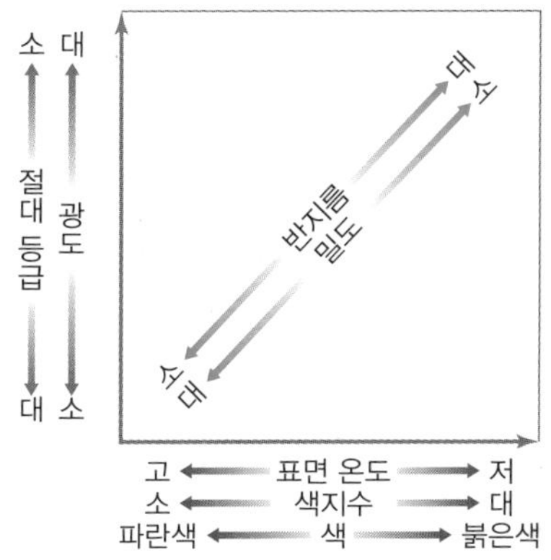

답 ❸ 주계열성 ❹ 반지름

Point 해설

ㄱ. ㉠은 거성이다. 거성 단계에서 헬륨보다 무거운 원소들이 만들어진다.

ㄴ. 대부분의 별은 주계열성 ㉡에 속한다.

ㄷ. 별의 평균 밀도는 ㉢ > ㉡ > ㉠이므로 (다) 백색 왜성 > (가) 주계열성 > (나) 거성이다.

답 ⑤

전략 비법 노트

- **주계열성:** H-R도에서 대각선 상으로 분포, 대부분의 별이 속함
- **적색 거성:** H-R도에서 태양의 오른쪽 위에 분포하는 별
- **초거성:** H-R도에서 오른쪽 최상단에 분포하는 별, 광도가 가장 큼
- **백색 왜성:** H-R도에서 태양의 왼쪽 아래에 분포하는 별

필수 유형

15 별의 진화

수능 전략 Key

별의 질량에 따라 진화 경로가 다르다는 점을 이해하고, 각 진화 단계에서 나타나는 별의 특징을 알아야 한다.

그림 (가)는 어느 별의 진화 경로를, (나)는 이 별의 진화 과정 일부를 나타낸 것이다.

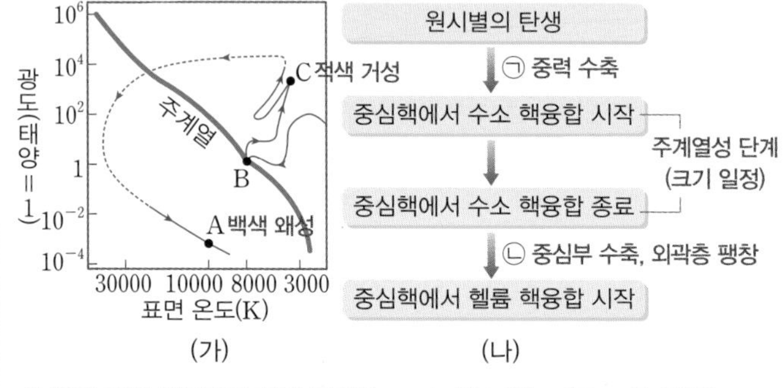

(가) (나)

이 별에 대한 설명으로 옳은 것만을 보기에서 있는 대로 고른 것은?

보기

ㄱ. (가)에서 별의 평균 밀도는 A > B > C이다.

ㄴ. (나)의 ㉠ 과정에서 별은 정역학 평형 상태이다.

ㄷ. (가)에서 C → B 진화 경로는 (나)의 ㉡ 과정에 해당한다.

① ㄱ ② ㄷ ③ ㄱ, ㄴ ④ ㄴ, ㄷ ⑤ ㄱ, ㄴ, ㄷ

개념 꼭!

* 별의 진화 속도는 ❶ ____ 이 큰 별일수록 빠르다.
* 태양과 질량이 비슷한 주계열성은 적색 거성을 거쳐 백색 왜성으로 진화한다.
* 기체 압력 차에 의한 힘과 중력이 평형을 이루는 상태를 ❷ ____ 평형이라고 한다.

답 ❶ 질량 ❷ 정역학

2021 4월 학평 15번 유사

자료 해석

* 주계열성 B의 광도가 태양과 같으므로 이 별의 질량은 태양과 거의 비슷한 별이다.
* 진화 경로: B(주계열성)에서 C(적색 거성)로 진화한 후 최종적으로 A(백색 왜성)가 된다.
  ➜ H－R도에서 별의 평균 밀도는 왼쪽 아래에 위치할수록 크므로 별의 평균 밀도는 A＞B＞C이다.
* (나)의 ㉠ 과정: 원시별에서 주계열성이 되는 과정이므로 ❸ ______ 이 일어난다.
* 주계열성일 때 정역학 평형 상태(별의 크기가 일정하게 유지)이다.
  ➜ 중심핵에서 수소 핵융합 반응이 일어나는 동안 정역학 평형 상태를 유지한다.
* (나)의 ㉡ 과정: 주계열성에서 적색 거성이 되는 과정이다. 이 과정에서 중심부는 수축하고, 별의 외곽층은 ❹ ______ 한다.
  ➜ (가)에서 B → C 진화 경로에 해당한다.
* (가)에서 C → A는 별의 최종 진화 단계에 해당한다.
  ➜ 이 과정에서 별의 외곽층이 분출하여 행성상 성운이 형성되고, 중심부는 수축하여 백색 왜성이 된다.

답 ❸ 중력 수축 ❹ 팽창

Point 해설

㉠ 별의 평균 밀도는 백색 왜성(A)＞주계열성(B)＞적색 거성(C)이다.

ㄴ. ㉠ 과정에서 중력 수축이 일어나므로 정역학 평형을 유지하지 못한다.

ㄷ. (나)의 ㉡ 과정은 (가)에서 B → C 진화 과정에 해당한다.

답 ①

전략 비법 노트

- 주계열성 → 크기가 거의 일정하게 유지 → 정역학 평형 상태
- 태양과 질량이 비슷한 별의 진화 경로: 원시별 → 주계열성 → 적색 거성 → 백색 왜성
- 질량이 큰 별 → 진화 속도가 빠름 → 별의 수명이 짧음

필수 유형

16 별의 에너지원

수능 전략 Key 주계열성의 에너지원인 수소 핵융합 반응에 대해 알고 있어야 한다. 특히, p−p 반응과 CNO 순환 반응의 공통점과 차이점에 대해 알아야 한다.

그림 (가)는 별의 중심 온도에 따른 p−p 반응과 CNO 순환 반응의 상대적 에너지 생산량을, (나)는 별 X의 중심부에서 우세하게 일어나는 수소 핵융합 반응을 나타낸 것이다.

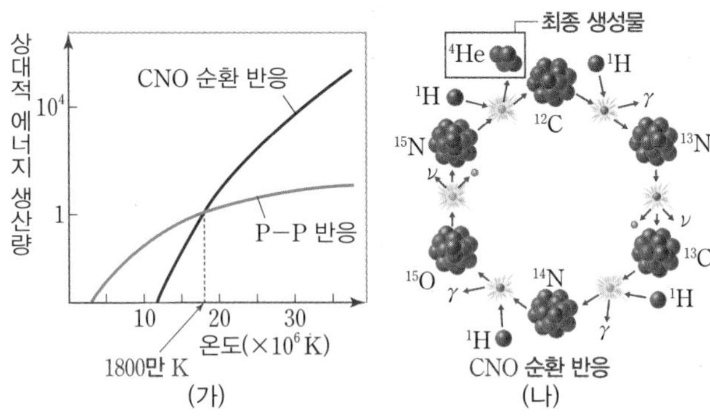

(가) (나)

이에 대한 설명으로 옳은 것만을 보기에서 있는 대로 고른 것은?

보기

ㄱ. 별의 중심부 온도는 X가 태양보다 높다.

ㄴ. (나)에서 헬륨 원자핵은 촉매 역할을 한다.

ㄷ. 별 X의 스펙트럼에서는 분자 흡수선이 잘 관측된다.

① ㄱ ② ㄷ ③ ㄱ, ㄴ ④ ㄴ, ㄷ ⑤ ㄱ, ㄴ, ㄷ

개념 꼭!

* 별의 중심부 온도가 약 1800만 K 이하인 별에서는 ❶ ______ 반응이, 1800만 K 이상인 별에서는 CNO 순환 반응이 우세하게 일어난다.
* 현재 태양의 중심 온도는 약 1500만 K이므로 p−p 반응이 ❷ ______ 반응보다 우세하게 일어난다.

답 ❶ p−p ❷ CNO 순환

2021 6월 모평 19번 변형

자료 해석

* (가): 수소 핵융합 반응에는 양성자 · 양성자(p－p) 반응과 탄소 · 질소 · 산소(CNO) 순환 반응이 있다. 중심부 온도가 약 1800만 K 이상이 별은 CNO 순환 반응이 더 우세하게 일어난다.
  → 태양에서는 p－p 반응이 더 우세하므로 중심부 온도가 1800만 K보다 ❸ [   ]다.
* (나)는 CNO 순환 반응이다.
  → 탄소 · 질소 · 산소 원자핵은 촉매 역할을 한다.
  → 이 반응을 통해 결과적으로 수소 원자핵 4개가 융합하여 헬륨 원자핵 1개를 생성한다.
* 별 X에서는 CNO 순환 반응이 p－p 반응보다 우세하게 일어나므로 질량이 태양보다 2배 이상인 주계열성이다.
  → X는 태양보다 질량이 크므로 표면 온도가 더 높다.
* 분자 흡수선은 분광형이 ❹ [   ]형인 별에서 잘 나타난다.
  → X는 태양보다 표면 온도가 높으므로 스펙트럼에서 분자 흡수선이 거의 나타나지 않는다.

답 ❸ 낮 ❹ M

Point 해설

㉠ 별 X는 CNO 순환 반응이 더 우세하므로 중심부 온도가 태양보다 높다.

ㄴ. (나)에서 탄소, 질소, 산소 원자핵은 촉매 역할을 한다.

ㄷ. 별 X는 태양보다 표면 온도가 높으므로 분자 흡수선이 거의 나타나지 않는다.

답 ①

전략 비법 노트

- **핵융합 반응**이 일어나는 동안 **감소한 질량만큼 에너지로 전환**
- **질량이 태양의 2배** 이상인 주계열성에서는 **CNO 순환** 반응이 우세
- 별의 중심부 온도가 **1800만 K 이하의 별**에서는 **p－p 반응**이 우세
- p－p 반응과 CNO 순환 반응에서 최종적으로 생성되는 원자핵은 동일

필수 유형

17 별의 분광형과 광도 계급

2022 9월 모평 14번 유사

수능 전략 Key 분광형과 표면 온도의 관계를 알고, 광도 계급에 따른 별들을 특징을 알고 있어야 한다.

표는 여러 별들의 절대 등급을 분광형과 광도 계급에 따라 구분하여 나타낸 것이다. (가), (나), (다)는 각각 광도 계급 Ib(초거성), Ⅲ(거성), Ⅴ(주계열성) 중 하나이다.

광도 계급 / 분광형	Ⅴ (가) 주계열성	Ⅲ (나) 거성	Ib (다) 초거성
B0	−4.1	−5.0	−6.2
A0	+0.6	−0.6	−4.9
G0	+4.4	+0.6	−4.5
M0	+9.2	−0.4	−4.5

표면 온도 증가 (↑) 광도 증가 →

이 자료에 대한 설명으로 옳은 것만을 보기에서 있는 대로 고른 것은?

보기

ㄱ. (가)의 광도 계급은 Ⅴ이다.

ㄴ. (나)에 속한 별들은 광도가 클수록 표면 온도가 높다.

ㄷ. (다)에서 별의 반지름은 G0형 별이 M0형 별보다 작다.

① ㄱ ② ㄷ ③ ㄱ, ㄴ ④ ㄱ, ㄷ ⑤ ㄴ, ㄷ

개념 꼭! * 광도 계급에 따라 별을 Ⅰ~Ⅶ로 분류하며, 분광형이 같을 때 광도 계급의 숫자가 ❶ [ ] 수록 별의 반지름과 광도가 작다.

자료 해석 * 표에서 별의 분광형을 ❷ [ ] 순으로 나타내면 B0 > A0 > G0 > M0이다.

답 ❶ 클 ❷ 표면 온도

Point 해설 ㉠ 분광형이 같을 때 광도가 작을수록 광도 계급이 크므로 (가)가 Ⅴ(주계열성)이다.

ㄴ. (나)에서 광도가 클수록 표면 온도가 높은 것은 아니다.

㉢ (다)에서 별의 반지름은 표면 온도가 높은 G0형 별이 M0형 별보다 작다. 답 ④

전략 비법 노트

• **표면 온도 순서: O > B > A > F > G > K > M**

• **주계열성의 광도 계급: Ⅴ**

필수 유형

18 주계열성의 내부 구조

2021 3월 학평 14번 유사

수능 전략 Key

주계열성의 내부 구조는 질량에 따라 달라짐을 이해하고, 각 층의 특징을 알고 있어야 한다.

그림은 태양 내부의 온도 분포를 나타낸 것이다. ㉠, ㉡, ㉢은 각각 중심핵, 복사층, 대류층 중 하나이다. 이에 대한 설명으로 옳은 것만을 |보기|에서 있는 대로 고른 것은?

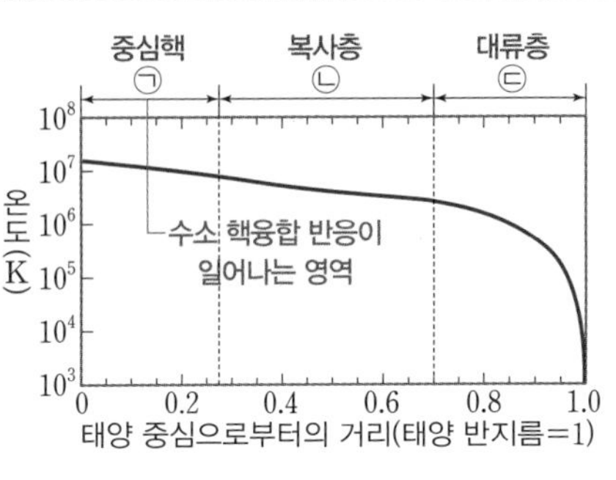

보기

ㄱ. ㉠은 대류핵이다.

ㄴ. 태양 내부의 온도는 복사층보다 대류층에서 낮다.

ㄷ. 헬륨이 차지하는 비율(%)은 ㉠보다 ㉢에서 높다.

① ㄱ ② ㄴ ③ ㄷ ④ ㄱ, ㄴ ⑤ ㄴ, ㄷ

개념 꼭!

* 태양 질량의 2배 이상인 별의 내부 구조는 중심핵(대류핵), ❶ (   )으로 이루어져 있고, 태양 질량의 2배 이하인 별의 내부 구조는 중심핵(복사핵), 복사층, 대류층으로 이루어져 있다.

자료 해석

* ㉠은 중심핵(복사핵), ㉡은 복사층, ㉢은 대류층이다.
* 중심핵(㉠)에서는 수소 핵융합 반응이 일어나 수소 원자핵이 ❷ (   ) 원자핵으로 바뀐다.

답 ❶ 복사층 ❷ 헬륨

Point 해설

ㄱ. ㉠은 중심핵(복사핵)이다.

ⓛ 태양 내부의 온도는 핵 > 복사층 > 대류층이다.

ㄷ. 중심핵에서는 헬륨이 차지하는 비율이 외곽층에 비해 높다.

답 ②

전략 비법 노트

- 태양의 내부 구조 → 중심핵, 복사층, 대류층
- 수소 핵융합 반응은 중심핵에서 일어남

필수 유형

19 외계 행성 탐사 방법

수능 전략 Key 외계 행성을 탐사하는 방법의 원리를 이해하고, 각 탐사 방법의 장단점에 대해 알아야 한다.

그림은 어느 외계 행성과 중심별이 공통 질량 중심을 중심으로 공전하는 모습을 나타낸 것이다. 행성은 원 궤도를 따라 공전하며, 공전 궤도면은 관측자의 시선 방향과 나란하다.

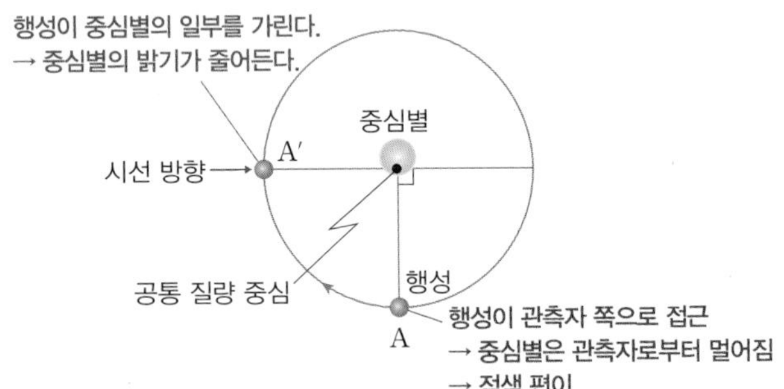

이 자료에 대한 설명으로 옳은 것만을 보기 에서 있는 대로 고른 것은?

보기

ㄱ. 행성이 A를 지날 때 중심별의 적색 편이가 나타난다.

ㄴ. 중심별의 밝기는 행성이 A를 지날 때가 A′를 지날 때보다 밝다.

ㄷ. 행성의 질량이 작을수록 중심별의 시선 속도 변화가 크게 나타난다.

① ㄱ ② ㄷ ③ ㄱ, ㄴ ④ ㄴ, ㄷ ⑤ ㄱ, ㄴ, ㄷ

개념 꼭!

* 중심별이 행성과의 ❶ ______ 중심을 중심으로 공전함에 따라 시선 속도가 변하면 별빛 스펙트럼의 파장 변화가 나타난다. 이를 이용하여 행성의 존재를 확인할 수 있다.
* 행성의 공전 궤도면이 관측자의 시선 방향과 ❷ ______ 인 경우에는 중심별의 시선 속도 변화가 나타나지 않으므로 행성의 존재를 확인할 수 없다.

답 ❶ 공통 질량 ❷ 수직

자료 해석

* 중심별과 행성은 공통 질량 중심 주위를 같은 방향으로 공전한다.
  → 행성이 A에 있을 때 관측자 쪽으로 접근하므로 중심별은 관측자로부터 멀어진다.
  → 중심별의 적색 편이가 나타난다.

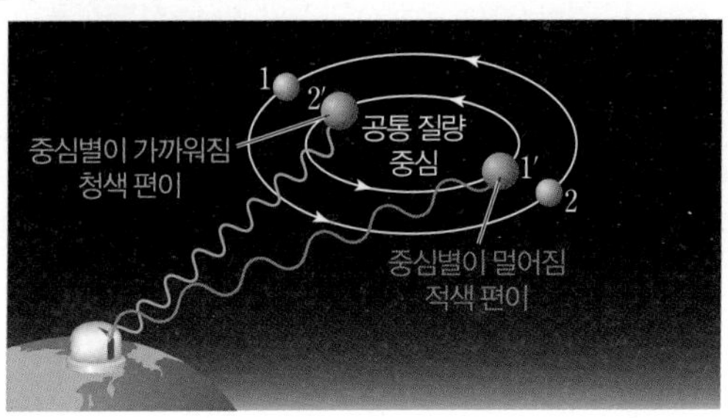

* 행성이 A′를 지날 때 중심별의 일부를 가리므로 가려진 면적에 해당하는 만큼 중심별의 밝기가 감소한다.
  → 행성에 의한 중심별의 ❸ [　　　] 현상이 나타난다.
* 행성의 질량이 ❹ [　　　]수록 중심별의 시선 속도 변화가 크게 나타난다.
  → 중심별의 시선 속도 변화가 클수록 별빛 스펙트럼의 파장 변화량이 커진다.
  → 행성의 존재 여부를 확인하기 쉽다.

답 ❸ 식 ❹ 클

Point 해설

ㄱ. 행성과 중심별은 같은 방향으로 공전하므로 행성이 관측자 쪽으로 접근할 때 중심별은 관측자로부터 멀어진다. (○)

ㄴ. 행성이 A′를 지날 때 행성에 의한 중심별의 식 현상이 나타난다. (○)

ㄷ. 행성의 질량이 클수록 중심별의 시선 속도 변화가 크게 나타난다.

답 ③

전략 비법 노트

- 중심별이 지구에 **가까워질 때** → **청색** 편이
- 중심별이 지구에서 **멀어질 때** → **적색** 편이
- 행성의 **질량이 클수록** → 시선 속도 변화가 **큼** → 행성을 **발견**하기 **쉬움**

필수 유형

20 은하의 분류와 특징

수능 전략 Key 허블의 은하 분류 기준을 알고, 은하의 종류에 따른 특징을 비교할 수 있어야 한다.

그림 (가)는 은하 A와 B의 가시광선 영상을, (나)는 A와 B의 특성을 나타낸 것이다.

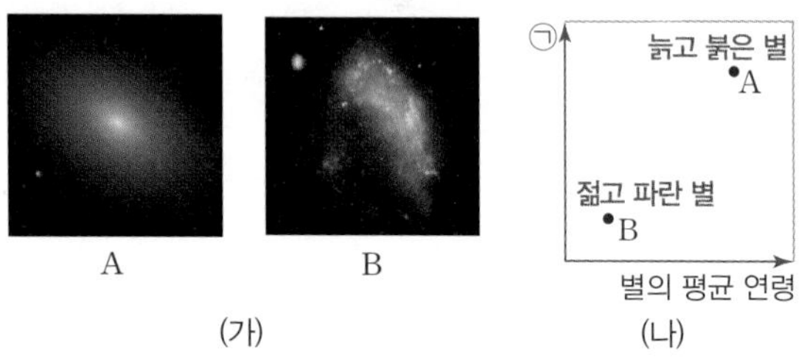

(가) (나)

이에 대한 설명으로 옳은 것만을 |보기|에서 있는 대로 고른 것은?

보기

ㄱ. 은하의 질량에 대한 성간 물질의 비는 A가 B보다 작다.
ㄴ. 별의 평균 표면 온도는 ㉠에 해당할 수 있다.
ㄷ. 은하는 A의 형태에서 B의 형태로 진화한다.

① ㄱ ② ㄷ ③ ㄱ, ㄴ ④ ㄴ, ㄷ ⑤ ㄱ, ㄴ, ㄷ

개념 꼭!

* 허블은 외부 은하들을 가시광선 영역에서 관측되는 형태에 따라 타원 은하, ❶ [　　　] 은하, 불규칙 은하로 분류하였다.
* 타원 은하는 다른 은하에 비해 성간 물질이 상대적으로 적고, 주로 ❷ [　　　] 별들로 이루어져 있다.
* 은하의 진화와 은하의 형태 사이에는 관련성이 없다는 것이 밝혀졌다.

답 ❶ 나선 ❷ 늙은

자료 해석

* A: 타원 형태를 갖고 있으므로 타원 은하이다. ➜ 성간 물질이 거의 없는 은하로, 비교적 늙고 표면 온도가 낮은 ❸ [　　　] 색 별들로 이루어져 있다.
* B: 규칙적인 모양을 보이지 않거나 비대칭적인 불규칙 은하이다. ➜ 성간 물질과 젊은 별들의 비율이 다른 은하에 비해 높다.
* (나): 별의 질량이 클수록 수명이 ❹ [　　　] 다. ➜ 별의 평균 연령이 많을수록 표면 온도가 낮다. ➜ 표면 온도가 낮을수록 색지수가 크므로 색지수는 ㉠에 해당하는 물리량이다.

<형태에 따른 허블의 은하 분류>

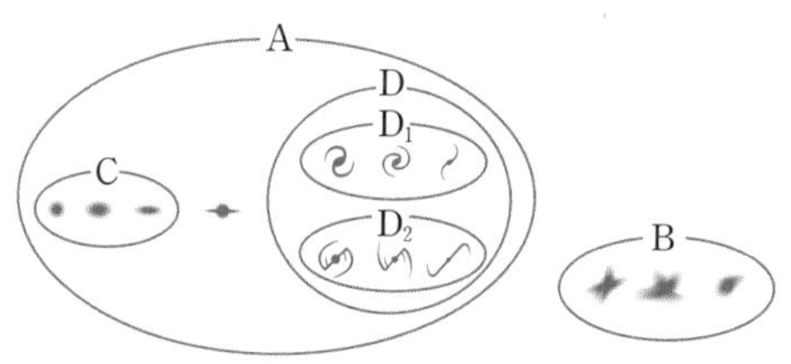

A: 규칙 은하

B: 불규칙 은하

C: 타원 은하

D: 나선 은하

D_1: 정상 나선 은하

D_2: 막대 나선 은하

답 ❸ 붉은 ❹ 짧

Point 해설

㉠ 성간 물질의 비는 타원 은하 A가 불규칙 은하 B보다 작다.

ㄴ. 별의 평균 연령이 많을수록 표면 온도가 낮으므로 별의 평균 표면 온도는 ㉠이 될 수 없다.

ㄷ. 은하의 진화와 형태 사이에는 관련성이 없다.

답 ①

전략 비법 노트

- 허블의 은하의 분류 기준: 가시광선 영역에서 관측된 은하의 형태
- 타원 은하: 편평도에 따라 E0~E7로 세분, 주로 나이가 많은 붉은색 별들로 구성
- 나선 은하: 막대 구조의 유무에 따라 정상 나선 은하와 막대 나선 은하로 구분
- 불규칙 은하: 성간 물질이 풍부하여 젊은 별의 비율이 높음

필수 유형

21 세이퍼트은하

수능 전략 Key 세이퍼트은하의 형태에 따른 분류를 알고, 스펙트럼에서 관측되는 특징을 이해해야 한다.

그림 (가)는 가시광선 영역에서 관측된 어느 세이퍼트은하를, (나)는 이 은하에서 관측된 스펙트럼을 나타낸 것이다.

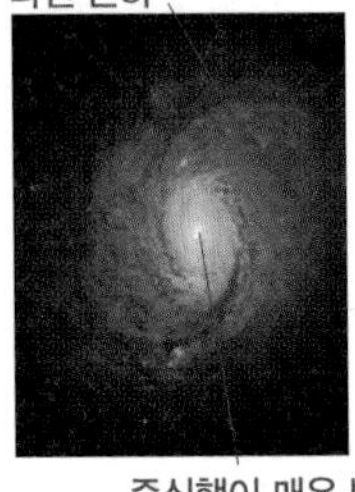

(가)

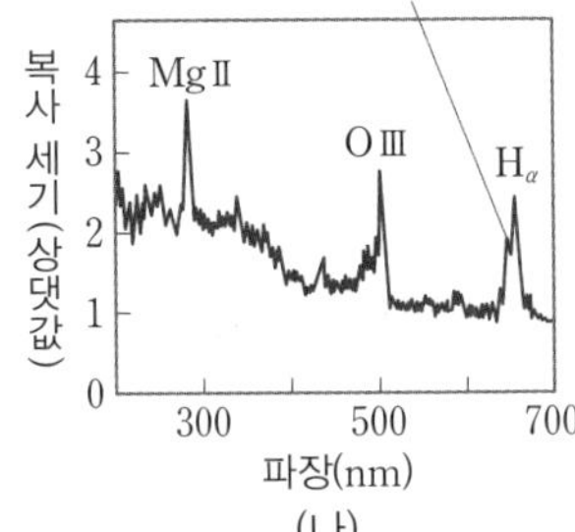

(나)

이 자료에 대한 설명으로 옳은 것만을 보기 에서 있는 대로 고른 것은?

보기

ㄱ. (가)는 허블의 은하 분류에서 타원 은하에 해당한다.

ㄴ. 은하 중심핵의 밝기가 우리 은하에 비해 매우 밝은 편이다.

ㄷ. (나)에는 폭이 넓은 수소 방출선이 나타난다.

① ㄱ ② ㄷ ③ ㄱ, ㄴ ④ ㄴ, ㄷ ⑤ ㄱ, ㄴ, ㄷ

개념 꼭!

* 세이퍼트은하를 가시광선 영역에서 관측하면 주로 ❶ [ ] 은하의 형태로 보인다.
* 세이퍼트은하는 보통의 은하들과 비교했을 때 아주 밝은 핵과 넓은 방출선을 보인다.
* 세이퍼트은하는 은하 내의 가스운이 매우 빠른 속도로 움직이고 있어 스펙트럼에서 선폭이 ❷ [ ] 방출선이 관측된다.

답 ❶ 나선 ❷ 넓은

자료 해석

* (가) 세이퍼트은하: 보통의 나선 은하들에 비해 중심핵이 상대적으로 ❸ [ ] 고, 나선팔 구조가 보인다.
  → 허블의 은하 분류에 따르면 나선 은하에 해당한다.
* (나): 방출선(Mg Ⅱ, O Ⅲ, H_α)의 선폭이 매우 넓다.
  → 은하 중심부에 질량이 매우 큰 ❹ [ ] 이 존재한다.
  → 은하 내의 가스운이 중심부를 매우 빠른 속도로 움직이고 있어 스펙트럼에서 선폭이 넓은 방출선이 관측된다.
* 가시광선의 파장 영역은 400 nm~700 nm이다.
  → (나)의 관측 파장은 주로 가시광선 영역에 해당한다.
* 전체 나선 은하 중 약 2 %가 세이퍼트은하로 분류된다.

답 ❸ 밝 ❹ 블랙홀

Point 해설

ㄱ. 나선팔 구조가 있으므로 나선 은하에 해당한다.

ⓛ 세이퍼트은하는 중심핵의 밝기가 보통의 나선 은하보다 훨씬 밝다.

ⓒ 세이퍼트은하의 스펙트럼에서는 폭이 매우 넓은 수소 방출선(H_α)이 관측된다.

답 ④

전략 비법 노트

- 특이 은하: 일반적인 은하에 비해 전파나 X선 영역에서 강한 에너지를 방출하는 은하
  → 전파 은하, 퀘이사, 세이퍼트은하
- 전파 은하: 제트와 로브가 있음
- 퀘이사: 매우 멀리 있어 하나의 별처럼 보이고 적색 편이가 큼
- 세이퍼트은하: 중심핵이 유난히 밝은 나선 은하의 형태로 관측, 스펙트럼에서 넓은 방출선이 관측

필수 유형

22 허블 법칙

수능 전략 Key

허블 법칙에 따른 우주 팽창을 이해하고, 은하의 스펙트럼에 나타난 파장 변화량을 이용하여 적색 편이와 후퇴 속도를 계산할 수 있어야 한다.

그림은 은하 A와 B의 관측 스펙트럼에서 방출선 (가)와 (나)가 각각 적색 편이된 것을 비교 스펙트럼과 함께 나타낸 것이다. 은하 A와 B는 동일한 시선 방향에 위치하고, 허블 법칙을 만족한다.

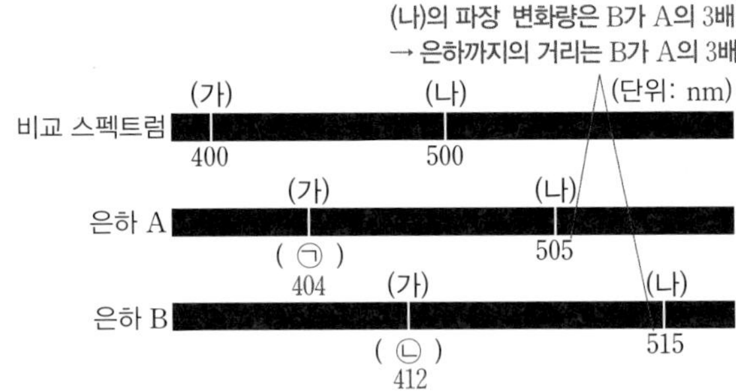

이에 대한 설명으로 옳은 것만을 보기 에서 있는 대로 고른 것은? (단, 빛의 속도는 3×10^5 km/s이다.)

보기

ㄱ. 은하 A의 후퇴 속도는 3000 km/s이다.

ㄴ. ㉠은 405이다.

ㄷ. 은하 B에서 A를 관측한다면, 방출선 (가)의 파장은 408 nm 이다.

① ㄱ ② ㄴ ③ ㄱ, ㄷ ④ ㄴ, ㄷ ⑤ ㄱ, ㄴ, ㄷ

개념 꼭!

* 외부 은하의 후퇴 속도(v)와 방출선의 파장 변화량($\Delta\lambda$) 사이에는 다음과 같은 관계가 성립한다.

$v=c\times\frac{\Delta\lambda}{\lambda}$ (c: 빛의 속도, λ: 원래의 흡수선 파장, $\Delta\lambda$: 흡수선의 파장 변화량)

* 멀리 있는 외부 은하들의 스펙트럼에서 ❶ ______ 편이가 나타나며, 적색 편이는 은하까지의 거리에 ❷ ______ 한다.

답 ❶ 적색 ❷ 비례

자료 해석

* 정지 상태일 때 관측된 비교 스펙트럼의 고유 파장 λ_0은 (가)가 400 nm, (나)가 500 nm이다.
* 은하 A에서 관측된 (나)의 파장 λ이 505 nm이므로 적색 편이 $z=\frac{505-500}{500}=0.01$이다. 따라서 은하 A의 후퇴 속도 $v=\frac{\Delta\lambda}{\lambda_0}\times c=0.01\times3\times10^5=$ 3000 km/s이다.
* 은하 A에서 관측된 방출선 (가)와 (나)의 적색 편이는 ❸ [　　]. ➜ (가)의 적색 편이 $z=\frac{㉠-400}{400}=0.01$이므로, (가)의 관측 파장 ㉠은 404이다.
* 방출선 (나)의 파장 변화량은 은하 A에서 5 nm이고, 은하 B에서 15 nm이므로 적색 편이는 B가 A의 3배이다. ➜ 우리 은하에서 B까지의 거리는 A까지의 거리의 ❹ [　　]배이다. ➜ A와 B는 동일한 시선 방향에 위치하므로 B에서 A를 관측하면, (가)의 적색 편이는 0.02이다. ➜ B에서 A를 관측할 때, 방출선 (가)의 관측 파장을 λ라고 하면, $z=\frac{\lambda-400}{400}=0.02 \Rightarrow \lambda=408$이다.

답 ❸ 같다 ❹ 3

Point 해설

㉠ 은하 A의 적색 편이 $\frac{\Delta\lambda}{\lambda_0}=0.01$이므로 후퇴 속도는 3000 km/s이다.

ㄴ. 은하 A에서 방출선 (가)와 (나)의 적색 편이가 같으므로 ㉠은 404이다.

㉢ B와 A 사이의 거리는 우리 은하와 A 사이의 거리의 2배이므로 B에서 A를 관측하면 (가)의 파장은 408 nm이다.

답 ③

전략 비법 노트

- **허블 법칙: 은하들의 후퇴 속도(v)와 거리(r)의 비례 관계를 나타낸 법칙**

$$v=H\cdot r(H\text{: 허블 상수})$$

- **외부 은하의 거리에 따른 후퇴 속도를 나타낸 그래프에서 기울기는 허블 상수에 해당**

필수 유형

23 빅뱅 우주론과 급팽창 우주

수능 전략 Key

빅뱅 우주론의 증거를 이해하고, 급팽창 이론을 이용하여 빅뱅 우주론의 문제점을 어떻게 설명할 수 있는지 알아야 한다.

그림은 빅뱅 우주론과 급팽창 이론에 따른 우주의 크기 변화를 A, B로 순서 없이 나타낸 것이다.

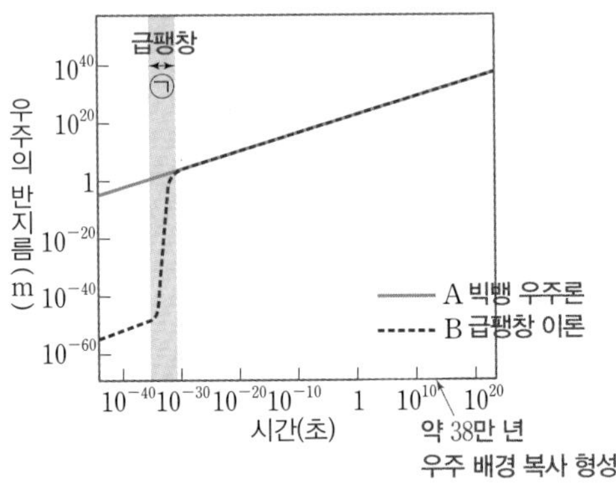

이 자료에 대한 설명으로 옳은 것만을 보기에서 있는 대로 고른 것은?

보기

ㄱ. A는 빅뱅 우주론에 따른 우주의 크기 변화이다.

ㄴ. ㉠ 시기에 우주 배경 복사가 형성되었다.

ㄷ. ㉠ 시기 이후부터 우주는 전체적으로 상호 작용할 수 있었다.

① ㄱ ② ㄷ ③ ㄱ, ㄴ ④ ㄴ, ㄷ ⑤ ㄱ, ㄴ, ㄷ

개념 꼭!

* 빅뱅 우주론은 우주의 모든 물질과 에너지가 매우 작고 뜨거운 한 점에 모여 있다가 대폭발이 일어난 후 ❶ ____ 하면서 온도가 낮아져 현재의 우주가 생성되었다는 이론이다.
* 급팽창 이론은 빅뱅 직후 우주가 급격히 팽창했다는 이론으로, 기존의 ❷ ____ 우주론에서 설명할 수 없었던 여러 문제들을 설명할 수 있었다.

답 ❶ 팽창 ❷ 빅뱅

자료 해석

* A는 빅뱅 우주론에 따른 우주의 크기 변화이고, B는 급팽창 이론에 따른 우주의 크기 변화이다.
* 빅뱅 직후인 ㉠ 시기에 우주의 크기가 빛보다 빠르게 팽창하였다.
  → 급팽창은 극히 짧은 시간 동안 일어났다.
* 우주 배경 복사는 우주의 나이가 약 ❸ [   ] 년일 때 형성되었다.
  → 급팽창 시기에는 우주의 온도가 너무 높아 물질이 존재하기 어려웠다.
* 급팽창 이전에는 우주의 크기가 우주의 지평선보다 ❹ [   ] 우주가 전체적으로 상호 작용하여 균질해질 수 있었다.
  → 현재 관측되는 우주 배경 복사가 균질한 까닭을 설명할 수 있다.

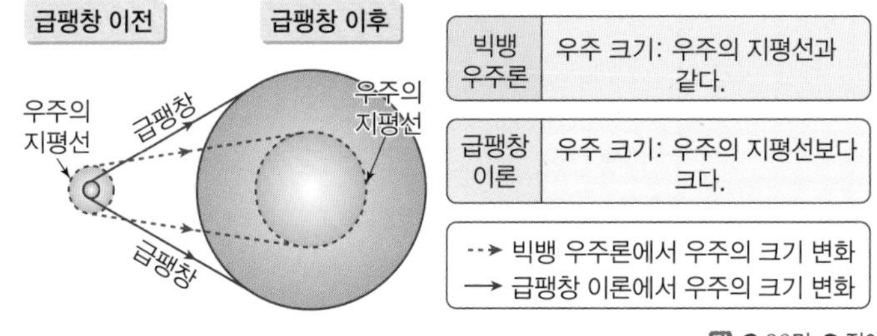

답 ❸ 38만 ❹ 작아

Point 해설

㉠ A는 빅뱅 우주론, B는 급팽창 이론에 따른 우주의 크기 변화이다.

ㄴ. 빅뱅 직후인 ㉠ 시기에 우주의 급팽창이 일어났다. 우주 배경 복사는 우주의 나이가 약 38만 년이 되었을 때 형성되었다.

ㄷ. ㉠ 시기 이전에는 우주의 크기가 우주의 지평선보다 작아 우주 전체가 상호 작용할 수 있었다.

답 ①

전략 비법 노트

- 빅뱅 우주론의 근거 → 가벼운 원소의 비율, 우주 배경 복사의 존재
- 빅뱅 우주론에서 설명하기 어려운 문제점 → 자기 홀극 문제, 우주의 평탄성 문제, 우주의 지평선 문제
- 급팽창 이전 → 우주의 크기가 우주의 지평선보다 작아 우주가 전체적으로 상호 작용

필수 유형

24 우주 구성 요소

수능 전략 Key

우주를 구성하는 요소의 종류와 비율을 알고, 각 구성 요소의 특성에 대해 이해해야 한다.

그림 (가)와 (나)는 현재와 과거 어느 시기의 우주 구성 요소 비율을 순서 없이 나타낸 것이다. A, B, C는 각각 보통 물질, 암흑 물질, 암흑 에너지 중 하나이다.

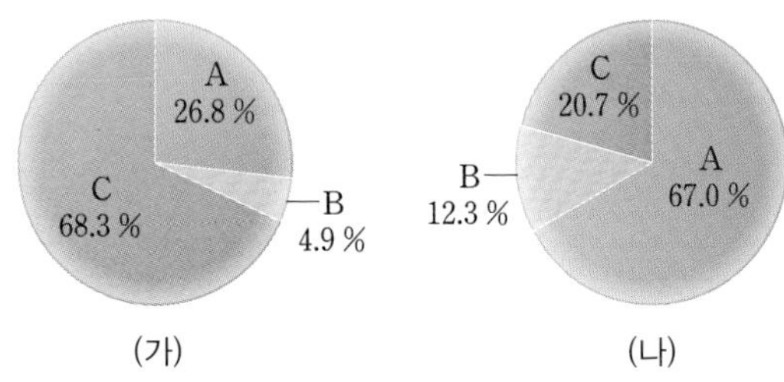

(가) (나)

이에 대한 설명으로 옳은 것만을 보기 에서 있는 대로 고른 것은?

보기

ㄱ. (가)일 때 우주는 가속 팽창하고 있다.

ㄴ. B는 전자기파로 관측할 수 있다.

ㄷ. 우주의 온도는 (나)보다 (가)일 때 높다.

① ㄱ ② ㄷ ③ ㄱ, ㄴ ④ ㄴ, ㄷ ⑤ ㄱ, ㄴ, ㄷ

개념 꼭!

* 최근의 관측 자료에 따르면 우주의 구성 요소는 보통 물질 약 4.9 %, ❶ ______ 약 26.8 %, 암흑 에너지 약 68.3 %이다.
* 현재 우주는 암흑 에너지의 영향으로 ❷ ______ 팽창하고 있으며, 시간이 흐를수록 암흑 에너지의 영향이 더 커질 것으로 예측된다.

답 ❶ 암흑 물질 ❷ 가속

자료 해석

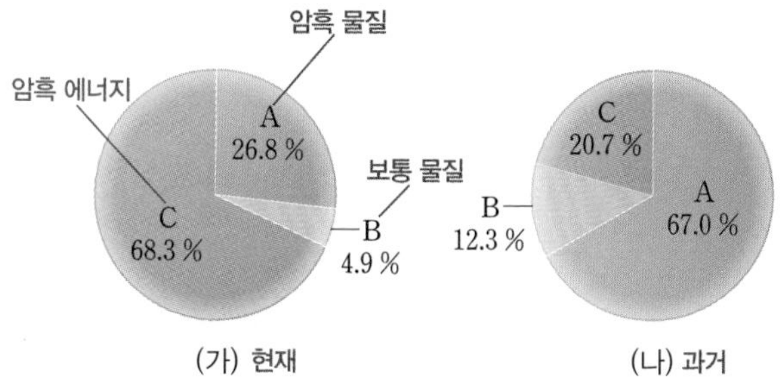

* 우주가 팽창함에 따라 암흑 물질과 보통 물질의 비율은 줄어들고, 암흑 에너지의 비율은 상대적으로 많아진다.
* (가)가 과거, (나)가 현재일 경우: A와 B의 비율이 모두 증가 ➜ 모순
* (가)가 현재, (나)가 과거일 경우: A와 B의 비율이 감소, C의 비율이 증가
  ➜ A와 B는 각각 암흑 물질과 보통 물질이고, C는 암흑 에너지이다.
* 암흑 에너지(C): ❸ [   ]으로 작용하여 우주를 가속 팽창시키는 역할을 한다.
* 암흑 물질(A): ❹ [   ]와 상호 작용하지 않는다. 질량을 가지고 있으므로 중력에 의한 상호 작용을 한다.
* 보통 물질(B): 별, 성간 물질 등을 이루고 있으며 전자기파와 상호 작용한다.

답 ❸ 척력 ❹ 전자기파

Point 해설

㉠ 현재 우주는 암흑 에너지에 의해 가속 팽창하고 있다.

㉡ 보통 물질은 전자기파와 상호 작용하므로 직접 관측이 가능하다.

ㄷ. 우주가 팽창할수록 우주의 온도가 낮아지므로, 우주의 온도는 현재가 과거보다 낮다.

답 ③

전략 비법 노트

- **현재 우주의 구성 요소 비율: 암흑 에너지(68.3 %) > 암흑 물질(26.8 %) > 보통 물질(4.9 %)**
- **우주 팽창 속도 변화: 초기에는 물질 밀도가 우세하여 감속 팽창, 어느 시점 이후부터는 암흑 에너지 밀도가 우세하여 가속 팽창**

memo

수능전략

과·학·탐·구·영·역

지구과학Ⅰ

BOOK 2

이 책의 구성과 활용

본책인 BOOK 1과 BOOK2의 구성은 아래와 같습니다.

BOOK 1 1주, 2주

BOOK 2 1주, 2주

BOOK 3 정답과 해설

주 도입

본격적인 학습에 앞서, 재미있는 만화를 살펴보며 이번 주에 학습할 내용을 확인해 봅니다.

1일

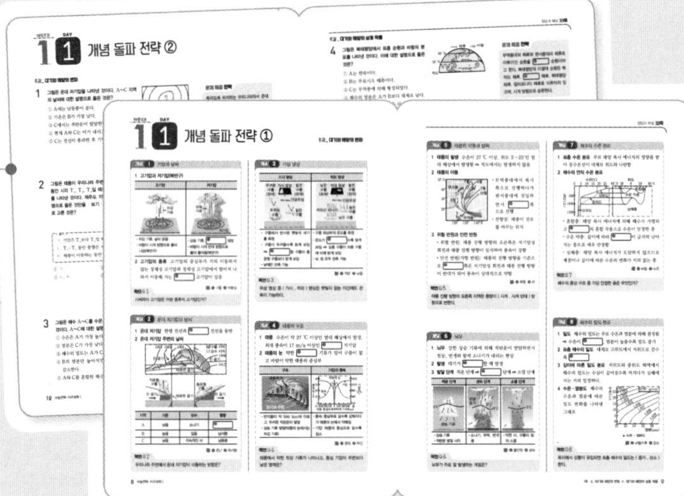

개념 돌파 전략
수능을 대비하기 위해 꼭 알아야 할 핵심 개념을 익힌 뒤, 간단한 문제를 풀며 개념을 잘 이해했는지 확인해 봅니다.

2일, 3일

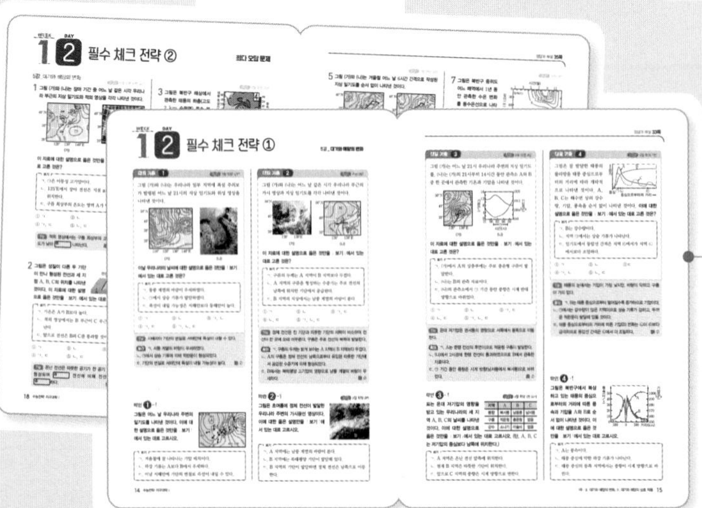

필수 체크 전략
기출문제에서 선별한 대표 유형 문제와 쌍둥이 문제를 함께 풀며 문제에 접근하는 과정과 해결 전략을 체계적으로 익혀 봅니다.

본 책에서 다룬 대표 유형과 그 해결 전략을 집중적으로 연습할 수 있도록 권두 부록을 구성했습니다. 부록을 뜯으면 미니북으로 활용할 수 있습니다.

주 마무리 학습

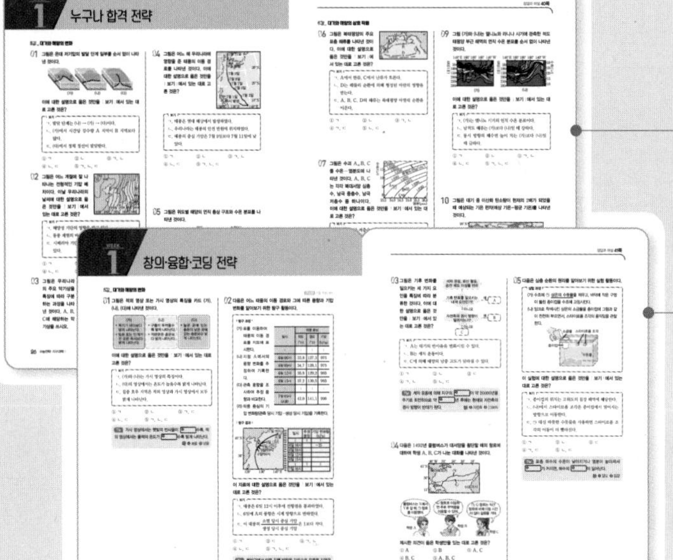

누구나 합격 전략
수능 유형에 맞춘 기초 연습 문제를 풀며 학습 자신감을 높일 수 있습니다.

창의·융합·코딩 전략
수능에서 요구하는 융복합적 사고력과 문제 해결력을 기를 수 있습니다.

권 마무리 학습

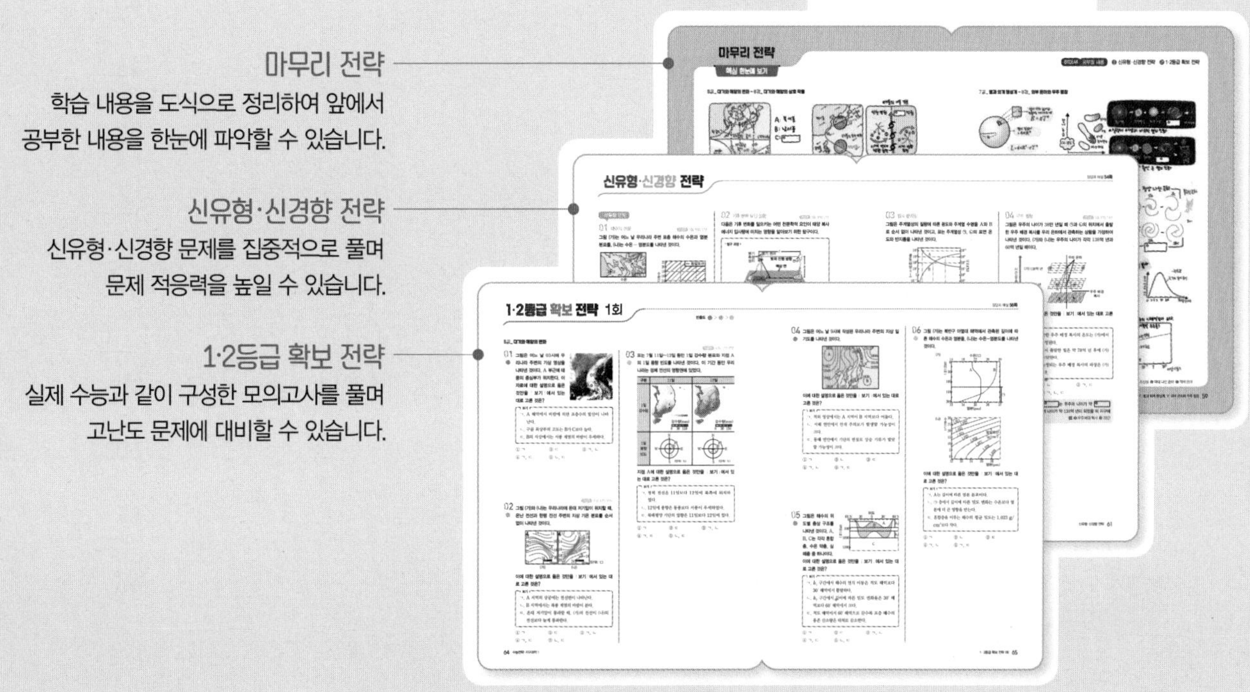

마무리 전략
학습 내용을 도식으로 정리하여 앞에서 공부한 내용을 한눈에 파악할 수 있습니다.

신유형·신경향 전략
신유형·신경향 문제를 집중적으로 풀며 문제 적응력을 높일 수 있습니다.

1·2등급 확보 전략
실제 수능과 같이 구성한 모의고사를 풀며 고난도 문제에 대비할 수 있습니다.

이 책의 차례

BOOK 2

BOOK 1

WEEK

1 Ⅲ 대기와 해양의 변화 Ⅳ 대기와 해양의 상호 작용

5강_ 대기와 해양의 변화

학습할 내용

5강_ 대기와 해양의 변화	• 온대 저기압 • 태풍과 악기상 • 해수의 성질 • 표층 순환과 심층 순환
6강_ 대기와 해양의 상호 작용	• 대기 대순환 • 엘니뇨와 라니냐, 남방 진동 • 지구 온난화

6강_ 대기와 해양의 상호 작용

알겠어요.
데리고 잘 다녀올게요.
오빠, 빨리 가자.

준비 많이 했네.

"꿈끼자랑 발표 원고"
지구 온난화의 역설,
최강급 북극 한파!!
-초겨울인 12월 벌써
'두 차례' 한파
-원인: 춥고 건조한 겨울,
전형적인 '라니냐' 시그널

나 잘 찍어 줘야 해.
알겠어.
걱정마.

지난 해 12월의 기온이나 강수량을 보면 전형적인 라니냐의 영향으로 보입니다.
라니냐는 적도 동태평양과 태평양 중앙부의 표층 수온이 평소보다 낮아지는 현상으로,
전 지구적인 기상 이변을 몰고 옵니다.

라니냐가 뭔지는 알아?
라니냐? 기사 보고
따라 쓴 건데 오빤 알아?

일기 예보에서의 그래픽, 내용 모두 기상 캐스터가 방송 관계자들과 함께
만드는 거야. 미래의 기상 캐스터님, 이 오빠가 라니냐에 대해 알려 줄게.

적도 동태평양에서 생기는 용승으로 동태평양 해수의 표층 수온이 낮다.

적도 동태평양의 용승이 강해져 동태평양 해수의 표층 수온이 평상시보다 낮아진다.

개념 돌파 전략 ①

개념 1 기압과 날씨

1 고기압과 저기압(북반구)

고기압	저기압
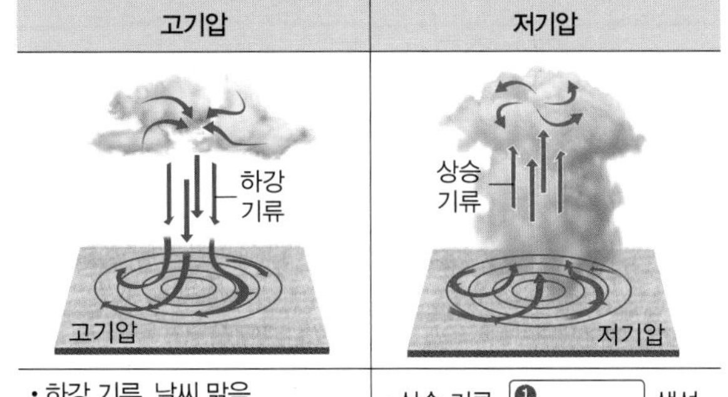	
• 하강 기류, 날씨 맑음 • 바람이 시계 방향으로 불어 나감(북반구)	• 상승 기류, ❶ ( ) 생성 • 바람이 시계 반대 방향으로 불어 들어옴(북반구)

2 고기압의 종류 고기압의 중심부가 거의 이동하지 않는 정체성 고기압과 정체성 고기압에서 떨어져 나와서 이동해 가는 ❷ ( ) 고기압이 있음

답 ❶ 구름 ❷ 이동성

확인 Q 1

시베리아 고기압은 어떤 종류의 고기압인가?

개념 2 온대 저기압과 날씨

1 온대 저기압 한랭 전선과 ❶ ( ) 전선을 동반

2 온대 저기압 주변의 날씨

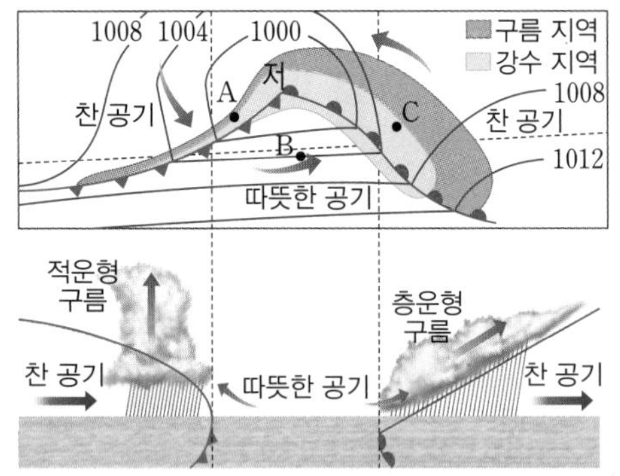

지역	기온	강수	풍향
A	낮음	소나기	❷ ( )
B	높음	없음	남서풍
C	낮음	지속적인 비	남동풍

답 ❶ 온난 ❷ 북서풍

확인 Q 2

우리나라 주변에서 온대 저기압이 이동하는 방향은?

개념 3 기상 영상

가시 영상	적외 영상
두꺼운 구름(흰색), 가시 영상, 얇은 구름(회색), 인공위성, 두꺼운 구름, 얇은 구름	낮은 구름(회색), 적외 영상, 높은 구름(흰색), 인공위성, 적외선 에너지, 높은 구름, 낮은 구름
• 구름에서 반사된 햇빛의 세기를 측정 • 구름이 두꺼울수록 밝게 보임 ➡ ❶ ( )형 구름이 층운형 구름보다 밝게 보임 • 낮에만 관측 가능	• 구름 최상부의 온도를 측정 • 온도가 ❷ ( )수록 밝게 보임 ➡ 상층 구름이 하층 구름에 비해 밝게 보임 • 낮, 밤 모두 관측 가능

답 ❶ 적운 ❷ 낮을

확인 Q 3

위성 영상 중 (가시 , 적외) 영상은 햇빛이 없는 야간에도 관측이 가능하다.

개념 4 태풍의 구조

1 태풍 수온이 약 27 ℃ 이상인 열대 해상에서 발생, 최대 풍속이 17 m/s 이상인 ❶ ( ) 저기압

2 태풍의 눈 약한 ❷ ( ) 기류가 있어 구름이 없고 바람이 약한 태풍의 중심부

구조	기압과 풍속
태풍의 눈, 하강 기류, 상승 기류, 공기의 수렴, 500 400 300 200 100 0 100 200 300 400 500 (km)	태풍의 눈, 풍속(m/s) 0–40, 기압(hPa) 940–1020, 풍속, 기압, 서 800 500 100 0 100 500 800 동, 태풍 중심으로부터의 거리(km)
• 반지름이 약 500 km에 이르고, 두꺼운 적란운이 발달 • 상승 기류 발달(태풍의 눈에서는 하강 기류)	• 풍속: 중심부로 갈수록 강해지다가 태풍의 눈에서 약해짐 • 기압: 태풍의 중심으로 갈수록 감소

답 ❶ 열대 ❷ 하강

확인 Q 4

태풍에서 약한 하강 기류가 나타나고, 중심 기압이 주변보다 낮은 영역은?

개념 5 태풍의 이동과 날씨

1 태풍의 발생 수온이 27 ℃ 이상, 위도 5°~25°인 열대 해상에서 발생함 ➡ 적도에서는 발생하지 않음

2 태풍의 이동

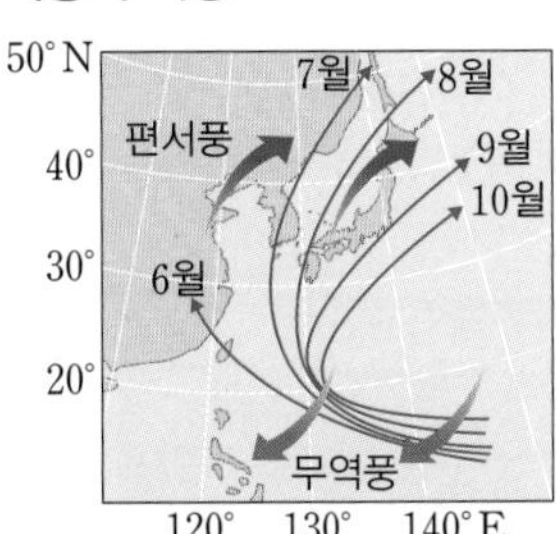

• 무역풍대에서 북서쪽으로 진행하다가 편서풍대에 진입하면서 ❶ [ ] 쪽으로 진행

• 전향점: 태풍이 진로를 바꾸는 위치

3 위험 반원과 안전 반원

• 위험 반원: 태풍 진행 방향의 오른쪽은 저기압성 회전과 태풍 진행 방향이 일치하여 풍속이 강함

• 안전 반원(가항 반원): 태풍의 진행 방향을 기준으로 ❷ [ ] 쪽은 저기압성 회전과 태풍 진행 방향이 반대가 되어 풍속이 상대적으로 약함

답 ❶ 북동 ❷ 왼

확인 Q 5

태풍 진행 방향의 오른쪽 지역은 풍향이 (시계 , 시계 반대) 방향으로 변한다.

개념 6 뇌우

1 뇌우 강한 상승 기류에 의해 적란운이 발달하면서 천둥, 번개와 함께 소나기가 내리는 현상

2 발생 대기가 ❶ [ ] 할 때 발생

3 발달 단계 적운 단계 ➡ ❷ [ ] 단계 ➡ 소멸 단계

적운 단계	성숙 단계	소멸 단계
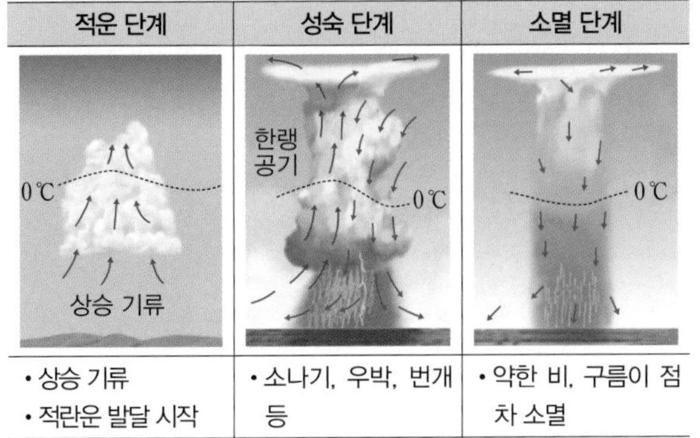		
• 상승 기류 • 적란운 발달 시작	• 소나기, 우박, 번개 등	• 약한 비, 구름이 점차 소멸

답 ❶ 불안정 ❷ 성숙

확인 Q 6

뇌우가 주로 잘 발생하는 계절은?

개념 7 해수의 수온 분포

1 표층 수온 분포 주로 태양 복사 에너지의 영향을 받아 등수온선이 대체로 위도와 나란함

2 해수의 연직 수온 분포

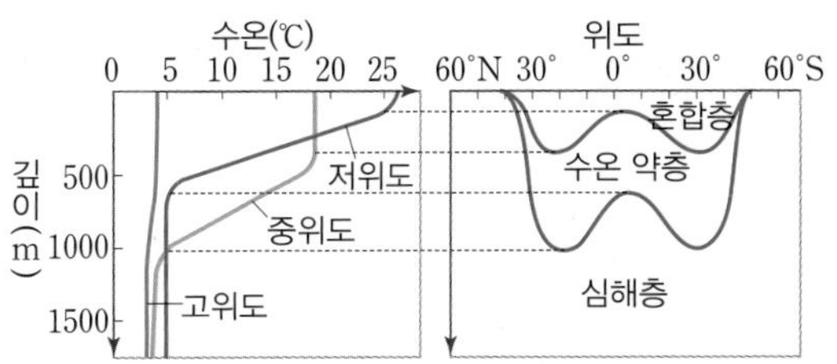

• 혼합층: 태양 복사 에너지에 의해 해수가 가열되고 ❶ [ ] 의 혼합 작용으로 수온이 일정한 층

• 수온 약층: 깊이에 따라 ❷ [ ] 이 급격히 낮아지는 층으로 매우 안정함

• 심해층: 태양 복사 에너지가 도달하지 않으므로 계절이나 깊이에 따른 수온의 변화가 거의 없는 층

답 ❶ 바람 ❷ 수온

확인 Q 7

해수의 층상 구조 중 가장 안정한 층은 무엇인가?

개념 8 해수의 밀도 분포

1 밀도 해수의 밀도는 주로 수온과 염분에 의해 결정됨 ➡ 수온이 ❶ [ ], 염분이 높을수록 밀도 증가

2 표층 해수의 밀도 대체로 고위도에서 저위도로 갈수록 ❷ [ ]

3 깊이에 따른 밀도 분포 저위도와 중위도 해역에서 해수의 밀도는 수심이 깊어질수록 커지다가 심해에서는 거의 일정하다.

4 수온-염분도 해수의 수온과 염분에 따른 밀도 변화를 나타낸 그래프

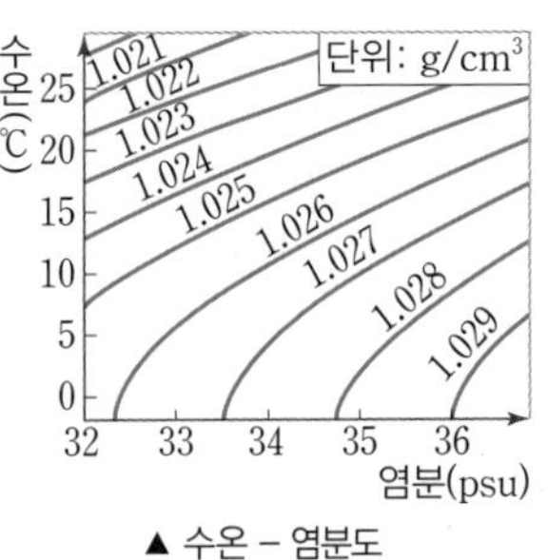

▲ 수온 - 염분도

답 ❶ 낮을수록 ❷ 감소

확인 Q 8

육지에서 강물이 유입되면 표층 해수의 밀도는 (증가 , 감소) 한다.

WEEK 1 DAY 1

개념 돌파 전략 ①

6강_ 대기와 해양의 상호 작용

개념 1 대기 대순환과 표층 순환

1 **대기 대순환** 지구 자전의 영향으로 3개의 순환 세포 형성 ➡ 해들리 순환, ❶ [ ] 순환, 극순환

2 **표층 해류** 적도를 경계로 북반구와 남반구가 대체로 대칭적으로 분포함

- 아열대 순환: 무역풍과 ❷ [ ]에 의해 형성
- 아한대 순환: 편서풍과 극동풍에 의해 형성

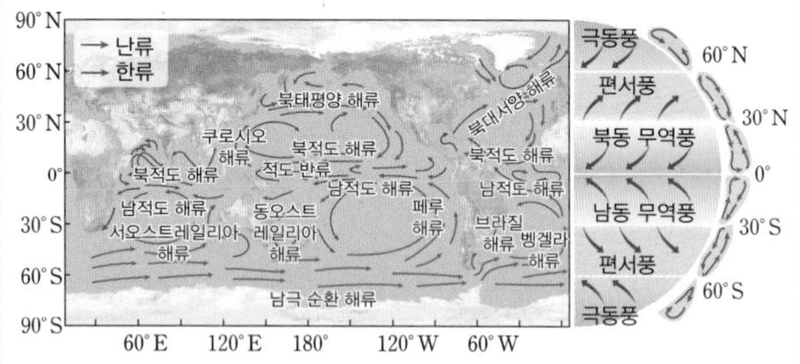

답 ❶ 페렐 ❷ 편서풍

확인 Q 1

3개의 대기 대순환 세포 중 간접 순환은 무엇인가?

개념 2 우리나라 주변의 해류

1 **난류** 황해 난류, 쓰시마 난류, ❶ [ ] 난류

2 **한류** 연해주 한류, 북한 한류

3 난류는 한류에 비해 수온과 염분이 ❷ [ ]고, 영양 염류와 용존 산소량이 적어 플랑크톤이 적음

4 **조경 수역** 동한 난류와 북한 한류가 만나 형성
➡ 조경 수역의 위치는 여름에 북상, 겨울에 남하

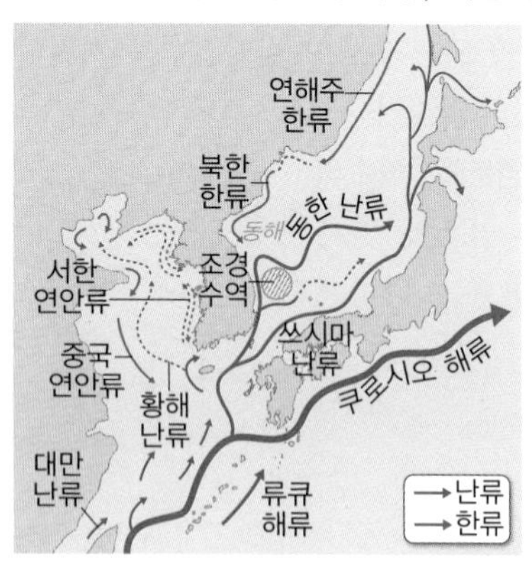

답 ❶ 동한 ❷ 높

확인 Q 2

우리나라의 동해에서는 (　　　　　) 난류와 북한 한류가 만나 조경 수역이 형성된다.

개념 3 심층 순환

1 **심층 순환** 수온과 염분 변화에 따른 밀도 차로 발생하는 순환 ➡ ❶ [ ] 순환이라고도 함

2 **대서양의 심층 순환**

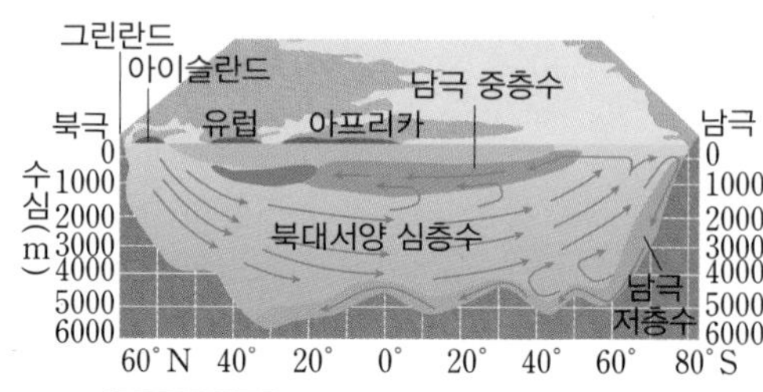

- 남극 ❷ [ ]수: 50°S~60°S 근처에서 형성
- 북대서양 심층수: 그린란드 부근 해역에서 형성
- 남극 저층수: 남극 대륙 주변의 웨델해에서 형성

답 ❶ 열염 ❷ 중층

확인 Q 3

해수의 밀도는 남극 저층수가 북대서양 심층수보다 (크 , 작)다.

개념 4 전 지구적인 해수 순환

1 **해류의 발생 원인** 표층 순환은 대기 대순환, 심층 순환은 해수의 밀도 차

2 **해류의 역할**

- 열에너지를 ❶ [ ]위도로 수송
  ➡ 열수지 불균형 해소
- 세계의 기후와 해양 환경에 큰 영향을 줌
- 고위도 해역에서 침강한 해수가 심층의 해수에 ❷ [ ] 공급

3 **전 지구적인 해수의 순환** 심층 순환과 표층 순환이 연결되어 지구 전체에 걸쳐 순환이 일어남

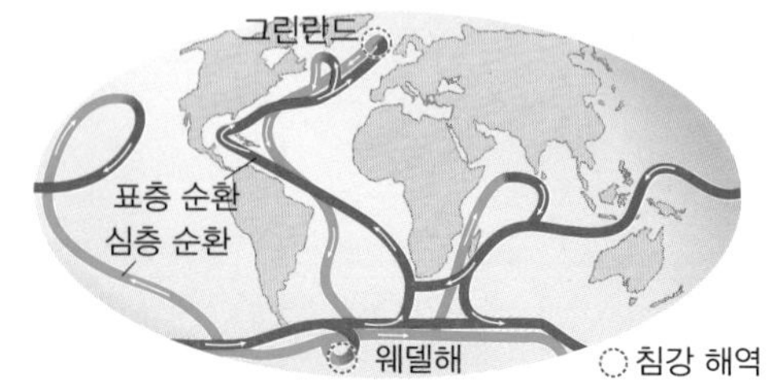

답 ❶ 고 ❷ 산소

확인 Q 4

해수의 침강이 일어나는 대표적인 해역 두 곳은 어디인가?

개념 5 용승과 침강

1 **해수의 이동** 바람이 일정하게 불면 북반구에서 해수는 바람 방향의 ❶ 90° 방향으로 이동

2 **용승과 침강** 심층의 찬 해수가 올라오는 현상은 용승, 표층의 해수가 심층으로 내려가는 현상은 침강

연안 용승(북반구)	연안 침강(북반구)
해수의 이동, 바람, 용승	해수의 이동, 바람, 침강
바람(북풍)이 표층수를 해안에서 멀리 밀어낼 경우	바람(남풍)에 의해 표층수가 해안으로 밀려올 경우

3 **적도 용승** 적도 지역에서 북동 무역풍과 남동 무역풍에 의해 표층수가 이동

➡ ❷ 이 일어남

답 ❶ 오른쪽 ❷ 용승

확인 Q5

여름철에 우리나라의 동해안을 따라 (남풍 , 북풍)이 계속 불 때 용승이 일어난다.

개념 6 엘니뇨와 라니냐

1 **워커 순환** 서태평양에서 상승한 공기가 동태평양에서 하강하는 대기 순환

2 **엘니뇨와 라니냐**

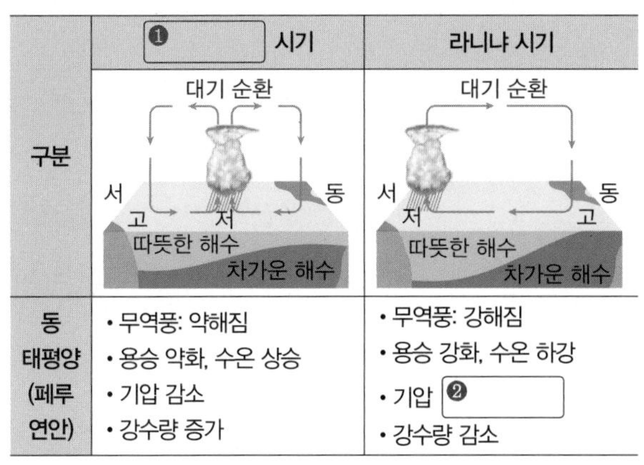

구분	❶ 시기	라니냐 시기
구분	대기 순환, 서, 동, 고, 저, 따뜻한 해수, 차가운 해수	대기 순환, 서, 동, 저, 고, 따뜻한 해수, 차가운 해수
동태평양(페루 연안)	• 무역풍: 약해짐 • 용승 약화, 수온 상승 • 기압 감소 • 강수량 증가	• 무역풍: 강해짐 • 용승 강화, 수온 하강 • 기압 ❷ • 강수량 감소

답 ❶ 엘니뇨 ❷ 증가

확인 Q6

라니냐 시기에는 무역풍이 평상시보다 (강 , 약)하다.

개념 7 기후 변화의 천문학적 요인

1 **세차 운동(지구 자전축의 방향 변화)** 지구의 자전축의 경사 ❶ 이 약 26000년을 주기로 회전

현재	약 13000년 후
여름(북반구), 겨울, 지구, 태양, (원일점), (근일점)	겨울(북반구), 여름, 지구, 태양, (원일점), (근일점)

2 **지구 자전축 경사각의 변화** 약 41000년을 주기로 자전축의 경사각이 약 21.5°~24.5°로 변함

3 **지구 공전 궤도 ❷ 의 변화** 약 10만 년을 주기로 공전 궤도의 모양이 변함

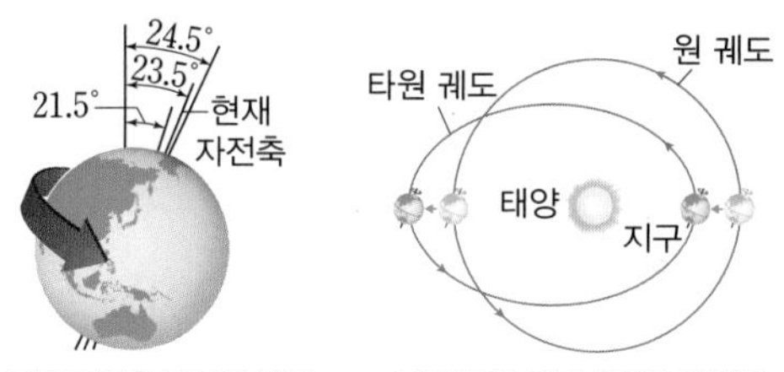

▲지구 자전축 경사각 변화 ▲지구 공전 궤도 이심률의 변화

답 ❶ 방향 ❷ 이심률

확인 Q7

지구 공전 궤도의 이심률이 커지면 (근일점 , 원일점) 거리는 가까워진다.

개념 8 지구 온난화

1 **지구 온난화** 최근 지구의 ❶ 효과가 강화되어 지구의 평균 기온이 점점 높아지는 현상

2 **원인** 인간 활동에 의한 온실 기체의 농도 증가

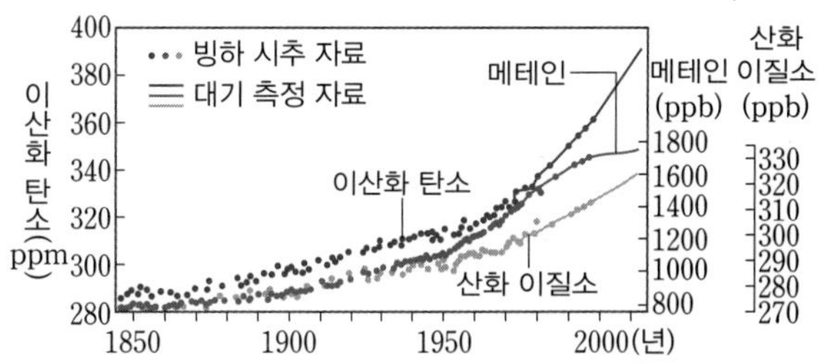

3 **영향**

- 해수의 열팽창과 대륙 빙하의 융해로 해수면 상승
- ❷ 이변의 횟수와 강도 증가
- 생태계 변화, 식량 생산량 감소, 질병 증가 등

답 ❶ 온실 ❷ 기상

확인 Q8

인간 활동에 의한 (   ) 기체의 증가는 지구의 평균 기온을 상승시키는 역할을 한다.

WEEK 1 DAY 1

개념 돌파 전략 ②

5강_ 대기와 해양의 변화

1 그림은 온대 저기압을 나타낸 것이다. A~C 지역의 날씨에 대한 설명으로 옳은 것은?

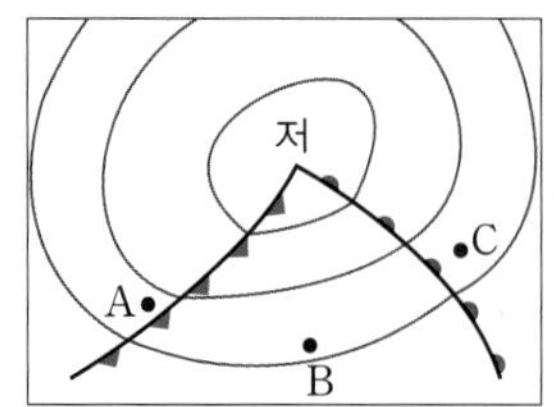

① A에는 남동풍이 분다.
② 기온은 B가 가장 낮다.
③ C에서는 적란운이 발달한다.
④ 현재 A와 C는 비가 내리고 있다.
⑤ C는 전선이 통과한 후 기압이 높아진다.

문제 해결 전략

중위도에 위치하는 우리나라에서 온대 저기압은 ❶ ______의 영향으로 대체로 서쪽에서 동쪽으로 이동한다. 우리나라에 온대 저기압이 통과할 때는 한랭 전선보다 ❷ ______ 전선이 먼저 통과한다.

답 ❶ 편서풍 ❷ 온난

2 그림은 태풍이 우리나라 주변을 통과하는 동안 시각 T_1, T_2, T_3일 때의 태풍 위치를 나타낸 것이다. 제주도 지역에 대한 설명으로 옳은 것만을 | 보기 |에서 있는 대로 고른 것은?

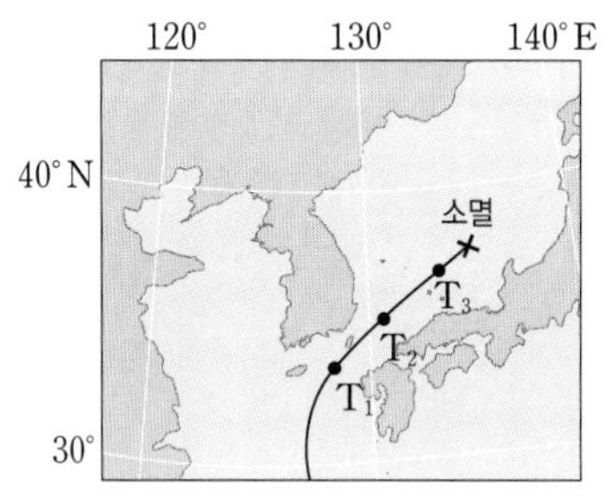

| 보기 |
ㄱ. 기압은 T_1보다 T_3일 때 높았다.
ㄴ. T_1~T_3 동안 풍향은 시계 방향으로 변하였다.
ㄷ. 태풍이 이동하는 동안 위험 반원에 위치하였다.

① ㄱ ② ㄷ ③ ㄱ, ㄴ
④ ㄴ, ㄷ ⑤ ㄱ, ㄴ, ㄷ

문제 해결 전략

- 태풍이 우리나라 부근으로 통과할 때는 편서풍의 영향으로 대체로 ❶ ______으로 이동한다.
- 태풍의 세력이 약해짐에 따라 중심 기압은 점점 ❷ ______진다.

답 ❶ 북동쪽 ❷ 높아

3 그림은 해수 A~C를 수온-염분도에 나타낸 것이다. A~C에 대한 설명으로 옳은 것은?

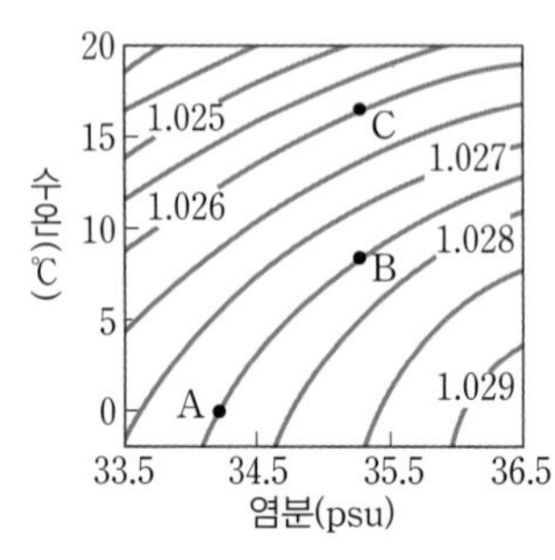

① 수온은 A가 가장 높다.
② 염분은 C가 가장 낮다.
③ 해수의 밀도는 A가 C보다 크다.
④ B의 염분만 높아지면 현재보다 밀도가 감소한다.
⑤ A와 C를 혼합한 해수의 밀도는 B보다 크다.

문제 해결 전략

- 해수의 밀도는 주로 수온과 염분에 의해 결정되며, ❶ ______이 낮을수록, 염분이 높을수록, 수압이 클수록 커진다.
- 수온-염분도(T-S도)에서 해수의 밀도는 ❷ ______ 아래로 갈수록 커진다.

답 ❶ 수온 ❷ 오른쪽

6강_ 대기와 해양의 상호 작용

4 그림은 북태평양에서 표층 순환과 바람의 분포를 나타낸 것이다. 이에 대한 설명으로 옳은 것은?

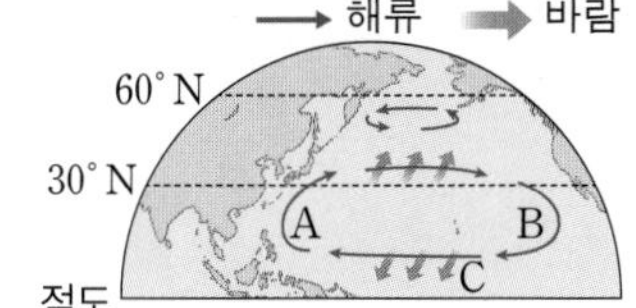

① A는 한류이다.
② B는 쿠로시오 해류이다.
③ C는 무역풍에 의해 형성되었다.
④ 해수의 염분은 A가 B보다 대체로 낮다.
⑤ 북태평양 아열대 순환은 시계 반대 방향으로 흐른다.

문제 해결 전략

무역풍대의 해류와 편서풍대의 해류로 이루어진 순환을 ❶ ______ 순환이라고 한다. 북태평양의 아열대 순환은 북적도 해류, ❷ ______ 해류, 북태평양 해류, 캘리포니아 해류로 이루어져 있으며, 시계 방향으로 순환한다.

답 ❶ 아열대 ❷ 쿠로시오

5 그림은 엘니뇨 또는 라니냐 시기일 때 태평양 적도 부근 해역의 대기 순환과 해수의 연직 단면을 나타낸 것이다. 이에 대한 설명으로 옳은 것만을 | 보기 |에서 있는 대로 고른 것은?

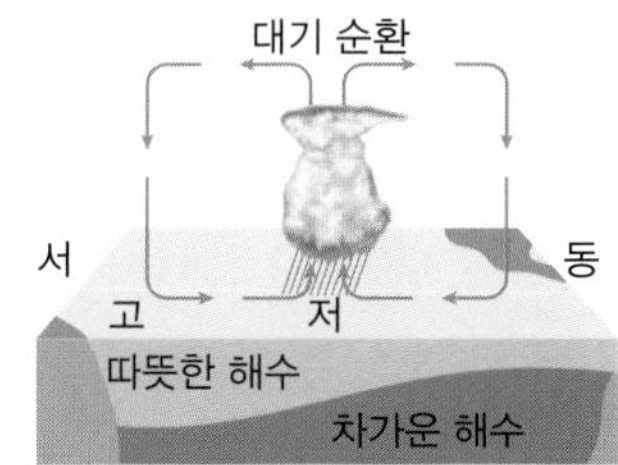

| 보기 |
ㄱ. 엘니뇨 시기이다.
ㄴ. 서쪽 연안에서 평상시보다 강수량이 많다.
ㄷ. 동쪽 연안에서 평상시보다 용승이 약하다.

① ㄱ ② ㄴ ③ ㄱ, ㄷ
④ ㄴ, ㄷ ⑤ ㄱ, ㄴ, ㄷ

문제 해결 전략

엘니뇨가 발생하면 태평양 동쪽 연안에서 ❶ ______이 약해져 표층 수온이 평년에 비해 상승한다. 또한 워커 순환에서 공기가 상승하는 지역과 강수 구역이 ❷ ______으로 이동한다. 따라서 서태평양은 기압이 높아져 평상시보다 강수량이 적은 건조한 날씨가 나타난다.

답 ❶ 용승 ❷ 동쪽

6 그림은 1999~2014년까지 측정한 우리나라와 지구 전체의 대기 중 이산화 탄소 농도를 나타낸 것이다. 이에 대한 설명으로 옳은 것만을 | 보기 |에서 있는 대로 고른 것은?

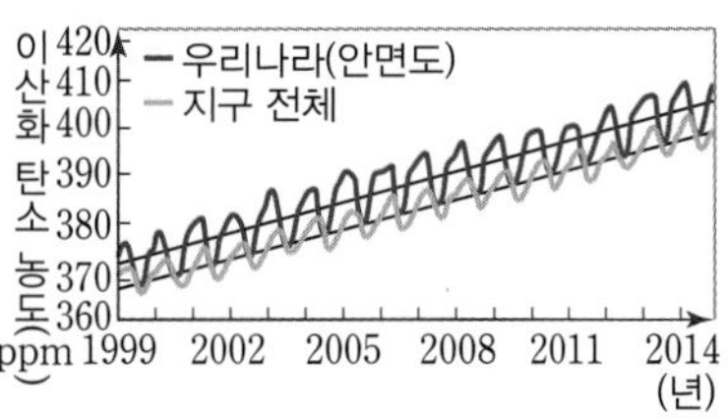

| 보기 |
ㄱ. 이산화 탄소의 농도는 증가하는 추세이다.
ㄴ. 이산화 탄소 농도는 우리나라가 지구 전체보다 높다.
ㄷ. 이 기간 동안 지구의 평균 기온은 상승하였을 것이다.

① ㄱ ② ㄷ ③ ㄱ, ㄴ
④ ㄴ, ㄷ ⑤ ㄱ, ㄴ, ㄷ

문제 해결 전략

대기 중 온실 기체의 농도가 증가하면서 온실 효과가 강화되어 지구의 평균 기온이 점점 높아지고 있는데, 이를 지구 ❶ ______라고 한다. 특히 우리나라는 온실 기체의 농도와 평균 기온 상승률이 지구 전체의 평균보다 ❷ ______ 나타나고 있다.

답 ❶ 온난화 ❷ 크게

필수 체크 전략 ①

대표 기출 1

2021 3월 학평 12번

그림 (가)와 (나)는 우리나라 일부 지역에 폭설 주의보가 발령된 어느 날 21시의 지상 일기도와 위성 영상을 나타낸 것이다.

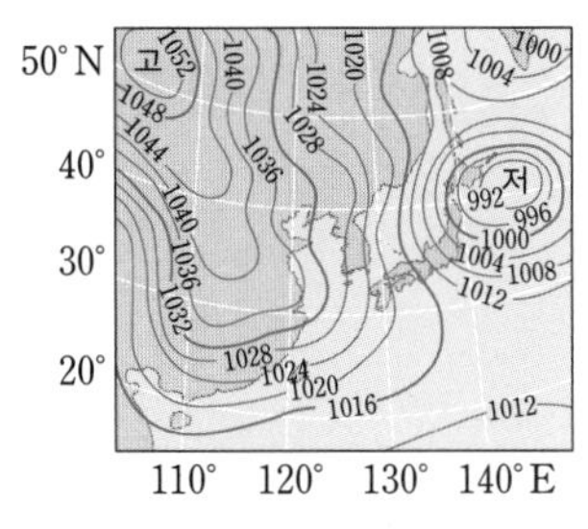
(가)

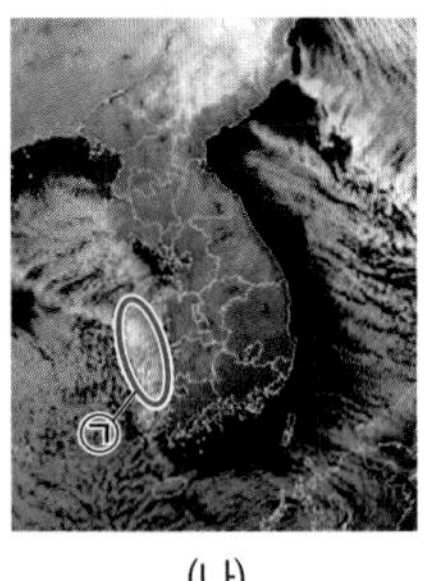

(나)

이날 우리나라의 날씨에 대한 설명으로 옳은 것만을 | 보기 | 에서 있는 대로 고른 것은?

보기
ㄱ. 동풍 계열의 바람이 우세하였다.
ㄴ. ㉠에서 상승 기류가 발달하였다.
ㄷ. 폭설이 내릴 가능성은 서해안보다 동해안이 높다.

① ㄱ ② ㄴ ③ ㄱ, ㄴ ④ ㄱ, ㄷ ⑤ ㄱ, ㄴ, ㄷ

Tip 시베리아 기단의 변질로 서해안에 폭설이 내릴 수 있다.

풀이 ㄱ. 서풍 계열의 바람이 우세하였다.
ㄴ. ㉠에서 상승 기류에 의해 적란운이 형성되었다.
ㄷ. 기단의 변질로 서해안에 폭설이 내릴 가능성이 높다. 답 ②

대표 기출 2

2021 수능 8번

그림 (가)와 (나)는 어느 날 같은 시각 우리나라 부근의 가시 영상과 지상 일기도를 각각 나타낸 것이다.

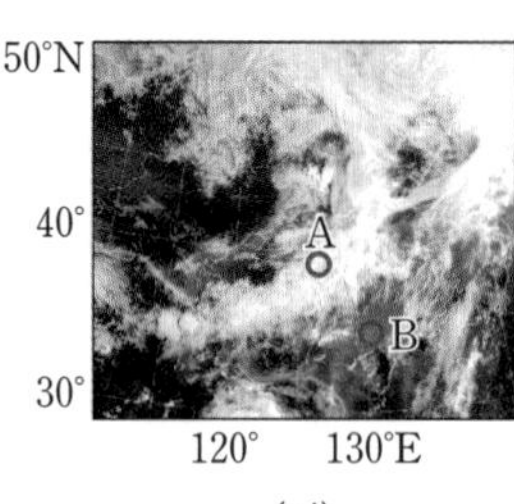

(가)

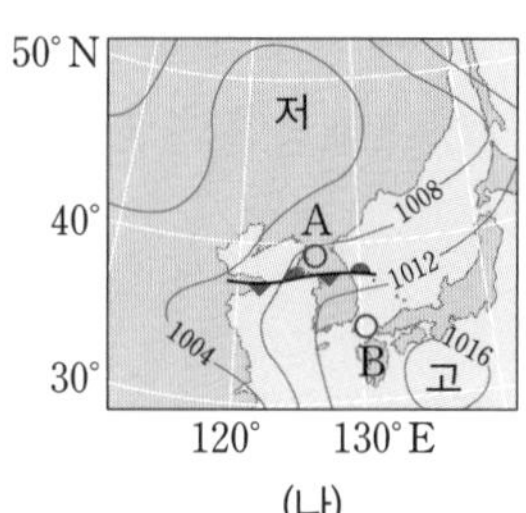

(나)

이 자료에 대한 설명으로 옳은 것만을 | 보기 | 에서 있는 대로 고른 것은?

보기
ㄱ. 구름의 두께는 A 지역이 B 지역보다 두껍다.
ㄴ. A 지역의 구름을 형성하는 수증기는 주로 전선의 남쪽에 위치한 기단에서 공급된다.
ㄷ. B 지역의 지상에서는 남풍 계열의 바람이 분다.

① ㄱ ② ㄴ ③ ㄱ, ㄷ ④ ㄴ, ㄷ ⑤ ㄱ, ㄴ, ㄷ

Tip 정체 전선은 찬 기단과 따뜻한 기단의 세력이 비슷하여 전선이 한 곳에 오래 머무른다. 구름은 주로 전선의 북쪽에 발달한다.

풀이 ㄱ. 구름의 두께는 밝게 보이는 A 지역이 B 지역보다 두껍다.
ㄴ. A의 구름은 정체 전선의 남쪽으로부터 유입된 따뜻한 기단에서 공급된 수증기에 의해 형성되었다.
ㄷ. B에서는 북태평양 고기압의 영향으로 남풍 계열의 바람이 우세하다. 답 ⑤

확인 1-1

그림은 어느 날 우리나라 주변의 일기도를 나타낸 것이다. 이에 대한 설명으로 옳은 것만을 | 보기 | 에서 있는 대로 고르시오.

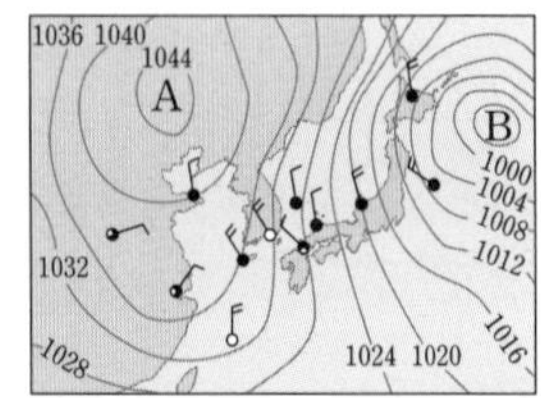

보기
ㄱ. 겨울철에 잘 나타나는 기압 배치이다.
ㄴ. 하강 기류는 A보다 B에서 우세하다.
ㄷ. 이날 서해안에 기단의 변질로 폭설이 내릴 수 있다.

확인 2-1

2015 3월 학평 8번

그림은 초여름에 정체 전선이 발달한 우리나라 주변의 가시광선 영상이다. 이에 대한 옳은 설명만을 | 보기 | 에서 있는 대로 고르시오.

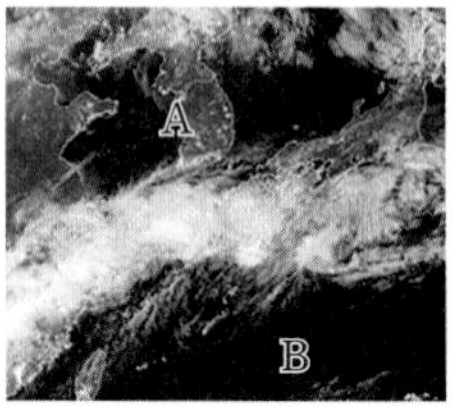

보기
ㄱ. A 지역에는 남풍 계열의 바람이 분다.
ㄴ. B 지역에는 북태평양 기단이 발달해 있다.
ㄷ. B 지역의 기단이 발달하면 정체 전선은 남쪽으로 이동한다.

대표 기출 3 2021 9월 모평 4번

그림 (가)는 어느 날 21시 우리나라 주변의 지상 일기도를, (나)는 (가)의 21시부터 14시간 동안 관측소 A와 B 중 한 곳에서 관측한 기온과 기압을 나타낸 것이다.

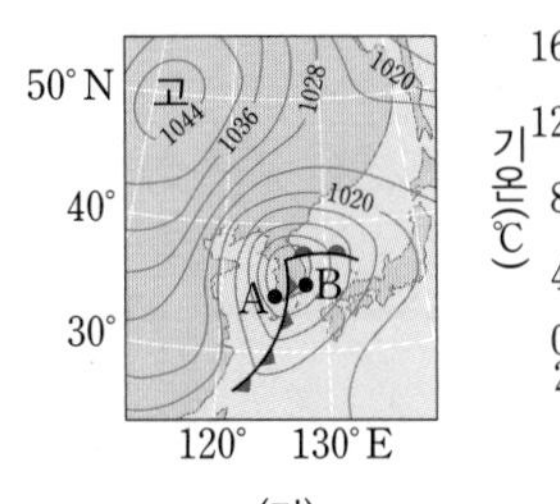

(가)

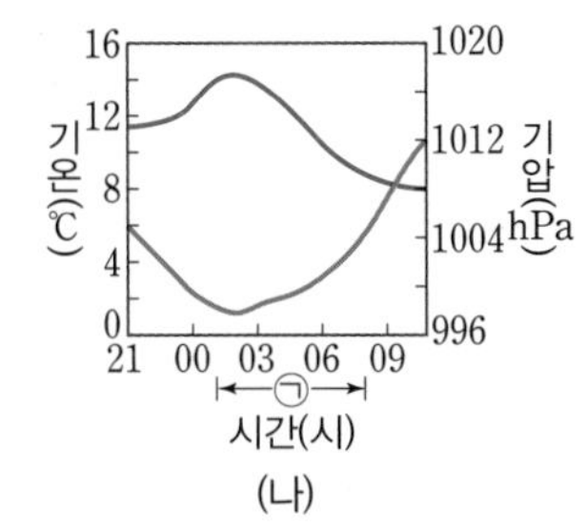

(나)

이 자료에 대한 설명으로 옳은 것만을 | 보기 |에서 있는 대로 고른 것은?

보기
ㄱ. (가)에서 A의 상층부에는 주로 층운형 구름이 발달한다.
ㄴ. (나)는 B의 관측 자료이다.
ㄷ. (나)의 관측소에서 ㉠ 기간 동안 풍향은 시계 반대 방향으로 바뀌었다.

① ㄱ ② ㄴ ③ ㄱ, ㄷ
④ ㄴ, ㄷ ⑤ ㄱ, ㄴ, ㄷ

Tip 온대 저기압은 편서풍의 영향으로 서쪽에서 동쪽으로 이동한다.

풀이 ㄱ. A는 한랭 전선의 후면이므로 적운형 구름이 발달한다.
ㄴ. (나)에서 2시경에 한랭 전선이 통과하였으므로 B에서 관측한 자료이다.
ㄷ. ㉠ 기간 동안 풍향은 시계 방향(남서풍에서 북서풍)으로 바뀌었다.
답 ②

확인 3-1 2015 10월 학평 9번 유사

표는 온대 저기압의 영향을 받고 있는 우리나라의 세 지역 A, B, C의 날씨를 나타낸 것이다. 이에 대한 설명으로 옳은 것만을 | 보기 |에서 있는 대로 고르시오. (단, A, B, C는 저기압의 중심보다 남쪽에 위치한다.)

지역	A	B	C
풍향	북서풍	남동풍	남서풍
구름	적운형	층운형	없음
강수	소나기	이슬비	없음

보기
ㄱ. A 지역은 온난 전선 앞쪽에 위치한다.
ㄴ. 현재 B 지역은 따뜻한 기단이 위치한다.
ㄷ. 앞으로 C 지역의 풍향은 시계 방향으로 변한다.

대표 기출 4 2022 9월 모평 7번

그림은 잘 발달한 태풍의 물리량을 태풍 중심으로부터의 거리에 따라 개략적으로 나타낸 것이다. A, B, C는 해수면 상의 강수량, 기압, 풍속을 순서 없이 나타낸 것이다. **이에 대한 설명으로 옳은 것만을 | 보기 |에서 있는 대로 고른 것은?**

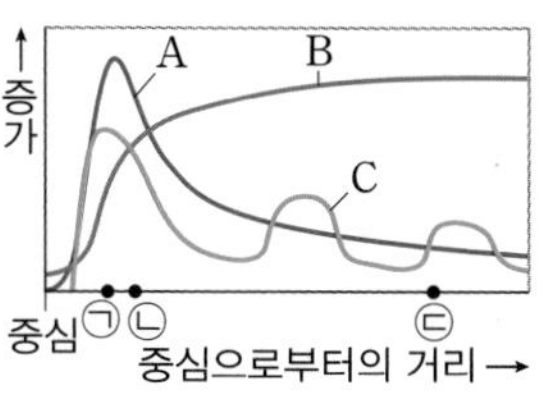

보기
ㄱ. B는 강수량이다.
ㄴ. 지역 ㉠에서는 상승 기류가 나타난다.
ㄷ. 일기도에서 등압선 간격은 지역 ㉢에서가 지역 ㉡에서보다 조밀하다.

① ㄱ ② ㄴ ③ ㄷ
④ ㄱ, ㄴ ⑤ ㄴ, ㄷ

Tip 태풍의 눈에서는 기압이 가장 낮지만, 바람이 약하고 구름이 거의 없다.

풀이 ㄱ. B는 태풍 중심으로부터 멀어질수록 증가하므로 기압이다.
ㄴ. ㉠에서는 강수량이 많은 지역이므로 상승 기류가 강하고, 두꺼운 적란운이 발달해 있을 것이다.
ㄷ. 태풍 중심으로부터의 거리에 따른 기압(B) 변화는 ㉡이 ㉢보다 급격하므로 등압선 간격은 ㉡에서 더 조밀하다.
답 ②

확인 4-1

그림은 북반구에서 북상하고 있는 태풍의 중심으로부터의 거리에 따른 풍속과 기압을 A와 B로 순서 없이 나타낸 것이다. 이에 대한 설명으로 옳은 것만을 | 보기 |에서 있는 대로 고르시오.

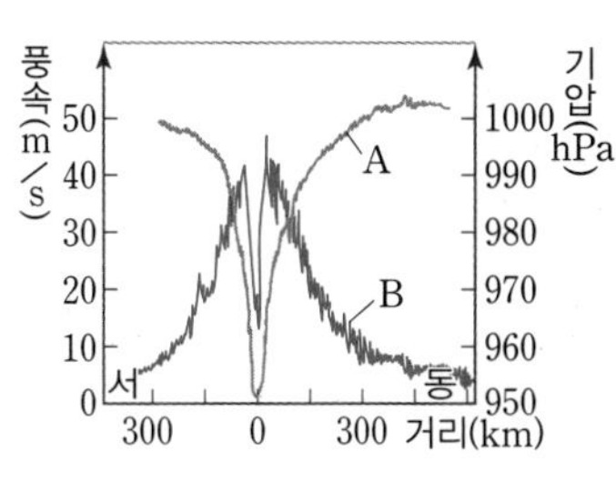

보기
ㄱ. A는 풍속이다.
ㄴ. 태풍 중심에 약한 하강 기류가 나타난다.
ㄷ. 태풍 중심의 동쪽 지역에서는 풍향이 시계 방향으로 바뀐다.

필수 체크 전략 ①

대표 기출 5

2022 6월 모평 10번

그림 (가)는 지난 20년간 우리나라에서 관측한 우박의 월별 누적 발생 일수와 월별 평균 크기를 나타낸 것이고, (나)는 뇌우에서 우박이 성장하는 과정을 나타낸 모식도이다.

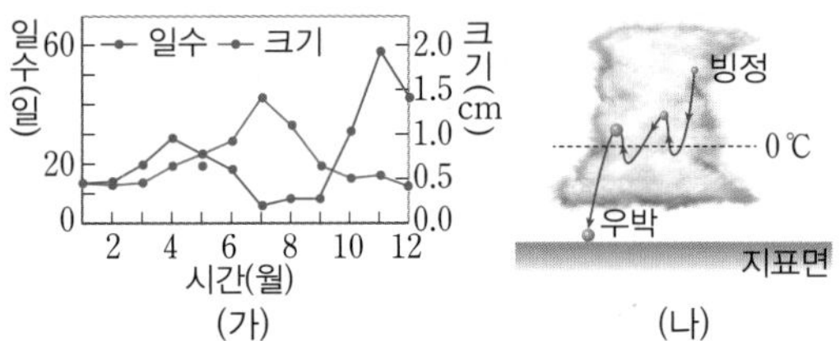

이 자료에 대한 설명으로 옳은 것만을 | 보기 | 에서 있는 대로 고른 것은?

보기
ㄱ. 우박은 7월에 가장 빈번하게 발생하였다.
ㄴ. (나)에서 빙정이 우박으로 성장하기 위해서는 과냉각 물방울이 필요하다.
ㄷ. 상승 기류는 여름철 우박의 크기가 커지는 주요 원인이다.

① ㄱ ② ㄴ ③ ㄷ
④ ㄱ, ㄴ ⑤ ㄴ, ㄷ

Tip 우박은 얼음의 결정 주위에 과냉각 물방울이 얼어붙어 성장하며, 강한 상승 기류를 타고 잘 발생한다.

풀이 ㄱ. 우박 일수는 11월에 가장 많다.
ㄴ. 빙정에 과냉각 물방울이 많이 달라붙을수록 우박이 크게 성장할 수 있다.
ㄷ. 여름철에 크기가 큰 우박이 만들어질 수 있는 주요 원인은 강한 상승 기류와 관계있다. 답 ⑤

대표 기출 6

2021 9월 모평 5번

그림 (가)는 우리나라 주변 해역 A, B, C를, (나)는 세 해역 표층 해수의 수온과 염분을 수온-염분도에 나타낸 것이다. B와 C의 수온과 염분 분포는 각각 ㉠과 ㉡ 중 하나이다.

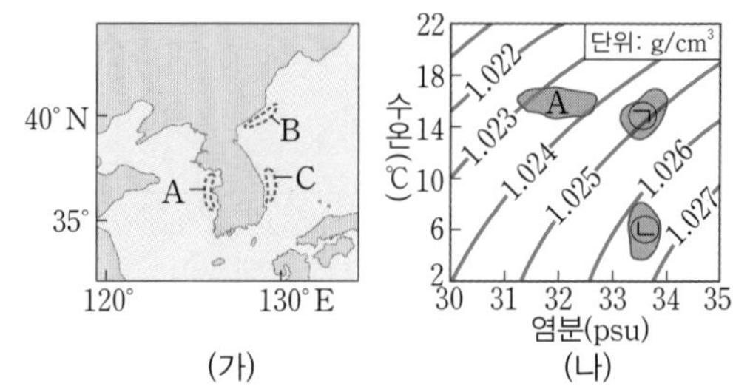

이 자료에 대한 설명으로 옳은 것만을 | 보기 | 에서 있는 대로 고른 것은?

보기
ㄱ. ㉡은 B에 해당한다.
ㄴ. 해수의 밀도는 A가 C보다 크다.
ㄷ. B와 C의 해수 밀도 차이는 수온보다 염분의 영향이 더 크다.

① ㄱ ② ㄴ ③ ㄱ, ㄷ
④ ㄴ, ㄷ ⑤ ㄱ, ㄴ, ㄷ

Tip 표층 해수의 밀도는 수온이 낮을수록, 염분이 높을수록 높다.

풀이 ㄱ. ㉡은 수온이 가장 낮으므로 B에 해당한다.
ㄴ. ㉠은 C이므로 해수의 밀도는 A보다 C가 크다.
ㄷ. B와 C의 밀도 차이는 수온에 의한 영향이 더 크다. 답 ①

확인 5-1

그림은 1971년부터 2010년까지 우리나라의 월별 평균 우박 일수를 나타낸 것이다. 우박에 대한 설명으로 옳은 것만을 | 보기 | 에서 있는 대로 고르시오.

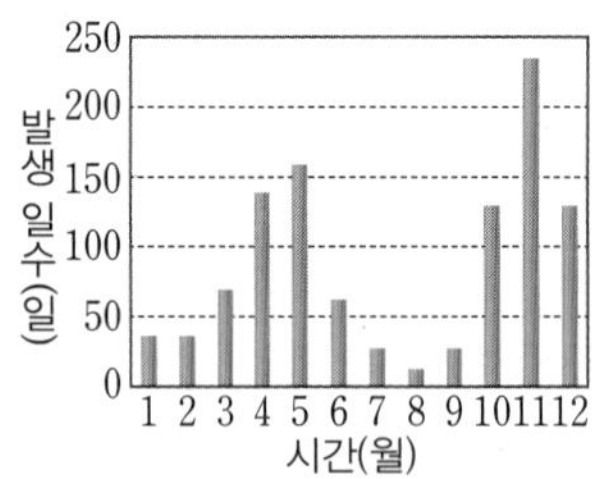

보기
ㄱ. 우박은 주로 여름철에 발생한다.
ㄴ. 뇌우에 동반되어 발생하는 경우가 많다.
ㄷ. 정체성 고기압이 발달한 곳에서 잘 발생한다.

확인 6-1

그림은 위도에 따른 표층 해수의 수온, 염분, 밀도를 순서 없이 A, B, C로 나타낸 것이다. 이에 대한 설명으로 옳은 것만을 | 보기 | 에서 있는 대로 고르시오.

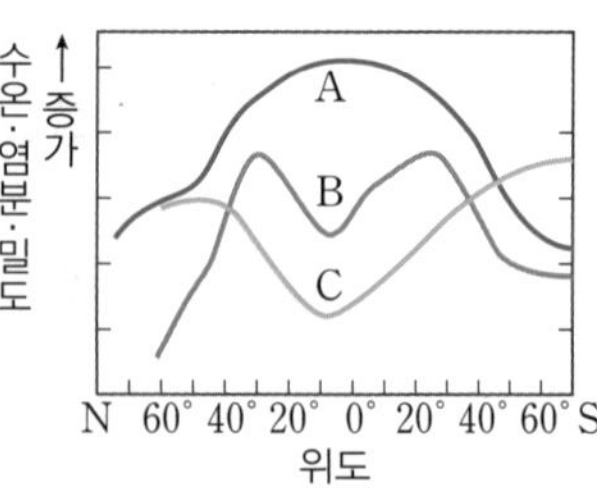

보기
ㄱ. A는 수온이다.
ㄴ. B는 주로 (강수량-증발량)에 비례한다.
ㄷ. 0°~60° 해역에서 해수의 밀도는 수온보다 염분의 영향을 크게 받는다.

대표 기출 7

2021 3월 학평 11번

표는 어느 태풍의 중심 위치와 중심 기압을, 그림은 관측 지점 A의 위치를 나타낸 것이다.

일시	태풍의 중심 위치		중심 기압 (hPa)
	위도(°N)	경도(°E)	
29일 03시	18	128	985
30일 03시	21	124	975
1일 03시	26	121	965
2일 03시	31	123	980
3일 03시	36	128	992

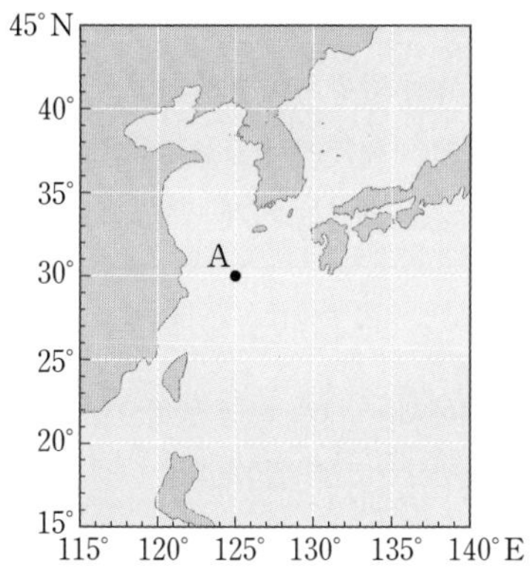

이 자료에 대한 설명으로 옳은 것만을 |보기|에서 있는 대로 고른 것은?

보기
ㄱ. 태풍은 30일 03시 이전에 전향점을 통과하였다.
ㄴ. 태풍 중심 부근의 최대 풍속은 1일 03시가 3일 03시보다 강했을 것이다.
ㄷ. 1일~3일에 A 지점의 풍향은 시계 방향으로 변했을 것이다.

① ㄱ ② ㄴ ③ ㄱ, ㄷ
④ ㄴ, ㄷ ⑤ ㄱ, ㄴ, ㄷ

Tip 태풍은 저위도에서는 무역풍의 영향을 받아 북서쪽으로 이동하고, 중위도에서는 편서풍의 영향으로 북동쪽으로 이동한다.

풀이 ㄱ. 태풍은 30일 03시까지 북서쪽으로 진행하였으므로 전향점을 통과한 시기는 30일 03시 이후이다.
ㄴ. 태풍 중심의 기압은 1일 03시가 3일 03시보다 낮았으므로 태풍의 최대 풍속은 1일 03시에 더 강했을 것이다.
ㄷ. 태풍은 1일~3일에 A 지점(30°N, 125°E)의 서쪽 지역을 통과하였다. 따라서 A 지점은 태풍의 위험 반원에 위치하였으며, 풍향은 시계 방향으로 변했을 것이다. 답 ④

확인 7-1

2021 7월 학평 11번

표는 어느 태풍의 중심 기압과 이동 속도를, 그림은 이 태풍이 우리나라를 통과할 때 어느 관측소에서 측정한 기온과 풍향 및 풍속을 나타낸 것이다.

일시	중심 기압(hPa)	이동 속도(km/h)
2일 00시	935	23
2일 06시	940	22
2일 12시	945	23
2일 18시	945	32
3일 00시	950	36
3일 06시	960	70
3일 12시	970	45

이 자료에 대한 설명으로 옳은 것만을 |보기|에서 있는 대로 고른 것은?

보기
ㄱ. A는 기온이다.
ㄴ. 태풍의 세력이 약해질수록 이동 속도는 빠르다.
ㄷ. 관측소는 태풍 진행 경로의 오른쪽에 위치하였다.

① ㄱ ② ㄴ ③ ㄱ, ㄴ
④ ㄴ, ㄷ ⑤ ㄱ, ㄴ, ㄷ

필수 체크 전략 ②

최다 오답 문제

5강_ 대기와 해양의 변화

2022 9월 모평 10번 유사

1 그림 (가)와 (나)는 장마 기간 중 어느 날 같은 시각 우리나라 부근의 지상 일기도와 적외 영상을 각각 나타낸 것이다.

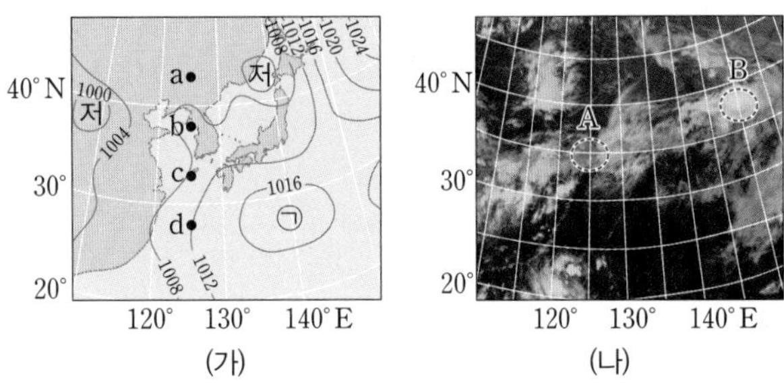

(가) (나)

이 자료에 대한 설명으로 옳은 것만을 | 보기 |에서 있는 대로 고른 것은?

| 보기 |
ㄱ. ㉠은 이동성 고기압이다.
ㄴ. 125°E에서 장마 전선은 지점 a와 지점 b 사이에 위치한다.
ㄷ. 구름 최상부의 온도는 영역 A가 영역 B보다 높다.

① ㄱ ② ㄴ ③ ㄷ
④ ㄱ, ㄷ ⑤ ㄴ, ㄷ

Tip 적외 영상에서는 구름 최상부의 고도가 ❶ 온도가 낮아 ❷ 나타난다. 답 ❶ 높을수록 ❷ 밝게

2 그림은 성질이 다른 두 기단이 만나 형성된 전선과 세 지점 A, B, C의 위치를 나타낸 것이다. 이 자료에 대한 설명으로 옳은 것만을 | 보기 |에서 있는 대로 고른 것은?

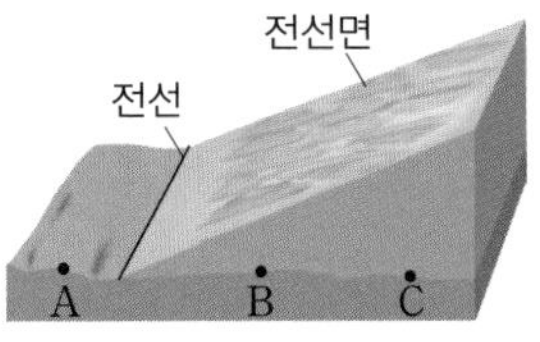

| 보기 |
ㄱ. 기온은 A가 B보다 높다.
ㄴ. 적외 영상에서는 B 부근이 C 부근보다 밝게 나타난다.
ㄷ. 앞으로 전선은 B와 C를 통과할 것이다.

① ㄱ ② ㄴ ③ ㄷ
④ ㄱ, ㄷ ⑤ ㄴ, ㄷ

Tip 온난 전선은 따뜻한 공기가 찬 공기 쪽으로 이동하여 형성되며 ❶ 전선에 비해 전선면의 기울기가 ❷ 하다. 답 ❶ 한랭 ❷ 완만

2021 6월 모평 18번

3 그림은 북반구 해상에서 관측한 태풍의 하층(고도 2 km 수평면) 풍속 분포를 나타낸 것이다. 이에 대한 설명으로 옳은 것만을 | 보기 |에서 있는 대로 고른 것은? (단, 등압선은 태풍의 이동 방향 축에 대해 대칭이라고 가정한다.)

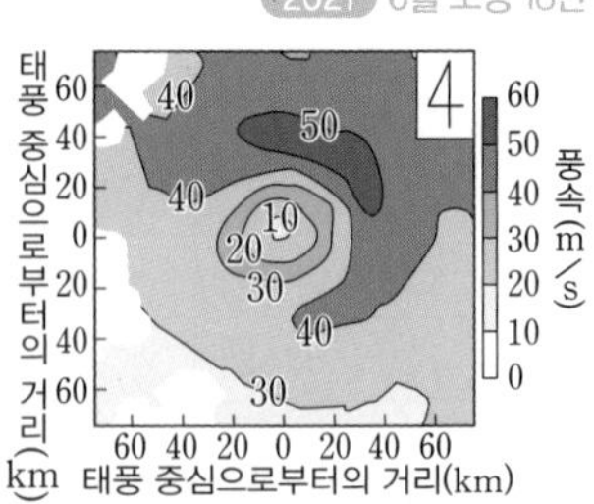

| 보기 |
ㄱ. 태풍은 북서 방향으로 이동하고 있다.
ㄴ. 태풍의 중심 해역에서 표층수의 발산이 나타난다.
ㄷ. 태풍의 상층 공기는 시계 방향으로 불어 나간다.

① ㄱ ② ㄴ ③ ㄱ, ㄴ ④ ㄴ, ㄷ ⑤ ㄱ, ㄴ, ㄷ

Tip 북반구에서는 시계 반대 방향으로 부는 ❶ 성 바람에 의해 ❷ 이 일어난다. 답 ❶ 저기압 ❷ 용승

2021 수능 11번

4 그림 (가)는 우리나라의 어느 해양 관측소에서 관측된 풍속과 풍향 변화를, (나)는 이 관측소의 표층 수온 변화이다. A와 B는 서로 다른 두 태풍의 영향을 받은 기간이다.

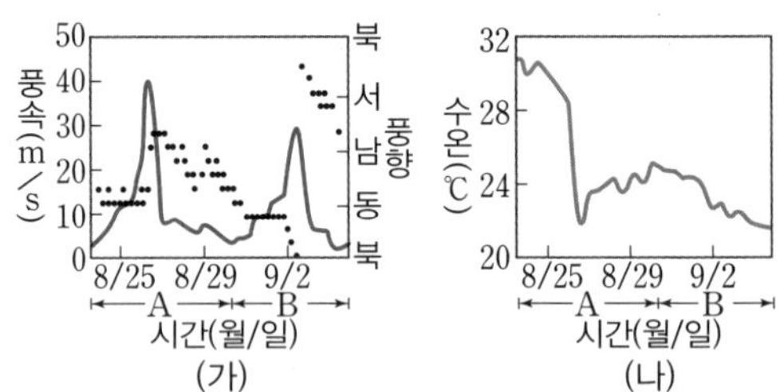

(가) (나)

이에 대한 설명으로 옳은 것만을 | 보기 |에서 있는 대로 고른 것은?

| 보기 |
ㄱ. A 시기에 태풍의 눈은 관측소를 통과하였다.
ㄴ. B 시기에 관측소는 태풍의 안전 반원에 위치하였다.
ㄷ. A 시기의 수온 변화는 B 시기에 통과하는 태풍을 약화시키는 역할을 하였다.

① ㄱ ② ㄴ ③ ㄱ, ㄷ ④ ㄱ, ㄷ ⑤ ㄴ, ㄷ

Tip 태풍의 ❶ 이 관측소를 통과할 때 풍속이 ❷ . 답 ❶ 눈 ❷ 약해진다

2021 7월 학평 10번

5 그림 (가)와 (나)는 겨울철 어느 날 6시간 간격으로 작성된 지상 일기도를 순서 없이 나타낸 것이다.

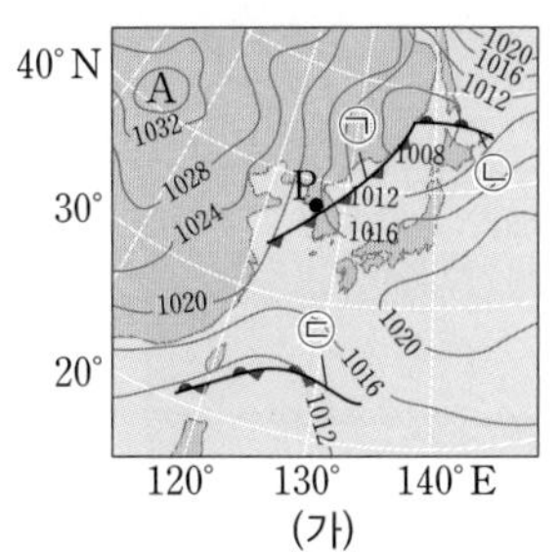
(가)

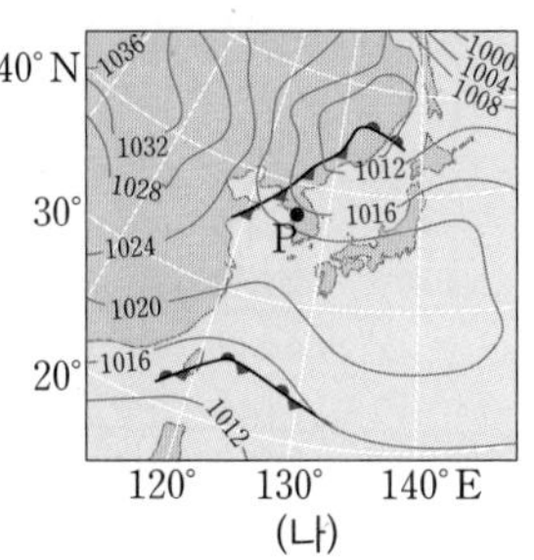
(나)

이에 대한 설명으로 옳은 것만을 |보기|에서 있는 대로 고른 것은?

보기
ㄱ. A에서는 상승 기류가 우세하다.
ㄴ. 전선의 평균 이동 속도는 ㉠>㉡>㉢이다.
ㄷ. 이 기간 동안 P 지역의 풍향은 시계 방향으로 변했다.

① ㄱ ② ㄴ ③ ㄱ, ㄴ
④ ㄱ, ㄷ ⑤ ㄴ, ㄷ

Tip 한곳에 오래 머무르는 전선은 ❶ 전선이고, 한랭 전선의 이동 속도는 온난 전선보다 ❷.
답 ❶ 정체 ❷ 빠르다

6 그림 (가)와 (나)는 서로 다른 단계에 있는 뇌우의 모습을 나타낸 것이다.

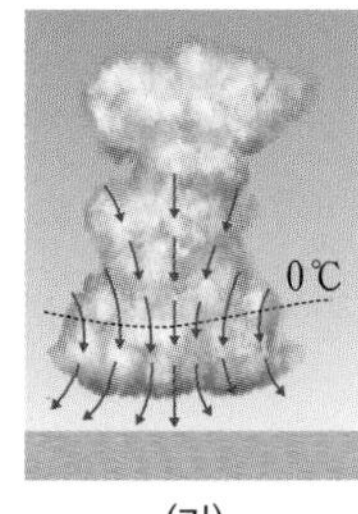
(가)

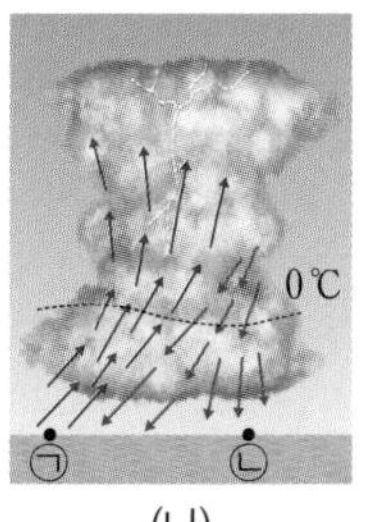
(나)

이에 대한 설명으로 옳은 것만을 |보기|에서 있는 대로 고른 것은?

보기
ㄱ. (가)는 성숙 단계에 해당한다.
ㄴ. (나)에서 시간당 강수량은 ㉠보다 ㉡에서 많다.
ㄷ. 우박의 발생 가능성은 (가)보다 (나)에서 크다.

① ㄱ ② ㄴ ③ ㄱ, ㄷ
④ ㄴ, ㄷ ⑤ ㄱ, ㄴ, ㄷ

Tip 성숙 단계에서는 상승 기류와 ❶ 기류가 함께 나타나며, 소나기, ❷ 등이 동반된다. 답 ❶ 하강 ❷ 우박

2021 수능 3번

7 그림은 북반구 중위도 어느 해역에서 1년 동안 관측한 수온 변화를 등수온선으로 나타낸 것이다. 이 자료에 대한 설명으로 옳은 것만을 |보기|에서 있는 대로 고른 것은?

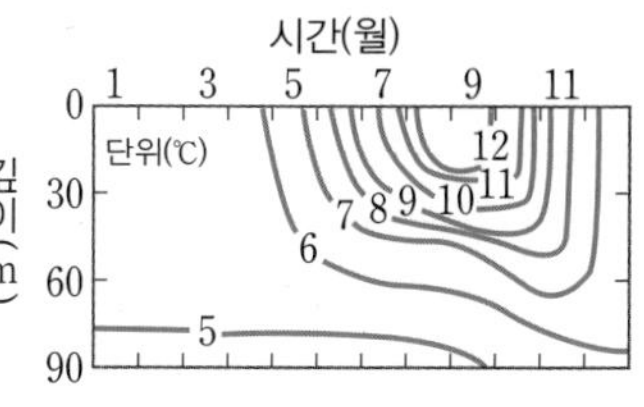

보기
ㄱ. 혼합층은 3월에서 7월로 갈수록 두꺼워진다.
ㄴ. 수온의 연교차는 깊이 30 m보다 60 m에서 크다.
ㄷ. 6 ℃ 등수온선은 11월이 5월보다 깊은 곳에서 나타난다.

① ㄱ ② ㄷ ③ ㄱ, ㄴ
④ ㄴ, ㄷ ⑤ ㄱ, ㄴ, ㄷ

Tip 혼합층은 바람에 의한 혼합으로 깊이에 따른 수온이 거의 ❶ 하고, 수온 약층은 깊이에 따라 수온이 급격하게 ❷ 한다. 답 ❶ 일정 ❷ 감소

8 그림 (가)와 (나)는 2월과 8월에 우리나라 주변 해역의 표층 염분 분포를 순서 없이 나타낸 것이다.

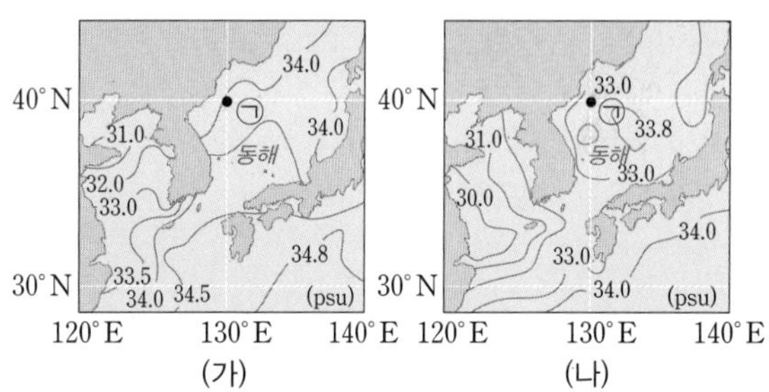
(가) (나)

이에 대한 설명으로 옳은 것만을 |보기|에서 있는 대로 고른 것은?

보기
ㄱ. (가)는 2월의 표층 염분 분포이다.
ㄴ. (나)에서 황해가 동해보다 표층 염분이 낮은 원인은 (증발량－강수량)이 작기 때문이다.
ㄷ. ㉠ 지점의 표층 해수의 밀도는 (가)보다 (나)에서 크다.

① ㄱ ② ㄴ ③ ㄱ, ㄷ
④ ㄴ, ㄷ ⑤ ㄱ, ㄴ, ㄷ

Tip 우리나라 주변 해역에서 표층 염분은 강수량이 많은 ❶ 에 낮고, ❷ 이 유입되는 연안에서 낮게 나타난다. 답 ❶ 여름 ❷ 강물(담수)

필수 체크 전략 ①

대표 기출 1

2022 9월 모평 15번

그림은 해수면 부근에서 부는 바람의 남북 방향의 연평균 풍속을 나타낸 것이다. ㉠과 ㉡은 각각 60°N과 60°S 중 하나이다.

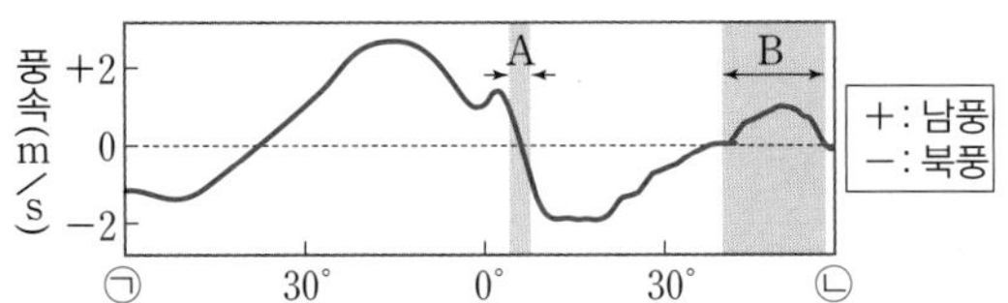

이 자료에 대한 설명으로 옳은 것만을 | 보기 |에서 있는 대로 고른 것은?

보기
ㄱ. ㉠은 60°S이다.
ㄴ. A에서 해들리 순환의 하강 기류가 나타난다.
ㄷ. 페루 해류는 B에서 나타난다.

① ㄱ ② ㄴ ③ ㄷ
④ ㄱ, ㄴ ⑤ ㄱ, ㄷ

Tip 북반구 저위도에서는 북동 무역풍이 불고, 남반구 저위도에서는 남동 무역풍이 분다.

풀이 ㄱ. 0°~30°N에서는 북동 무역풍이 불고, 0°~30°S에서는 남동 무역풍이 분다. 따라서 ㉠은 60°S, ㉡은 60°N이다.
ㄴ. A는 열대 수렴대로 해들리 순환의 상승 기류가 발달한다.
ㄷ. 페루 해류는 남반구에 존재하는 해류이다.

답 ①

대표 기출 2

2017 6월 모평 12번

그림은 북태평양의 표층 순환을 나타낸 것이다.

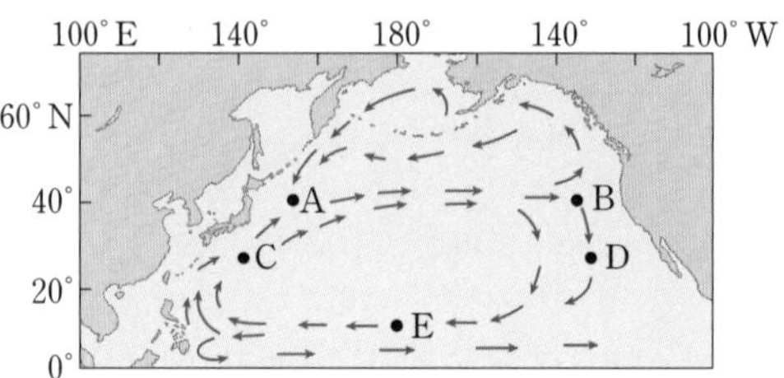

해역 A~E에 대한 설명으로 옳은 것만을 | 보기 |에서 있는 대로 고른 것은?

보기
ㄱ. 조경 수역은 A가 B보다 잘 형성된다.
ㄴ. 용존 산소량은 C가 D보다 많다.
ㄷ. E에 흐르는 해류는 편서풍에 의해 형성된다.

① ㄱ ② ㄴ ③ ㄷ
④ ㄱ, ㄴ ⑤ ㄱ, ㄷ

Tip A에서 한류와 난류가 만나고, C는 난류, D는 한류이다. E는 북적도 해류이다.

풀이 ㄱ. A에서는 난류인 쿠로시오 해류와 한류인 오야시오 해류가 만난다.
ㄴ. 용존 산소량은 난류인 C보다 한류인 D에서 많다.
ㄷ. 북적도 해류 E는 무역풍에 의해 형성되었다.

답 ①

확인 1-1

2019 10월 학평 10번

그림은 60°S~60°N 사이에서 나타나는 대기 대순환의 순환 세포 A~D를 모식적으로 나타낸 것이다.

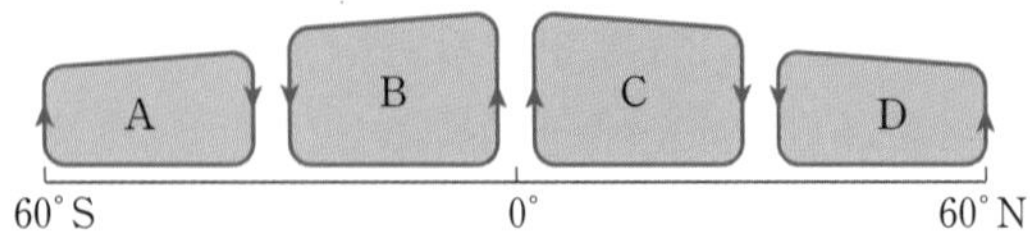

이에 대한 설명으로 옳은 것만을 | 보기 |에서 있는 대로 고르시오.

보기
ㄱ. A는 직접 순환이다.
ㄴ. B의 지상에서는 동풍 계열의 바람이 분다.
ㄷ. 북태평양 해류는 C와 D가 만나는 위도대에서 흐른다.

확인 2-1

그림은 남태평양의 주요 표층 해류가 흐르는 해역 A~D를 나타낸 것이다.

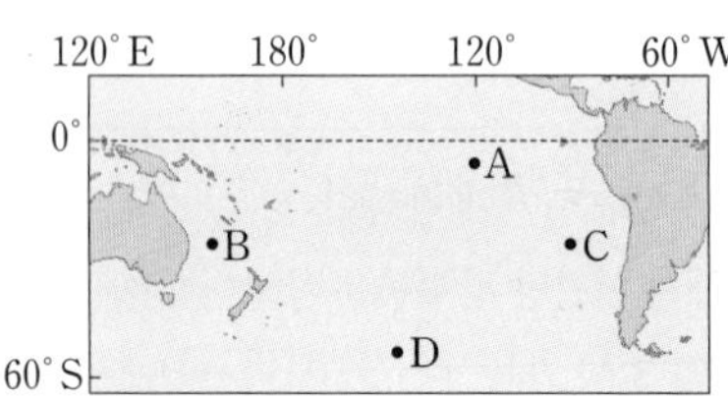

이에 대한 설명으로 옳은 것만을 | 보기 |에서 있는 대로 고르시오.

보기
ㄱ. 해류의 순환 방향은 A → C → D → B이다.
ㄴ. A는 무역풍, D는 편서풍에 의해 형성되었다.
ㄷ. 고위도로 수송하는 에너지양은 B가 C보다 많다.

대표 기출 3

2021 3월 학평 13번

그림 (가)는 북대서양의 표층수와 심층수의 이동을, (나)는 대서양의 해수 순환을 나타낸 것이다. A, B, C는 각각 표층수, 남극 저층수, 북대서양 심층수 중 하나이다.

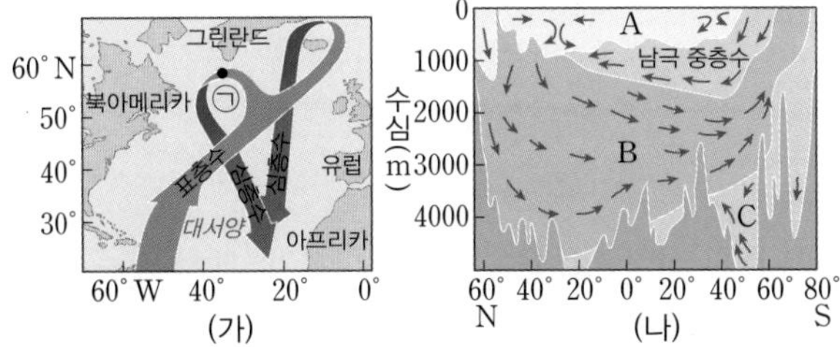

이에 대한 설명으로 옳은 것만을 ｜보기｜에서 있는 대로 고른 것은?

보기
ㄱ. (가)의 심층수는 (나)의 B에 해당한다.
ㄴ. 해수의 평균 이동 속도는 A가 C보다 크다.
ㄷ. ㉠ 해역에서 표층수의 밀도가 현재보다 커지면 침강이 약해진다.

① ㄱ ② ㄷ ③ ㄱ, ㄴ
④ ㄱ, ㄷ ⑤ ㄴ, ㄷ

Tip 심층수는 표층수보다 밀도가 크고, 이동 속도는 느리다.

풀이 ㄱ. (가)의 심층수는 북대서양 심층수인 B이다.
ㄴ. 해수의 평균 이동 속도는 심층수보다 표층수가 빠르다.
ㄷ. 표층수의 밀도가 커지면 ㉠에서 해수의 침강이 강해진다.

답 ③

확인 3-1

그림은 대서양의 심층 순환을 나타낸 것이다. 수괴 A, B, C는 각각 남극 저층수, 남극 중층수, 북대서양 심층수 중 하나이다. 이에 대한 설명으로 옳은 것만을 ｜보기｜에서 있는 대로 고르시오.

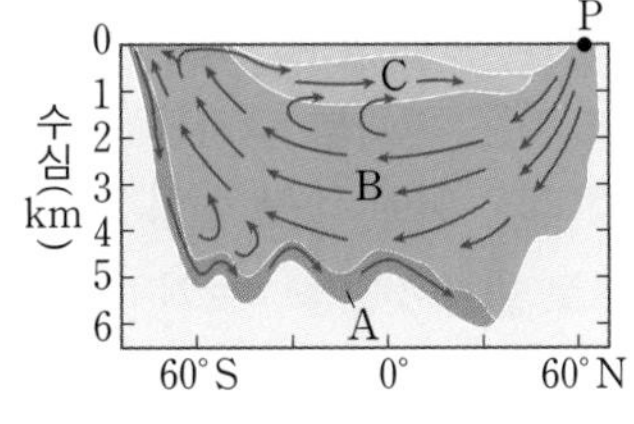

보기
ㄱ. A는 그린란드 해역에서 침강하여 형성되었다.
ㄴ. 해수의 밀도는 A>B>C이다.
ㄷ. P에서 침강이 강해지면 심층 순환은 약해진다.

대표 기출 4

2020 3월 학평 16번

그림은 우리나라에서 연안 용승이 발생한 A 해역의 위치와 3일간의 표층 수온 변화를 나타낸 것이다.

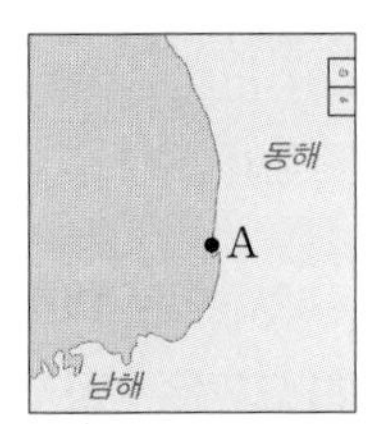

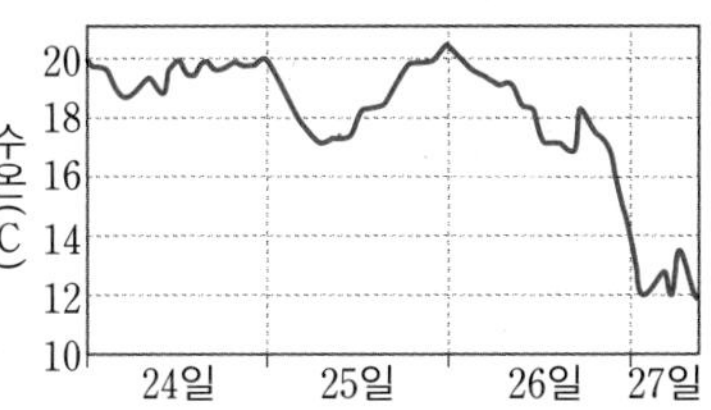

A 해역에 대한 설명으로 옳은 것만을 ｜보기｜에서 있는 대로 고른 것은?

보기
ㄱ. 연안 용승은 24일보다 26일에 활발하였다.
ㄴ. 연안 용승이 일어나는 기간에는 북풍 계열의 바람이 우세하였다.
ㄷ. 표층 해수의 용존 산소량은 24일보다 26일에 대체로 높았을 것이다.

① ㄱ ② ㄷ ③ ㄱ, ㄴ
④ ㄱ, ㄷ ⑤ ㄴ, ㄷ

Tip 북반구에서 바람이 일정한 방향으로 계속 불면 표층 해수는 풍향의 오른쪽 직각 방향으로 이동한다.

풀이 ㄱ. 연안 용승은 수온이 급격하게 감소한 26일에 활발하였다.
ㄴ. 남풍 계열의 바람에 의해 해수가 먼 바다로 이동하였다.
ㄷ. 용존 산소량은 수온이 낮은 26일에 더 높았을 것이다. 답 ④

확인 4-1

그림은 태평양에서 용승이 활발하게 발생하는 해역 A, B, C를 나타낸 것이다.

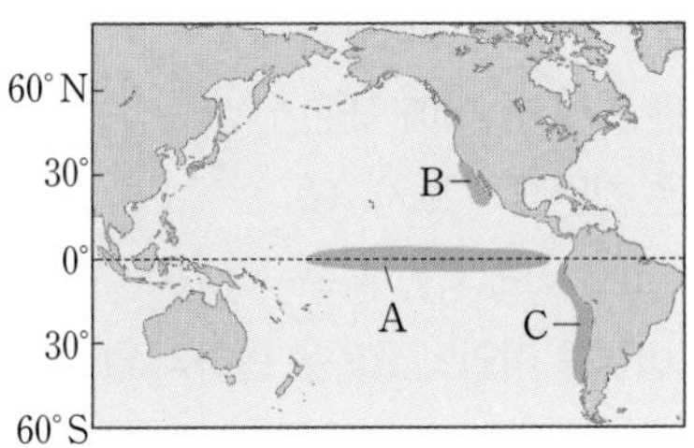

이에 대한 설명으로 옳은 것만을 ｜보기｜에서 있는 대로 고르시오.

보기
ㄱ. A에서 표층 수온은 적도가 주변 해역보다 높다.
ㄴ. B에서 남풍 계열의 바람이 우세하다.
ㄷ. 플랑크톤의 농도는 C가 먼 바다보다 높다.

필수 체크 전략 ①

대표 기출 5

2021 6월 모평 13번

그림은 지구 자전축 경사각의 변화를 나타낸 것이다.

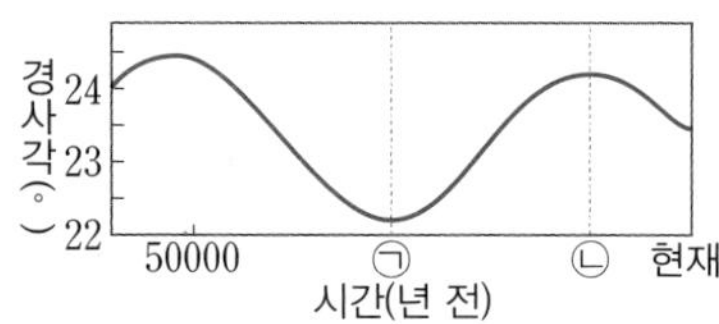

이에 대한 설명으로 옳은 것만을 |보기|에서 있는 대로 고른 것은? (단, 지구 자전축 경사각 이외의 요인은 변하지 않는다.)

보기

ㄱ. 30°S에서 기온의 연교차는 현재가 ㉡ 시기보다 작다.

ㄴ. 30°N에서 겨울철 태양의 남중 고도는 현재가 ㉠ 시기보다 높다.

ㄷ. 1년 동안 지구에 입사하는 평균 태양 복사 에너지양은 ㉠ 시기가 ㉡ 시기보다 많다.

① ㄱ　② ㄴ　③ ㄷ　④ ㄱ, ㄴ　⑤ ㄱ, ㄷ

Tip 지구 자전축의 경사각이 커지면 기온의 연교차가 증가한다.

풀이 ㄱ. 30°S에서 기온의 연교차는 자전축의 경사각이 작은 현재가 ㉡ 시기보다 작다.
ㄴ. 30°N에서 겨울철 태양의 남중 고도는 자전축의 경사각이 작은 ㉠ 시기가 현재보다 높다.
ㄷ. 1년 동안 지구에 입사하는 평균 태양 복사 에너지양은 ㉠과 ㉡ 시기에 같다.

답 ①

대표 기출 6

2019 6월 모평 3번

그림은 지구 온난화의 원인과 결과의 일부를 나타낸 것이다.

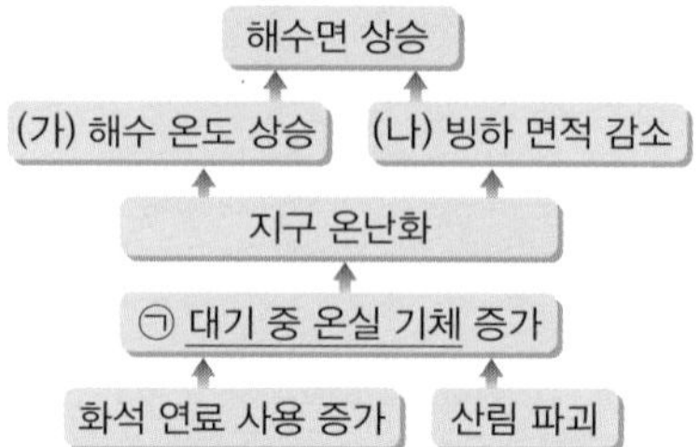

이에 대한 설명으로 옳은 것만을 |보기|에서 있는 대로 고른 것은?

보기

ㄱ. (가)로 인해 해수의 이산화 탄소 용해도는 감소한다.

ㄴ. (나)로 인해 극지방의 지표면 반사율은 감소한다.

ㄷ. ㉠에 의한 복사 에너지의 흡수율은 적외선 영역이 가시광선 영역보다 높다.

① ㄱ　② ㄷ　③ ㄱ, ㄴ　④ ㄴ, ㄷ　⑤ ㄱ, ㄴ, ㄷ

Tip 온실 기체는 파장이 짧은 태양 복사 에너지보다 파장이 긴 지구 복사 에너지를 잘 흡수한다.

풀이 ㄱ. 수온이 높아지면 기체의 용해도는 감소한다.
ㄴ. 빙하는 반사율이 높으므로, 빙하가 녹으면 지표면 반사율이 감소한다.
ㄷ. 온실 기체는 주로 적외선 복사 에너지를 흡수한다.

답 ⑤

확인 5-1

그림은 지구의 공전 궤도 이심률의 변화를 나타낸 것이다. 이에 대한 설명으로 옳은 것만을 |보기|에서 있는 대로 고르시오. (단, 지구의 공전 궤도 이심률 이외의 요인은 변하지 않는다.)

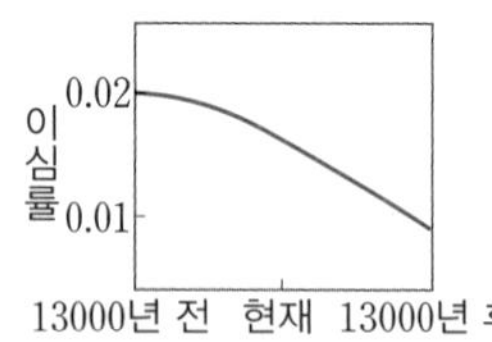

보기

ㄱ. 근일점 거리는 현재가 13000년 전보다 멀다.

ㄴ. 우리나라에서 기온의 연교차는 현재가 13000년 후보다 작다.

ㄷ. 이 기간 동안 남반구 지역에서 기온의 연교차는 점점 증가하였다.

확인 6-1

그림은 남극 대륙 빙하를 분석하여 알아낸 과거 40만 년 동안의 대기 중 이산화 탄소 농도와 지구의 기온 편차를 나타낸 것이다. 이에 대한 설명으로 옳은 것만을 |보기|에서 있는 대로 고르시오.

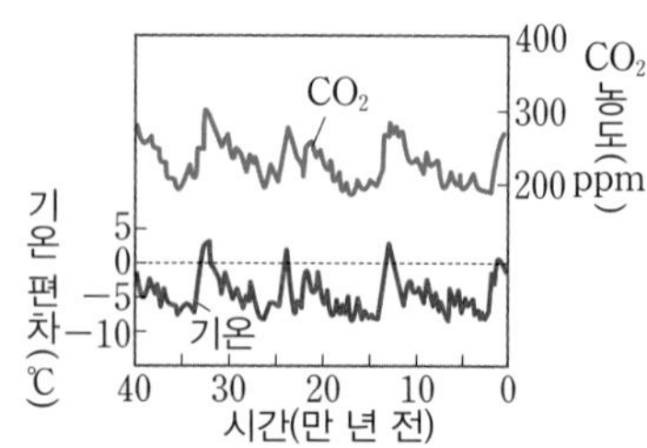

보기

ㄱ. 지구의 기온이 낮을수록 이산화 탄소 농도가 높다.

ㄴ. 과거 40만 년 동안 기온은 현재 지구의 기온보다 대체로 낮았다.

ㄷ. 과거 40만 년 동안 이산화 탄소의 농도 변화는 주로 화석 연료 사용량 증가 때문이다.

대표 기출 7

2022 9월 모평 20번

그림의 유형 Ⅰ과 Ⅱ는 두 물리량 x와 y 사이의 대략적인 관계를 나타낸 것이다. 표는 엘니뇨와 라니냐가 일어난 시기에 태평양 적도 부근 해역에서 동시에 관측한 물리량과 이들의 관계 유형을 Ⅰ 또는 Ⅱ로 나타낸 것이다.

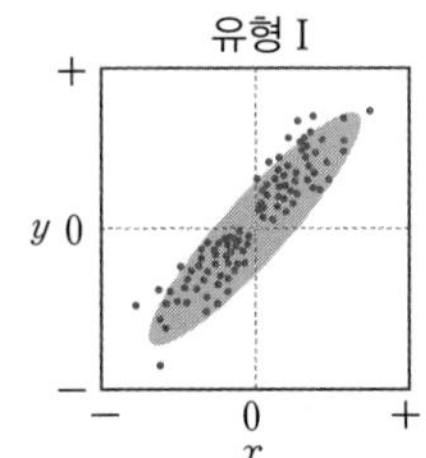

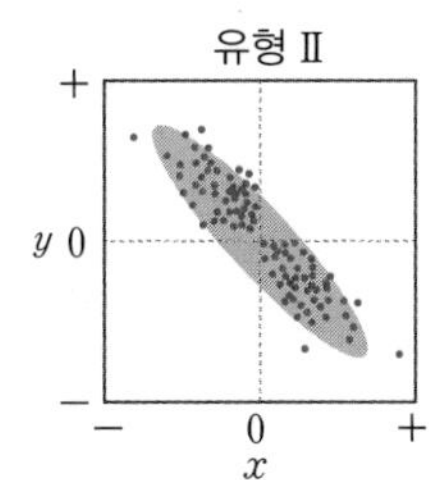

물리량 / 관계 유형	x	y
ⓐ	동태평양에서 적운형 구름양의 편차	(서태평양 해수면 높이−동태평양 해수면 높이)의 편차
Ⅰ	서태평양에서의 해면 기압 편차	(㉠)의 편차
ⓑ	(서태평양 해수면 수온−동태평양 해수면 수온)의 편차	워커 순환 세기의 편차

(편차=관측값−평년값)

이 자료에 대한 설명으로 옳은 것만을 | 보기 |에서 있는 대로 고른 것은?

보기
ㄱ. ⓐ는 Ⅱ이다.
ㄴ. '동태평양에서 수온 약층이 나타나기 시작하는 깊이'는 ㉠에 해당한다.
ㄷ. ⓑ는 Ⅰ이다.

① ㄱ ② ㄷ ③ ㄱ, ㄴ
④ ㄴ, ㄷ ⑤ ㄱ, ㄴ, ㄷ

Tip 두 물리량 x와 y가 양의 상관관계이면 유형 Ⅰ이고, 음의 상관관계이면 유형 Ⅱ에 해당한다.

풀이 ㄱ. 관계 유형 ⓐ에서 물리량 x와 y는 반비례한다. 따라서 ⓐ는 유형 Ⅱ이다.
ㄴ. 관계 유형이 Ⅰ이므로 물리량 x와 y는 비례해야 한다. '동태평양에서 수온 약층이 나타나기 시작하는 깊이 편차'는 '서태평양에서의 해면 기압 편차'와 비례한다.
ㄷ. 관계 유형 ⓑ에서 물리량 x와 y는 비례하므로 ⓑ는 유형 Ⅰ이다.

답 ⑤

확인 7-1

2021 9월 모평 7번 유사

그림은 태평양 적도 부근 해역에서의 대기 순환 모습을 나타낸 것이다. (가)와 (나)는 각각 엘니뇨와 라니냐 시기 중 하나이다.

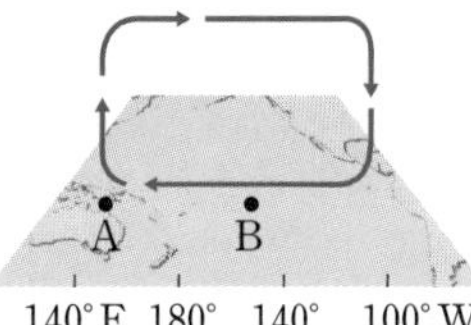

(가)

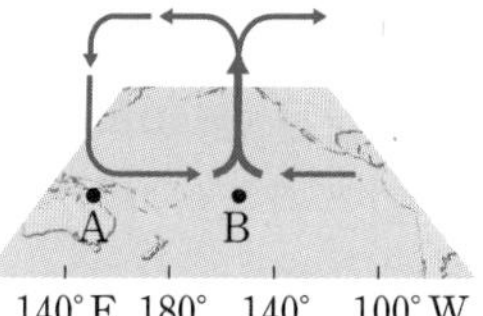

(나)

이에 대한 설명으로 옳은 것만을 | 보기 |에서 있는 대로 고르시오.

보기
ㄱ. A에서 무역풍의 세기는 (가)가 (나)보다 크다.
ㄴ. B에서 따뜻한 해수층의 두께 편차(관측값−평년값)는 (가)가 (나)보다 크다.
ㄷ. (B 지점 해면 기압−A 지점 해면 기압)의 값은 (가)가 (나)보다 크다.

확인 7-2

그림은 동태평양 적도 부근 해역에서 관측된 수온 편차 분포를 깊이에 따라 나타낸 것이다. (가)와 (나)는 각각 엘니뇨와 라니냐 시기 중 하나이다. 편차는 (관측값−평년값)이다.

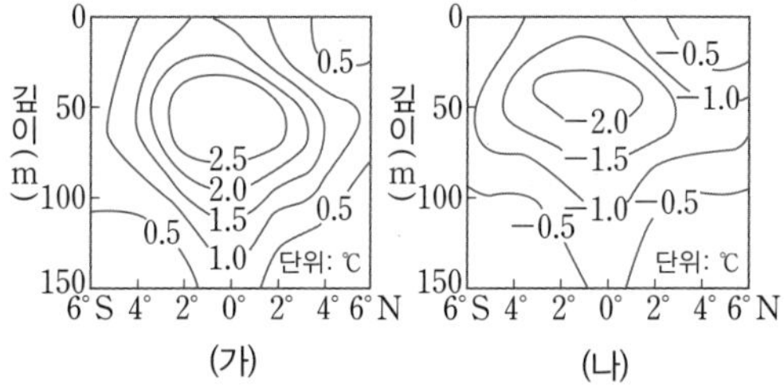

(가) (나)

이 해역에 대한 설명으로 옳은 것만을 | 보기 |에서 있는 대로 고르시오.

보기
ㄱ. (가)는 엘니뇨 시기이다.
ㄴ. 워커 순환은 (가)보다 (나)일 때 약해진다.
ㄷ. (나)일 때 해수면의 높이 편차는 (−) 값이다.

필수 체크 전략 ②

최다 오답 문제

6강_대기와 해양의 상호 작용

2021 9월 모평 10번

1 그림은 어느 해 태평양에서 유실된 컨테이너에 실려 있던 운동화가 발견된 지점과 표층 해류 A와 B의 일부를 나타낸 것이다.

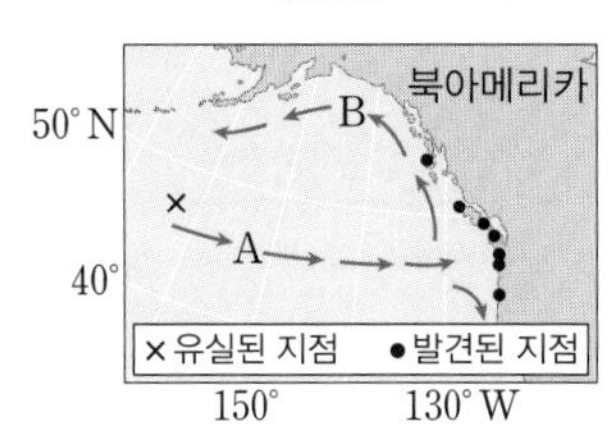

이 자료에 대한 설명으로 옳은 것만을 ｜보기｜에서 있는 대로 고른 것은?

보기
ㄱ. A는 북태평양 해류이다.
ㄴ. B는 편서풍에 의해 형성되었다.
ㄷ. 북아메리카 해안의 운동화는 해류의 영향으로 대부분 북쪽으로 이동할 것이다.

① ㄱ ② ㄴ ③ ㄷ
④ ㄱ, ㄷ ⑤ ㄴ, ㄷ

Tip 아열대 순환은 ❶ 에 의한 해류와 ❷ 에 의한 해류로 이루어져 있다. 답 ❶ 무역풍 ❷ 편서풍

2 그림은 우리나라 주변에서 흐르는 중국 연안수, 대마 난류, 북한 한류의 수온과 염분 분포를 순서 없이 A, B, C로 나타낸 것이다. 이에 대한 설명으로 옳은 것만을 ｜보기｜에서 있는 대로 고른 것은?

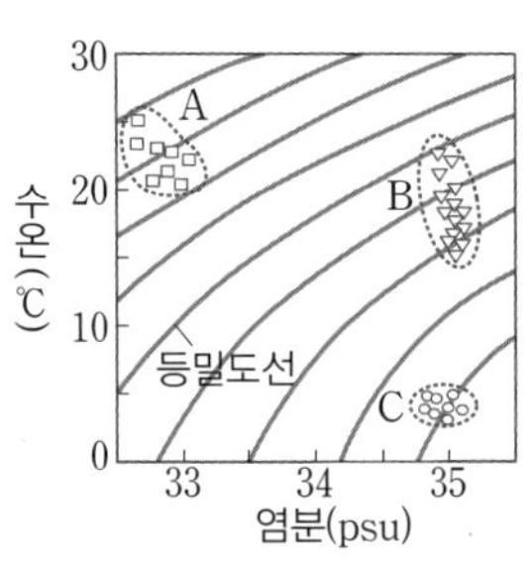

보기
ㄱ. 해수의 밀도는 중국 연안수가 가장 높다.
ㄴ. B와 C가 만나 조경 수역을 형성한다.
ㄷ. 해류가 분포하는 위도는 C가 가장 높다.

① ㄱ ② ㄴ ③ ㄷ
④ ㄱ, ㄷ ⑤ ㄴ, ㄷ

Tip 황해는 대륙에서 많은 양의 ❶ 이 유입되므로 동해에 비해 표층 염분이 ❷ 다. 답 ❶ 강물(담수) ❷ 낮

2022 6월 모평 11번

3 그림은 심층 해수의 연령 분포를 나타낸 것이다. 심층 해수의 연령은 해수가 표층에서 침강한 이후부터 현재까지 경과한 시간을 의미한다.

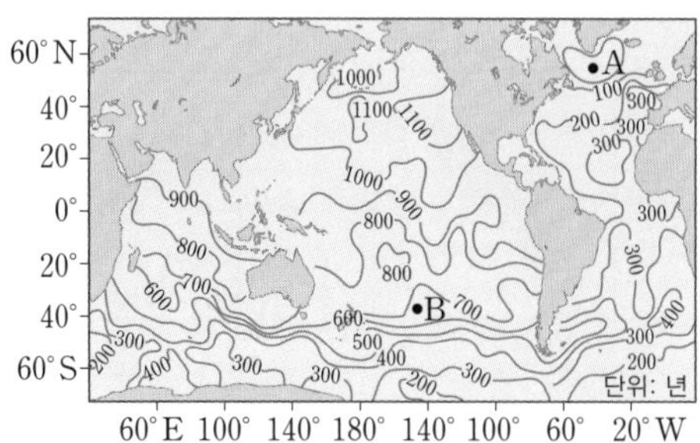

이에 대한 설명으로 옳은 것만을 ｜보기｜에서 있는 대로 고른 것은?

보기
ㄱ. 심층 해수의 평균 연령은 북태평양이 북대서양보다 많다.
ㄴ. A 해역에는 표층 해수가 침강하는 곳이 있다.
ㄷ. B에는 저위도로 흐르는 심층 해수가 있다.

① ㄱ ② ㄴ ③ ㄱ, ㄷ
④ ㄴ, ㄷ ⑤ ㄱ, ㄴ, ㄷ

Tip 그린란드 주변 해역에서 ❶ 심층수가, 웨델해에서 ❷ 저층수가 형성된다. 답 ❶ 북대서양 ❷ 남극

4 그림은 해양의 심층 순환 모형을 나타낸 것이다. 이 자료에 대한 설명으로 옳은 것만을 | 보기 |에서 있는 대로 고른 것은?

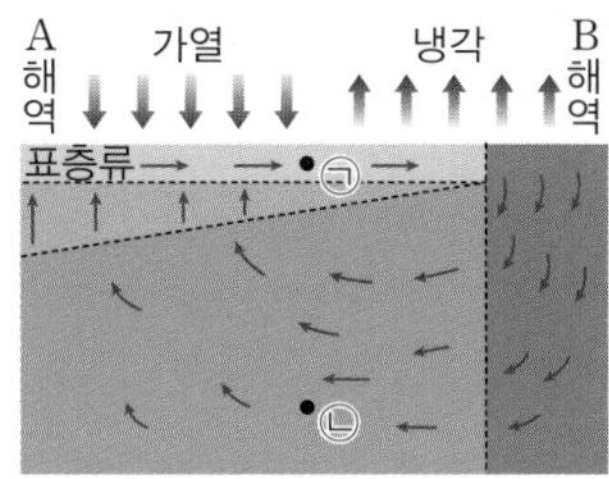

보기

ㄱ. 위도는 A 해역이 B 해역보다 높다.

ㄴ. 단위 시간당 단위 면적을 통과하는 해수의 양은 ㉠이 ㉡보다 많다.

ㄷ. 심층 해수의 평균 용존 산소량은 A 해역이 B 해역보다 적다.

① ㄱ ② ㄴ ③ ㄱ, ㄷ ④ ㄴ, ㄷ ⑤ ㄱ, ㄴ, ㄷ

Tip 표층수는 저위도에서 고위도로 흐르면서 ❶ [ ]를 수송하고, 심층수는 저위도에서 고위도로 흐르면서 ❷ [ ]를 공급한다.
답 ❶ 에너지 ❷ 산소

5 그림은 울산 앞바다에서 바람에 의한 해수의 이동으로 형성된 표층 수온 분포를 나타낸 것이다. 이에 대한 설명으로 옳은 것만을 | 보기 |에서 있는 대로 고른 것은?

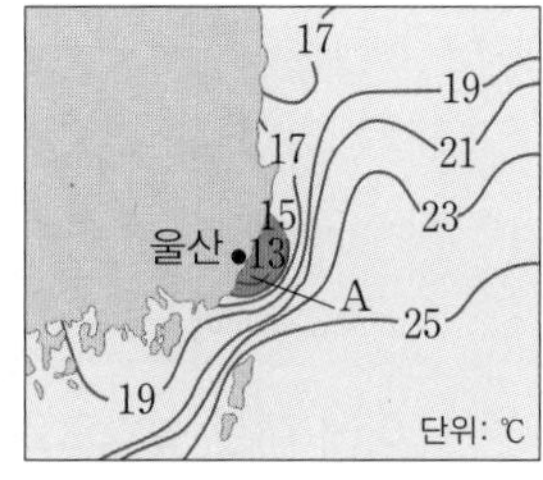

보기

ㄱ. A에서 연안 용승이 일어났다.

ㄴ. 이 해역에서 남풍 계열의 바람이 불었다.

ㄷ. 울산 앞바다에서 적란운이 두껍게 발달할 것이다.

① ㄱ ② ㄷ ③ ㄱ, ㄴ ④ ㄴ, ㄷ ⑤ ㄱ, ㄴ, ㄷ

Tip 용승이 일어나는 해역에서는 표층 수온이 ❶ [ ]지므로 ❷ [ ]가 자주 발생할 수 있다.
답 ❶ 낮아 ❷ 안개

2021 9월 모평 14번

6 그림은 기후 변화 요인 ㉠과 ㉡을 고려하여 추정한 지구 평균 기온 편차(추정값－기준값)와 관측 기온 편차(관측값－기준값)를 나타낸 것이다. ㉠과 ㉡은 각각 온실 기체와 자연적 요인 중 하나이고, 기준값은 1860년~1919년의 평균 기온이다.

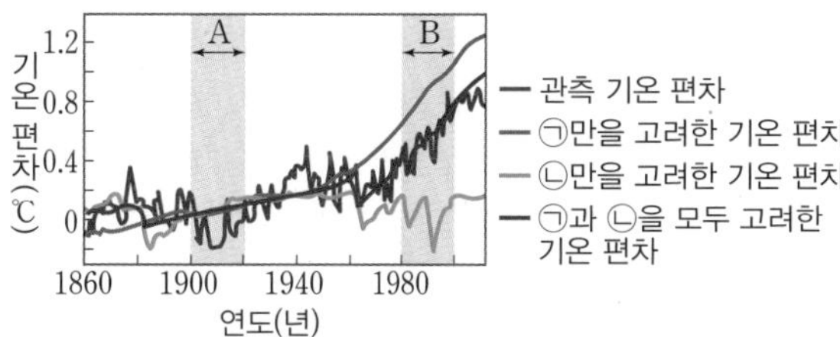

이에 대한 설명으로 옳은 것을 | 보기 |에서 모두 고른 것은?

보기

ㄱ. 해수면의 평균 높이는 A 시기가 B 시기보다 높다.

ㄴ. 화산 활동에 의한 대기의 반사율 변화는 ㉡의 영향에 해당한다.

ㄷ. B 시기 동안 ㉠은 지구의 평균 기온 증가를 완화시키는 역할을 하였다.

① ㄱ ② ㄴ ③ ㄱ, ㄷ ④ ㄴ, ㄷ ⑤ ㄱ, ㄴ, ㄷ

Tip 지구 ❶ [ ]의 주요 원인은 ❷ [ ]의 증가로 추정하고 있다.
답 ❶ 온난화 ❷ 온실 기체

7 그림은 지구에 입사하는 태양 복사 에너지양을 100단위라고 할 때 지구의 열수지를 나타낸 것이다.

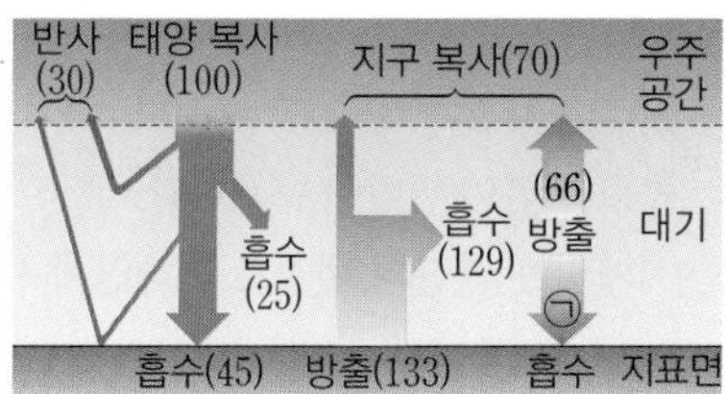

이에 대한 설명으로 옳은 것을 | 보기 |에서 모두 고른 것은?

보기

ㄱ. 지구에서 반사되는 태양 복사 에너지는 대기에서 흡수하는 태양 복사 에너지보다 많다.

ㄴ. 지표에 흡수되는 에너지는 가시광선 영역보다 적외선 영역이 많다.

ㄷ. 대기 중 CO_2의 농도가 증가하면 ㉠은 증가한다.

① ㄱ ② ㄴ ③ ㄱ, ㄷ ④ ㄴ, ㄷ ⑤ ㄱ, ㄴ, ㄷ

Tip 지구로 들어오는 태양 복사 에너지 ❶ [ ] 중 지구에 흡수되는 양은 ❷ [ ]이다.
답 ❶ 100단위 ❷ 70단위

5강_ 대기와 해양의 변화

01 그림은 온대 저기압의 발달 단계 일부를 순서 없이 나타낸 것이다.

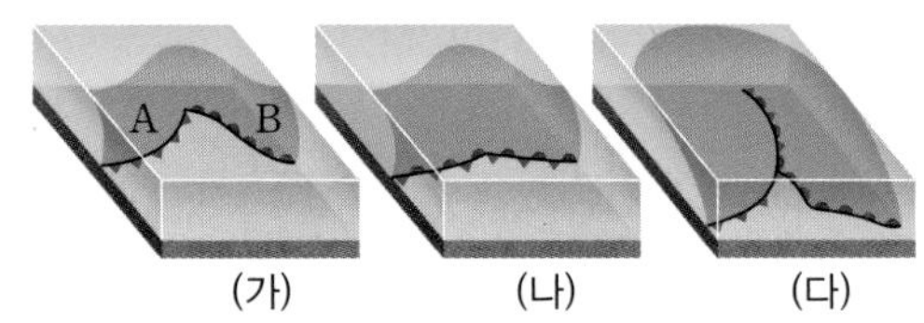

이에 대한 설명으로 옳은 것만을 | 보기 | 에서 있는 대로 고른 것은?

| 보기 |
ㄱ. 발달 단계는 (나) → (가) → (다)이다.
ㄴ. (가)에서 시간당 강수량 A 지역이 B 지역보다 많다.
ㄷ. (다)에서 정체 정선이 발달한다.

① ㄱ ② ㄴ ③ ㄱ, ㄴ
④ ㄴ, ㄷ ⑤ ㄱ, ㄴ, ㄷ

02 그림은 어느 계절에 잘 나타나는 전형적인 기압 배치이다. 이날 우리나라의 날씨에 대한 설명으로 옳은 것만을 | 보기 | 에서 있는 대로 고른 것은?

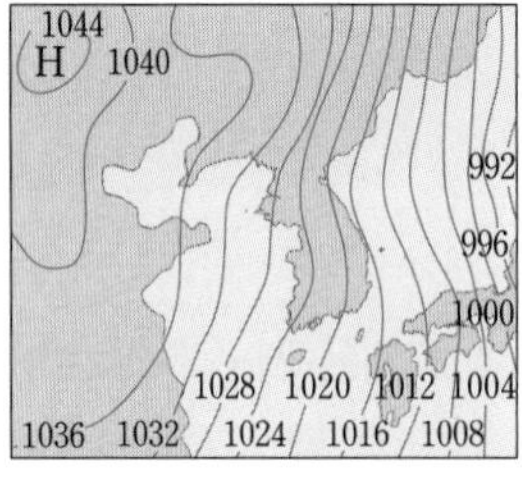

| 보기 |
ㄱ. 해양성 기단의 영향을 받고 있다.
ㄴ. 동풍 계열의 바람이 우세하다.
ㄷ. 시베리아 기단의 변질로 서해안에 눈이 내릴 수 있다.

① ㄱ ② ㄷ ③ ㄱ, ㄴ
④ ㄴ, ㄷ ⑤ ㄱ, ㄴ, ㄷ

03 그림은 우리나라의 주요 악기상을 특징에 따라 구분하는 과정을 나타낸 것이다. A, B, C에 해당하는 악기상을 쓰시오.

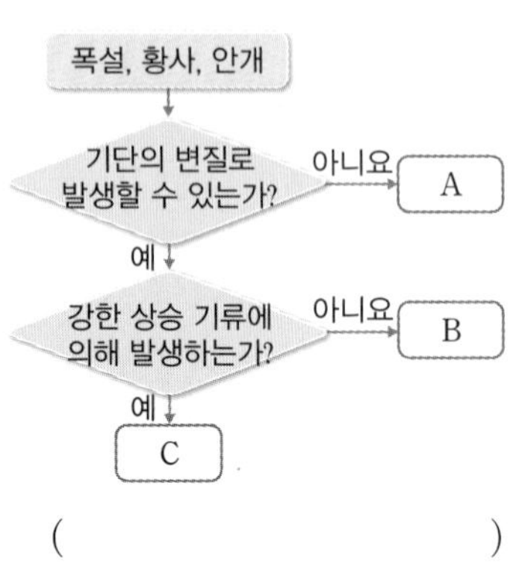

( )

04 그림은 어느 해 우리나라에 영향을 준 태풍의 이동 경로를 나타낸 것이다. 이에 대한 설명으로 옳은 것만을 | 보기 | 에서 있는 대로 고른 것은?

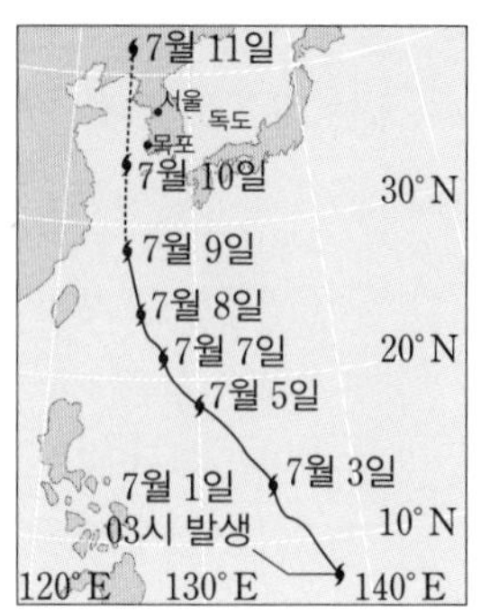

| 보기 |
ㄱ. 태풍은 열대 해상에서 발생하였다.
ㄴ. 우리나라는 태풍의 안전 반원에 위치하였다.
ㄷ. 태풍의 중심 기압은 7월 9일보다 7월 11일에 낮았다.

① ㄱ ② ㄴ ③ ㄱ, ㄴ
④ ㄴ, ㄷ ⑤ ㄱ, ㄴ, ㄷ

05 그림은 위도별 해양의 연직 층상 구조와 수온 분포를 나타낸 것이다.

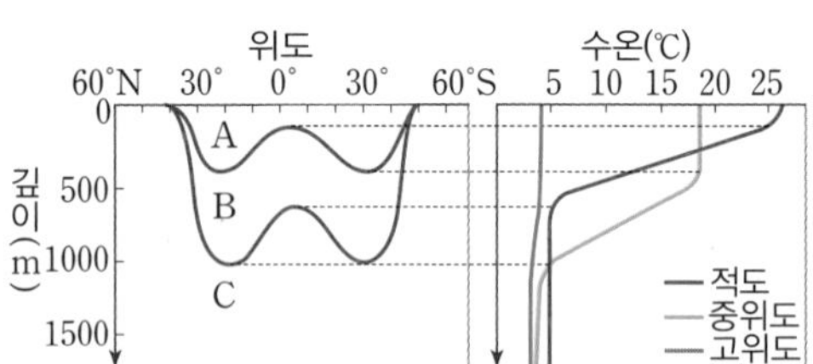

이에 대한 설명으로 옳은 것만을 | 보기 | 에서 있는 대로 고른 것은?

| 보기 |
ㄱ. 바람은 적도 해역보다 중위도 해역에서 대체로 강하다.
ㄴ. A, B, C층 중에서 B층이 가장 안정하다.
ㄷ. 심해층이 시작되는 깊이는 적도에서 고위도로 갈수록 얕아진다.

① ㄱ ② ㄴ ③ ㄷ
④ ㄱ, ㄴ ⑤ ㄱ, ㄷ

6강_ 대기와 해양의 상호 작용

06 그림은 북태평양의 주요 표층 해류를 나타낸 것이다. 이에 대한 설명으로 옳은 것만을 ｜보기｜에서 있는 대로 고른 것은?

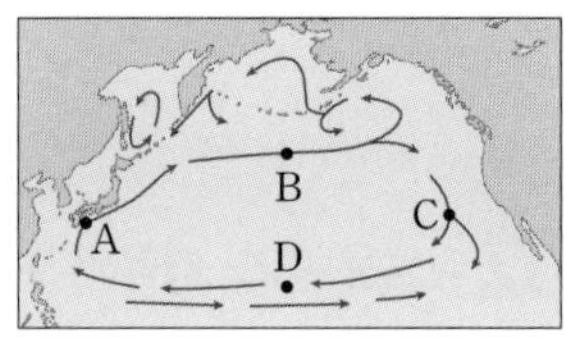

보기

ㄱ. A에서 한류, C에서 난류가 흐른다.
ㄴ. D는 해들리 순환에 의해 형성된 바람의 영향을 받는다.
ㄷ. A, B, C, D의 해류는 북태평양 아열대 순환을 이룬다.

① ㄱ ② ㄴ ③ ㄱ, ㄴ
④ ㄱ, ㄷ ⑤ ㄴ, ㄷ

07 그림은 수괴 A, B, C를 수온－염분도에 나타낸 것이다. A, B, C는 각각 북대서양 심층수, 남극 중층수, 남극 저층수 중 하나이다. 이에 대한 설명으로 옳은 것만을 ｜보기｜에서 있는 대로 고른 것은?

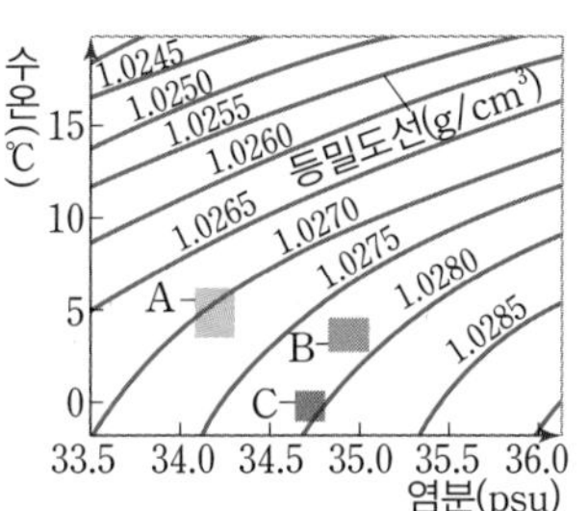

보기

ㄱ. A는 남극 저층수이다.
ㄴ. 해수의 밀도는 B가 C보다 작다.
ㄷ. C는 그린란드 주변 해역에서 침강하여 형성되었다.

① ㄱ ② ㄴ ③ ㄱ, ㄷ
④ ㄴ, ㄷ ⑤ ㄱ, ㄴ, ㄷ

08 그림은 북반구의 어느 해안에서 북풍이 지속적으로 불고 있는 모습을 나타낸 것이다. 이 해안에서 표층 해수의 이동 방향을 쓰시오.

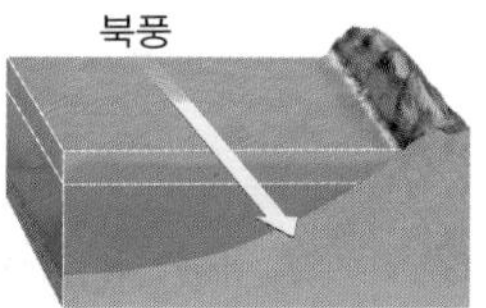

( )

09 그림 (가)와 (나)는 엘니뇨와 라니냐 시기에 관측한 적도 태평양 부근 해역의 연직 수온 분포를 순서 없이 나타낸 것이다.

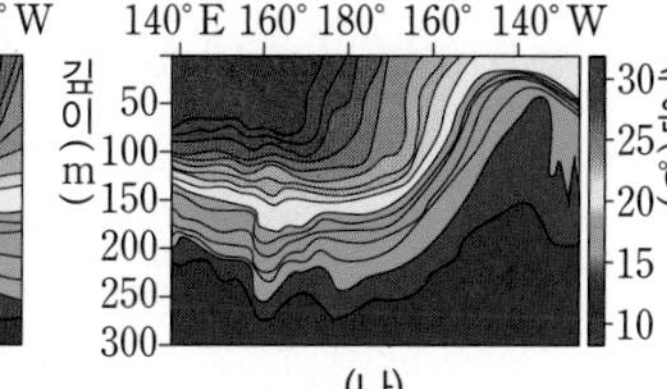

이에 대한 설명으로 옳은 것만을 ｜보기｜에서 있는 대로 고른 것은?

보기

ㄱ. (가)는 엘니뇨 시기의 연직 수온 분포이다.
ㄴ. 남적도 해류는 (가)보다 (나)일 때 강하다.
ㄷ. 동서 방향의 해수면 높이 차는 (가)보다 (나)일 때 급하다.

① ㄱ ② ㄴ ③ ㄱ, ㄴ
④ ㄴ, ㄷ ⑤ ㄱ, ㄴ, ㄷ

10 그림은 대기 중 이산화 탄소량이 현재의 2배가 되었을 때 예상되는 기온 편차(예상 기온－평균 기온)를 나타낸 것이다.

이 시기의 특징에 대한 설명으로 옳은 것만을 ｜보기｜에서 있는 대로 고른 것은?

보기

ㄱ. 지구의 평균 해수면은 현재보다 낮다.
ㄴ. 고위도와 저위도의 기온 차는 현재보다 크다.
ㄷ. 아열대 기후대의 북쪽 한계선은 현재보다 북상한다.

① ㄱ ② ㄷ ③ ㄱ, ㄴ
④ ㄱ, ㄷ ⑤ ㄴ, ㄷ

5강_ 대기와 해양의 변화

01 그림은 적외 영상 또는 가시 영상의 특징을 카드 (가), (나), (다)에 나타낸 것이다.

(가)	(나)	(다)
• 육지가 바다보다 밝게 나타난다. • 빙하 또는 안개가 낀 곳은 육지보다 밝게 나타난다.	• 구름이 두꺼울수록 밝게 나타난다. • 적란운은 층운보다 밝게 나타난다.	• 높은 곳에 있는 층운이 낮은 곳에 있는 층운보다 밝게 나타난다.

이에 대한 설명으로 옳은 것만을 | 보기 |에서 있는 대로 고른 것은?

보기

ㄱ. (가)와 (나)는 가시 영상의 특징이다.

ㄴ. (다)의 영상에서는 온도가 높을수록 밝게 나타난다.

ㄷ. 집중 호우 지역은 적외 영상과 가시 영상에서 모두 밝게 나타난다.

① ㄱ ② ㄴ ③ ㄱ, ㄷ ④ ㄴ, ㄷ ⑤ ㄱ, ㄴ, ㄷ

Tip 가시 영상에서는 햇빛의 반사율이 ❶ [ ] 수록, 적외 영상에서는 물체의 온도가 ❷ [ ] 수록 밝게 나타난다.

답 ❶ 높을 ❷ 낮을

2020 6월 모평 4번

02 다음은 어느 태풍의 이동 경로와 그에 따른 풍향과 기압 변화를 알아보기 위한 탐구 활동이다.

| 탐구 과정 |

(가) 표를 이용하여 태풍의 이동 경로를 지도에 표시한다.

(나) 지점 A에서의 풍향 변화를 추정하여 기록한다.

(다) 관측 풍향을 조사하여 추정 풍향과 비교한다.

(라) 태풍 중심의 기압 변화량(관측 당시 기압−생성 당시 기압)을 기록한다.

일시	태풍 중심		
	위도 (°N)	경도 (°E)	기압 (hPa)
⋮	⋮	⋮	⋮
6일 06시	33.8	127.3	975
6일 09시	34.7	128.1	975
6일 12시	35.8	129.2	985
6일 15시	37.2	130.5	985
⋮	⋮	⋮	⋮
7일 09시 (소멸)	42.0	141.1	990

| 탐구 결과 |

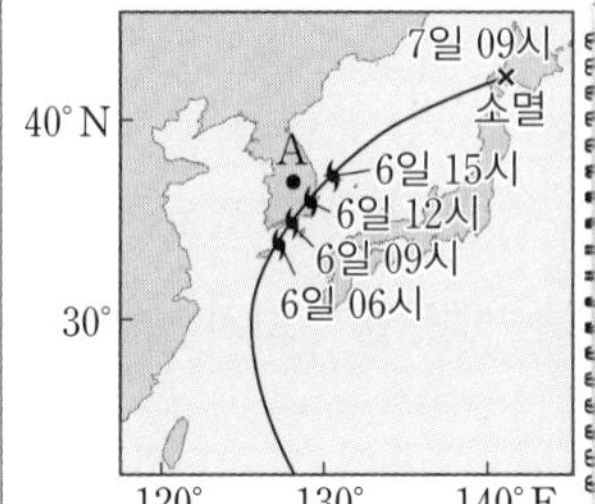

일시	추정 풍향	기압 변화량 (hPa)
⋮	⋮	⋮
6일 06시		−25
6일 09시		
6일 12시		
6일 15시		
⋮	⋮	⋮
7일 09시		

이 자료에 대한 설명으로 옳은 것만을 | 보기 |에서 있는 대로 고른 것은?

보기

ㄱ. 태풍은 6일 12시 이후에 전향점을 통과하였다.

ㄴ. 6일에 A의 풍향은 시계 방향으로 변하였다.

ㄷ. 이 태풍의 $\frac{\text{소멸 당시 중심 기압}}{\text{생성 당시 중심 기압}}$은 1보다 작다.

① ㄱ ② ㄷ ③ ㄱ, ㄴ ④ ㄴ, ㄷ ⑤ ㄱ, ㄴ, ㄷ

Tip 북반구에서 태풍 진행 방향을 기준으로 오른쪽 지역은 ❶ [ ] 반원, 왼쪽 지역은 ❷ [ ] 반원이라고 한다.

답 ❶ 위험 ❷ 안전

03 그림은 기후 변화를 일으키는 세 가지 요인을 특징에 따라 분류한 것이다. 이에 대한 설명으로 옳은 것만을 | 보기 |에서 있는 대로 고른 것은?

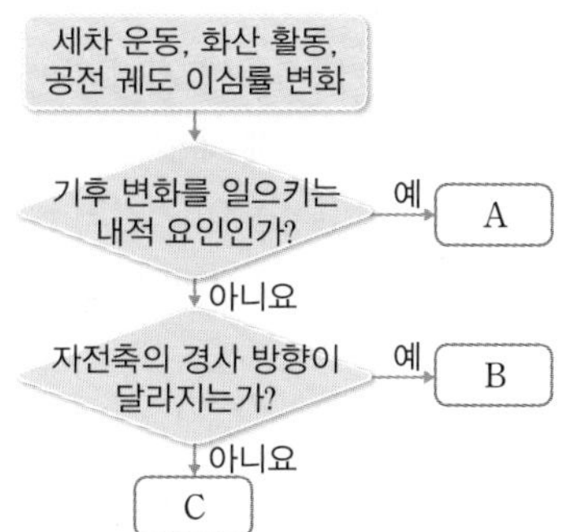

| 보기 |

ㄱ. A는 대기의 반사율을 변화시킬 수 있다.
ㄴ. B는 세차 운동이다.
ㄷ. C에 의해 태양의 남중 고도가 달라질 수 있다.

① ㄱ ② ㄴ ③ ㄷ
④ ㄱ, ㄴ ⑤ ㄴ, ㄷ

Tip 세차 운동에 의해 지구의 ❶ [ ]이 약 26000년을 주기로 회전하므로 약 ❷ [ ]년 후에는 현재와 자전축의 경사 방향이 반대가 된다. 답 ❶ 자전축 ❷ 13000

04 다음은 1492년 콜럼버스가 대서양을 횡단할 때의 항로에 대하여 학생 A, B, C가 나눈 대화를 나타낸 것이다.

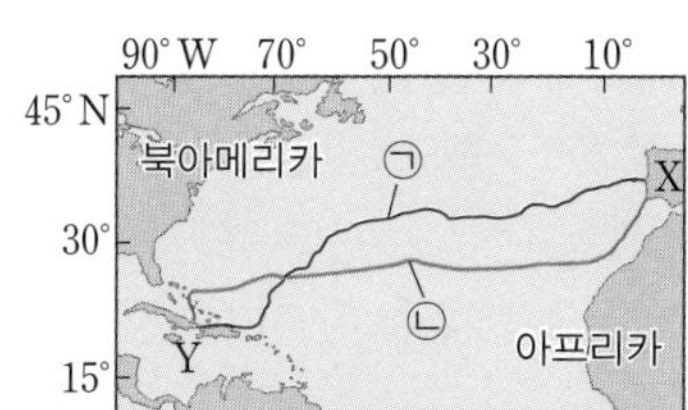

콜럼버스는 X에서 Y로 갈 때, ㉠ 항로를 이용했어.
학생 A

㉡ 항로로 이동하면 주로 무역풍을 이용할 수 있어.
학생 B

㉠, ㉡ 항로는 직선 항로에 비해 이동 시간이 많이 걸렸을 거야.
학생 C

제시한 의견이 옳은 학생만을 있는 대로 고른 것은?

① A ② B ③ A, C
④ B, C ⑤ A, B, C

Tip 무역풍은 위도 0°~30° 사이에서 부는 ❶ [ ]풍 계열의 바람이고, 편서풍은 위도 30°~60° 사이에서 부는 ❷ [ ]풍 계열의 바람이다. 답 ❶ 동 ❷ 서

05 다음은 심층 순환의 원리를 알아보기 위한 실험 활동이다.

| 실험 과정 |

(가) 수조에 ㉠ 상온의 수돗물을 채우고, 바닥에 작은 구멍이 뚫린 종이컵을 수조에 고정시킨다.
(나) 잉크로 착색시킨 상온의 소금물을 종이컵에 그림과 같이 천천히 부으면서, 스타이로폼 조각의 움직임을 관찰한다.

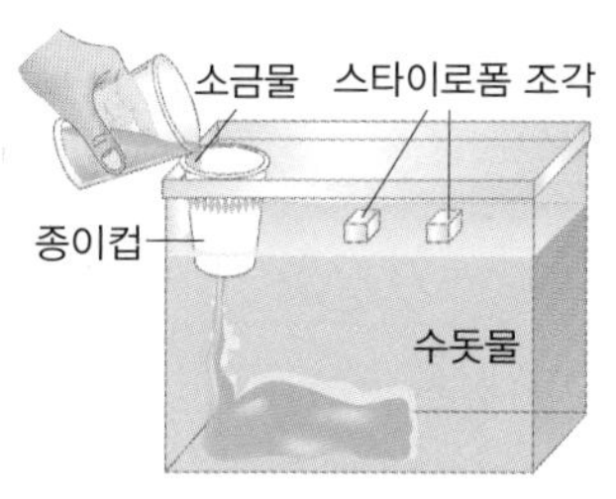

이 실험에 대한 설명으로 옳은 것만을 | 보기 |에서 있는 대로 고른 것은?

| 보기 |

ㄱ. 종이컵의 위치는 고위도의 침강 해역에 해당한다.
ㄴ. (나)에서 스타이로폼 조각은 종이컵에서 멀어지는 방향으로 이동한다.
ㄷ. ㉠ 대신 따뜻한 수돗물을 사용하면 스타이로폼 조각의 이동이 더 빨라진다.

① ㄱ ② ㄴ ③ ㄷ
④ ㄱ, ㄷ ⑤ ㄴ, ㄷ

Tip 표층 해수의 수온이 낮아지거나 염분이 높아져서 ❶ [ ]가 커지면, 해수의 ❷ [ ]이 일어난다. 답 ❶ 밀도 ❷ 침강

6강_ 대기와 해양의 상호 작용

06 다음은 수행평가 보고서의 일부이다.

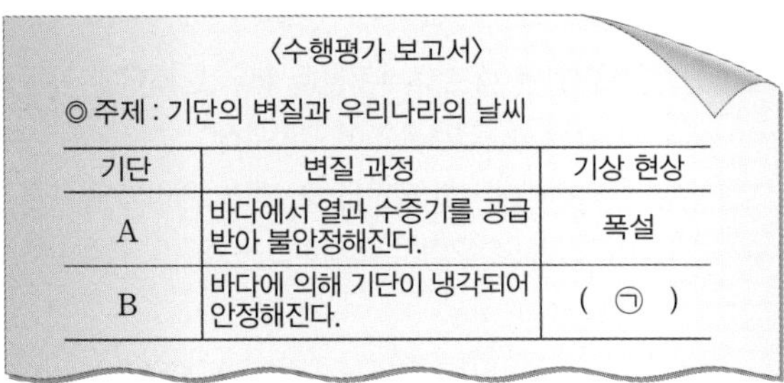

〈수행평가 보고서〉

◎ 주제 : 기단의 변질과 우리나라의 날씨

기단	변질 과정	기상 현상
A	바다에서 열과 수증기를 공급받아 불안정해진다.	폭설
B	바다에 의해 기단이 냉각되어 안정해진다.	(㉠)

이에 대한 설명으로 옳은 것만을 |보기|에서 있는 대로 고른 것은?

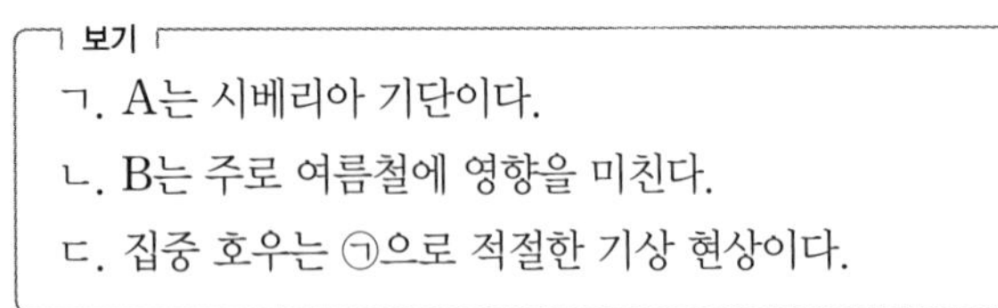

보기

ㄱ. A는 시베리아 기단이다.
ㄴ. B는 주로 여름철에 영향을 미친다.
ㄷ. 집중 호우는 ㉠으로 적절한 기상 현상이다.

① ㄱ ② ㄴ ③ ㄷ
④ ㄱ, ㄴ ⑤ ㄴ, ㄷ

Tip 시베리아 기단은 주로 ❶ [ ]철, 북태평양 기단은 주로 ❷ [ ]철 날씨에 영향을 준다. 답 ❶ 겨울 ❷ 여름

07 그림은 우리나라의 주요 악기상을 구분하는 과정을 나타낸 것이다.

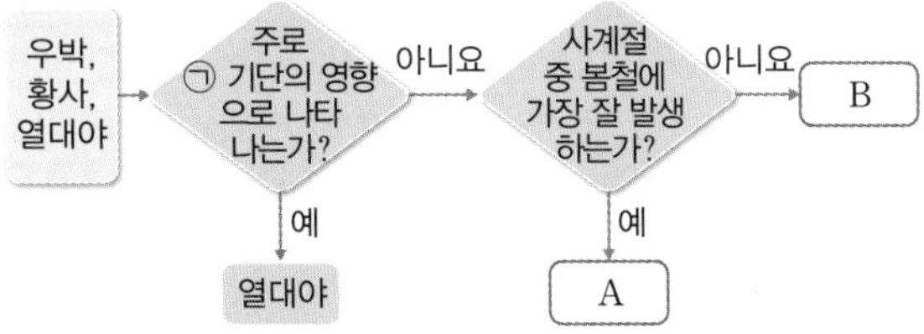
우박, 황사, 열대야
주로 ㉠ 기단의 영향으로 나타나는가?
아니요
사계절 중 봄철에 가장 잘 발생하는가?
아니요
B
예
열대야
예
A

이에 대한 설명으로 옳은 것만을 |보기|에서 있는 대로 고른 것은?

보기

ㄱ. ㉠ 기단은 북태평양 기단이다.
ㄴ. A는 주로 편서풍의 영향을 받는다.
ㄷ. B는 뇌우에 동반되어 나타날 수 있다.

① ㄱ ② ㄴ ③ ㄱ, ㄷ
④ ㄴ, ㄷ ⑤ ㄱ, ㄴ, ㄷ

Tip 황사는 주로 ❶ [ ]철, 열대야는 ❷ [ ]철에 발생하며, 우박은 한여름에는 거의 나타나지 않는다. 답 ❶ 봄 ❷ 여름

08 그림 (가)는 온대 저기압이 이동하는 동안 어느 지역에서 나타난 날씨에 대한 설명을 A, B, C로 순서 없이 나타낸 것이고, (나)는 이 기간의 날씨 변화를 시간 순서대로 만든 다큐멘터리의 장면이다.

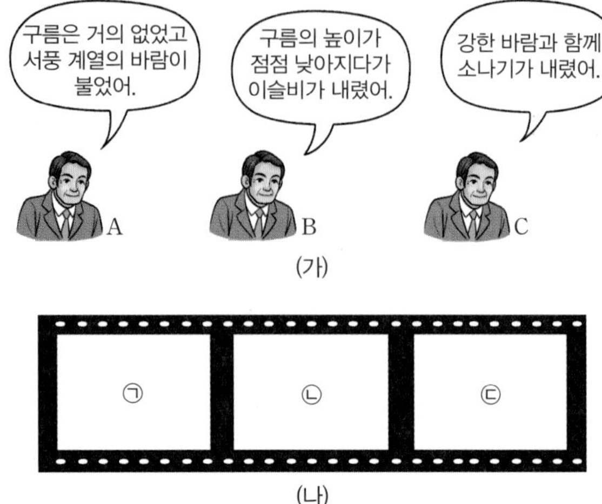
구름은 거의 없었고 서풍 계열의 바람이 불었어.
구름의 높이가 점점 낮아지다가 이슬비가 내렸어.
강한 바람과 함께 소나기가 내렸어.
A
B
C
(가)
㉠
㉡
㉢
(나)

(나)의 ㉠~㉢에 들어갈 날씨를 (가)에서 옳게 고른 것은?

	㉠	㉡	㉢
①	A	B	C
②	B	A	C
③	B	C	A
④	C	A	B
⑤	C	B	A

Tip 우리나라 부근에서 온대 저기압은 ❶ [ ]의 영향으로 서쪽에서 동쪽으로 이동하며, 한랭 전선보다 온난 전선이 관측 지역을 ❷ [ ] 통과한다. 답 ❶ 편서풍 ❷ 먼저

09 그림은 과거의 기후를 연구하는 방법에 대해 학생들이 나눈 대화를 나타낸 것이다.

제시한 의견이 옳은 학생만을 있는 대로 고른 것은?

① A ② C ③ A, B
④ B, C ⑤ A, B, C

Tip 과거의 기후 변화는 나무 ❶ ( ) 연구, ❷ ( ) 시추물 연구, 화석 연구 등을 통해 알아낼 수 있다.

답 ❶ 나이테 ❷ 빙하

10 다음은 엘니뇨 현상에 대한 수업 장면의 일부이다.

교사의 질문에 대해 옳게 말한 학생만을 있는 대로 고른 것은?

① A ② B ③ C
④ A, C ⑤ B, C

Tip 엘니뇨 시기에는 평상시보다 무역풍이 ❶ ( )해져 적도 태평양 ❷ ( ) 해역에서 따뜻한 해수층의 두께가 두꺼워진다.

답 ❶ 약 ❷ 동쪽

11 그림은 1950년부터 2010년까지 대기 중 이산화 탄소 평균 농도 변화와 여름철 북극 얼음 면적 변화에 대한 자료를 보며 나눈 세 학생의 대화를 나타낸 것이다.

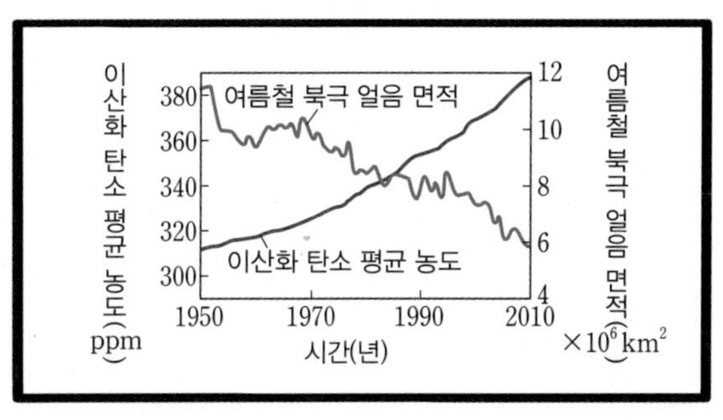

이에 대한 설명으로 옳은 것만을 | 보기 |에서 있는 대로 고른 것은?

보기
ㄱ. 세 학생 중 제시한 내용이 옳은 학생은 B이다.
ㄴ. 이 기간 동안 극지방의 평균 반사율은 대체로 증가하였다.
ㄷ. 이 기간 동안 우리나라에서 여름은 길어지고 겨울은 짧아졌을 것이다.

① ㄱ ② ㄴ ③ ㄷ
④ ㄱ, ㄷ ⑤ ㄴ, ㄷ

Tip 지구 ❶ ( )의 영향으로 우리나라의 기후는 점차 아열대 기후로 변하고 있으며, 주변 해역의 평균 수온도 점점 ❷ ( )하고 있다.

답 ❶ 온난화 ❷ 상승

WEEK

2 V 별과 외계 행성계 VI 외부 은하와 우주 팽창

7강_ 별과 외계 행성계

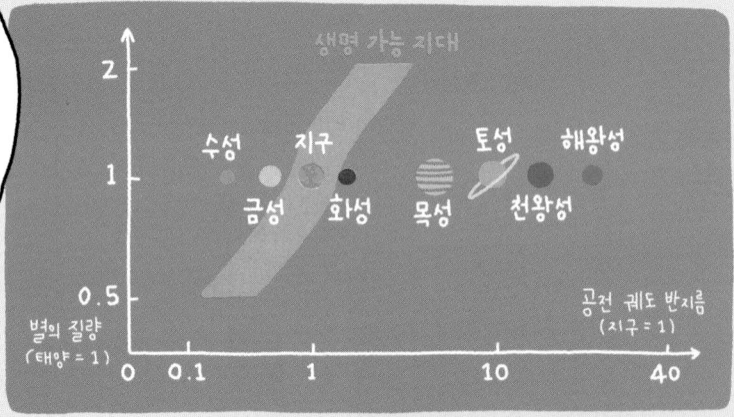

학습할 내용	7강_ 별과 외계 행성계	• 별의 물리량 • H-R도와 별의 진화 • 외계 행성계
	8강_ 외부 은하와 우주 팽창	• 은하의 분류 • 허블 법칙 • 빅뱅(대폭발) 우주론

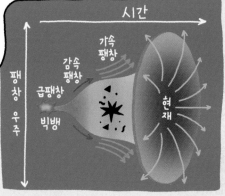

8강_ 외부 은하와 우주 팽창

개념 돌파 전략 ①

개념 1 별의 물리량

1 **분광형과 표면 온도** ❶ ______ 의 종류와 세기를 기준으로 O, B, A, F, G, K, M형으로 분류
- 표면 온도는 O형에서 M형으로 갈수록 감소
- 태양의 분광형은 G형

2 **광도와 크기**
- 표면 온도(T)가 높을수록 최대 에너지를 방출하는 파장(λ_{max})이 짧음

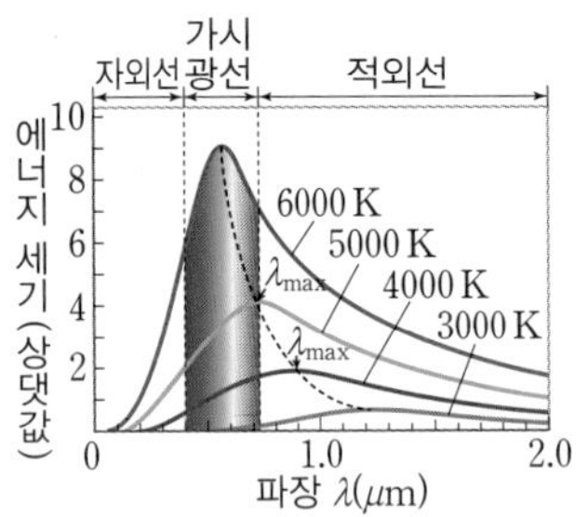

- ❷ ______ (L): 별이 단위 시간 동안 방출하는 에너지의 양

$$L=4\pi R^2\times\sigma T^4$$

답 ❶ 흡수선 ❷ 광도

확인 Q 1

흰색으로 보이는 별의 분광형은 무엇인가?

개념 2 H-R도와 별의 종류

1 **H−R도** 가로축에 별의 분광형 또는 표면 온도, 세로축에 별의 ❶ ______ 또는 광도로 나타낸 도표

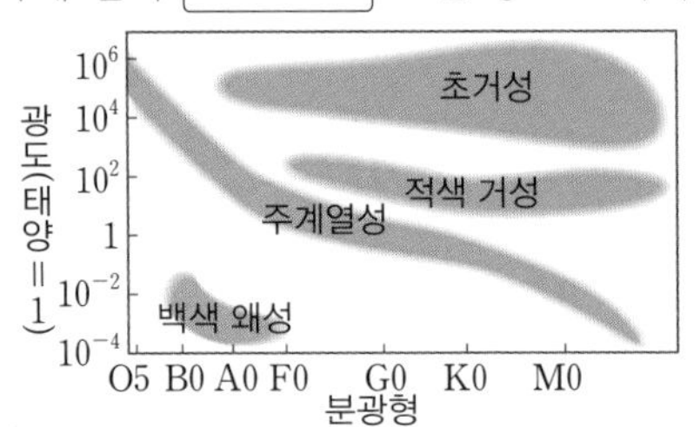

2 **별의 종류**
- 주계열성: 대부분의 별들이 속해 있는 집단
- 적색 거성: 표면 온도가 낮고 광도가 큰 집단
- 초거성: 광도와 반지름이 가장 ❷ ______ 집단
- 백색 왜성: 광도와 반지름이 가장 작은 집단
- H-R도에서 오른쪽 위로 갈수록 별의 반지름이 커지고, 밀도는 작아짐

답 ❶ 절대 등급 ❷ 큰

확인 Q 2

H-R도에서 태양이 속해 있는 별의 집단은 무엇인가?

개념 3 별의 진화

1 **별의 탄생** 성운에서 온도가 낮고 밀도가 높은 곳에서 원시별이 형성
- ❶ ______ 이 클수록 빠르게 진화하여 주계열성이 됨

2 **질량에 따른 별의 진화**
- 태양과 질량이 비슷한 별의 진화 경로

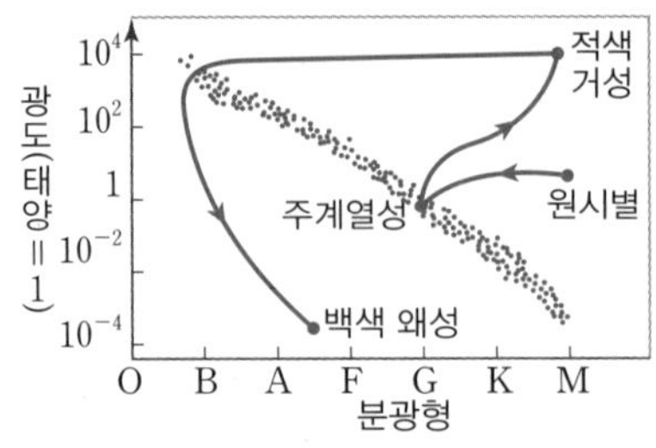

- 태양보다 질량이 훨씬 큰 별의 진화 경로
  주계열성 ➡ 초거성 ➡ ❷ ______ ➡ 중성자별 또는 블랙홀

답 ❶ 질량 ❷ 초신성 폭발

확인 Q 3

질량이 태양과 비슷한 별은 최종 단계에서 어떤 별을 형성하는가?

개념 4 별의 에너지원

1 **원시별의 에너지원** 중력 수축 에너지

2 **주계열성의 에너지원** 중심핵에서 일어나는 수소 ❶ ______ 반응
- 온도가 약 1000만 K 이상에서 일어남
- 감소한 ❷ ______ 만큼 에너지로 전환됨

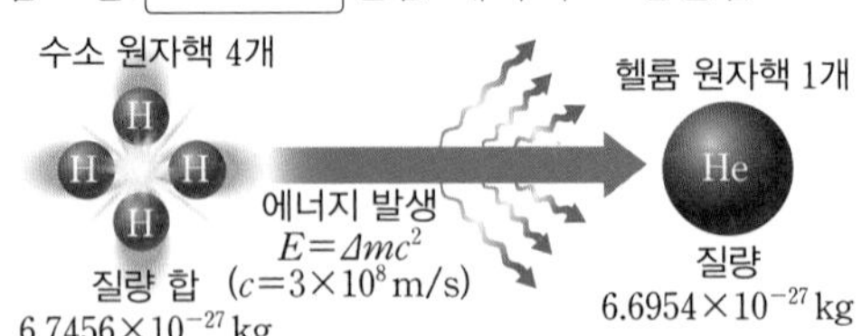

3 **수소 핵융합 반응의 종류**
- p−p 반응: 중심부의 온도가 1800만 K 이하인 별에서 우세
- CNO 순환 반응: 중심부의 온도가 1800만 K 이상인 별에서 우세

답 ❶ 핵융합 ❷ 질량

확인 Q 4

태양의 중심부에서는 (p−p , CNO 순환) 반응이 더 우세하다.

개념 5 별의 내부 구조

1 **정역학 평형** 주계열성은 기체의 압력 차로 발생한 힘과 ❶ ( ) 이 평형을 이루어 일정한 크기를 유지

2 **주계열성의 내부 구조**

태양 질량의 2배 이하	태양 질량의 2배 이상
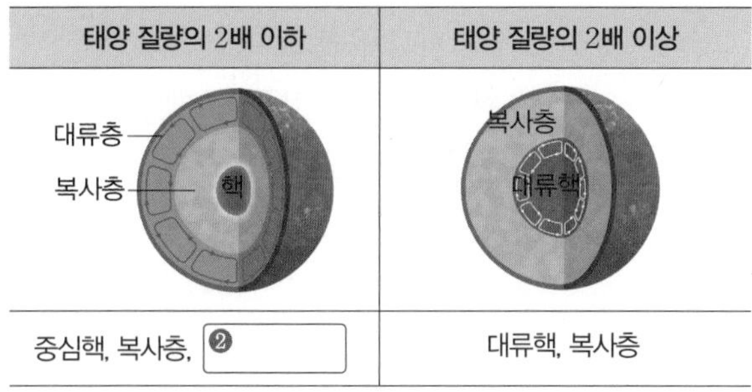	
중심핵, 복사층, ❷ ( )	대류핵, 복사층

3 **거성의 내부 구조**

- 적색 거성: 중심부에 탄소(C)핵이 형성됨
- 초거성: 연속적인 핵융합 반응으로 양파 껍질과 비슷한 구조를 가지며 최종적으로 철(Fe)핵이 형성됨

답 ❶ 중력 ❷ 대류층

확인 Q 5

태양에서 중심핵과 대류층 사이에 존재하는 층은 무엇인가?

개념 6 외계 행성 탐사 방법

1 **시선 속도 변화 이용** 별빛 스펙트럼의 파장 변화로 행성의 존재를 확인

2 **식 현상 이용** 행성이 중심별의 앞면을 지날 때 일어나는 별의 ❶ ( ) 변화로 행성의 존재를 확인

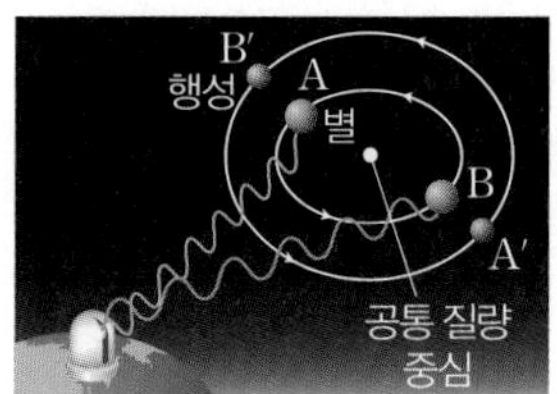

▲ 시선 속도 이용

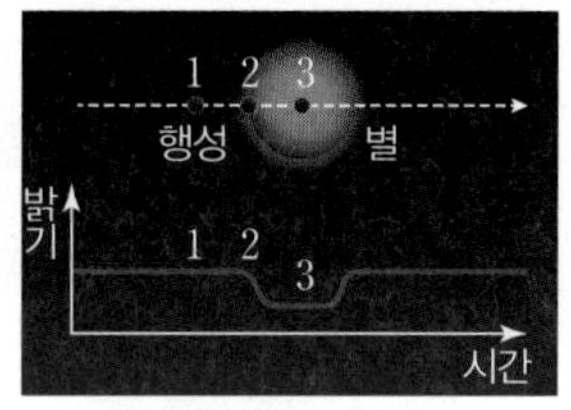

▲ 식 현상 이용

3 **미세 중력 렌즈 효과 이용** 멀리 있는 배경별의 빛이 앞쪽 별과 행성의 ❷ ( ) 에 의해 굴절되는 현상을 이용하여 행성의 존재를 확인

4 **직접 촬영법** 거리가 아주 가까운 행성만 가능함

답 ❶ 밝기 ❷ 중력

확인 Q 6

중심별이 지구 쪽으로 접근하면 별빛 스펙트럼의 파장이 (길어 , 짧아)진다.

개념 7 외계 행성 탐사 결과

1 행성이 발견된 중심별은 대부분 태양과 질량이 비슷함

- 우리 은하에는 태양과 비슷한 질량을 가진 별이 많음

2 **외계 행성 탐사 결과**

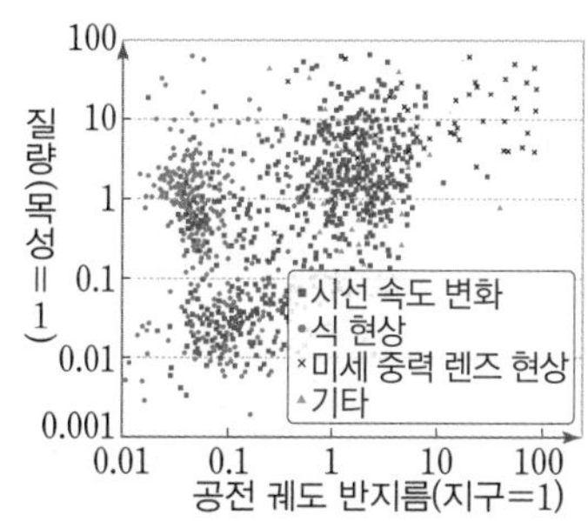

- 주로 ❶ ( ) 변화와 식 현상을 이용하여 발견함
- 발견된 외계 행성은 대부분 지구보다 ❷ ( ) 이 큼

답 ❶ 시선 속도 ❷ 질량

확인 Q 7

식 현상을 이용하여 발견한 행성들은 대부분 공전 궤도 반지름이 지구보다 (크 , 작)다.

개념 8 생명 가능 지대

1 **생명체가 존재하기 위한 조건** 액체 상태의 물

2 **생명 가능 지대** 별 주변에서 ❶ ( ) 상태의 물이 존재할 수 있는 영역

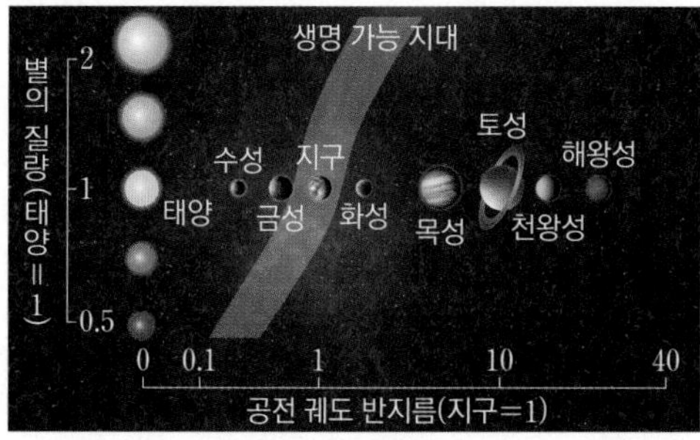

- 중심별의 광도가 클수록 ❷ ( ) 는 별로부터 멀어지고, 폭이 넓어짐

답 ❶ 액체 ❷ 생명 가능 지대

확인 Q 8

태양계에서 생명 가능 지대에 있는 행성은?

개념 돌파 전략 ①

개념 1 허블의 은하 분류

1 허블의 은하 분류 외부 은하를 ❶ [　　] 영역에서 관측되는 형태에 따라 분류

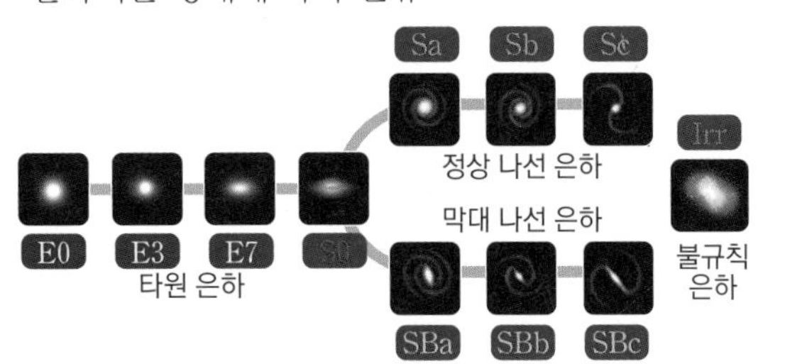

2 은하의 종류와 특징

종류	특징
타원 은하	• 편평도에 따라 E0~E7로 세분 • 성간 물질이 적음, 늙은 별로 구성
나선 은하	• ❷ [　　] 구조의 유무에 따라 정상 나선 은하와 막대 나선 은하로 구분 • 늙은 별과 젊은 별로 구성
불규칙 은하	• 규칙적인 모양이 없음 • 성간 물질이 많음, 젊은 별로 구성

답 ❶ 가시광선 ❷ 막대

확인 Q 1

허블의 은하 분류에 따르면 우리 은하는 어떤 은하에 속하는가?

개념 2 특이 은하

1 특이 은하 일반 은하와 다른 특징을 가진 은하

- 중심부에 ❶ [　　]이 존재하는 활동적인 은하

2 특이 은하의 종류

- 전파 은하: 전파 영역에서 매우 강한 복사 에너지를 방출, 제트와 로브 구조가 나타남
- 퀘이사: 하나의 별처럼 보임. 매우 멀리 떨어져 있어 ❷ [　　] 편이가 매우 큼
- 세이퍼트은하: 중심핵이 매우 밝고, 방출선의 폭이 넓음. 대부분 나선 은하 형태로 관측됨

전파 은하

퀘이사

세이퍼트은하

답 ❶ 블랙홀 ❷ 적색

확인 Q 2

특이 은하 중에서 평균 거리가 가장 먼 것은 무엇인가?

개념 3 허블 법칙

1 외부 은하의 스펙트럼 대부분의 외부 은하의 스펙트럼에서 ❶ [　　] 편이가 관측됨

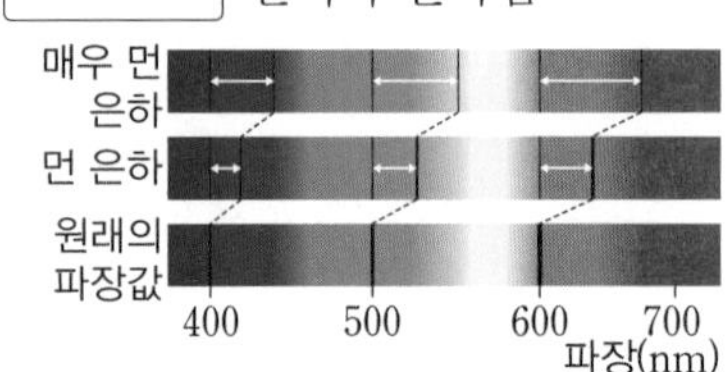

2 허블 법칙

- 외부 은하의 거리(r)와 후퇴 속도(v)가 ❷ [　　]
- 그래프에서 기울기는 허블 상수

$$v=H\times r,\ \frac{v}{r}=H\,(H:\text{ 허블 상수})$$

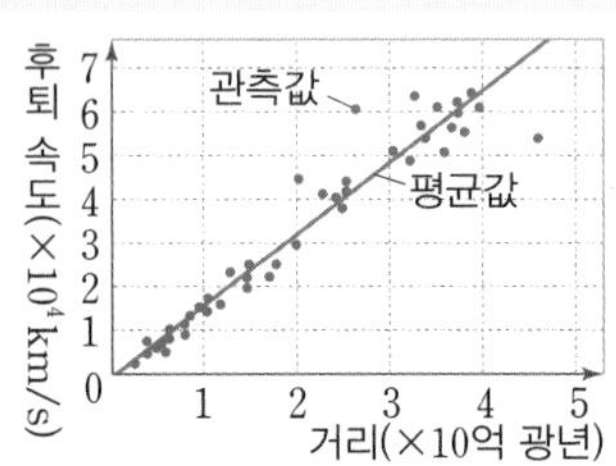

답 ❶ 적색 ❷ 비례

확인 Q 3

거리가 먼 은하일수록 스펙트럼에 나타난 흡수선의 파장이 (길어 , 짧아)진다.

개념 4 정상 우주론과 빅뱅 우주론

1960년대 중반까지 경쟁하던 대표적인 우주론은 정상 우주론과 빅뱅 우주론이었다.

정상 우주론	빅뱅 우주론
• 우주는 영원함 • 우주의 크기는 무한함 • 새로운 물질 생성 • 우주의 온도와 밀도는 ❶ [　　]	• 우주는 어느 시점에 시작됨 • 우주의 크기는 유한함 • 팽창함에 따라 우주의 온도와 밀도가 ❷ [　　]

답 ❶ 일정 ❷ 감소

확인 Q 4

빅뱅 우주론에서는 우주가 팽창할 때, 우주의 질량은 (증가한다 , 일정하다 , 감소한다)고 설명한다.

개념 5 빅뱅 우주론의 근거

1 우주 배경 복사 우주의 나이가 약 38만 년일 때 중성 원자가 생성되어 우주가 투명해지면서 우주 전체에 퍼진 복사

- 약 ❶ ______ K일 때 생성된 우주 배경 복사가 현재는 2.7 K로 관측됨
- 우주 배경 복사의 분포와 세기: 거의 균일하지만 방향에 따라 미세한 차이가 있음

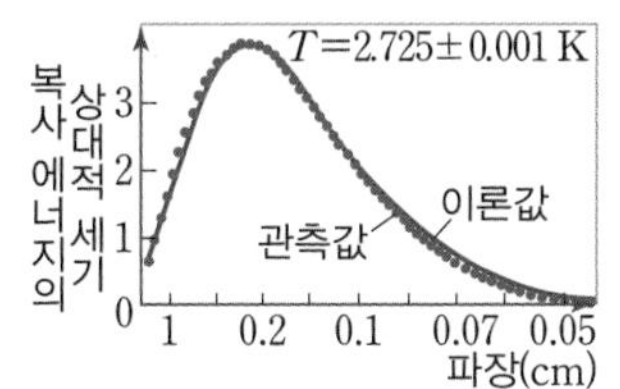

▲ 우주 배경 복사의 분포와 파장에 따른 상대적 세기

2 가벼운 원소의 비율

- 우주 전체에서 수소와 헬륨의 질량비는 약 ❷ ______
- 빅뱅 후 처음 3분 동안 핵합성 과정을 거쳐 형성

답 ❶ 3000 ❷ 3 : 1

확인 Q 5

우주가 팽창함에 따라 우주 배경 복사의 파장은 어떻게 변하는가?

개념 6 급팽창 이론

1 우주의 급팽창

- 급팽창 시기 동안 우주는 빛보다 ❶ ______ 팽창
- 빅뱅 직후 극히 짧은 시간 동안 우주가 급격히 팽창

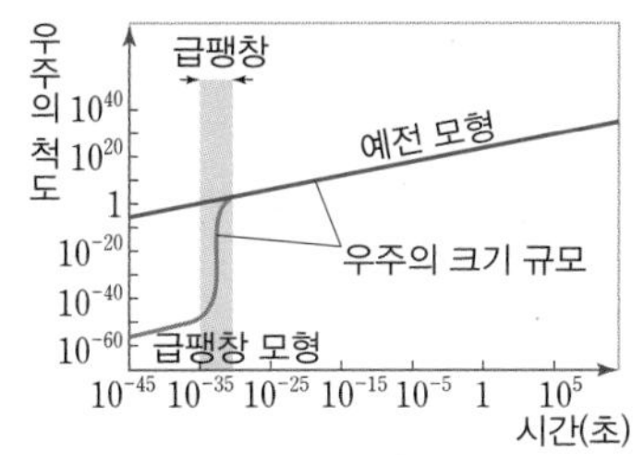

2 빅뱅 우주론의 문제점 급팽창 이론은 빅뱅 우주론에서 설명하기 어려웠던 편평성 문제, ❷ ______ 문제, 자기 홀극 문제를 설명할 수 있다.

답 ❶ 빠르게 ❷ 지평선

확인 Q 6

급팽창 이전에는 우주의 크기가 우주의 지평선보다 (컸다 , 작았다).

개념 7 우주 구성 요소

현재 우주는 약 4.9 %의 보통 물질과 26.8 %의 암흑 물질, 68.3 %의 암흑 에너지로 이루어져 있음

보통 물질(4.9 %)
암흑 물질 (26.8 %)
암흑 에너지 (68.3 %)

- 보통 물질: 전자기파를 흡수하거나 방출하는 물질
- 암흑 물질: 질량이 있으므로 ❶ ______과 상호 작용함
- 암흑 에너지: 척력(중력의 반대 방향)으로 작용하며, ❷ ______ 팽창시키는 역할을 함

답 ❶ 중력 ❷ 가속

확인 Q 7

별과 성간 물질은 (보통 물질 , 암흑 물질 , 암흑 에너지)에 속한다.

개념 8 우주 모형

1 표준 우주 모형 가속 팽창하는 평탄 우주

- 우주의 밀도는 ❶ ______ 밀도와 같다 ➡ 평탄 우주
- 현재 암흑 에너지의 비율이 가장 높음 ➡ 가속 팽창

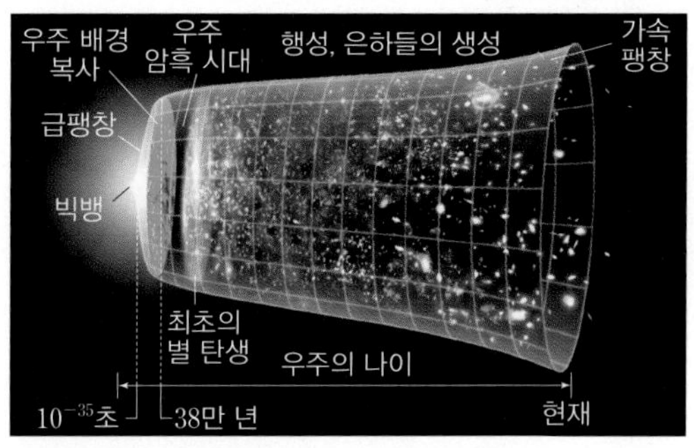

2 우주의 팽창 속도 변화 빅뱅 ➡ 급팽창 ➡ 감속 팽창 ➡ 가속 팽창

3 우주의 미래 ❷ ______에 의한 영향이 점차 증가하여 미래에 우주는 계속 가속 팽창

답 ❶ 임계 ❷ 암흑 에너지

확인 Q 8

평탄 우주에서 우주의 곡률은 (양(+) , 음(−) , 0)이다.

WEEK 2 DAY 1

개념 돌파 전략 ②

7강_ 별과 외계 행성계

1 그림은 별이 단위 시간 동안 단위 면적에서 방출하는 에너지양 A와 별의 반지름 R를 나타낸 것이다. 이에 대한 설명으로 옳은 것만을 | 보기 |에서 있는 대로 고른 것은?

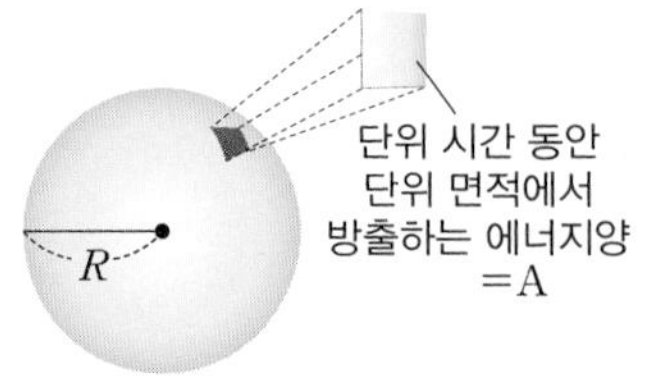

| 보기 |
ㄱ. A는 표면 온도에 반비례한다.
ㄴ. 별의 크기가 같을 때, 광도는 A가 클수록 작다.
ㄷ. 1초마다 별이 방출하는 에너지양은 $4\pi R^2 \times$ A이다.

① ㄱ ② ㄷ ③ ㄱ, ㄴ
④ ㄴ, ㄷ ⑤ ㄱ, ㄴ, ㄷ

문제 해결 전략

별의 스펙트럼을 분석하여 ❶ [ ] 를 알아내고, 별의 절대 등급을 이용하여 별의 ❷ [ ] 를 알아내면 별의 반지름(R)을 구할 수 있다.

$$L=4\pi R^2\cdot\sigma T^4 \Rightarrow R\propto\frac{\sqrt{L}}{T^2}$$

답 ❶ 표면 온도 ❷ 광도

2 그림은 H−R도에 별 a~d와 태양의 위치를 나타낸 것이다. 별 a~d에 대한 설명으로 옳은 것만을 | 보기 |에서 있는 대로 고른 것은?

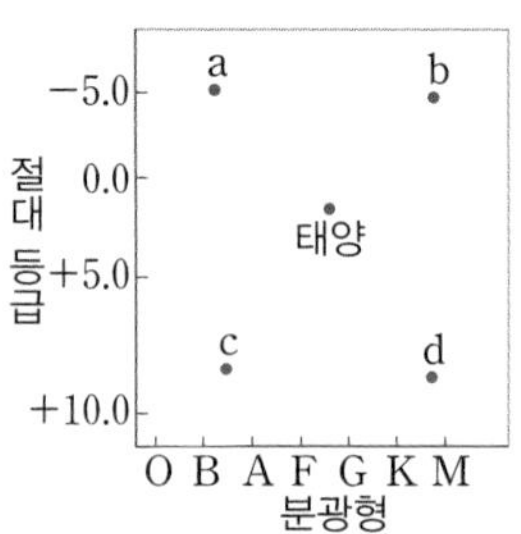

| 보기 |
ㄱ. a와 d는 주계열성이다.
ㄴ. 반지름은 b가 가장 크다.
ㄷ. 별의 밀도는 c가 가장 크다.

① ㄱ ② ㄷ ③ ㄱ, ㄴ
④ ㄴ, ㄷ ⑤ ㄱ, ㄴ, ㄷ

문제 해결 전략

- 주계열성: H-R도의 왼쪽 위에서 오른쪽 아래로 대각선을 따라 분포하는 별
- 적색 거성: 주계열의 오른쪽 위에 분포하는 별들로 대체로 ❶ [ ] 색을 띤다.
- 초거성: H-R도에서 적색 거성보다 위쪽에 분포하는 별이다.
- 백색 왜성: H-R도의 왼쪽 아래에 분포하는 별들로, 표면 온도가 높지만 ❷ [ ] 이 매우 작다.

답 ❶ 붉은 ❷ 반지름

3 외계 행성의 존재를 알아내기 위한 관측 방법으로 옳지 <u>않은</u> 것은?

① 중심별 주변의 행성을 직접 촬영한다.
② 중심별의 분광형과 절대 등급을 측정한다.
③ 별빛 스펙트럼에 나타나는 파장 변화를 관측한다.
④ 행성의 식 현상에 의한 별의 밝기 변화를 관측한다.
⑤ 미세 중력 렌즈 현상에 의한 배경별의 밝기 변화를 관측한다.

문제 해결 전략

행성의 ❶ [ ] 이 관측자의 시선 방향과 나란한 경우에는 도플러 효과, 식 현상, 미세 ❷ [ ] 현상을 모두 이용하여 외계 행성의 존재를 확인할 수 있다.

답 ❶ 공전 궤도면 ❷ 중력 렌즈

8강_ 외부 은하와 우주 팽창

4 외부 은하를 형태에 따라 분류할 때 우리 은하와 같은 집단에 속하는 은하는?

① 
② 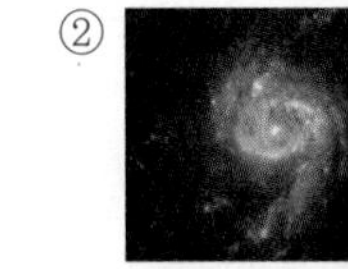
③ 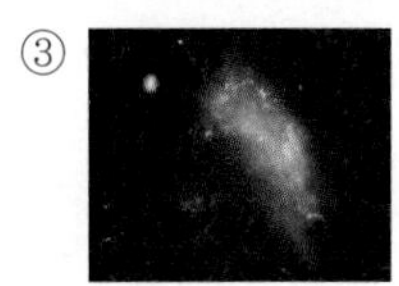
④ 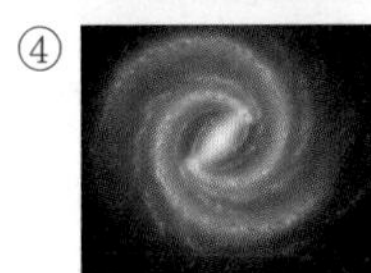
⑤ 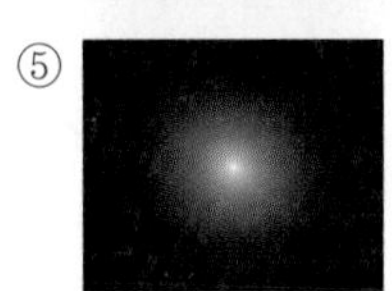

문제 해결 전략

허블은 외부 은하를 가시광선 영역에서 관측되는 형태에 따라 ❶ ______ 은하, 나선 은하, 불규칙 은하로 분류하였다. 나선 은하는 은하핵을 가로지르는 막대 모양 구조의 유무에 따라 ❷ ______ 은하와 정상 나선 은하로 구분한다.

답 ❶ 타원 ❷ 막대 나선

5 그림은 하늘의 모든 방향에서 관측되는 어떤 복사 에너지의 분포를 나타낸 것이다. 이 복사 에너지에 대한 설명으로 옳은 것만을 | 보기 |에서 있는 대로 고른 것은?

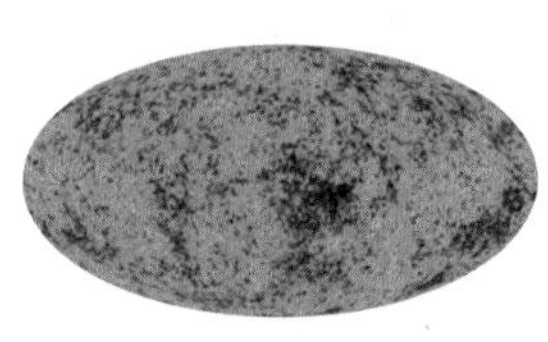

보기
ㄱ. 우주 배경 복사이다.
ㄴ. 약 2.7 K 흑체 복사와 일치한다.
ㄷ. 빅뱅 우주론이 옳다는 근거가 된다.

① ㄱ ② ㄴ ③ ㄱ, ㄷ
④ ㄴ, ㄷ ⑤ ㄱ, ㄴ, ㄷ

문제 해결 전략

빅뱅 후 약 38만 년이 지났을 때 우주는 충분히 식어서 원자핵과 전자가 결합해 중성 원자가 만들어지면서 투명한 우주가 되었다. 이 당시의 복사가 우주를 자유롭게 진행하기 시작하였는데, 이를 ❶ ______ 복사라고 한다. 이 복사는 우주가 ❷ ______ 하면서 온도가 낮아지고 파장이 길어져 현재는 약 2.7 K 복사로 관측되고 있다.

답 ❶ 우주 배경 ❷ 팽창

6 그림은 현재 우주의 구성 요소 비율을 나타낸 것이다. 이에 대한 설명으로 옳은 것만을 | 보기 |에서 있는 대로 고른 것은?

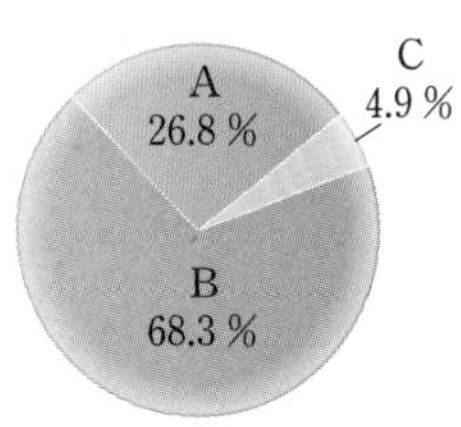

보기
ㄱ. A는 암흑 물질이다.
ㄴ. B는 전자기파를 흡수하거나 방출하는 물질이다.
ㄷ. C는 우주를 가속 팽창시키는 원인으로 알려져 있다.

① ㄱ ② ㄷ ③ ㄱ, ㄴ
④ ㄴ, ㄷ ⑤ ㄱ, ㄴ, ㄷ

문제 해결 전략

현재 우주는 물질보다 암흑 에너지의 비율이 ❶ ______ 다. 따라서 시간이 흐를수록 암흑 에너지가 차지하는 비율이 증가하여 우주는 ❷ ______ 팽창할 것으로 예측하고 있다.

답 ❶ 높 ❷ 가속

WEEK 2 DAY 2 필수 체크 전략 ①

대표 기출 1

2022 6월 모평 14번

그림은 분광형이 서로 다른 별 (가), (나), (다)가 방출하는 복사 에너지의 상대적 세기를 파장에 따라 나타낸 것이다. (가)의 분광형은 O형이고, (나)와 (다)는 각각 A형과 G형 중 하나이다. **이 자료에 대한 설명으로 옳은 것만을 |보기|에서 있는 대로 고른 것은?**

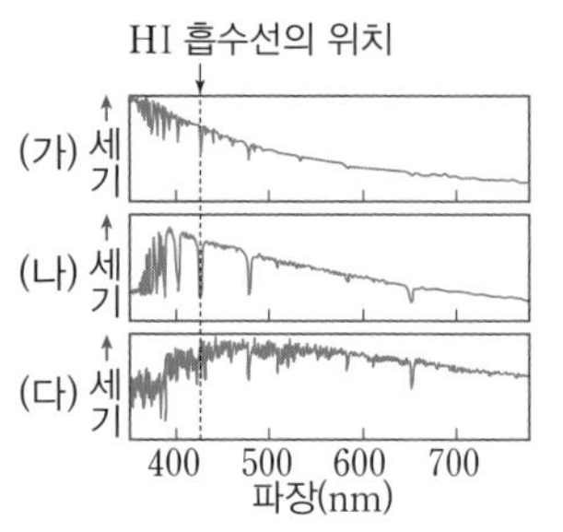

보기

ㄱ. HⅠ 흡수선의 세기는 (가)가 (나)보다 강하게 나타난다.

ㄴ. 복사 에너지를 최대로 방출하는 파장은 (나)가 (다)보다 길다.

ㄷ. 표면 온도는 (나)가 태양보다 높다.

① ㄱ ② ㄴ ③ ㄷ ④ ㄱ, ㄴ ⑤ ㄴ, ㄷ

Tip 별의 표면 온도가 높을수록 최대 복사 에너지를 방출하는 파장이 짧아진다.

풀이 ㄱ. (가)는 O형, (나)는 A형이므로 HⅠ 흡수선의 세기는 (나)가 더 강하다.

ㄴ. 복사 에너지를 최대로 방출하는 파장은 (다)가 (나)보다 길다.

ㄷ. (나)는 A형이므로 태양보다 표면 온도가 높다.

답 ③

대표 기출 2

2021 6월 모평 12번

표는 질량이 서로 다른 별 A~D의 물리적 성질을, 그림은 별 A와 D를 H－R도에 나타낸 것이다. $L_⊙$는 태양 광도이다.

별	표면 온도 (K)	광도 ($L_⊙$)
A	(　)	(　)
B	3500	100000
C	20000	10000
D	(　)	(　)

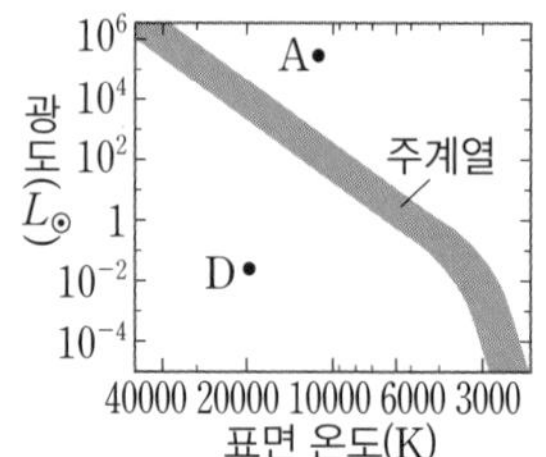

이 자료에 대한 설명으로 옳은 것만을 |보기|에서 있는 대로 고른 것은?

보기

ㄱ. A와 B는 적색 거성이다.

ㄴ. 반지름은 B＞C＞D이다.

ㄷ. C의 나이는 태양보다 적다.

① ㄱ ② ㄷ ③ ㄱ, ㄴ ④ ㄴ, ㄷ ⑤ ㄱ, ㄴ, ㄷ

Tip 주계열성의 질량이 클수록 진화가 빠르므로 주계열에 머무는 시간이 짧다.

풀이 ㄱ. A와 B는 모두 초거성이다.

ㄴ. B는 초거성, C는 주계열성, D는 백색 왜성이므로 반지름은 B＞C＞D이다.

ㄷ. C는 질량이 태양보다 훨씬 크고 나이가 적은 주계열성이다.

답 ④

확인 1-1

그림은 태양과 별 (가), (나)의 파장에 따른 복사 에너지 분포를 나타낸 것이며, (가)와 (나)는 절대 등급이 같다. 이에 대한 설명으로 옳은 것만을 |보기|에서 있는 대로 고르시오.

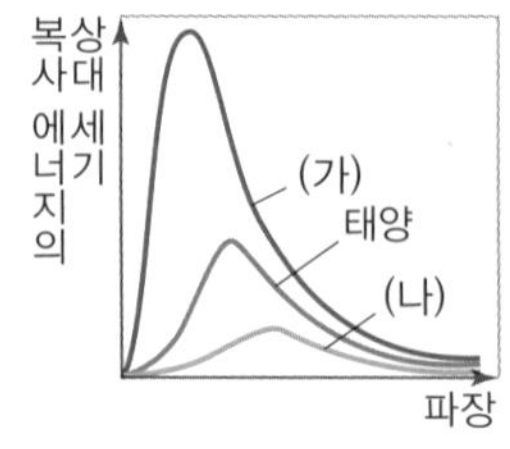

보기

ㄱ. 별이 단위 시간 동안 단위 면적에서 방출하는 에너지양은 (가)가 태양보다 많다.

ㄴ. (나)는 파란색 별이다.

ㄷ. 별의 반지름은 (가)가 (나)보다 크다.

확인 2-1

표는 별 (가), (나), (다)의 분광형과 절대 등급을 나타낸 것이다. 이에 대한 설명으로 옳은 것만을 |보기|에서 있는 대로 고르시오.

별	분광형	절대 등급
(가)	G	＋5.0
(나)	A	＋1.0
(다)	B	＋10.0

보기

ㄱ. (가)의 중심부에는 대류핵이 존재한다.

ㄴ. 별이 단위 시간 동안 방출하는 에너지양은 (나)가 (다)보다 많다.

ㄷ. 별의 반지름은 (다)가 가장 작다.

대표 기출 3

2021 수능 16번

그림은 주계열성 A와 B가 각각 A′와 B′로 진화하는 경로를 H−R도에 나타낸 것이다. B는 태양이다. **이에 대한 설명으로 옳은 것만을 |보기|에서 있는 대로 고른 것은?**

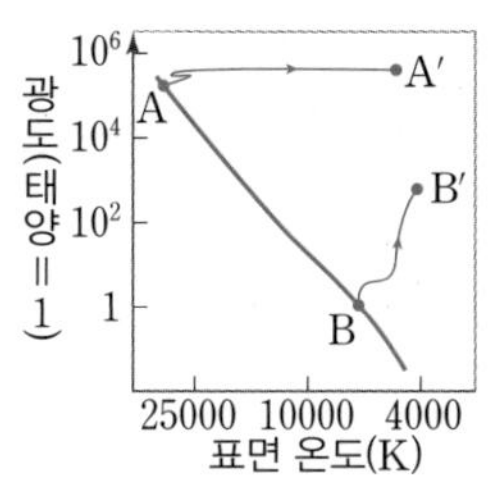

보기

ㄱ. A가 A′로 진화하는 데 걸리는 시간은 B가 B′로 진화하는 데 걸리는 시간보다 짧다.

ㄴ. B와 B′의 중심핵은 모두 탄소를 포함한다.

ㄷ. A는 B보다 최종 진화 단계에서의 밀도가 크다.

① ㄱ　② ㄷ　③ ㄱ, ㄴ　④ ㄴ, ㄷ　⑤ ㄱ, ㄴ, ㄷ

Tip A와 B는 모두 주계열성에서 거성으로 진화하고 있다.

풀이 ㄱ. 진화하는 데 걸리는 시간은 질량이 큰 A가 B보다 짧다.

ㄴ. B는 태양이므로 중심부에서 헬륨 핵융합 반응까지 일어나 탄소 원자핵까지 만들어진다.

ㄷ. A는 중성자별(또는 블랙홀)로 진화하고, B는 백색 왜성으로 진화한다.

답 ⑤

대표 기출 4

2021 6월 모평 19번

그림 (가)와 (나)는 주계열에 속한 별 A와 B에서 우세하게 일어나는 핵융합 반응을 각각 나타낸 것이다.

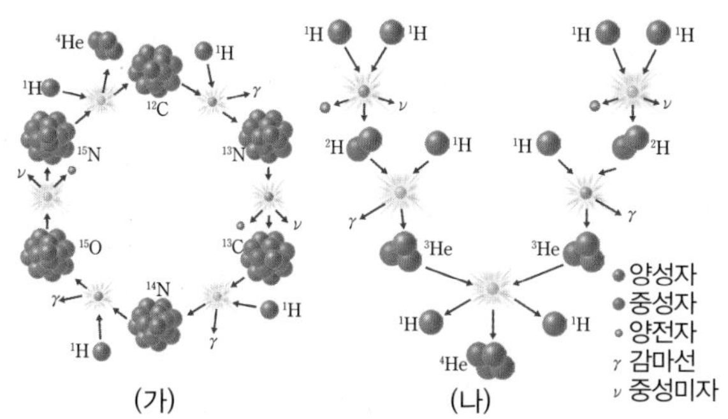

이에 대한 설명으로 옳은 것만을 |보기|에서 있는 대로 고른 것은?

보기

ㄱ. 별의 내부 온도는 A가 B보다 높다.

ㄴ. (가)에서 ^{12}C는 촉매이다.

ㄷ. (가)와 (나)에 의해 별의 질량은 감소한다.

① ㄱ　② ㄷ　③ ㄱ, ㄴ　④ ㄴ, ㄷ　⑤ ㄱ, ㄴ, ㄷ

Tip (가)는 CNO 순환 반응이고, (나)는 p−p 반응이다.

풀이 ㄱ. (가)의 반응이 우세한 A가 B보다 내부 온도가 높다.

ㄴ. (가)에서 탄소, 질소, 산소는 촉매 역할을 한다.

ㄷ. 핵융합 반응이 진행되면서 전환되는 에너지만큼 별의 질량 감소가 나타난다.

답 ⑤

확인 3-1

그림은 세 별이 진화하여 주계열성 A, B, C가 되기까지의 경로를 H-R도에 나타낸 것이다. 이에 대한 설명으로 옳은 것만을 |보기|에서 있는 대로 고르시오.

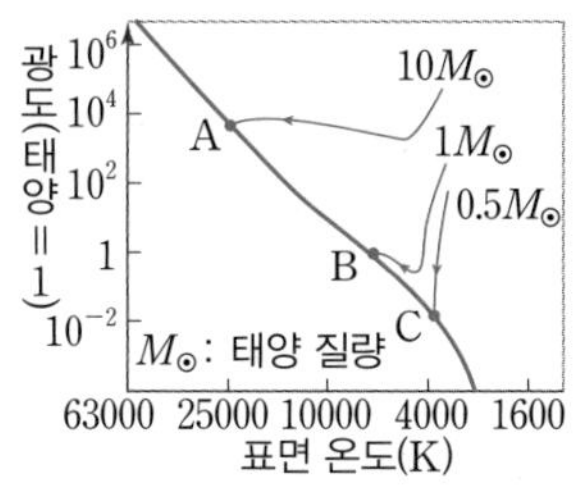

보기

ㄱ. 주계열성이 되는 데 걸린 시간은 A가 B보다 길다.

ㄴ. 진화하는 동안 표면 온도의 변화는 질량이 클수록 작게 나타난다.

ㄷ. 진화하는 동안 세 별 모두 반지름이 감소한다.

확인 4-1

그림은 별의 중심부 온도에 따른 p−p 반응과 CNO 순환 반응의 에너지 생성량을 A, B로 순서 없이 나타낸 것이다. 이에 대한 설명으로 옳은 것만을 |보기|에서 있는 대로 고르시오.

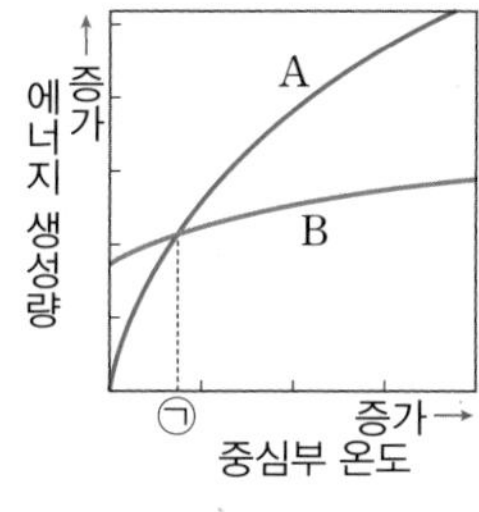

보기

ㄱ. A는 CNO 순환 반응이다.

ㄴ. 태양의 중심부 온도는 ㉠보다 높다.

ㄷ. 분광형이 M형인 주계열성에서는 A보다 B가 우세하다.

필수 체크 전략 ①

대표 기출 5

2022 9월 모평 18번

그림 (가)와 (나)는 서로 다른 외계 행성계에서 행성이 식 현상을 일으킬 때, 중심별의 상대적 밝기 변화를 시간에 따라 나타낸 것이다. 두 중심별의 반지름은 같고, 각 행성은 원궤도를 따라 공전하며, 공전 궤도면은 관측자의 시선 방향과 나란하다.

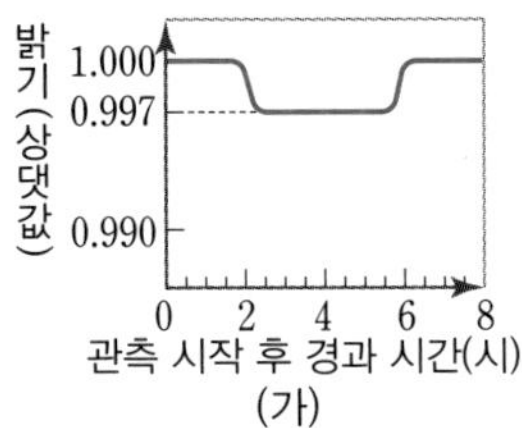

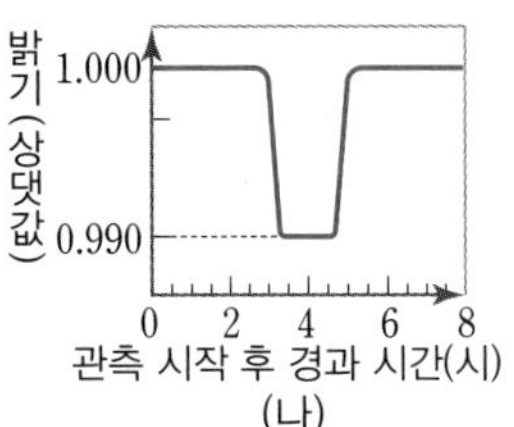

이에 대한 설명으로 옳은 것만을 보기 에서 있는 대로 고른 것은?

보기

ㄱ. 식 현상이 지속되는 시간은 (가)가 (나)보다 길다.

ㄴ. (가) 행성 반지름은 (나) 행성 반지름의 0.3배이다.

ㄷ. 중심별의 흡수선 파장은 식 현상이 시작되기 직전이 식 현상이 끝난 직후보다 길다.

① ㄱ ② ㄴ ③ ㄱ, ㄷ
④ ㄴ, ㄷ ⑤ ㄱ, ㄴ, ㄷ

Tip 중심별이 행성에 의해 가려지는 면적은 행성 반지름의 제곱에 비례한다.

풀이 ㄱ. 별의 밝기 감소가 나타나는 시간은 (가)>(나)이다.
ㄴ. 밝기 감소량이 0.3배이므로 행성의 반지름은 $\sqrt{0.3}$배이다.
ㄷ. 식 현상이 끝난 직후에 별은 지구 쪽으로 접근한다. 답 ③

확인 5-1

그림은 외계 행성의 식 현상에 의해 일어나는 중심별의 밝기 변화를 나타낸 것이다. 이에 대한 설명으로 옳은 것만을 보기 에서 있는 대로 고르시오.

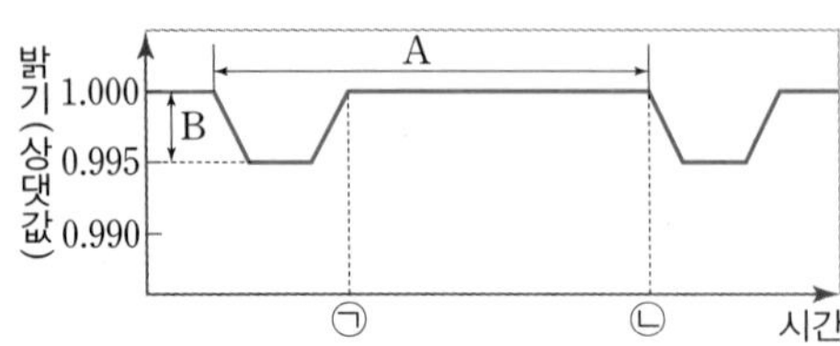

보기

ㄱ. A는 행성의 공전 주기에 해당한다.

ㄴ. B는 중심별의 반지름이 클수록 커진다.

ㄷ. 중심별의 흡수선 파장은 ㉠보다 ㉡일 때 길다.

대표 기출 6

2020 4월 학평 18번

그림은 서로 다른 주계열성 A, B, C를 각각 원 궤도로 공전하는 행성을 나타낸 것이다.

●: 생명 가능 지대에 위치한 행성
●: 생명 가능 지대에 위치하지 않은 행성

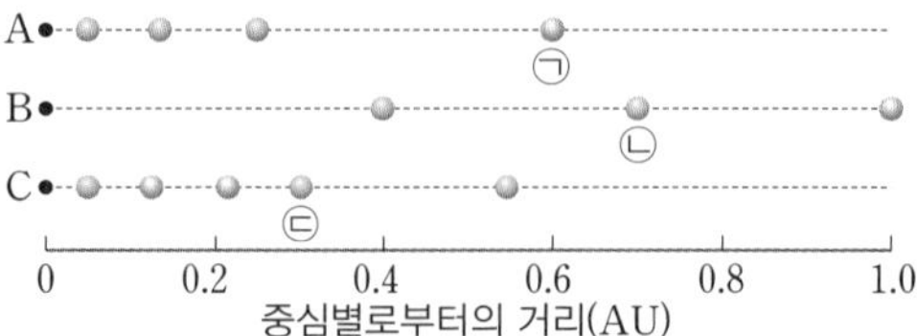

이에 대한 설명으로 옳은 것만을 보기 에서 있는 대로 고른 것은? (단, 행성의 대기 조건은 고려하지 않는다.)

보기

ㄱ. ㉠에서는 물이 액체 상태로 존재할 수 있다.

ㄴ. 행성의 평균 표면 온도는 ㉡보다 ㉢이 높다.

ㄷ. 생명 가능 지대의 폭은 A, B, C 중 C가 가장 넓다.

① ㄱ ② ㄴ ③ ㄱ, ㄷ
④ ㄴ, ㄷ ⑤ ㄱ, ㄴ, ㄷ

Tip 중심별의 광도가 클수록 생명 가능 지대는 중심별에서 멀어지고, 폭은 넓어진다.

풀이 ㄱ. ㉠은 생명 가능 지대에 있으므로 액체 상태의 물이 존재할 수 있다.
ㄴ. 행성의 평균 표면 온도는 생명 가능 지대보다 안쪽에 위치한 ㉡이 바깥쪽에 위치한 ㉢보다 높다.
ㄷ. 생명 가능 지대의 거리가 멀수록 폭이 넓다. 답 ①

확인 6-1

2022 9월 모평 6번

표는 생명 가능 지대에 있는 행성 (가)와 (나)의 물리량을 나타낸 것이다. (가)와 (나)의 중심별은 주계열성이다.

외계 행성	중심별의 광도 (태양=1)	중심별로부터의 거리(AU)	단위 시간당 단위 면적이 받는 복사 에너지양 (지구=1)
(가)	0.0005	㉠	1
(나)	1.2	1	㉡

이에 대한 설명으로 옳은 것만을 보기 에서 있는 대로 고르시오.

보기

ㄱ. ㉠은 1보다 작다.

ㄴ. ㉡은 1보다 작다.

ㄷ. 행성이 생명 가능 지대에 머물 수 있는 시간은 (나)가 (가)보다 길다.

대표 기출 7 2021 수능 18번

그림 (가)는 별 A와 B의 상대적 위치 변화를 시간 순서로 배열한 것이고, (나)는 (가)의 관측 기간 동안 이 중 한 별의 밝기 변화를 나타낸 것이다. 이 기간 동안 B는 A보다 지구로부터 멀리 있고, 별과 행성에 의한 미세 중력 렌즈 효과가 관측되었다.

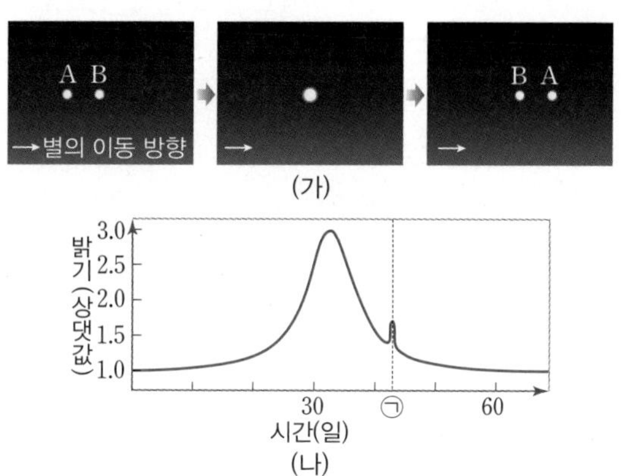

(가)

(나)

이 자료에 대한 설명으로 옳은 것만을 보기 에서 있는 대로 고른 것은?

보기

ㄱ. (나)의 ㉠ 시기에 관측자와 두 별의 중심은 일직선 상에 위치한다.

ㄴ. (나)에서 별의 겉보기 등급 최대 변화량은 1등급보다 작다.

ㄷ. (나)로부터 A가 행성을 가지고 있다는 것을 알 수 있다.

① ㄱ ② ㄷ ③ ㄱ, ㄴ
④ ㄴ, ㄷ ⑤ ㄱ, ㄴ, ㄷ

Tip 가까이 있는 별이 행성을 거느리고 있으면 행성의 중력이 더해져 일시적으로 멀리서 오는 별빛이 좀 더 밝아진다.

풀이 ㄱ. (나)의 ㉠ 시기에 행성에 의한 미세 중력 렌즈 효과가 일어났으므로 관측자와 별 B, 행성이 일직선상에 위치한다.
ㄴ. (나)에서 별의 밝기 증가량은 최대 약 3배이다. 1등급 차에 해당하는 밝기는 약 2.5배이므로 별 B의 겉보기 등급의 최대 변화량은 1등급보다 크다.
ㄷ. (나)에서 관측된 별 B의 밝기 변화로부터 A의 주변에 행성이 존재한다는 것을 알 수 있다. 답 ②

확인 7-1

그림은 미세 중력 렌즈 효과를 이용한 외계 행성의 탐사 방법을 나타낸 모식도이다.

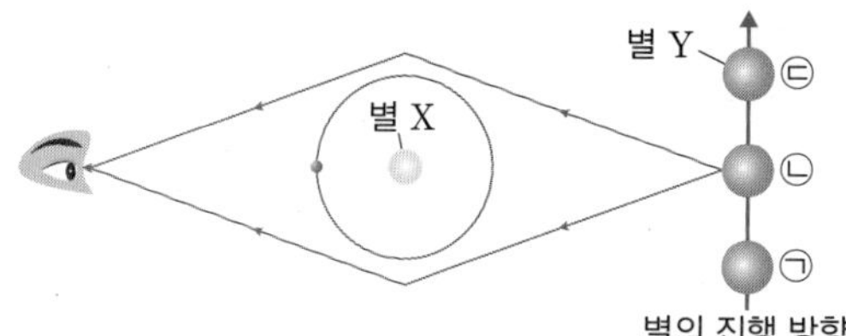

이에 대한 설명으로 옳은 것만을 보기 에서 있는 대로 고르시오. (단, 별 X를 공전하는 행성의 공전 궤도면은 시선 방향에 수직하다.)

보기

ㄱ. Y의 밝기는 ㉠~㉢ 중 ㉡일 때 가장 밝다.

ㄴ. 별 X의 밝기 변화를 관측하여 행성의 존재를 확인할 수 있다.

ㄷ. 별 X와 Y 사이의 거리가 가까울수록 미세 중력 렌즈 효과를 이용하여 행성의 존재를 확인하기 쉽다.

필수 체크 전략 ②

최다 오답 문제

7강_ 별과 외계 행성계

2021 7월 학평 16번

1 그림은 지구 대기권 밖에서 단위 시간 동안 관측한 별 A, B, C의 복사 에너지 세기를 파장에 따라 나타낸 것이다. A, B, C는 절대 등급이 모두 같다.

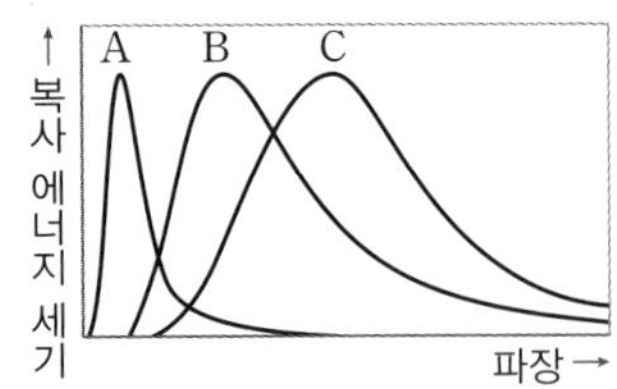

이에 대한 설명으로 옳은 것만을 | 보기 |에서 있는 대로 고른 것은?

| 보기 |
ㄱ. 표면 온도는 A>B>C이다.
ㄴ. 반지름은 A<B<C이다.
ㄷ. 별까지의 거리는 A가 C보다 크다.

① ㄱ ② ㄴ ③ ㄱ, ㄷ
④ ㄴ, ㄷ ⑤ ㄱ, ㄴ, ㄷ

Tip 별의 반지름은 광도가 ❶ 수록, 표면 온도가 ❷ 을수록 크다. 답 ❶ 클 ❷ 낮

2 그림은 별의 분광형에 따른 흡수선의 상대적 세기이다.

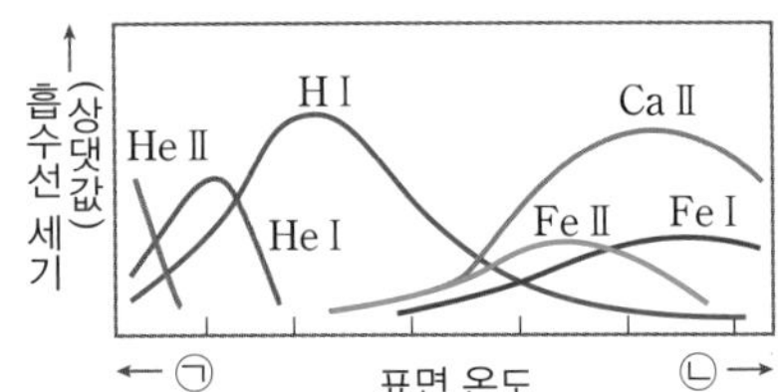

이 자료에 대한 설명으로 옳은 것만을 | 보기 |에서 있는 대로 고른 것은?

| 보기 |
ㄱ. 표면 온도 증가 방향은 ㉠이다.
ㄴ. 흰색 별은 H I 흡수선이 Ca II 흡수선보다 강하다.
ㄷ. 붉은색 별은 파란색 별보다 He I 흡수선이 강하다.

① ㄱ ② ㄴ ③ ㄷ
④ ㄱ, ㄴ ⑤ ㄴ, ㄷ

Tip 별의 ❶ 에 따라 분광형을 O, B, A, F, G, K, ❷ 형의 7개로 분류할 수 있다. 답 ❶ 표면 온도 ❷ M

2020 10월 학평 16번

3 표는 별 ㉠, ㉡, ㉢의 절대 등급과 분광형을 나타낸 것이고, ㉠, ㉡, ㉢은 각각 주계열성, 백색 왜성, 거성 중 하나이다.

별	㉠	㉡	㉢
절대 등급	+12.2	+1.5	−1.5
분광형	B1	A1	G5

이에 대한 설명으로 옳은 것만을 | 보기 |에서 있는 대로 고른 것은? (단, 태양의 절대 등급은 +5.0이다.)

| 보기 |
ㄱ. ㉠의 중심에서는 수소 핵융합 반응이 일어난다.
ㄴ. ㉡은 태양보다 질량이 크다.
ㄷ. ㉢은 정역학 평형 상태를 유지한다.

① ㄱ ② ㄴ ③ ㄱ, ㄷ
④ ㄴ, ㄷ ⑤ ㄱ, ㄴ, ㄷ

Tip 백색 왜성은 태양보다 표면 온도가 ❶ 고, 광도가 작고, 거성은 태양보다 광도가 ❷ 다. 답 ❶ 높 ❷ 크

4 그림은 주계열성 ㉠, ㉡, ㉢의 반지름과 표면 온도이다.

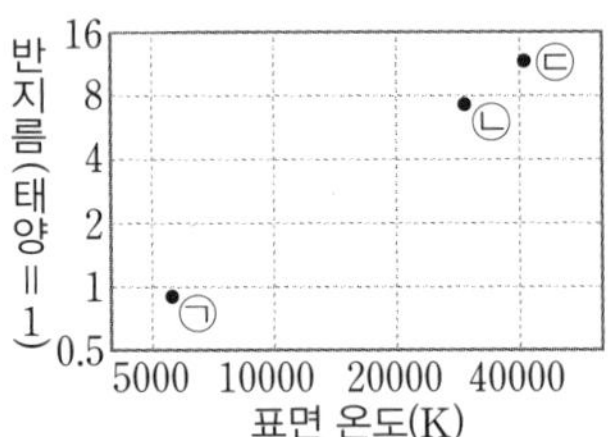

이에 대한 설명으로 옳은 것만을 | 보기 |에서 있는 대로 고른 것은?

| 보기 |
ㄱ. ㉠은 중심핵에서 p−p 반응이 우세하게 일어난다.
ㄴ. ㉡은 최종 진화 단계에서 백색 왜성이 된다.
ㄷ. ㉢은 거성 단계에서 철 핵융합 반응이 활발하게 일어난다.

① ㄱ ② ㄴ ③ ㄱ, ㄴ
④ ㄴ, ㄷ ⑤ ㄱ, ㄴ, ㄷ

Tip 태양보다 질량이 아주 큰 별은 주계열성을 지나 ❶ 을 거쳐 초신성 폭발 후 ❷ 이나 블랙홀로 남는다. 답 ❶ 초거성 ❷ 중성자별

2020 10월 학평 12번

5 그림 (가)와 (나)는 서로 다른 두 시기에 태양 중심으로부터의 거리에 따른 수소와 헬륨의 질량비를 나타낸 것이다. A와 B는 각각 수소와 헬륨 중 하나이다.

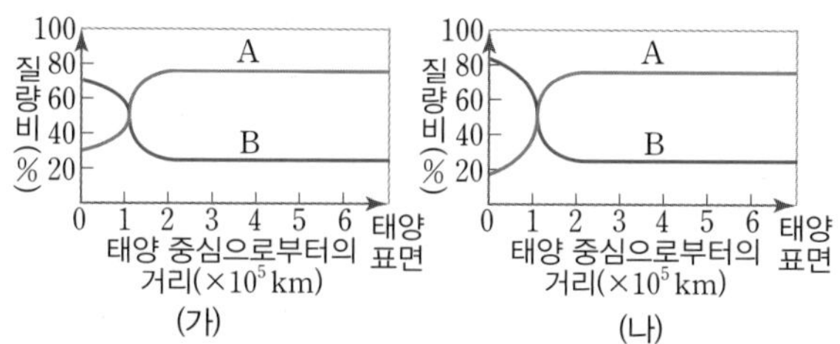

이에 대한 설명으로 옳은 것만을 | 보기 | 에서 있는 대로 고른 것은?

| 보기 |
ㄱ. 태양의 나이는 (가)보다 (나)일 때 많다.
ㄴ. (가)일 때 중심핵의 반지름은 1×10^5 km이다.
ㄷ. 태양이 주계열을 벗어날 무렵, A의 질량비는 B의 질량비보다 작다.

① ㄱ ② ㄴ ③ ㄱ, ㄴ
④ ㄱ, ㄷ ⑤ ㄴ, ㄷ

Tip 태양에서 중심핵은 ❶ [ ] 핵융합 반응이 일어나는 영역으로 시간이 지날수록 ❷ [ ] 원자핵의 비율이 증가한다.
답 ❶ 수소 ❷ 헬륨

6 그림은 어느 외계 행성계에서 중심별의 시선 속도 변화를 나타낸 것이다. 이 자료에 대한 설명으로 옳은 것만을 | 보기 | 에서 있는 대로 고른 것은?

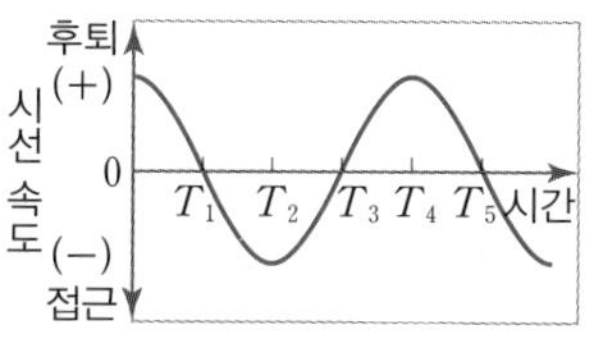

| 보기 |
ㄱ. 행성의 스펙트럼을 관측하여 얻은 자료이다.
ㄴ. T_2일 때 행성은 지구로부터 멀어지고 있다.
ㄷ. 행성에 의한 식 현상이 관측될 수 있는 시기는 T_3이다.

① ㄱ ② ㄴ ③ ㄱ, ㄴ
④ ㄴ, ㄷ ⑤ ㄱ, ㄴ, ㄷ

Tip 별과 행성이 ❶ [ ] 중심을 중심으로 회전한다. 이때 별의 시선 속도가 ❷ [ ]일 때 행성은 지구로부터 멀어진다.
답 ❶ 공통 질량 ❷ 음(−)

2022 6월 모평 7번

7 그림 (가)는 태양과 질량이 비슷한 어느 주계열성의 내부 구조를, (나)는 이 별의 진화 과정을 나타낸 것이다. A와 B는 각각 대류층과 복사층 중 하나이다. 이 자료에 대한 설명으로 옳은 것만을 | 보기 | 에서 있는 대로 고른 것은?

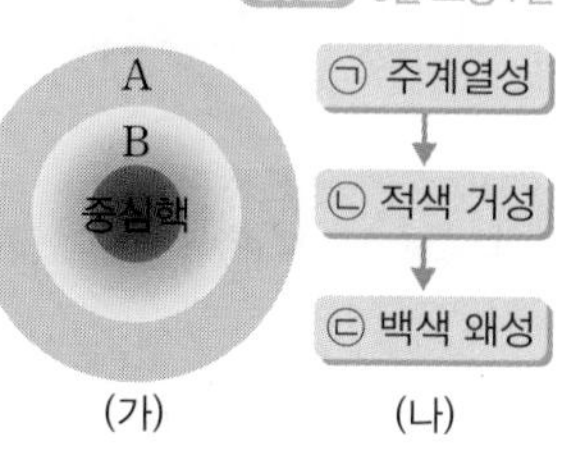

| 보기 |
ㄱ. 복사층은 B이다.
ㄴ. 중심부의 온도는 ㉠보다 ㉡일 때 높다.
ㄷ. ㉡ → ㉢에서 탄소 핵융합 반응이 일어난다.

① ㄱ ② ㄷ ③ ㄱ, ㄴ
④ ㄴ, ㄷ ⑤ ㄱ, ㄴ, ㄷ

Tip 질량이 태양의 약 ❶ [ ] 이하인 주계열성의 내부 구조는 중심핵 → 복사층 → ❷ [ ]으로 이루어져 있다.
답 ❶ 2배 ❷ 대류층

8 그림은 별 A, B, C를 H-R도에 나타낸 것이다. A, B, C에는 각각 행성 ㉠, ㉡, ㉢이 존재하며, 모두 생명 가능 지대의 한가운데에 위치한다. 이에 대한 설명으로 옳은 것만을 | 보기 | 에서 있는 대로 고른 것은?

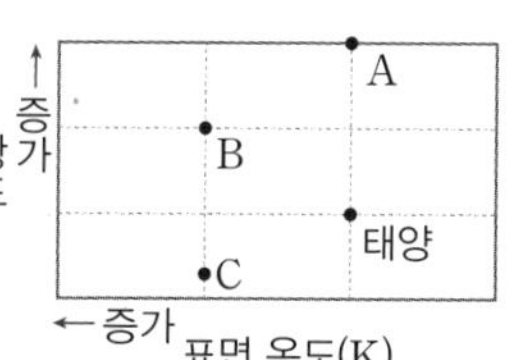

| 보기 |
ㄱ. 생명 가능 지대의 폭은 A>B>C이다.
ㄴ. 행성의 공전 궤도 반지름은 ㉠이 ㉢보다 크다.
ㄷ. 행성이 생명 가능 지대에 머무는 시간은 ㉡이 지구보다 길다.

① ㄱ ② ㄷ ③ ㄱ, ㄴ
④ ㄴ, ㄷ ⑤ ㄱ, ㄴ, ㄷ

Tip 생명 가능 지대는 ❶ [ ] 상태의 물이 존재할 수 있는 영역으로, 중심별의 광도가 ❷ [ ]수록 중심별에서 멀어진다.
답 ❶ 액체 ❷ 클

필수 체크 전략 ①

대표 기출 1

2021 3월 학평 9번

그림은 외부 은하 중 일부를 형태에 따라 (가), (나), (다)로 분류한 것이다.

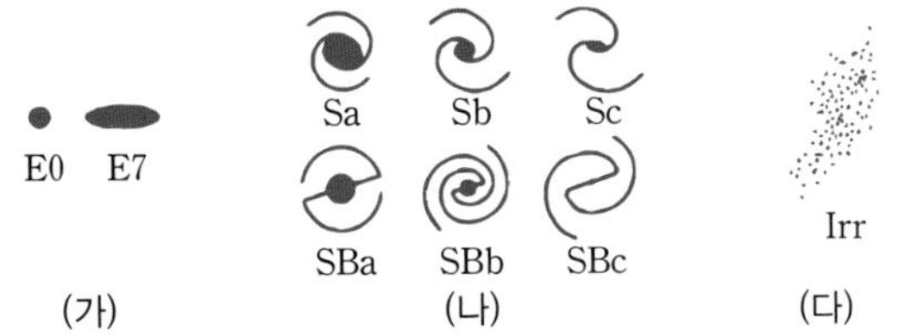

이에 대한 옳은 설명만을 〈보기〉에서 있는 대로 고른 것은?

보기
ㄱ. (가)는 타원 은하이다.
ㄴ. (나)의 은하들은 나선팔이 있다.
ㄷ. 은하를 구성하는 별의 평균 표면 온도는 (가)가 (다)보다 낮다.

① ㄱ ② ㄷ ③ ㄱ, ㄴ
④ ㄴ, ㄷ ⑤ ㄱ, ㄴ, ㄷ

Tip 은하는 가시광선 영역에서 관측되는 형태에 따라 타원 은하(E), 나선 은하(S, SB), 불규칙 은하(Irr)로 분류한다.

풀이 ㄱ. (가)는 타원형 모양을 가진 타원 은하이다.
ㄴ. (나)는 나선팔 구조가 있는 나선 은하이다.
ㄷ. (다)는 (가)보다 파란색 별의 비율이 높다. 답 ⑤

대표 기출 2

2022 9월 모평 9번

그림은 두 은하 A와 B가 탄생한 후, 연간 생성된 별의 총질량을 시간에 따라 나타낸 것이다. A와 B는 허블 은하 분류 체계에 따른 서로 다른 종류이며, 각각 E0과 Sb 중 하나이다.

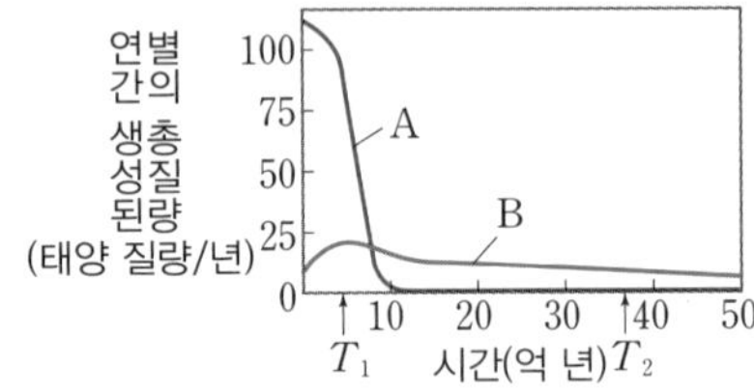

이에 대한 설명으로 옳은 것만을 〈보기〉에서 있는 대로 고른 것은?

보기
ㄱ. B는 나선팔을 가지고 있다.
ㄴ. T_1일 때 연간 생성된 별의 총질량은 A가 B보다 크다.
ㄷ. T_2일 때 별의 평균 표면 온도는 B가 A보다 높다.

① ㄱ ② ㄷ ③ ㄱ, ㄴ
④ ㄴ, ㄷ ⑤ ㄱ, ㄴ, ㄷ

Tip 타원 은하는 나선 은하에 비해 나이 많은 별들로 이루어져 있어 새로 생성되는 별의 비율이 낮다.

풀이 ㄱ. A는 타원 은하(E0)이고, B는 나선 은하(Sb)이다.
ㄴ. T_1일 때 생성된 별의 총질량은 A가 B보다 크다.
ㄷ. T_2일 때 별의 평균 표면 온도는 새로 생성된 별이 거의 없는 A가 B보다 낮다. 답 ⑤

확인 1-1

표는 은하 집단 (가), (나), (다)의 크기와 특징을 나타낸 것이다.

구분	(가)	(나)	(다)
크기(상대값)	1 ~ 200	2 ~ 20	1
특징	편평도에 따라 세분함	은하 원반, 중앙 팽대부가 있음	규칙적인 구조가 없음

이에 대한 설명으로 옳은 것만을 〈보기〉에서 있는 대로 고르시오.

보기
ㄱ. (가)는 타원 은하이다.
ㄴ. 은하에 속한 별의 평균 개수는 (다)가 가장 많다.
ㄷ. 은하에 속한 별의 평균 연령은 (가)가 (나)보다 적다.

확인 2-1

그림은 은하 A와 B의 가시광선 영상을 나타낸 것이다. 이에 대한 설명으로 옳은 것만을 〈보기〉에서 있는 대로 고르시오.

A

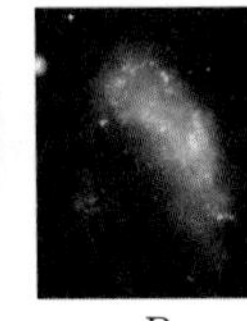
B

보기
ㄱ. A는 중심부에 막대 구조를 갖고 있다.
ㄴ. 은하는 B의 형태에서 A의 형태로 진화한다.
ㄷ. 은하의 전체 질량에 대한 성간 물질의 질량비는 A가 B보다 작다.

대표 기출 3

2021 6월 모평 9번

그림 (가), (나), (다)는 각각 세이퍼트은하, 퀘이사, 전파 은하의 영상을 나타낸 것이다. (가)와 (나)는 가시광선 영상이고, (다)는 가시광선과 전파로 관측하여 합성한 영상이다.

(가)

(나)

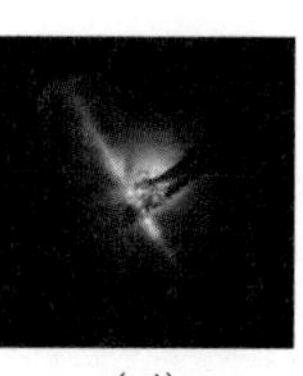
(다)

이 자료에 대한 설명으로 옳은 것만을 보기 에서 있는 대로 고른 것은?

보기

ㄱ. (가)와 (다)의 은하 중심부 별들의 회전축은 관측자의 시선 방향과 일치한다.

ㄴ. 각 은하의 $\frac{\text{중심부의 밝기}}{\text{전체의 밝기}}$는 (나)의 은하가 가장 크다.

ㄷ. (다)의 제트는 은하의 중심에서 방출되는 별들의 흐름이다.

① ㄱ ② ㄴ ③ ㄷ ④ ㄱ, ㄴ ⑤ ㄴ, ㄷ

Tip (가)는 세이퍼트은하, (나)는 퀘이사, (다)는 전파 은하이다.

풀이 ㄱ. 회전축과 시선 방향이 일치하면 나선팔과 제트 구조를 관측하기 어렵다.
ㄴ. 중심부의 상대적 밝기는 퀘이사 (나)가 가장 크다.
ㄷ. (다)의 제트는 중심부에서 방출되는 고에너지 입자이다. 답 ②

확인 3-1

그림은 어느 특이 은하의 영상을 나타낸 것이다. (가)와 (나)는 각각 가시광선 영상과 전파 영상 중 하나이다. 이에 대한 설명으로 옳은 것만을 보기 에서 있는 대로 고르시오.

(가)

(나)

보기

ㄱ. (가)는 가시광선 영상이다.

ㄴ. (나)에서 제트와 로브가 관측된다.

ㄷ. (가)와 (나)의 광도는 우리 은하보다 작다.

대표 기출 4

2021 수능 17번

다음은 우리 은하와 외부 은하 A, B에 대한 설명이다. 세 은하는 일직선상에 위치하며, 허블 법칙을 만족한다.

- 우리 은하에서 A까지의 거리는 20 Mpc이다.
- B에서 우리 은하를 관측하면, 우리 은하는 2800 km/s의 속도로 멀어진다.
- A에서 B를 관측하면, B의 스펙트럼에서 500 nm의 기준 파장을 갖는 흡수선이 507 nm로 관측된다.

우리 은하에서 A와 B를 관측한 결과에 대한 설명으로 옳은 것을 보기 에서 모두 고른 것은? (단, 허블 상수 70 km/s/Mpc, 빛의 속도 3×10^5 km/s이다.)

보기

ㄱ. A의 후퇴 속도는 1400 km/s이다.

ㄴ. 스펙트럼에서 기준 파장이 동일한 흡수선의 파장 변화량은 B가 A의 2배이다.

ㄷ. A와 B는 동일한 시선 방향에 위치한다.

① ㄱ ② ㄷ ③ ㄱ, ㄴ ④ ㄴ, ㄷ ⑤ ㄱ, ㄴ, ㄷ

Tip 은하의 후퇴 속도를 v, 거리를 r라고 할 때, 허블 법칙은 $v = H \times r$(H: 허블 상수)로 나타낼 수 있다.

풀이 ㄱ. A의 후퇴 속도는 70 km/s/Mpc × 20 Mpc = 1400 km/s이다.
ㄴ. B의 후퇴 속도는 A의 2배이므로 흡수선의 파장 변화량도 B가 A의 2배이다.
ㄷ. 우리 은하에서 관측할 때, A의 시선 방향과 B의 시선 방향은 정반대 방향이다. 답 ③

확인 4-1

표는 우리 은하에서 관측한 외부 은하 A와 B의 흡수선 파장과 거리를 나타낸 것이다. A와 B는 동일한 시선 방향에 위치하며, 허블 법칙을 만족한다. 이에 대한 설명으로 옳은 것만을 보기 에서 있는 대로 고르시오. (단, 흡수선의 고유 파장은 400 nm이고, 빛의 속도는 3×10^5 km/s이다.)

은하	흡수선 파장(nm)	거리 (Mpc)
A	402	20
B	(㉠)	60

보기

ㄱ. ㉠은 406이다.

ㄴ. 허블 상수는 75 km/s/Mpc이다.

ㄷ. A에서 관측할 때, B의 후퇴 속도는 3000 km/s이다.

필수 체크 전략 ①

대표 기출 5

2022 9월 모평 16번

그림 (가)와 (나)는 각각 COBE 우주 망원경과 WMAP 우주 망원경으로 관측한 우주 배경 복사의 온도 편차를 나타낸 것이다. 지점 A와 B는 지구에서 관측한 시선 방향이 서로 반대이다.

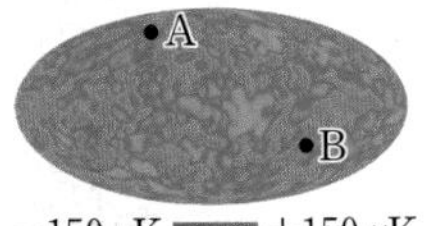

(가)

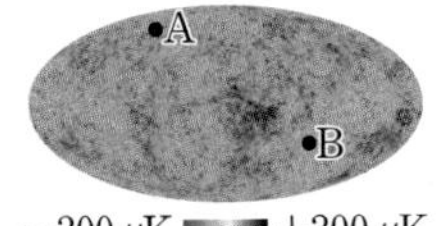

(나)

이에 대한 설명으로 옳은 것만을 보기 에서 있는 대로 고른 것은?

보기
ㄱ. (나)가 (가)보다 온도 편차의 형태가 더욱 세밀해 보이는 것은 관측 기술의 발달 때문이다.
ㄴ. A와 B는 빛을 통하여 현재 상호 작용할 수 있다.
ㄷ. A와 B의 온도가 거의 같다는 사실은 급팽창 우주론으로 설명할 수 있다.

① ㄱ ② ㄴ ③ ㄱ, ㄷ
④ ㄴ, ㄷ ⑤ ㄱ, ㄴ, ㄷ

Tip 우주 배경 복사는 우주 전역에서 관측되며 방향에 따라 미세한 편차가 나타난다.

풀이 ㄱ. 우주 배경 복사의 미세한 차이는 (나)에서 더 잘 보인다.
ㄴ. A와 B는 현재 상호 작용할 수 없는 위치에 있다.
ㄷ. 우주 배경 복사가 거의 균질한 까닭을 급팽창 이론으로 설명할 수 있다.

답 ③

대표 기출 6

2021 9월 모평 17번

그림 (가)는 표준 우주 모형에서 시간에 따른 우주의 크기 변화를, (나)는 플랑크 망원경의 우주 배경 복사 관측 결과로부터 추론한 현재 우주를 구성하는 요소의 비율을 나타낸 것이다.

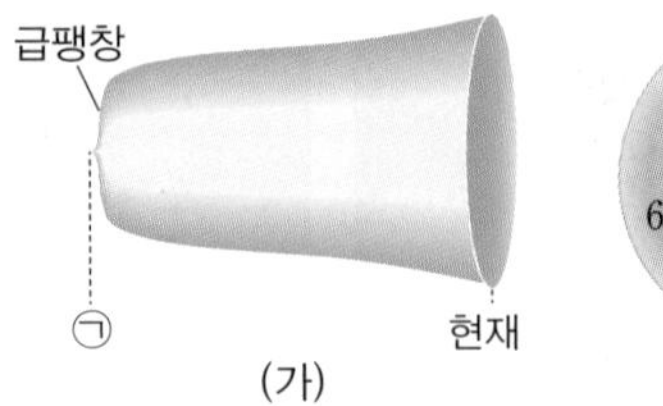

(가)

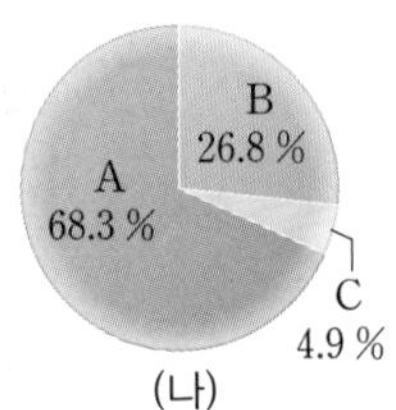

(나)

이에 대한 설명으로 옳은 것만을 보기 에서 있는 대로 고른 것은?

보기
ㄱ. 우주 배경 복사는 ㉠ 시기에 방출된 빛이다.
ㄴ. 현재 우주를 가속 팽창시키는 역할을 하는 것은 A이다.
ㄷ. B에서 가장 큰 비율을 차지하는 것은 중성자이다.

① ㄱ ② ㄴ ③ ㄷ
④ ㄱ, ㄴ ⑤ ㄱ, ㄷ

Tip 빅뱅에 의해 우주가 시작되었다. A은 암흑 에너지, B는 암흑 물질, C는 보통 물질이다.

풀이 ㄱ. ㉠ 시기에 빅뱅이 일어났다.
ㄴ. 암흑 에너지 A는 우주를 가속 팽창시키는 역할을 한다.
ㄷ. 중성자는 보통 물질 C에 속한다.

답 ②

확인 5-1

그림 (가)와 (나)는 우주 배경 복사가 형성되기 직전과 직후의 모습을 순서 없이 나타낸 것이다. 이에 대한 설명으로 옳은 것만을 보기 에서 있는 대로 고르시오.

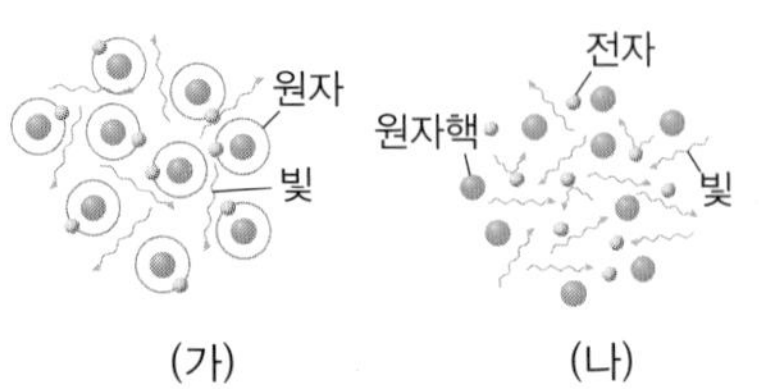

(가) (나)

보기
ㄱ. 우주의 온도는 (나)보다 (가)에서 낮다.
ㄴ. (가) 시기 이후에 우주의 급팽창이 일어났다.
ㄷ. (나) 시기의 빛은 오늘날 우주 배경 복사로 관측된다.

확인 6-1

그림은 어느 팽창 우주 모형에서 시간에 따른 우주의 크기 변화를 나타낸 것이다. 이에 대한 설명으로 옳은 것만을 보기 에서 있는 대로 고르시오.

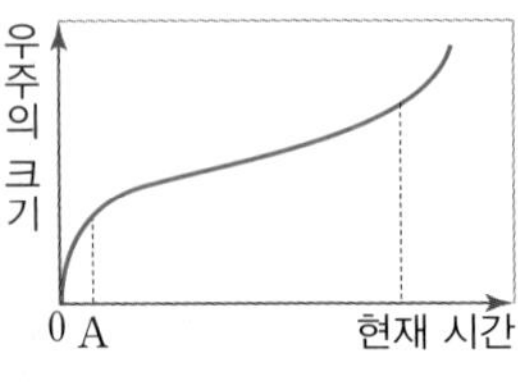

보기
ㄱ. A 시기에 우주의 급팽창이 일어났다.
ㄴ. 암흑 물질이 차지하는 비율은 A 시기가 현재보다 크다.
ㄷ. 우주 배경 복사의 파장은 A 시기가 현재보다 길다.

대표 기출 7 2021 9월 모평 12번

다음은 세 학생이 다양한 외부 은하를 형태에 따라 분류하는 탐구 활동의 일부를 나타낸 것이다.

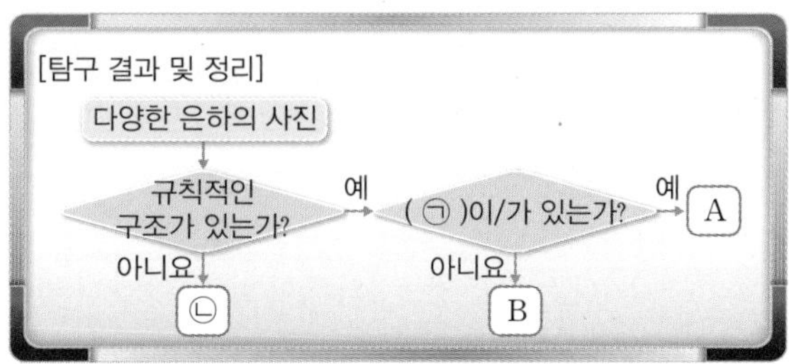

[탐구 과정]
(가) 다양한 형태의 은하 사진을 준비한다.
(나) '규칙적인 구조가 있는가?'에 따라 은하를 분류한다.
(다) (나)의 조건을 만족하는 은하를 '(㉠)이/가 있는가?'에 따라 A와 B 그룹으로 분류한다.
(라) A와 B 그룹에 적용할 추가 분류 기준을 만든다.

[탐구 결과 및 정리]
다양한 은하의 사진
규칙적인 구조가 있는가?
예
(㉠)이/가 있는가?
예
A
아니요
㉡
아니요
B
A 그룹에 대해 내가 세운 추가 분류 기준은 '(㉠)이/가 감긴 정도'야.
나는 A 그룹에 속한 '은하의 중심부 형태'를 기준으로 분류했어.
나는 B 그룹에 속한 은하를 (㉢)을/를 기준으로 분류했어.

이에 대한 설명으로 옳은 것만을 보기 에서 있는 대로 고른 것은?

보기
ㄱ. 나선팔은 ㉠에 해당한다.
ㄴ. 허블의 분류 체계에 따르면 ㉡은 불규칙 은하이다.
ㄷ. '구에 가까운 정도'는 ㉢에 해당한다.

① ㄱ ② ㄴ ③ ㄱ, ㄷ
④ ㄴ, ㄷ ⑤ ㄱ, ㄴ, ㄷ

Tip A 그룹은 나선 은하이고, B 그룹은 타원 은하이다. 나선 은하는 나선팔이 감긴 정도에 따라 세분할 수 있고, 타원 은하는 편평도에 따라 세분할 수 있다.

풀이 ㄱ. 규칙적인 구조를 갖고 은하들은 크게 타원 은하와 나선 은하로 구분할 수 있으므로 '나선팔이 있는가?'는 두 집단을 구분하는 기준이 될 수 있다.
ㄴ. ㉡은 규칙적인 구조가 존재하지 않는 불규칙 은하이다.
ㄷ. B 그룹에 속한 타원 은하는 '구에 가까운 정도'에 따라서 E0~E7까지 세분할 수 있다.

답 ⑤

확인 7-1 2021 수능 7번

표는 허블의 은하 분류 기준과 이에 따라 분류한 은하의 종류를 나타낸 것이고, 그림은 은하 A의 가시광선 영상이다. (가)~(라)는 각각 타원 은하, 정상 나선 은하, 막대 나선 은하, 불규칙 은하 중 하나이고, A는 (가)~(라) 중 하나에 해당한다.

분류 기준	(가)	(나)	(다)	(라)
규칙적인 구조가 있는가?	○	○	×	○
나선팔이 있는가?	○	○	×	×
중심부에 막대 구조가 있는가?	○	×	×	×

(○: 있다, ×: 없다)

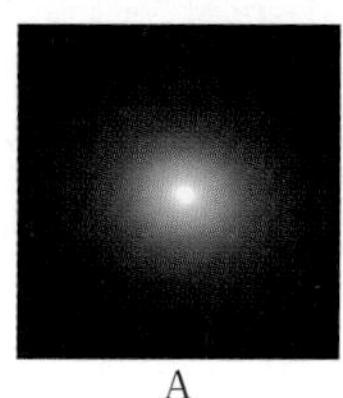
A

이 자료에 대한 설명으로 옳은 것만을 보기 에서 있는 대로 고른 것은?

보기
ㄱ. A는 (라)에 해당한다.
ㄴ. 은하를 구성하는 주계열성 중 태양보다 질량이 큰 별의 비율은 (나)가 (라)보다 높다.
ㄷ. 은하의 규모가 같다면, 현재 단위 시간당 생성되는 별의 개수는 (가)가 (다)보다 작다.

① ㄱ ② ㄷ ③ ㄱ, ㄷ
④ ㄴ, ㄷ ⑤ ㄱ, ㄴ, ㄷ

필수 체크 전략 ②

최다 오답 문제

8강_ 외부 은하와 우주 팽창

2017 9월 모평 13번 유사

1 그림은 은하의 형태에 따른 분류를 기준으로 할 때, 각 은하에 속한 별들의 색지수 분포를 나타낸 것이다. 이 자료에 대한 설명으로 옳은 것만을 | 보기 |에서 있는 대로 고른 것은?

| 보기 |

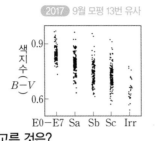

ㄱ. 색지수($B-V$)는 타원 은하가 불규칙 은하보다 크다.

ㄴ. 붉은색 별의 비율은 불규칙 은하가 나선 은하보다 높다.

ㄷ. 나선 은하는 은하핵의 상대적 크기가 클수록 별의 평균 나이가 적다.

① ㄱ ② ㄴ ③ ㄷ ④ ㄱ, ㄷ ⑤ ㄴ, ㄷ

Tip ❶ ( ) 은하의 경우 뒤에 붙은 소문자가 a → b → c 순으로 갈수록 은하핵의 크기가 상대적으로 ❷ ( )다.

답 ❶ 나선 ❷ 작

2 그림은 두 관측소 A와 B에서 각각 측정한 외부 은하의 거리와 후퇴 속도의 관계를 나타낸 것이다. 이 자료에 대한 설명으로 옳은 것만을 | 보기 |에서 있는 대로 고른 것은?

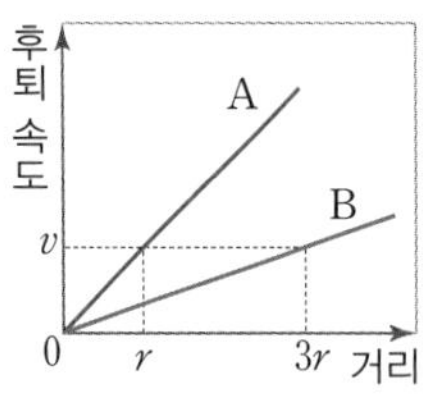

| 보기 |

ㄱ. 허블 상수는 A가 B의 3배이다.

ㄴ. 우주의 나이는 A가 B의 $\frac{1}{3}$배이다.

ㄷ. 현재 우주의 팽창 속도는 A가 B의 3배이다.

① ㄱ ② ㄴ ③ ㄱ, ㄷ ④ ㄴ, ㄷ ⑤ ㄱ, ㄴ, ㄷ

Tip 외부 은하의 ❶ ( )와 후퇴 속도의 관계식에서 허블 상수는 1 Mpc당 우주의 팽창 ❷ ( )를 나타낸다.

답 ❶ 거리 ❷ 속도

2016 수능 6번

3 그림은 특이 은하 (가)와 (나)의 스펙트럼과 특징을 나타낸 것이다. (가)와 (나) 중 하나는 퀘이사이고 다른 하나는 세이퍼트은하이다.

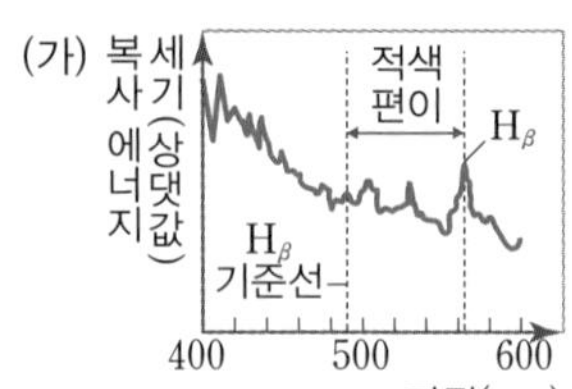

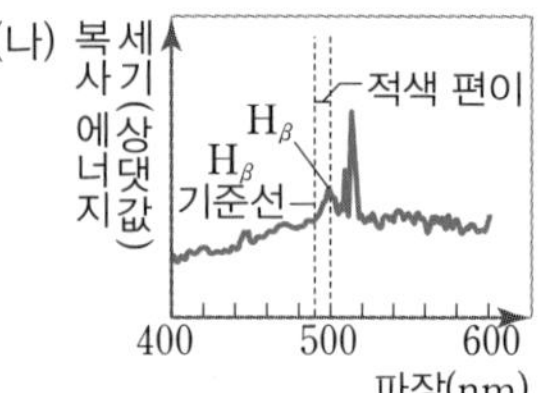

이에 대한 설명으로 옳은 것을 | 보기 |에서 모두 고른 것은?

| 보기 |

ㄱ. (가)는 세이퍼트은하이다.

ㄴ. (가)와 (나)는 모두 방출선의 폭이 일반 은하보다 넓다.

ㄷ. $\frac{\text{은하 중심부에서 방출되는 에너지}}{\text{은하 전체에서 방출되는 에너지}}$는 (가)가 (나)보다 크다.

① ㄱ ② ㄴ ③ ㄱ, ㄷ ④ ㄴ, ㄷ ⑤ ㄱ, ㄴ, ㄷ

Tip 스펙트럼에서 넓은 ❶ ( )이 관측되는 외부 은하는 ❷ ( )이다.

답 ❶ 퀘이사 ❷ 세이퍼트은하

2020 9월 모평 9번

4 표는 세 방출선 (가)~(다)의 고유 파장과 퀘이사 A와 B의 스펙트럼 관측 결과를 적색 편이(z)와 함께 나타낸 것이다.

방출선	고유 파장(Å)	관측 파장(Å)	
		퀘이사 A(z=0.16)	퀘이사 B(z=0.32)
(가)	a	5036	5730
(나)	4861	b	c
(다)	5007	d	e

이에 대한 설명으로 옳은 것을 | 보기 |에서 모두 고른 것은?

| 보기 |

ㄱ. A는 B보다 거리가 멀다.

ㄴ. $\frac{b}{c}$는 $\frac{d}{e}$와 같다.

ㄷ. a는 (다)의 고유 파장보다 크다.

① ㄱ ② ㄴ ③ ㄱ, ㄷ ④ ㄴ, ㄷ ⑤ ㄱ, ㄴ, ㄷ

Tip 은하의 후퇴 속도(v)와 적색 편이(z) 사이에는 ❶ ( ) = ❷ ( ) × (광속)의 관계가 성립한다.

답 ❶ v ❷ z

2021 6월 모평 17번

5 그림 (가)는 우주론 A에 의한 우주의 크기를, (나)는 우주론 B에 의한 우주의 온도를 나타낸 것이다. A와 B는 우주 팽창을 설명한다.

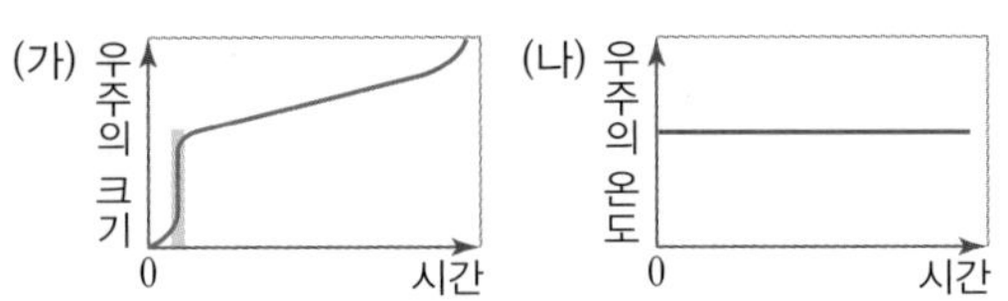

이에 대한 설명으로 옳은 것만을 | 보기 |에서 있는 대로 고른 것은?

보기
ㄱ. A는 수소와 헬륨의 질량비가 약 3:1로 관측됨을 설명할 수 있다.
ㄴ. 우주의 밀도 변화는 B가 A보다 크다.
ㄷ. A와 B는 모두 허블 법칙을 설명할 수 있다.

① ㄱ ② ㄴ ③ ㄷ ④ ㄱ, ㄷ ⑤ ㄴ, ㄷ

Tip 우주가 ❶ [ ]함에 따라 빅뱅 우주론에서는 우주의 온도와 밀도가 감소하고, 정상 우주론에서는 ❷ [ ]하다.

답 ❶ 팽창 ❷ 일정

6 그림 (가)와 (나)는 일정한 속도로 팽창하는 우주를 풍선 모형으로 나타낸 것이다. 풍선 표면에 고정시킨 단추 A, B, C는 은하에, 물결무늬(~)는 우주 배경 복사에 해당한다.

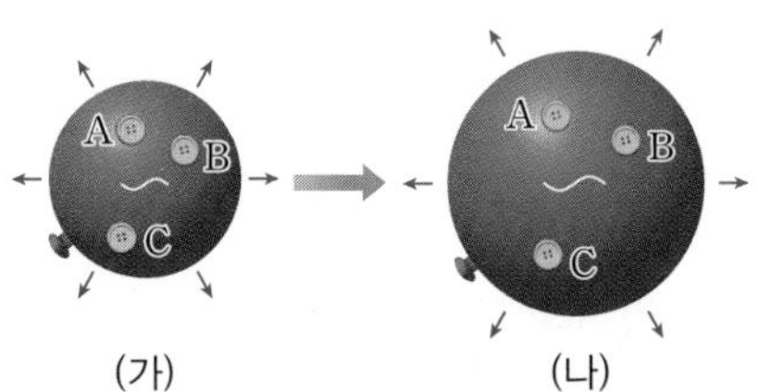

이 모형에 대한 설명으로 옳은 것만을 | 보기 |에서 있는 대로 고른 것은?

보기
ㄱ. 우주 배경 복사의 온도는 (가)와 (나)에서 같다.
ㄴ. A에서 관측되는 B의 시선 속도는 (가)와 (나)에서 같다.
ㄷ. B에서 구한 허블 상수는 C에서 구한 것과 같다.

① ㄱ ② ㄷ ③ ㄱ, ㄴ ④ ㄴ, ㄷ ⑤ ㄱ, ㄴ, ㄷ

Tip 우주가 일정한 속도로 팽창할 때 거리가 먼 은하일수록 후퇴 속도가 ❶ [ ], 우주의 온도는 ❷ [ ]한다.

답 ❶ 크고 ❷ 감소

2021 6월 모평 16번 유사

7 그림 (가)는 현재 우주를 구성하는 요소 A, B, C의 상대적 비율을 나타낸 것이고, (나)는 빅뱅 이후 현재까지 우주의 팽창 속도를 추정하여 나타낸 것이다. A, B, C는 각각 보통 물질, 암흑 물질, 암흑 에너지 중 하나이다.

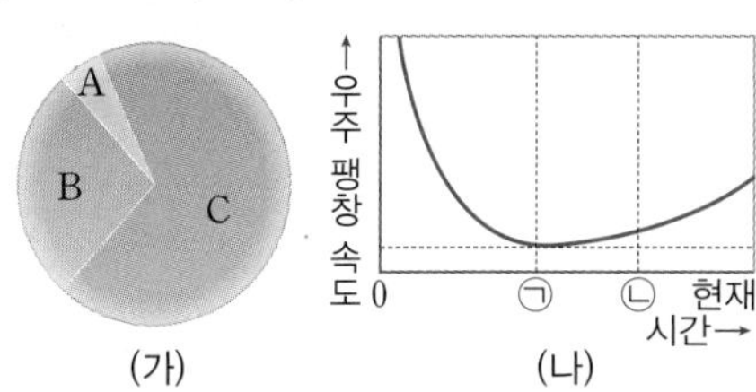

이 자료에 대한 설명으로 옳은 것만을 | 보기 |에서 있는 대로 고른 것은?

보기
ㄱ. A와 B는 빛을 굴절시키는 역할을 할 수 있다.
ㄴ. ㉠ 시기에 우주는 팽창하지 않았다.
ㄷ. C가 우주 팽창에 미치는 영향은 ㉡ 시기가 현재보다 크다.

① ㄱ ② ㄴ ③ ㄱ, ㄷ
④ ㄴ, ㄷ ⑤ ㄱ, ㄴ, ㄷ

Tip 현재 우주를 구성하는 물질의 비율은 보통 물질 약 4.9 %, ❶ [ ] 약 26.8 %, ❷ [ ] 약 68.3 %이다.

답 ❶ 암흑 물질 ❷ 암흑 에너지

8 그림은 서로 다른 평탄 우주 모형 A와 B에서 시간에 따른 우주의 크기 변화를 나타낸 것이다. 현재 우주에서 모형 A가 B보다 큰 값을 갖는 것만을 | 보기 |에서 있는 대로 고른 것은?

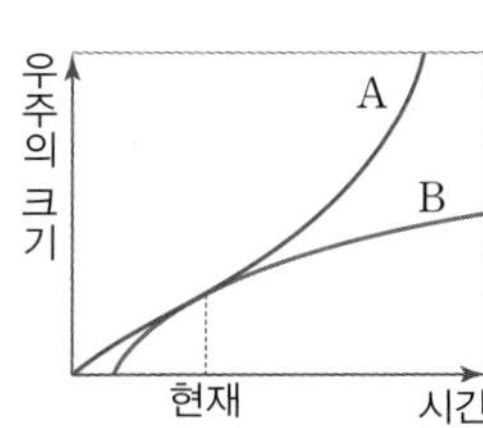

보기
ㄱ. 우주의 평균 밀도
ㄴ. 우주의 나이
ㄷ. 암흑 에너지의 비율

① ㄱ ② ㄴ ③ ㄷ
④ ㄱ, ㄷ ⑤ ㄴ, ㄷ

Tip 평탄 우주는 우주의 평균 밀도가 ❶ [ ] 밀도와 같아 우주의 곡률이 ❷ [ ]인 우주이다.

답 ❶ 임계 ❷ 0

WEEK 2

누구나 합격 전략

7강_ 별과 외계 행성계

01 그림은 같은 거리에 있는 두 별 (가), (나)의 파장에 따른 상대적 에너지 세기와 B, V 필터를 투과하는 파장 영역을 나타낸 것이다. 이에 대한 설명으로 옳은 것만을 | 보기 |에서 있는 대로 고른 것은?

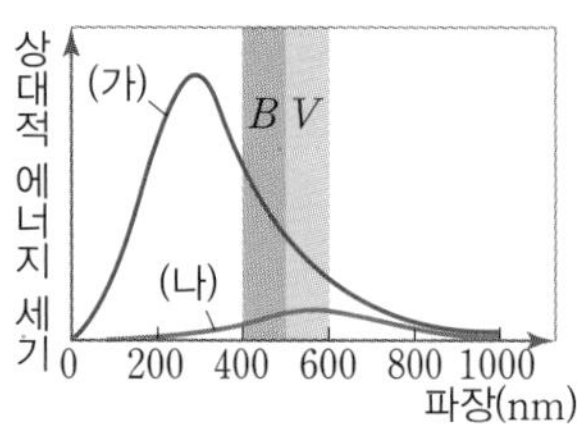

보기
ㄱ. 별의 표면 온도는 (가)가 (나)보다 높다.
ㄴ. 광도는 (가)가 (나)보다 크다.
ㄷ. (나)는 B 등급보다 V 등급이 크다.

① ㄱ ② ㄴ ③ ㄱ, ㄴ
④ ㄴ, ㄷ ⑤ ㄱ, ㄴ, ㄷ

02 그림은 두 주계열성 (가)와 (나)의 내부 구조를 나타낸 것이다.

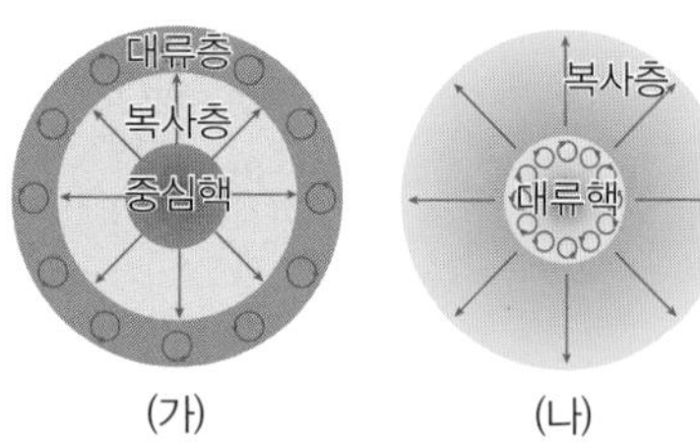

이에 대한 설명으로 옳은 것만을 | 보기 |에서 있는 대로 고른 것은?

보기
ㄱ. 별의 질량은 (가)가 (나)보다 크다.
ㄴ. (가)의 중심핵에서는 P−P 반응보다 CNO 순환 반응이 우세하다.
ㄷ. (가)와 (나)는 모두 정역학 평형 상태이다.

① ㄱ ② ㄷ ③ ㄱ, ㄴ
④ ㄴ, ㄷ ⑤ ㄱ, ㄴ, ㄷ

03 그림은 어느 별의 진화 경로를 나타낸 것이다.

(가) 주계열성 ➡ (나) 적색 거성 ➡ (다) 백색 왜성

(가)~(다)를 평균 밀도가 높은 것부터 낮은 순으로 나열하시오.

( )

04 그림은 별 ㉠~㉣을 H-R도에 나타낸 것이다. 이에 대한 설명으로 옳은 것만을 | 보기 |에서 있는 대로 고른 것은?

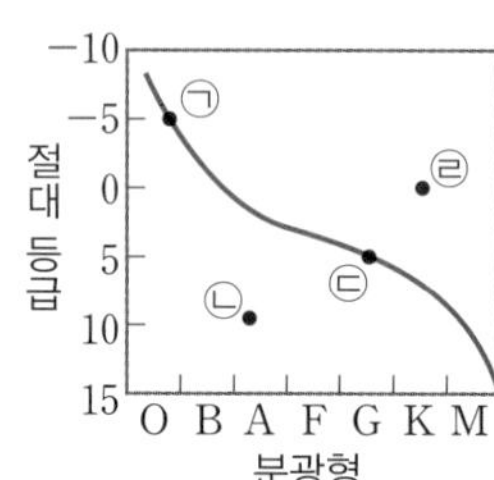

보기
ㄱ. ㉠은 태양보다 주계열 수명이 길다.
ㄴ. 스펙트럼에서 수소 흡수선의 세기는 ㉡이 ㉢보다 강하다.
ㄷ. 별의 중심부 온도는 ㉣이 ㉠보다 높다.

① ㄱ ② ㄴ ③ ㄱ, ㄴ
④ ㄴ, ㄷ ⑤ ㄱ, ㄴ, ㄷ

05 그림은 공통 질량 중심 주위를 회전하는 별과 행성의 모습을 나타낸 것이다. 행성의 공전 궤도면은 시선 방향에 나란하고, 행성의 공전 주기는 T이다. 이에 대한 설명으로 옳은 것만을 | 보기 |에서 있는 대로 고른 것은?

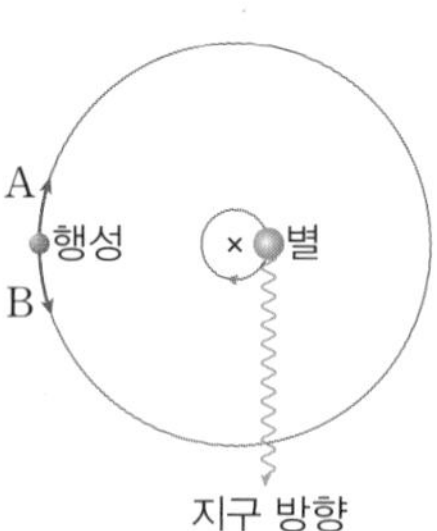

보기
ㄱ. 외계 행성의 공전 방향은 A이다.
ㄴ. 현재 위치에서 별빛의 청색 편이가 나타난다.
ㄷ. 현재로부터 $\frac{1}{2}$T 이내에 별의 밝기 감소가 나타난다.

① ㄱ ② ㄴ ③ ㄷ
④ ㄱ, ㄴ ⑤ ㄱ, ㄷ

8강_ 외부 은하와 우주 팽창

06 그림은 은하를 형태에 따라 분류하는 과정을 나타낸 것이다. A~D에 들어갈 은하의 종류를 쓰시오.

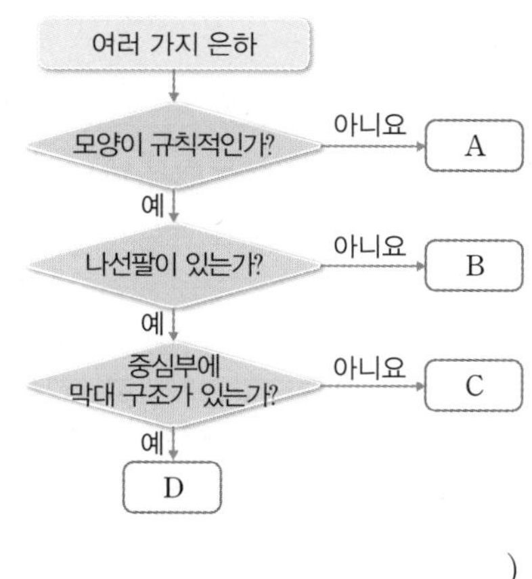

(　　　　　　　　　　　　　　　　　　)

07 그림 (가)와 (나)는 서로 다른 특이 은하를 각각 가시광선과 전파 영역에서 관측한 모습을 순서 없이 나타낸 것이다. 이에 대한 설명으로 옳은 것만을 | 보기 |에서 있는 대로 고른 것은?

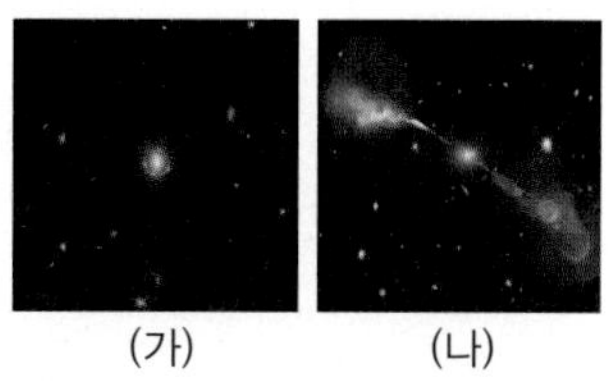
(가)　　　(나)

보기
ㄱ. (가)는 가시광선에서 관측한 모습이다.
ㄴ. (나)는 전파 은하이다.
ㄷ. (가)와 (나)의 중심부에 블랙홀이 존재한다.

① ㄱ　② ㄴ　③ ㄱ, ㄴ
④ ㄴ, ㄷ　⑤ ㄱ, ㄴ, ㄷ

08 그림은 외부 은하의 거리와 후퇴 속도의 관계를 나타낸 것이다. 이에 대한 설명으로 옳은 것만을 | 보기 |에서 있는 대로 고른 것은?

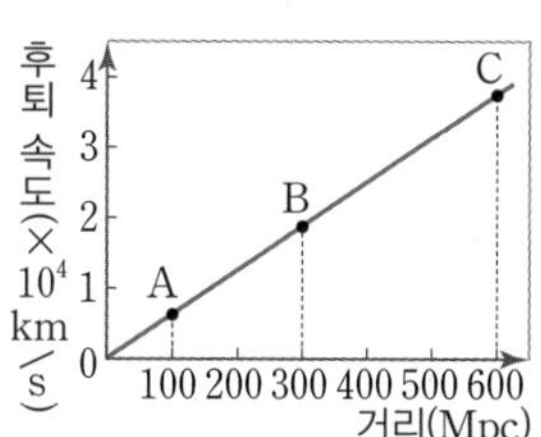

보기
ㄱ. 그래프의 기울기는 허블 상수에 해당한다.
ㄴ. 적색 편이는 A가 B의 3배이다.
ㄷ. 시간이 지나더라도 A와 C 사이의 거리는 일정하다.

① ㄱ　② ㄴ　③ ㄷ
④ ㄱ, ㄴ　⑤ ㄱ, ㄷ

09 그림 (가)는 어느 우주론에서 우주의 팽창을, (나)는 이 우주론에서 시간에 따른 물리량 A, B, C의 변화를 나타낸 것이다.

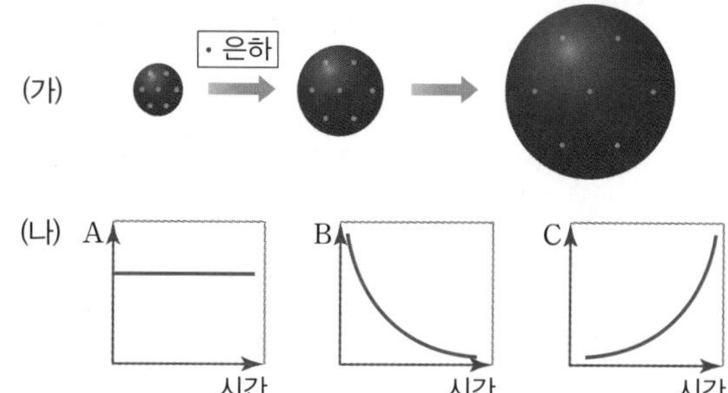

이에 대한 설명으로 옳은 것만을 | 보기 |에서 있는 대로 고른 것은?

보기
ㄱ. 이 우주론은 정상 우주론이다.
ㄴ. 우주의 온도는 A, B, C 중 A에 해당한다.
ㄷ. 우주 배경 복사는 이 우주론의 증거가 될 수 있다.

① ㄱ　② ㄷ　③ ㄱ, ㄴ
④ ㄱ, ㄷ　⑤ ㄱ, ㄴ, ㄷ

10 그림은 표준 우주 모형에서 시간에 따른 보통 물질, 암흑 물질, 암흑 에너지의 밀도 변화를 A, B, C로 순서 없이 나타낸 것이다.

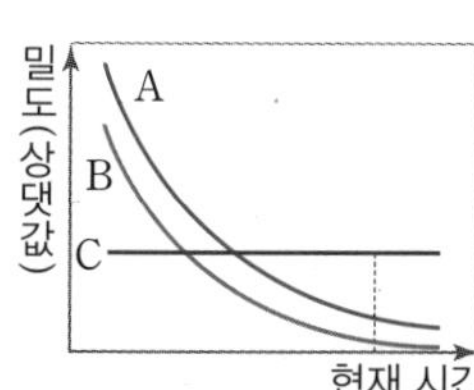

이에 대한 설명으로 옳은 것만을 | 보기 |에서 있는 대로 고른 것은?

보기
ㄱ. A는 전자기파와 상호 작용한다.
ㄴ. B는 우주 팽창을 억제시키는 역할을 한다.
ㄷ. 시간이 지날수록 C가 차지하는 비율은 증가한다.

① ㄱ　② ㄴ　③ ㄱ, ㄷ
④ ㄴ, ㄷ　⑤ ㄱ, ㄴ, ㄷ

7강_ 별과 외계 행성계

01 그림은 H-R도에서 별의 집단 (가), (나), (다)의 특징을 카드에 나타낸 것이다.

(가)	(나)	(다)
• 별의 크기가 일정하게 유지된다. • 별이 일생의 대부분을 이 단계에서 보낸다.	• 별의 바깥층 물질이 우주로 방출된 후 중심핵만 남아 있다.	• 핵융합 반응을 통해 헬륨보다 무거운 원소들이 생성된다.

이에 대한 설명으로 옳은 것만을 보기 에서 있는 대로 고른 것은?

보기
ㄱ. (가)는 주계열성이다.
ㄴ. 별의 광도는 (나)가 (다)보다 크다.
ㄷ. (다)에 속한 별들은 대부분 태양보다 표면 온도가 높다.

① ㄱ ② ㄴ ③ ㄱ, ㄷ
④ ㄴ, ㄷ ⑤ ㄱ, ㄴ, ㄷ

Tip H-R도에서 ❶ ___ 은 태양의 왼쪽 아래에 위치하고, ❷ ___ 은 태양의 오른쪽 위에 위치한다.

답 ❶ 백색 왜성 ❷ 적색 거성

02 다음은 생명 가능 지대에 대한 자료를 보고 학생들이 나눈 대화를 나타낸 것이다. A와 B는 중심별이고, a와 b는 각 중심별을 공전하고 있는 행성이다.

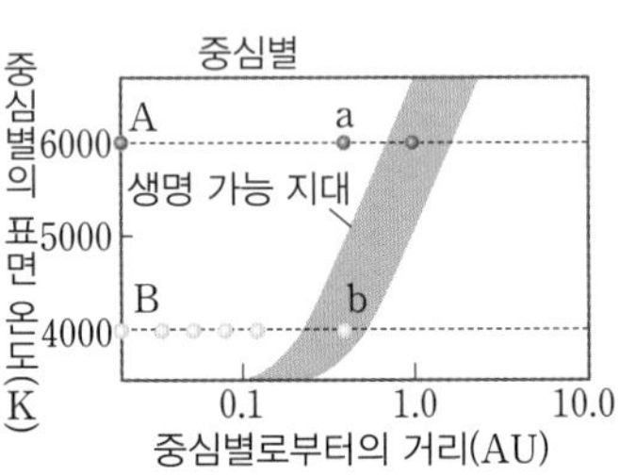

철수: 중심별의 광도는 A가 B보다 커.

행성의 표면 온도는 a보다 b에서 높아.
민수

생명 가능 지대의 폭은 A가 B보다 넓어.
영희

제시한 의견이 옳은 학생만을 있는 대로 고른 것은?

① 철수 ② 민수 ③ 철수, 영희
④ 민수, 영희 ⑤ 철수, 민수, 영희

Tip 별 주변에서 물이 ❶ ___ 상태로 존재할 수 있는 영역을 ❷ ___ 가능 지대라고 한다.

답 ❶ 액체 ❷ 생명

2017 6월 모평 6번

03 다음은 어떤 외계 행성 탐사 방법을 이해하기 위한 탐구 활동이다.

| 탐구 과정 |

(가) 그림과 같이 크기가 서로 다른 스타이로폼 공 A와 B를 회전대 위에 고정한다.

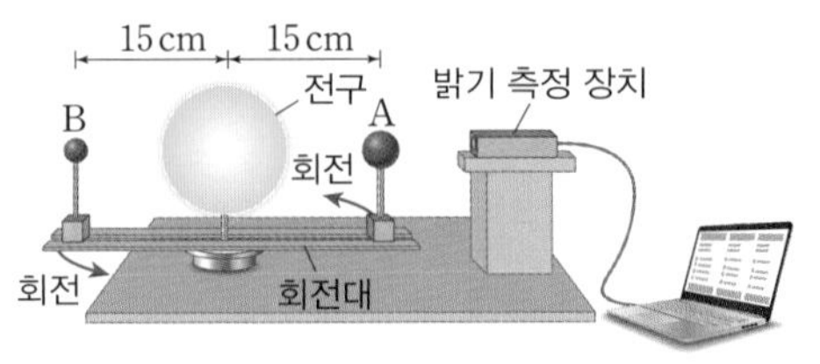

(나) 회전대를 일정한 속도로 회전시킨다.

(다) A와 B가 전구를 중심으로 회전하는 동안 측정된 밝기를 기록한다.

| 탐구 결과 |

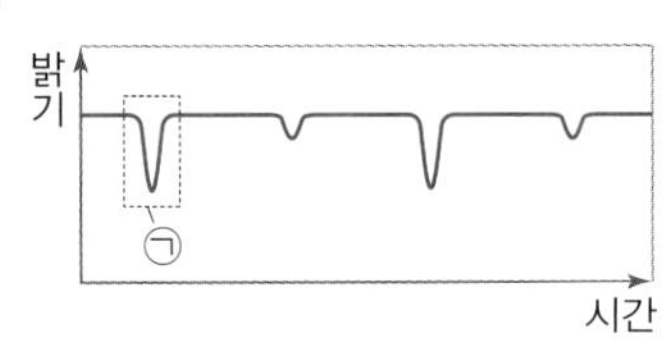

이 탐구에 대한 설명으로 옳은 것만을 보기 에서 있는 대로 고른 것은?

보기
ㄱ. 도플러 효과를 이용한 외계 행성 탐사 방법을 알아보기 위한 실험이다.
ㄴ. 탐구 결과에서 ㉠의 밝기 변화는 B에 의해 나타난 결과이다.
ㄷ. 회전대가 1회전할 때마다 전구의 밝기 변화는 2번씩 나타난다.

① ㄱ ② ㄷ ③ ㄱ, ㄴ
④ ㄱ, ㄷ ⑤ ㄴ, ㄷ

Tip 행성의 반지름이 ❶ ___ 수록 중심별이 행성에 의해 가려지는 ❷ ___ 이 커서 중심별의 밝기 변화가 크다.

답 ❶ 클 ❷ 면적

04 그림은 특이 은하를 특징에 따라 분류한 것이다. 이에 대한 설명으로 옳은 것만을 |보기|에서 있는 대로 고른 것은?

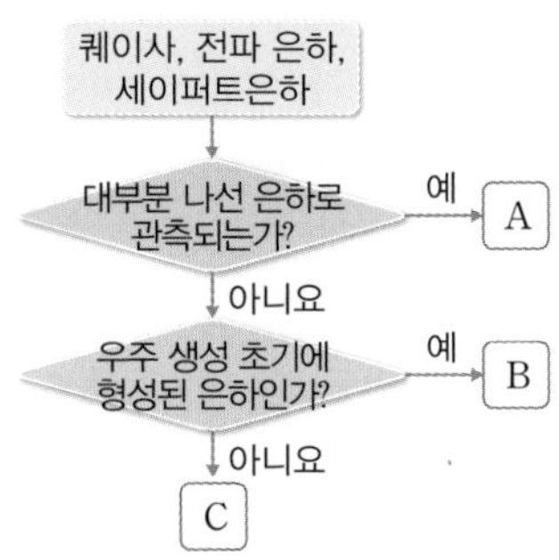

보기
ㄱ. A는 세이퍼트은하이다.
ㄴ. B는 적색 편이가 매우 크다.
ㄷ. C는 제트와 로브 구조를 갖고 있다.

① ㄱ ② ㄴ ③ ㄱ, ㄷ
④ ㄴ, ㄷ ⑤ ㄱ, ㄴ, ㄷ

Tip 세이퍼트은하는 대부분 ❶ [ ] 은하의 형태로 관측되며, ❷ [ ]는 매우 먼 거리에 있어서 후퇴 속도가 매우 크다.
답 ❶ 나선 ❷ 퀘이사

05 다음은 허블의 법칙에 따라 팽창하는 풍선 모형에 대하여 학생 A, B, C가 나눈 대화를 나타낸 것이다.

제시한 의견이 옳은 학생만을 있는 대로 고른 것은?

① A ② B ③ C
④ A, B ⑤ A, C

Tip 부풀어 오르는 풍선 모형에서 풍선의 ❶ [ ]은 팽창하는 우주 공간을, 단추는 ❷ [ ]를 나타낸다.
답 ❶ 표면 ❷ 은하

2020 4월 학평 20번

06 다음은 현재 우주를 구성하는 요소의 비율과 이에 대해 두 과학자가 설명하는 내용을 나타낸 것이다.

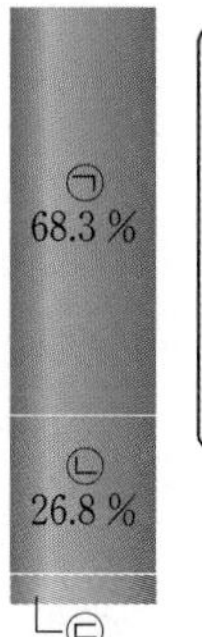

나선 은하의 실제 회전 속도는 광학적으로 관측 가능한 물질을 통해 예상한 회전 속도와는 달랐습니다. 이는 (A)에 의한 중력이 영향을 미치기 때문입니다.

먼 거리에 위치한 Ia형 초신성의 겉보기 밝기가 예상보다 어둡게 관측되었습니다. 이는 (B)에 의해 우주가 가속 팽창하기 때문입니다.

이 자료에 대한 설명으로 옳은 것만을 |보기|에서 있는 대로 고른 것은?

보기
ㄱ. 우주가 팽창할수록 ㉠의 비율은 계속 감소한다.
ㄴ. A에 해당하는 우주 구성 요소는 ㉡이다.
ㄷ. B에 해당하는 우주 구성 요소는 ㉢이다.

① ㄱ ② ㄴ ③ ㄱ, ㄷ
④ ㄴ, ㄷ ⑤ ㄱ, ㄴ, ㄷ

Tip 초기 우주에서는 물질의 영향으로 ❶ [ ] 팽창하였으나 약 수십억 년 전부터 암흑 에너지에 의해 ❷ [ ] 팽창하기 시작하였다.
답 ❶ 감속 ❷ 가속

8강_ 외부 은하와 우주 팽창

07 다음은 흑체 복사 법칙에 대한 수업 장면의 일부이다.

〈흑체〉
입사하는 모든 복사 에너지를 흡수하고, 흡수한 복사 에너지를 모두 방출하는 물체
〈빈의 변위 법칙〉
흑체가 최대 복사 에너지를 방출하는 파장은 표면 온도(T)가 높을수록 짧다.
〈슈테판·볼츠만 법칙〉
흑체가 단위 시간에 단위 면적당 방출하는 에너지양은 표면 온도의 4제곱에 비례한다.
흑체와 흑체의 복사 법칙에 대해 알아볼까요?
학생 A
학생 B
학생 C
별의 성질은 흑체와 매우 유사해.
별은 표면 온도가 낮을수록 짧은 파장의 빛을 많이 방출해.
표면 온도가 태양의 2배인 별은 단위 시간에 단위 면적당 방출하는 에너지가 16배야.

제시한 의견이 옳은 학생만을 있는 대로 고른 것은?

① A ② B ③ A, C
④ B, C ⑤ A, B, C

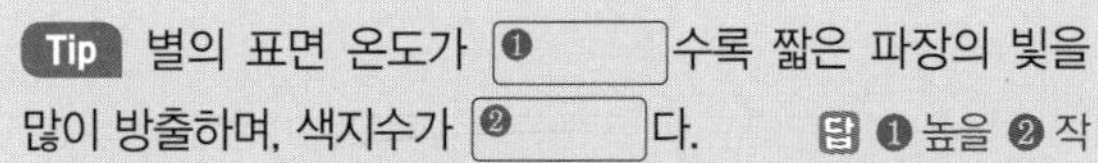

Tip 별의 표면 온도가 ❶ ______수록 짧은 파장의 빛을 많이 방출하며, 색지수가 ❷ ______다.
답 ❶ 높을 ❷ 작

08 다음은 선생님과 세 학생의 SNS 대화 내용이다.

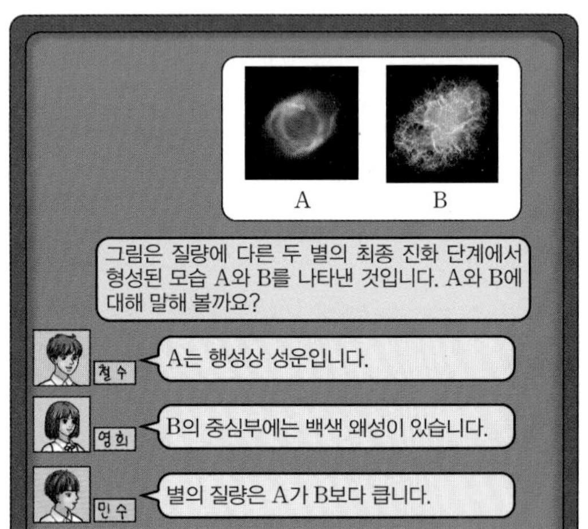

A
B
그림은 질량에 다른 두 별의 최종 진화 단계에서 형성된 모습 A와 B를 나타낸 것입니다. A와 B에 대해 말해 볼까요?
철수
A는 행성상 성운입니다.
영희
B의 중심부에는 백색 왜성이 있습니다.
민수
별의 질량은 A가 B보다 큽니다.

선생님의 질문에 대해 옳게 답한 학생만을 있는 대로 고른 것은?

① 철수 ② 영희 ③ 철수, 민수
④ 영희, 민수 ⑤ 철수, 영희, 민수

Tip 태양과 질량이 비슷한 별은 최종 단계에서 ❶ ______으로 진화하고, 태양보다 질량이 훨씬 큰 별은 최종 단계에서 ❷ ______ 또는 블랙홀로 진화한다.
답 ❶ 백색 왜성 ❷ 중성자별

2013 수능 8번

09 다음은 팽창하는 우주의 특성을 알아보기 위한 빅뱅 우주 모형 실험이다.

| 탐구 과정 |

(가) 균일한 재질의 풍선 표면에 같은 간격으로 여러 개의 점을 찍는다.
(나) 임의의 세 점을 선택하여 A, B, C로 표시한다.
(다) 실을 이용하여 세 점 사이의 거리를 측정한다.
(라) 풍선을 불어 팽창시킨 후, (다)를 반복한다.

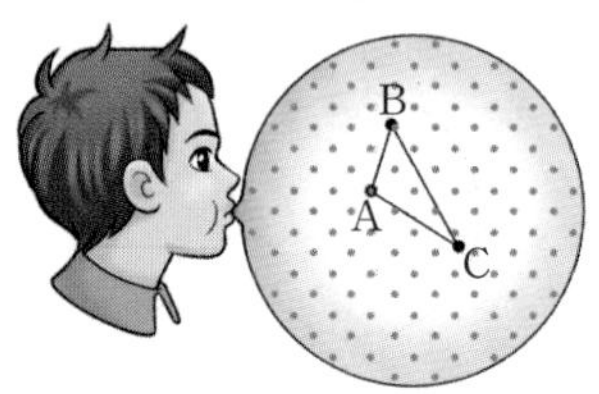

| 탐구 결과 |

	두 점 사이의 거리(cm)		
	AB	AC	BC
팽창 전	2	3	4
팽창 후	6	9	(㉠)

이에 대한 설명으로 옳은 것만을 | 보기 |에서 있는 대로 고른 것은? (단, 풍선은 균일하게 팽창한다고 가정한다.)

보기
ㄱ. 풍선이 팽창하는 동안 A로부터 멀어지는 속도는 C가 B의 1.5배이다.
ㄴ. ㉠은 9이다.
ㄷ. 점 A, B, C 중 어느 곳을 기준점으로 정하든지 허블 법칙이 성립한다.

① ㄱ ② ㄴ ③ ㄷ
④ ㄱ, ㄷ ⑤ ㄴ, ㄷ

Tip 멀리 있는 은하일수록 ❶ ______ 멀어지는 현상은 우주가 ❷ ______한다는 것을 의미한다.
답 ❶ 빠르게 ❷ 팽창

10 그림은 외계 행성 탐사 방법을 분류한 것이다.

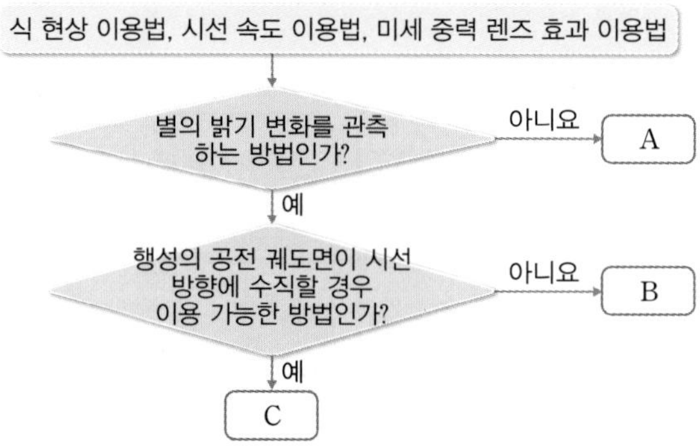
식 현상 이용법, 시선 속도 이용법, 미세 중력 렌즈 효과 이용법
별의 밝기 변화를 관측하는 방법인가?
아니요
A
예
행성의 공전 궤도면이 시선 방향에 수직할 경우 이용 가능한 방법인가?
아니요
B
예
C

이에 대한 설명으로 옳은 것만을 | 보기 |에서 있는 대로 고른 것은?

보기
ㄱ. A는 시선 속도 이용법이다.
ㄴ. B에서 별의 밝기 변화는 주기적으로 나타난다.
ㄷ. 현재까지 발견된 외계 행성들은 대부분 C를 이용하여 발견되었다.

① ㄱ ② ㄷ ③ ㄱ, ㄴ
④ ㄴ, ㄷ ⑤ ㄱ, ㄴ, ㄷ

Tip ❶ [ ] 이용법은 중심별의 스펙트럼에 나타난 파장 변화를 관측하고, 식 현상 이용법은 ❷ [ ]의 겉보기 밝기 변화를 관측한다. 답 ❶ 시선 속도 ❷ 중심별

11 다음은 우주론에 대하여 학생 A, B, C가 나눈 대화를 나타낸 것이다.

허블은 Ia형 초신성을 관측하여 우주의 가속 팽창을 주장했어.
빅뱅 우주론에서는 암흑 에너지를 우주 급팽창의 주요 원인이라고 설명해.
우주 배경 복사를 관측하여 빅뱅 우주론이 옳다는 것이 확인되었어.
학생 A
학생 B
학생 C

제시한 내용이 옳은 학생만을 있는 대로 고른 것은?

① A ② C ③ A, B
④ B, C ⑤ A, B, C

Tip ❶ [ ] 이론은 빅뱅 우주론에서 설명하기 어려운 우주의 ❷ [ ] 문제, 평탄성 문제, 자기 홀극 문제를 설명할 수 있다. 답 ❶ 급팽창 ❷ 지평선

2017 9월 모평 14번

12 다음은 학생이 우리 은하의 회전 운동에 대해 학습하면서 의문을 해결해 가는 탐구 과정의 일부이다.

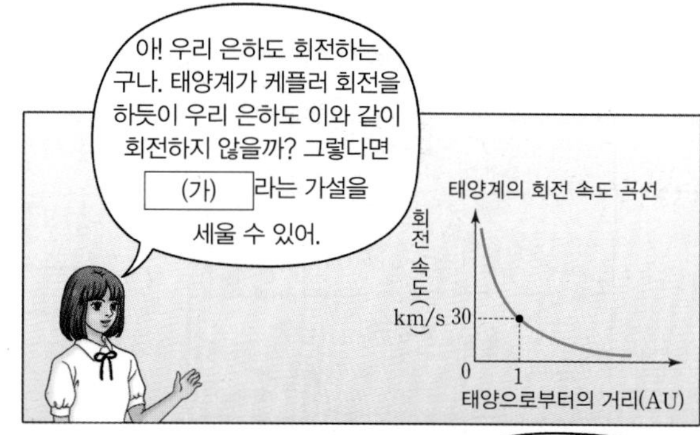
아! 우리 은하도 회전하는구나. 태양계가 케플러 회전을 하듯이 우리 은하도 이와 같이 회전하지 않을까? 그렇다면 (가) 라는 가설을 세울 수 있어.
태양계의 회전 속도 곡선
회전 속도 (km/s)
30
0
1
태양으로부터의 거리(AU)

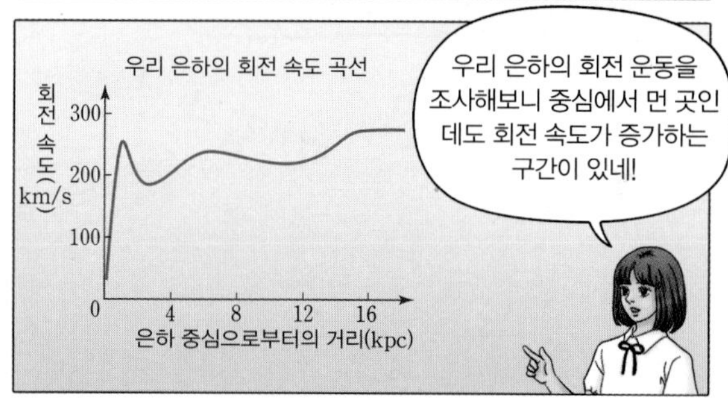
우리 은하의 회전 속도 곡선
회전 속도 (km/s)
300
200
100
0
4
8
12
16
은하 중심으로부터의 거리(kpc)
우리 은하의 회전 운동을 조사해보니 중심에서 먼 곳인데도 회전 속도가 증가하는 구간이 있네!

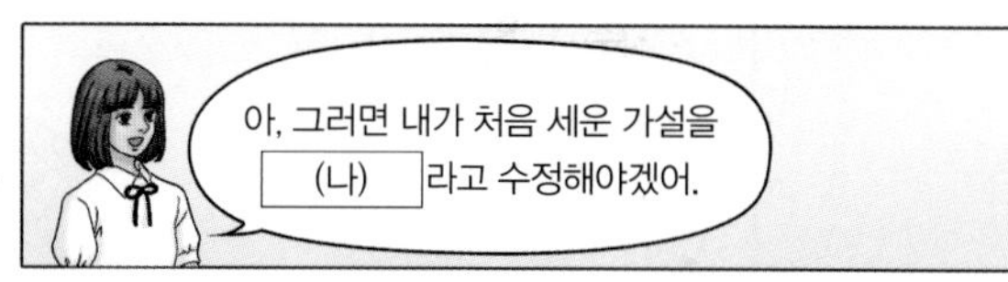
아, 그러면 내가 처음 세운 가설을 (나) 라고 수정해야겠어.

이에 대한 설명으로 옳은 것만을 | 보기 |에서 있는 대로 고른 것은?

보기
ㄱ. (가)의 가설로 '우리 은하의 질량은 중심에 집중되어 있다.'가 적절하다.
ㄴ. (나)의 가설로 '우리 은하의 중심 이외의 지역에도 질량이 많이 분포한다.'가 적절하다.
ㄷ. 우리 은하 외곽부의 회전 속도 분포에 가장 큰 영향을 미치는 우주 구성 요소는 암흑 물질이다.

① ㄱ ② ㄷ ③ ㄱ, ㄴ
④ ㄴ, ㄷ ⑤ ㄱ, ㄴ, ㄷ

Tip 우리 은하의 질량은 전자기파로 관측된 물질의 총 질량보다 훨씬 ❶ [ ]. 이는 전자기파로는 관측되지 않는 ❷ [ ]이 은하 원반과 헤일로에 분포하고 있음을 나타낸다. 답 ❶ 크다 ❷ 암흑 물질

마무리 전략

핵심 한눈에 보기

5강_ 대기와 해양의 변화 ~ 6강_ 대기와 해양의 상호 작용

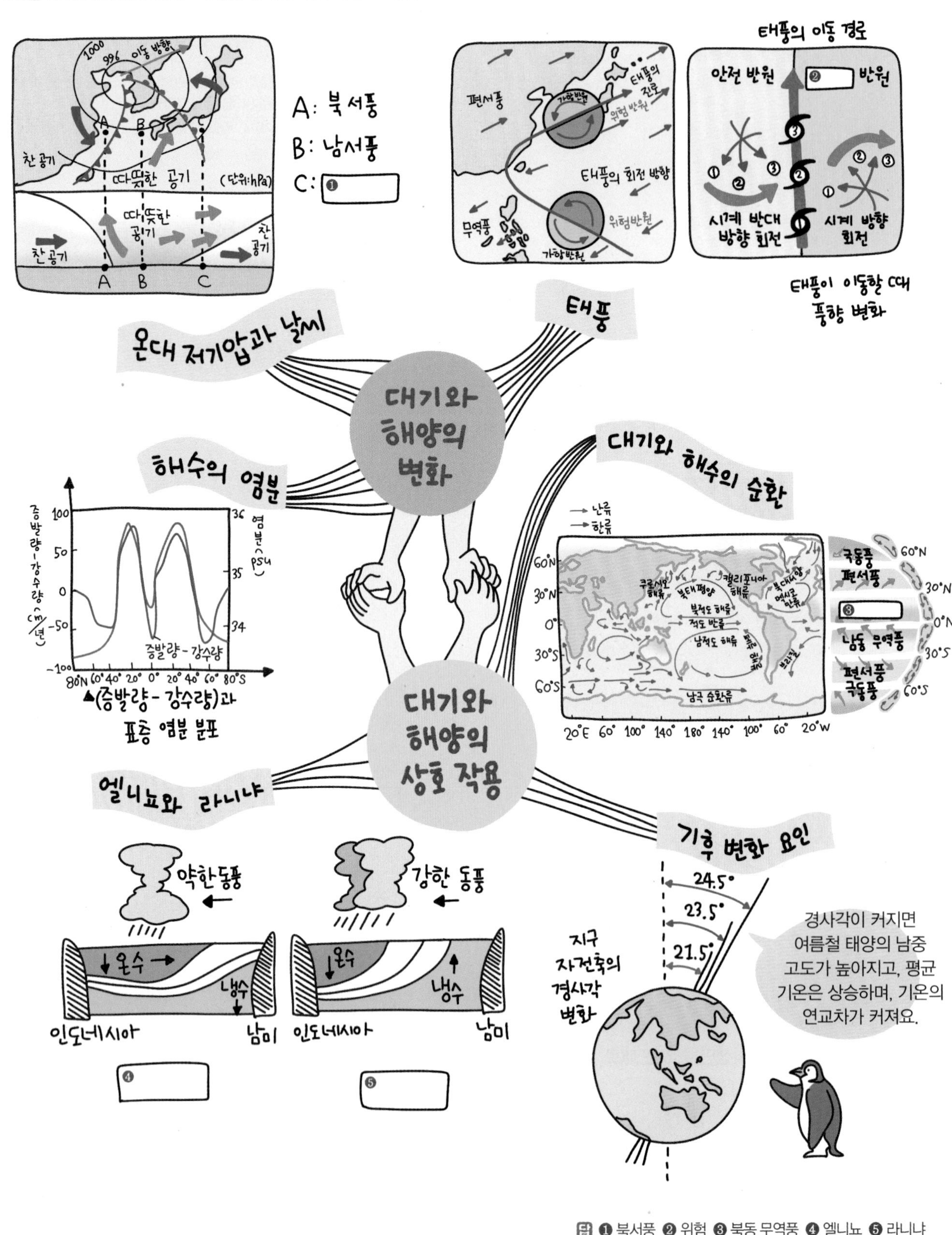

답 ❶ 북서풍 ❷ 위험 ❸ 북동 무역풍 ❹ 엘니뇨 ❺ 라니냐

7강_ 별과 외계 행성계 ~ 8강_ 외부 은하와 우주 팽창

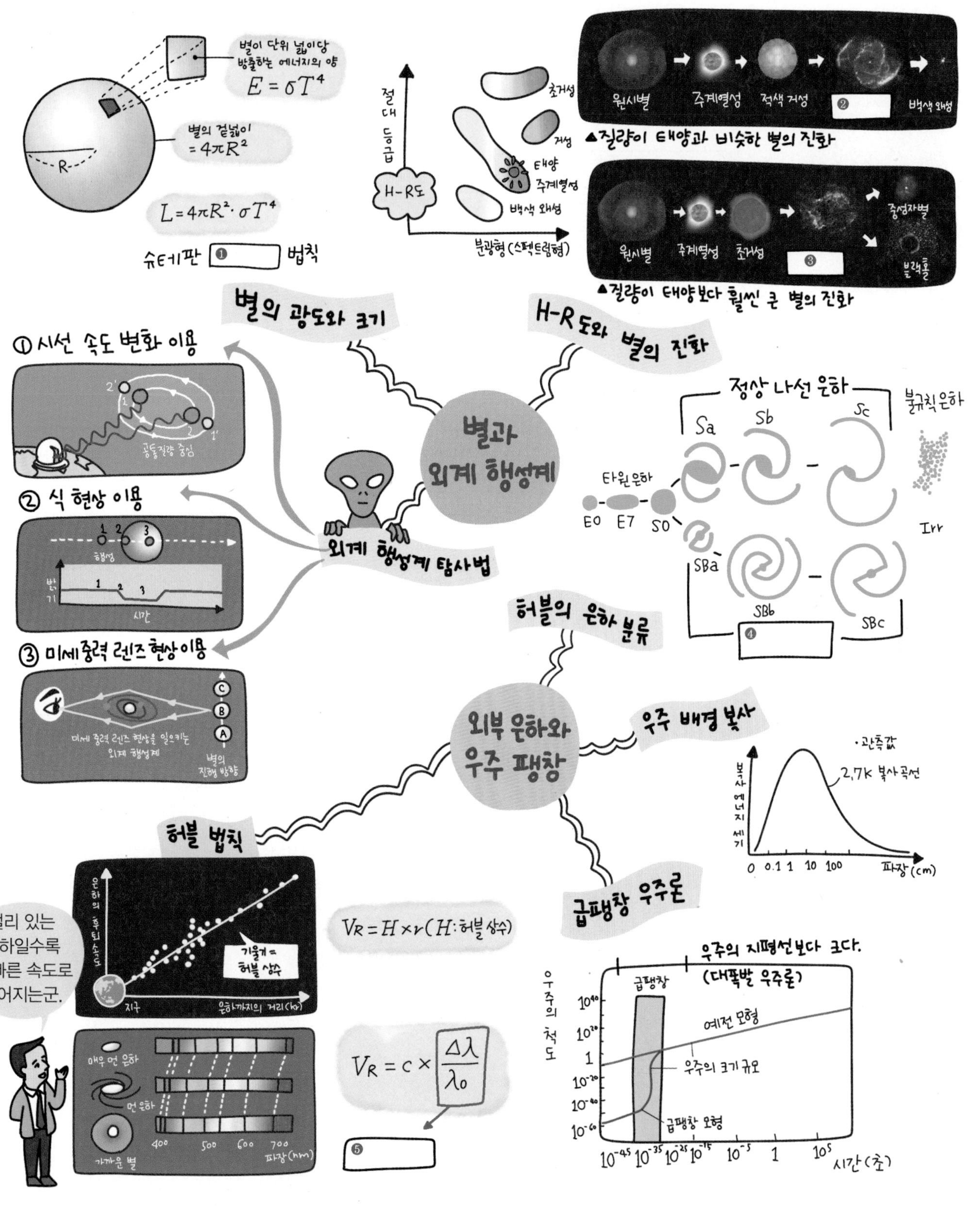

별이 단위 넓이당 방출하는 에너지의 양
$E=\sigma T^4$
별의 겉넓이 $=4\pi R^2$
$L=4\pi R^2\cdot\sigma T^4$
슈테판 ❶ 법칙
별의 광도와 크기
절대 등급
H-R도
초거성
거성
태양
주계열성
백색 왜성
분광형(스펙트럼형)
원시별 주계열성 적색 거성 ❷ 백색 왜성
▲질량이 태양과 비슷한 별의 진화
원시별 주계열성 초거성 ❸ 중성자별 블랙홀
▲질량이 태양보다 훨씬 큰 별의 진화
H-R도와 별의 진화
별과 외계 행성계
① 시선 속도 변화 이용
공통 질량 중심
② 식 현상 이용
행성
밝기
시간
③ 미세 중력 렌즈 현상 이용
미세 중력 렌즈 현상을 일으키는 외계 행성계
별의 진행 방향
외계 행성계 탐사법
정상 나선 은하
불규칙 은하
Sa Sb Sc
타원 은하
E0 E7 S0
Irr
SBa SBb SBc
❹
허블의 은하 분류
외부 은하와 우주 팽창
우주 배경 복사
관측값
2.7K 복사 곡선
복사 에너지 세기
파장(cm)
허블 법칙
은하의 후퇴 속도
기울기 = 허블 상수
지구
은하까지의 거리(km)
$V_R=H\times r$(H: 허블 상수)
멀리 있는 은하일수록 더 빠른 속도로 멀어지는군.
매우 먼 은하
먼 은하
가까운 별
400 500 600 700 파장(nm)
$V_R=c\times\frac{\Delta\lambda}{\lambda_0}$
❺
급팽창 우주론
우주의 지평선보다 크다.
(대폭발 우주론)
급팽창
예전 모형
우주의 크기 규모
급팽창 모형
우주의 척도
시간(초)

답 ❶ 볼츠만 ❷ 행성상 성운 ❸ 초신성 ❹ 막대 나선 은하 ❺ 적색 편이

신유형·신경향 전략

신유형 전략

01 해수의 성질

2022 9월 모평 12번

그림 (가)는 어느 날 우리나라 주변 표층 해수의 수온과 염분 분포를, (나)는 수온-염분도를 나타낸 것이다.

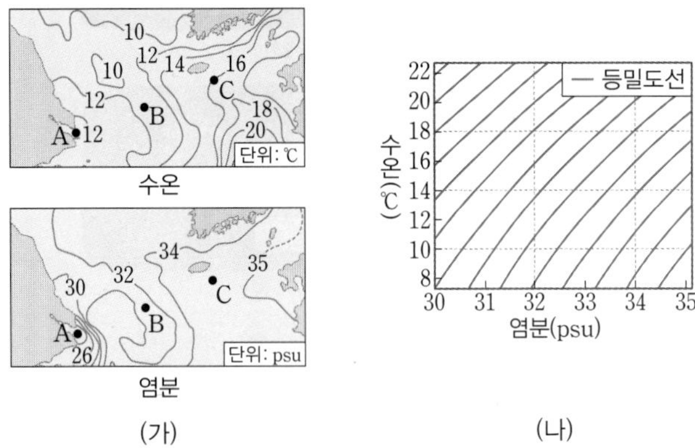

(가) (나)

이 자료에서 해역 A, B, C의 표층 해수에 대한 설명으로 옳은 것만을 | 보기 |에서 있는 대로 고른 것은?

보기

ㄱ. A에서 염분이 낮은 원인은 (증발량－강수량)이 작기 때문이다.

ㄴ. 용존 산소량은 B가 C보다 적다.

ㄷ. 표층 해수의 밀도는 $A<B<C$이다.

① ㄱ ② ㄷ ③ ㄱ, ㄴ
④ ㄴ, ㄷ ⑤ ㄱ, ㄴ, ㄷ

Tip 표층 염분은 증발량이 ❶ ___ 수록, 강수량이 적을수록, 담수 유입이 ❷ ___ 수록 높게 나타난다.

답 ❶ 많을 ❷ 적을

02 기후 변화 요인 실험

2022 6월 모평 12번

다음은 기후 변화를 일으키는 어떤 천문학적 요인이 태양 복사 에너지 입사량에 미치는 영향을 알아보기 위한 탐구이다.

| 탐구 과정 |

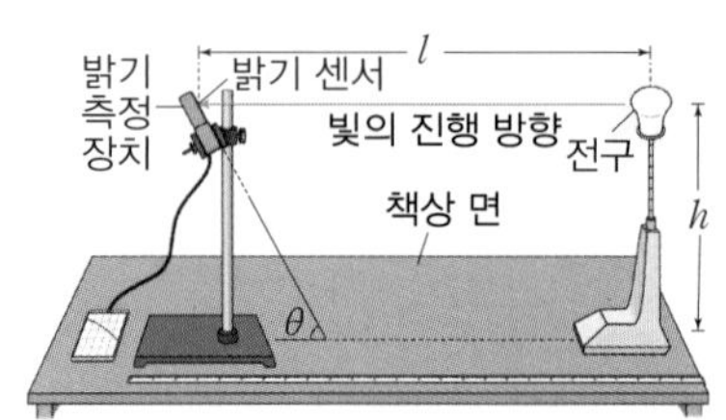

(가) 실험실을 어둡게 한 후 그림과 같이 밝기 측정 장치와 전구를 설치하고 전원을 켠다.

(나) 각도기를 사용하여 ㉠ 밝기 측정 장치와 책상 면이 이루는 각(θ)이 70°가 되도록 한다.

(다) 밝기 센서에 측정된 밝기(lux)를 기록한다.

(라) 밝기 센서에서 전구까지의 거리(l)와 밝기 센서의 높이(h)를 일정하게 유지하면서, θ를 10°씩 줄이며 20°가 될 때까지 (다)의 과정을 반복한다.

이 실험에 대한 설명으로 옳은 것만을 | 보기 |에서 있는 대로 고른 것은?

보기

ㄱ. 기후 변화 요인 중 이심률 변화에 따른 영향을 알아보기 위한 실험이다.

ㄴ. ㉠의 크기는 '태양의 남중 고도'에 해당한다.

ㄷ. (라)에서 θ가 작아질수록 밝기 센서에서 측정된 밝기는 커진다.

① ㄱ ② ㄴ ③ ㄱ, ㄷ
④ ㄴ, ㄷ ⑤ ㄱ, ㄴ, ㄷ

Tip 지구 자전축의 ❶ ___ 이 현재보다 커지면 북반구와 남반구에서 모두 기온의 연교차가 ❷ ___ 한다.

답 ❶ 경사각 ❷ 증가

03 별의 물리량

그림은 주계열성의 질량에 따른 광도와 주계열 수명을 A와 B로 순서 없이 나타낸 것이고, 표는 주계열성 ㉠, ㉡의 표면 온도와 반지름을 나타낸 것이다.

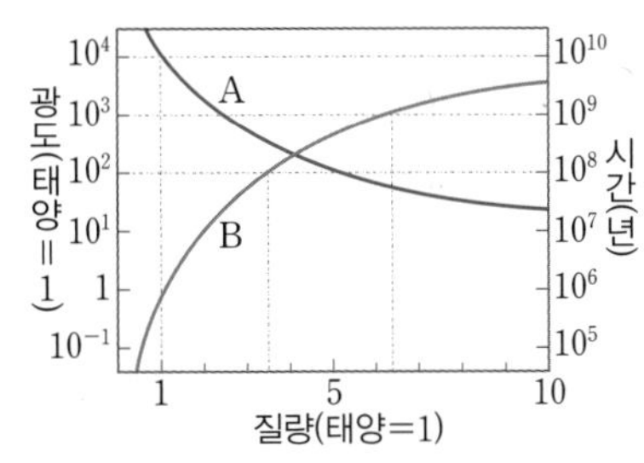

구분 \ 별	㉠	㉡
표면 온도(태양=1)	2	3
반지름(태양=1)	2	4

이 자료에 대한 설명으로 옳은 것만을 보기에서 있는 대로 고른 것은?

보기
ㄱ. 주계열 수명은 A이다.
ㄴ. ㉠의 질량은 태양의 4배보다 크다.
ㄷ. ㉡의 주계열 수명은 10^8년보다 길다.

① ㄱ ② ㄷ ③ ㄱ, ㄴ
④ ㄴ, ㄷ ⑤ ㄱ, ㄴ, ㄷ

Tip 질량이 큰 주계열성일수록 중심부 온도가 ❶ ( ) 아서 수소 핵융합 반응이 빠르게 일어나므로 주계열 수명이 ❷ ( ) 다.

답 ❶ 높 ❷ 짧

04 우주 팽창

2022 6월 모평 19번

그림은 우주의 나이가 38만 년일 때 ㉠과 ㉡의 위치에서 출발한 우주 배경 복사를 우리 은하에서 관측하는 상황을 가정하여 나타낸 것이다. (가)와 (나)는 우주의 나이가 각각 138억 년과 60억 년일 때이다.

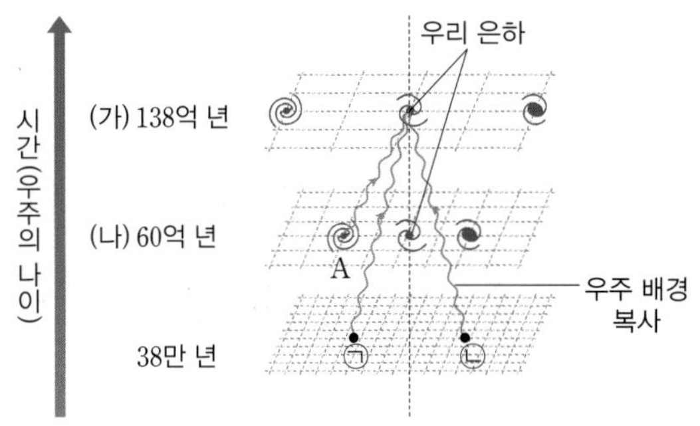

이에 대한 설명으로 옳은 것만을 보기에서 있는 대로 고른 것은?

보기
ㄱ. ㉠과 ㉡에서 출발한 우주 배경 복사의 온도는 (가)에서 거의 동일하게 측정된다.
ㄴ. (나)의 은하 A에서 출발한 빛은 약 78억 년 후에 (가)의 우리 은하에 도달한다.
ㄷ. 우리 은하에서 측정되는 우주 배경 복사의 파장은 (가)보다 (나)에서 짧다.

① ㄱ ② ㄴ ③ ㄱ, ㄷ
④ ㄴ, ㄷ ⑤ ㄱ, ㄴ, ㄷ

Tip 현재 관측되는 ❶ ( ) 는 우주의 나이가 약 ❷ ( ) 년일 때 출발하여 우주의 나이가 약 138억 년이 되었을 때 지구에 도달한 빛이다.

답 ❶ 우주 배경 복사 ❷ 38만

신경향 전략

05 기상 영상

2021 7월 학평 9번

다음은 위성 영상을 해석하는 탐구 활동이다.

| 탐구 과정 |

(가) 동일한 시각에 촬영한 가시 영상과 적외 영상을 준비한다.

(나) 가시 영상과 적외 영상에서 육지와 바다, 구름 A와 B의 밝기를 비교한다.

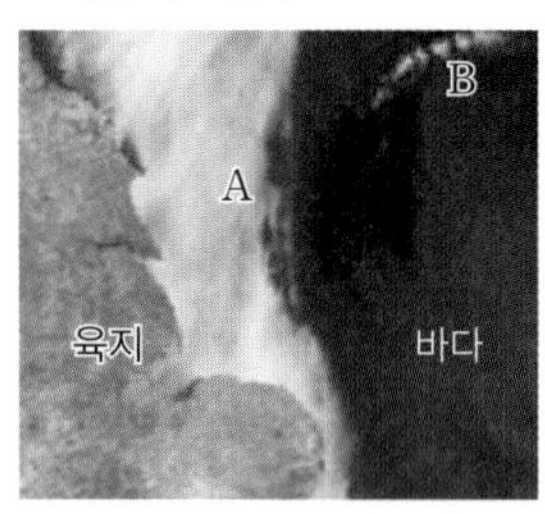

▲ 가시 영상

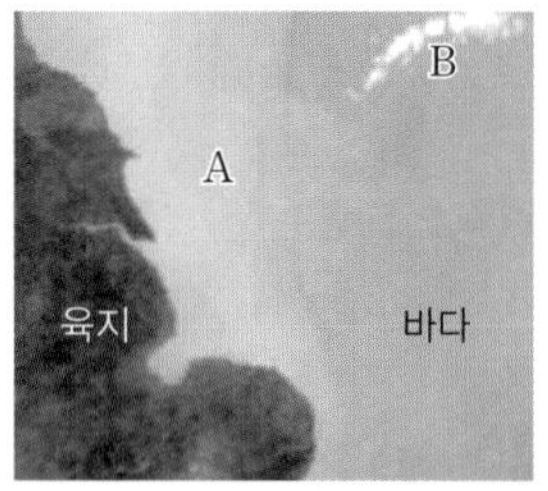

▲ 적외 영상

| 탐구 결과 |

가시 영상	적외 영상
육지가 바다보다 밝다.	바다가 육지보다 밝다.
A와 B의 밝기가 비슷하다.	B가 A보다 밝다.

이 자료에 대한 설명으로 옳은 것만을 | 보기 |에서 있는 대로 고른 것은?

보기

ㄱ. 육지는 바다보다 온도가 높다.

ㄴ. A는 상층운이다.

ㄷ. 구름의 햇빛 반사량은 B가 A보다 많다.

① ㄱ ② ㄴ ③ ㄷ ④ ㄱ, ㄷ ⑤ ㄴ, ㄷ

Tip 가시 영상에서는 구름의 두께가 ❶ [ ] 밝게 보이고, 적외 영상에서는 구름의 높이가 ❷ [ ] 밝게 보인다.

답 ❶ 두꺼울수록 ❷ 높을수록

06 해수의 염분 변화 실험

2021 6월 모평 4번

다음은 해수의 염분에 영향을 미치는 요인을 알아보기 위한 실험이다.

| 실험 과정 |

(가) 염분이 34.5 psu인 소금물 900 mL를 만들고, 3개의 비커에 각각 30 mL씩 나눠 담는다.

(나) 각 비커의 소금물에 다음과 같이 각각 다른 과정을 수행한다.

과정	실험 방법
A	증류수 100 mL를 넣어 섞는다.
B	10분간 가열하여 증발시킨다.
C	얼음이 생길 때까지 천천히 얼린다.

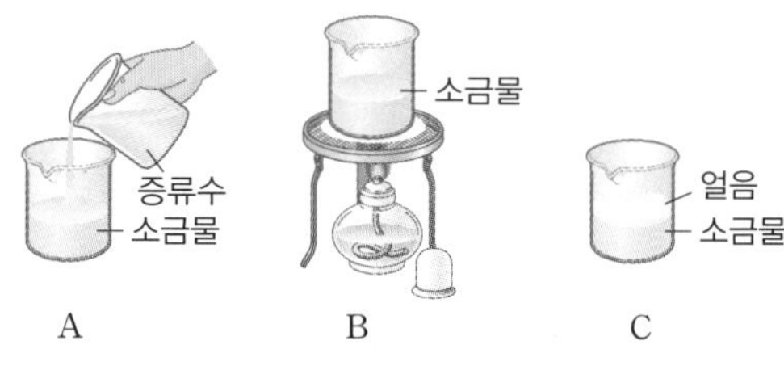

(다) 각 비커에 있는 소금물의 염분을 측정하여 기록한다.

이 실험에 대한 설명으로 옳은 것만을 | 보기 |에서 있는 대로 고른 것은?

보기

ㄱ. 우리나라에서 겨울철보다 여름철에 염분이 낮은 이유는 A 과정으로 설명할 수 있다.

ㄴ. 태평양이 대서양보다 평균 염분이 낮은 이유는 A와 B의 과정으로 설명할 수 있다.

ㄷ. C에서 얼음의 부피가 증가할수록 염분은 감소한다.

① ㄱ ② ㄷ ③ ㄱ, ㄴ ④ ㄴ, ㄷ ⑤ ㄱ, ㄴ, ㄷ

Tip 염분이 증가하는 과정으로 ❶ [ ] 증가, 결빙이 있고, 감소하는 과정으로 ❷ [ ] 유입, 강수량 증가, 빙하의 융해가 있다.

답 ❶ 증발량 ❷ 담수

07 외계 행성 탐사

2020 4월 학평 17번

다음은 어느 외계 행성계에 대한 기사의 일부이다.

한글 이름을 사용하는 외계 행성계 '백두'와 '한라'

우리나라 천문학자가 발견한 외계 행성계의 중심별과 외계 행성의 이름에 각각 '백두'와 '한라'가 선정되었다. '한라'는 '백두'의 시선 속도 변화를 이용한 탐사 방법으로 발견하였다.

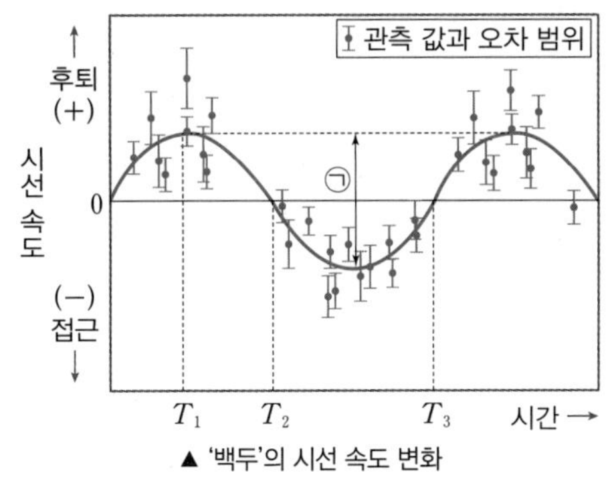

▲ '백두'의 시선 속도 변화

이에 대한 설명으로 옳은 것만을 | 보기 | 에서 있는 대로 고른 것은?

보기

ㄱ. '백두'의 스펙트럼에서 흡수선의 파장은 T_1일 때 가장 길게 나타난다.

ㄴ. 태양으로부터 '한라'까지의 거리는 T_2보다 T_3일 때 멀다.

ㄷ. '한라'의 반지름이 현재의 2배였다면 ㉠은 4배가 되었을 것이다.

① ㄱ ② ㄴ ③ ㄷ ④ ㄱ, ㄴ ⑤ ㄱ, ㄷ

Tip 시선 속도 변화를 이용하는 행성 탐사 방법은 행성의 ❶ ______이 클수록 별빛의 ❷ ______ 효과가 커서 행성의 존재를 확인하기 쉽다.

답 ❶ 질량 ❷ 도플러

08 급팽창 우주론

표는 급팽창 이론에 근거하여 우주의 크기와 우주의 지평선의 크기를 나타낸 것이다.

구분	우주의 크기	우주의 지평선의 크기
급팽창 이전	R_1	H_1
급팽창 이후	R_2	H_2

이에 대한 설명으로 옳은 것만을 | 보기 | 에서 있는 대로 고른 것은?

보기

ㄱ. 급팽창 시기에 우주는 빛보다 빠른 속도로 팽창하였다.

ㄴ. 급팽창 이전에는 R_1이 H_1보다 컸다.

ㄷ. H_2 영역 내부에서는 우주의 온도가 거의 균일하다.

① ㄱ ② ㄴ ③ ㄱ, ㄷ ④ ㄴ, ㄷ ⑤ ㄱ, ㄴ, ㄷ

Tip 급이론은 빅뱅 직후 아주 짧은 시간 동안 우주가 ❶ ______보다 빠르게 팽창했다는 이론으로, 급팽창 이전에는 우주의 크기가 우주의 지평선보다 ❷ ______, 급팽창 이후에는 우주의 지평선보다 커졌다고 설명한다.

답 ❶ 빛 ❷ 작았고

1·2등급 확보 전략 1회

빈출도 ● > ● > ●

5강_ 대기와 해양의 변화

01 그림은 어느 날 03시에 우리나라 주변의 기상 영상을 나타낸 것이다. A 부근에 태풍의 중심부가 위치한다. 이 자료에 대한 설명으로 옳은 것만을 | 보기 |에서 있는 대로 고른 것은?

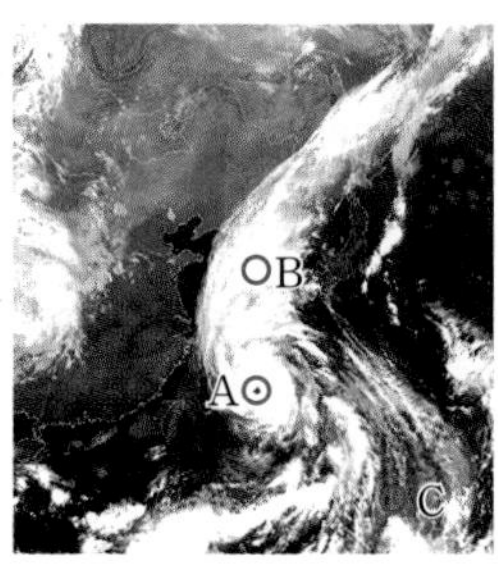

| 보기 |

ㄱ. A 해역에서 바람에 의한 표층수의 발산이 나타난다.
ㄴ. 구름 최상부의 고도는 B가 C보다 높다.
ㄷ. B의 지상에서는 서풍 계열의 바람이 우세하다.

① ㄱ ② ㄷ ③ ㄱ, ㄴ
④ ㄱ, ㄷ ⑤ ㄴ, ㄷ

02 2022 수능 12번 유사

그림 (가)와 (나)는 우리나라에 온대 저기압이 위치할 때, 온난 전선과 한랭 전선 주변의 지상 기온 분포를 순서 없이 나타낸 것이다.

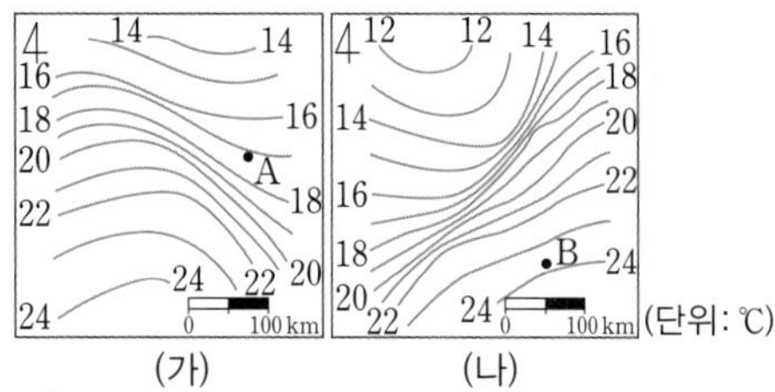

이에 대한 설명으로 옳은 것만을 | 보기 |에서 있는 대로 고른 것은?

| 보기 |

ㄱ. A 지역의 상공에는 전선면이 나타난다.
ㄴ. B 지역에서는 북풍 계열의 바람이 분다.
ㄷ. 온대 저기압이 통과할 때, (가)의 전선이 (나)의 전선보다 늦게 통과한다.

① ㄱ ② ㄷ ③ ㄱ, ㄴ
④ ㄱ, ㄷ ⑤ ㄴ, ㄷ

03 2020 수능 12번 변형

표는 7월 11일~12일 동안 1일 강수량 분포와 지점 A의 1일 풍향 빈도를 나타낸 것이다. 이 기간 동안 우리나라는 정체 전선의 영향권에 있었다.

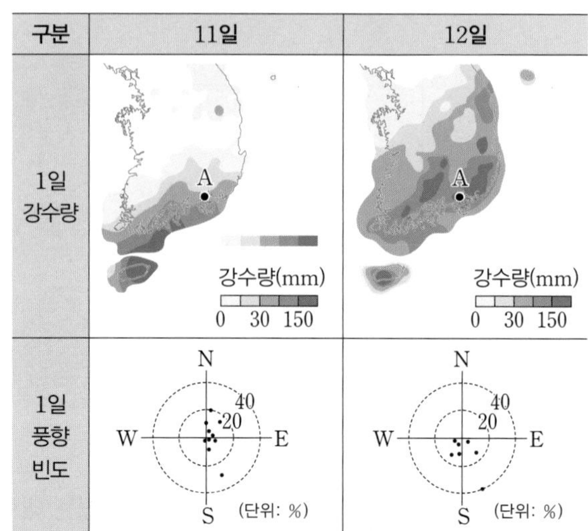

지점 A에 대한 설명으로 옳은 것만을 | 보기 |에서 있는 대로 고른 것은?

| 보기 |

ㄱ. 정체 전선은 11일보다 12일에 북쪽에 위치하였다.
ㄴ. 12일에 풍향은 동풍보다 서풍이 우세하였다.
ㄷ. 북태평양 기단의 영향은 11일보다 12일에 컸다.

① ㄱ ② ㄷ ③ ㄱ, ㄴ
④ ㄱ, ㄷ ⑤ ㄴ, ㄷ

04 그림은 어느 날 9시에 작성된 우리나라 주변의 지상 일기도를 나타낸 것이다.

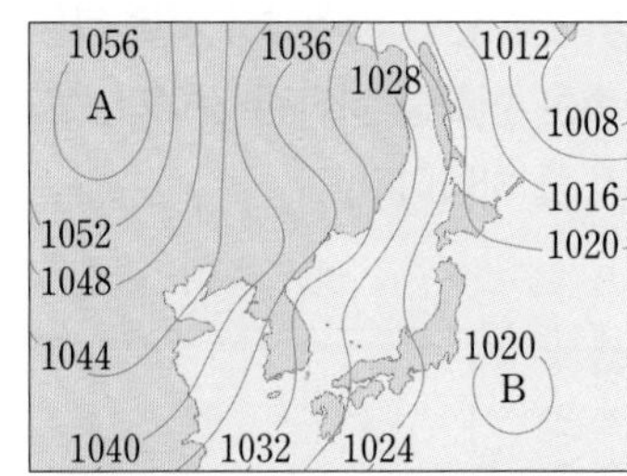

이에 대한 설명으로 옳은 것만을 | 보기 | 에서 있는 대로 고른 것은?

보기
ㄱ. 적외 영상에서는 A 지역이 B 지역보다 어둡다.
ㄴ. 서해 연안에서 안개 주의보가 발생할 가능성이 크다.
ㄷ. 동해 연안에서 기단의 변질로 상승 기류가 발달할 가능성이 크다.

① ㄱ ② ㄴ ③ ㄷ
④ ㄱ, ㄴ ⑤ ㄱ, ㄷ

05 그림은 해수의 위도별 층상 구조를 나타낸 것이다. A, B, C는 각각 혼합층, 수온 약층, 심해층 중 하나이다.

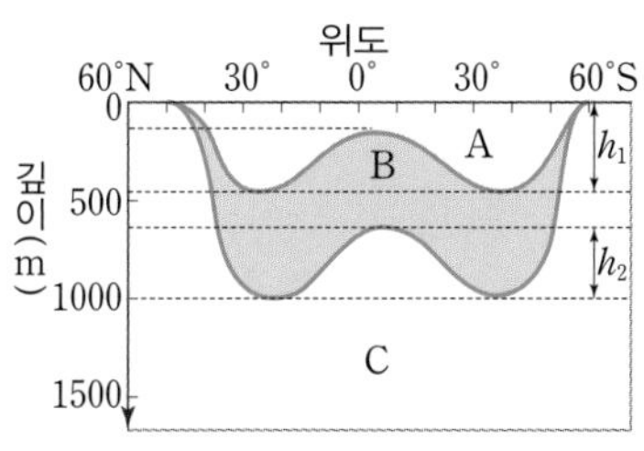

이에 대한 설명으로 옳은 것만을 | 보기 | 에서 있는 대로 고른 것은?

보기
ㄱ. h_1 구간에서 해수의 연직 이동은 적도 해역보다 30° 해역에서 활발하다.
ㄴ. h_2 구간에서 깊이에 따른 밀도 변화율은 30° 해역보다 60° 해역에서 크다.
ㄷ. 적도 해역에서 60° 해역으로 갈수록 표층 해수의 용존 산소량은 대체로 감소한다.

① ㄱ ② ㄷ ③ ㄱ, ㄴ
④ ㄱ, ㄷ ⑤ ㄴ, ㄷ

06 그림 (가)는 북반구 아열대 해역에서 관측된 깊이에 따른 해수의 수온과 염분을, (나)는 수온-염분도를 나타낸 것이다.

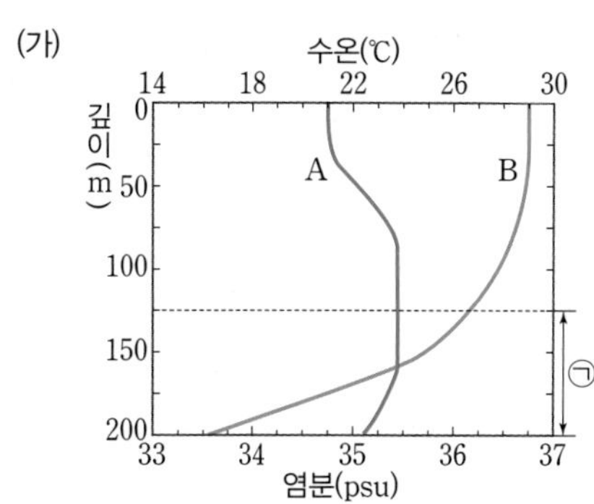

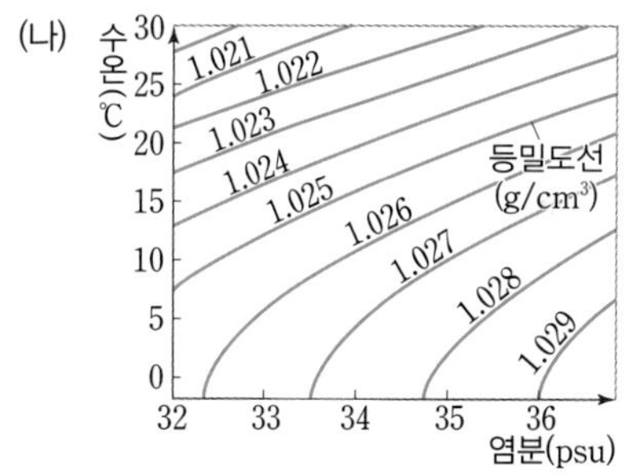

이에 대한 설명으로 옳은 것만을 | 보기 | 에서 있는 대로 고른 것은?

보기
ㄱ. A는 깊이에 따른 염분 분포이다.
ㄴ. ㉠ 층에서 깊이에 따른 밀도 변화는 수온보다 염분에 더 큰 영향을 받는다.
ㄷ. 혼합층을 이루는 해수의 평균 밀도는 1.023 g/cm^{3}보다 작다.

① ㄱ ② ㄴ ③ ㄷ
④ ㄱ, ㄴ ⑤ ㄱ, ㄷ

6강_ 대기와 해양의 상호 작용

2022 수능 10번 유사

07 그림은 평균 해면 기압을 위도에 따라 나타낸 것이다.

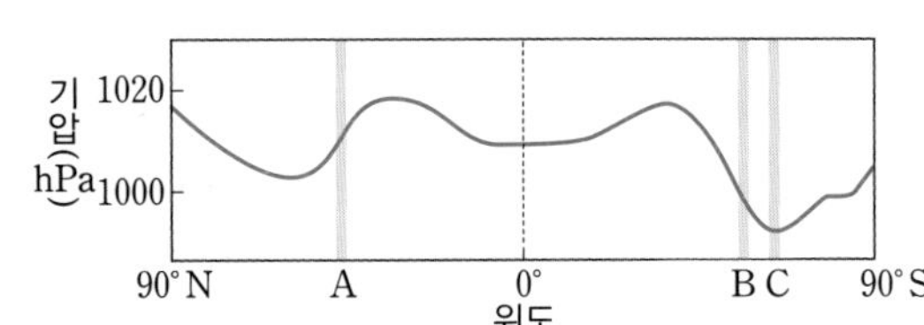

이 자료에 대한 설명으로 옳은 것만을 | 보기 |에서 있는 대로 고른 것은?

| 보기 |
ㄱ. A 해역의 해류는 무역풍에 의해 형성되었다.
ㄴ. B 해역에서는 남극 순환 해류가 흐른다.
ㄷ. C 해역에서는 대기 대순환에 의해 해수의 용승이 나타난다.

① ㄱ ② ㄷ ③ ㄱ, ㄴ
④ ㄱ, ㄷ ⑤ ㄴ, ㄷ

1등급 킬러 2019 수능 16번 유사

08 그림은 복사 평형 상태에 있는 지구의 열수지를 나타낸 것이다.

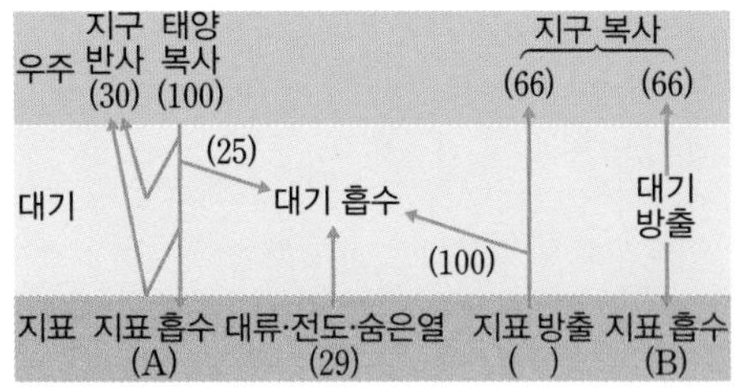

이에 대한 설명으로 옳은 것만을 | 보기 |에서 있는 대로 고른 것은?

| 보기 |
ㄱ. A는 B보다 크다.
ㄴ. 지표가 방출하는 복사 에너지양은 (A+B−29)와 같다.
ㄷ. B는 적외선 영역의 에너지가 대부분을 차지한다.

① ㄱ ② ㄷ ③ ㄱ, ㄴ
④ ㄴ, ㄷ ⑤ ㄱ, ㄴ, ㄷ

09 그림 (가)는 동태평양 적도 부근 해역의 표층에 도달하는 태양 복사 에너지 편차(관측값−평년값)를, (나)는 동태평양 페루 연안 해역에서 서로 다른 두 시기에 플랑크톤과 수온 변화를 나타낸 것이다. ㉠과 ㉡은 각각 A와 B 시기 중 하나이다.

(가)

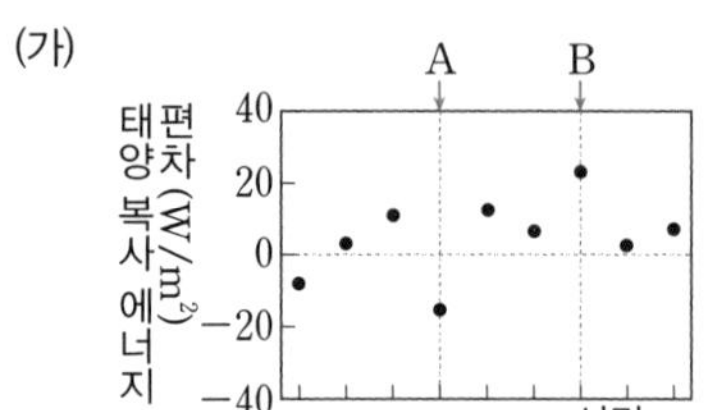

(나)

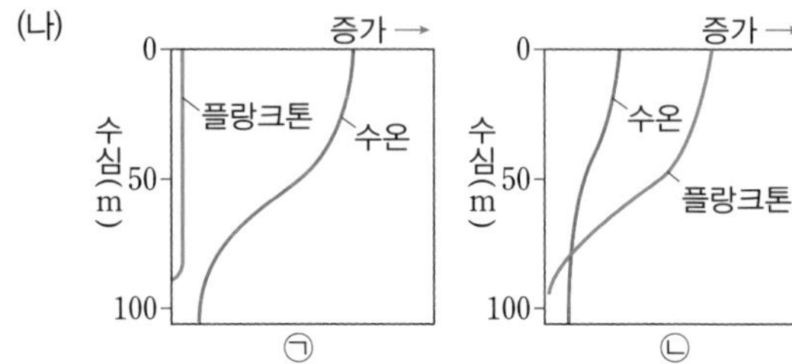

이에 대한 설명으로 옳은 것만을 | 보기 |에서 있는 대로 고른 것은?

| 보기 |
ㄱ. ㉠은 B에 해당한다.
ㄴ. ㉡일 때 서태평양 적도 부근 해역은 평년보다 건조하다.
ㄷ. 태평양 적도 부근 해역에서 동서 방향의 해수면 경사는 B보다 A일 때 완만하다.

① ㄱ ② ㄷ ③ ㄱ, ㄴ
④ ㄴ, ㄷ ⑤ ㄱ, ㄴ, ㄷ

⁂ 1등급 킬러 2021 4월 학평 12번 변형

10 그림은 T 시기에 지구 공전 궤도면의 수직 방향에서 바라보았을 때, 지구 중심을 지나는 지구 공전 궤도면의 수직축에 대한 북극의 상대적인 위치를 나타낸 것이다.

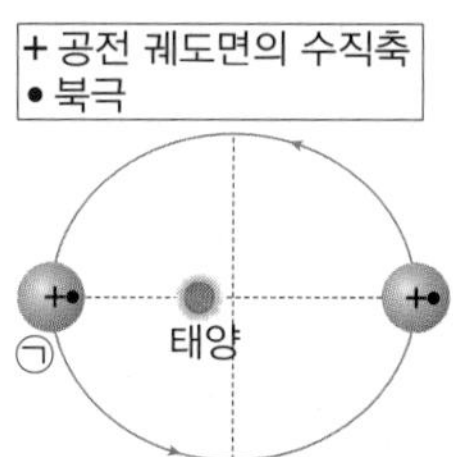

이에 대한 설명으로 옳은 것만을 | 보기 |에서 있는 대로 고른 것은? (단, 세차 운동의 주기는 약 26000년이며, 세차 운동 이외의 요인은 고려하지 않는다.)

보기
ㄱ. 지구가 ㉠에 위치할 때 북반구는 겨울이다.
ㄴ. 기온의 연교차는 30°N보다 30°S에서 작다.
ㄷ. 지구가 원일점에 위치할 때 우리나라에서 태양의 남중 고도는 T일 때보다 T+13000년 후에 높다.

① ㄱ ② ㄷ ③ ㄱ, ㄴ
④ ㄱ, ㄷ ⑤ ㄴ, ㄷ

⁂ 1등급 킬러 2020 10월 학평 9번 변형

11 표는 현재와 A 시기의 지구 공전 궤도 이심률을, 그림은 현재 지구가 근일점과 원일점에 위치할 때 지구에서 관측한 태양의 겉보기 크기를 ㉠과 ㉡으로 순서 없이 나타낸 것이다.

시기	궤도 이심률
현재	0.017
A	0.011

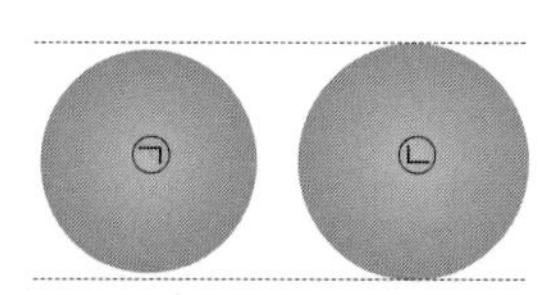

이에 대한 설명으로 옳은 것만을 | 보기 |에서 있는 대로 고른 것은? (단, 공전 궤도 이심률 이외의 요인은 변하지 않는다.)

보기
ㄱ. ㉠을 관측했을 때 남반구는 겨울철이다.
ㄴ. ㉠과 ㉡의 겉보기 크기 차는 현재보다 A 시기에 작다.
ㄷ. 남반구 중위도에서 기온의 연교차는 현재보다 A 시기에 작다.

① ㄱ ② ㄷ ③ ㄱ, ㄴ
④ ㄴ, ㄷ ⑤ ㄱ, ㄴ, ㄷ

⁂ 1등급 킬러 2021 6월 모평 20번 유사

12 그림 (가)는 어느 해(Y)에 시작된 엘니뇨 또는 라니냐 시기 동안 태평양 적도 부근에서 기상 위성으로 관측한 적외선 방출 복사 에너지의 편차(관측값−평년값)를, (나)는 서태평양과 동태평양에 위치한 각 지점의 해면 기압 편차(관측값−평년값)를 나타낸 것이다. (가)의 시기는 (나)의 ㉠에 해당한다.

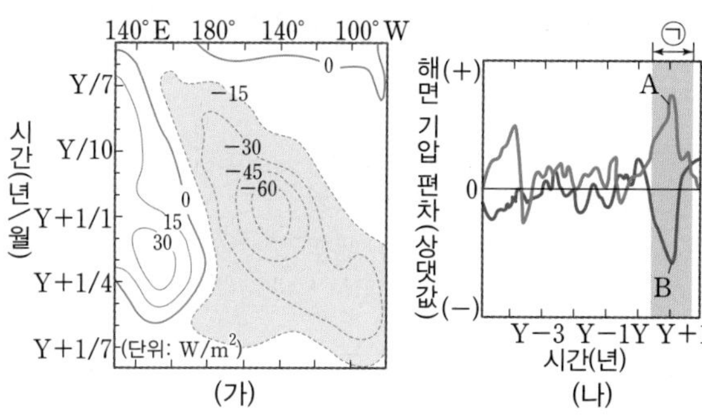

(가) 시기에 대한 설명으로 옳은 것만을 | 보기 |에서 있는 대로 고른 것은?

보기
ㄱ. 적도 태평양 중앙 해역에서 구름 발생량이 평상시보다 많다.
ㄴ. 워커 순환이 평상시보다 강해진다.
ㄷ. A는 서태평양의 기압 편차에 해당한다.

① ㄱ ② ㄴ ③ ㄱ, ㄷ
④ ㄴ, ㄷ ⑤ ㄱ, ㄴ, ㄷ

1·2등급 확보 전략 2회

빈출도 ● > ● > ●

7강_ 별과 외계 행성계

01 그림은 어느 성단의 H-R도를 나타낸 것이다. 이 성단의 별들은 원시별 단계일 때 성운 내부에서 동시에 중력 수축을 시작하였다. 이에 대한 설명으로 옳은 것만을 보기 에서 있는 대로 고른 것은?

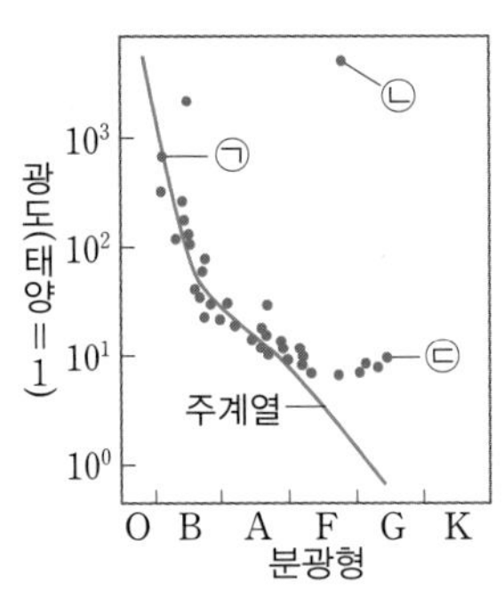

보기
ㄱ. ㉠ 중심부에는 대류핵이 존재한다.
ㄴ. ㉢의 주요 에너지원은 수소 핵융합 반응 에너지이다.
ㄷ. 별의 중심부 온도는 ㉠>㉡>㉢이다.

① ㄱ ② ㄷ ③ ㄱ, ㄴ
④ ㄴ, ㄷ ⑤ ㄱ, ㄴ, ㄷ

02 그림은 어느 별의 진화 경로 일부를 H−R도에 나타낸 것이다. $L_\odot$은 태양 광도이다. 이에 대한 설명으로 옳은 것만을 보기 에서 있는 대로 고른 것은?

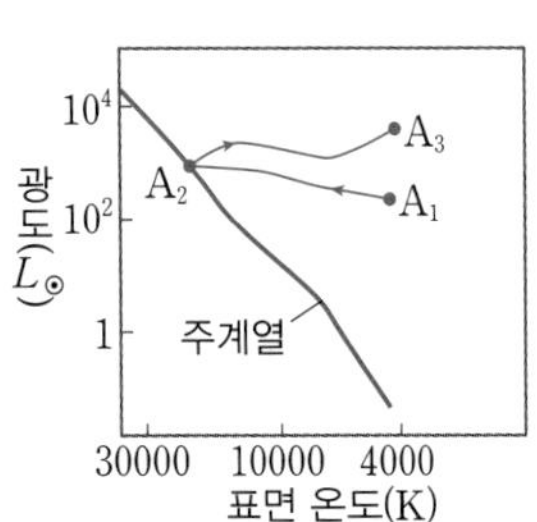

보기
ㄱ. $A_1 \to A_2$ 동안 주요 에너지원은 중력 수축 에너지이다.
ㄴ. $A_2 \to A_3$ 동안 중심부에서 수소 핵융합 반응이 일어난다.
ㄷ. 별의 $\frac{\text{나중 크기}}{\text{처음 크기}}$는 $A_2 \to A_3$ 과정이 $A_1 \to A_2$ 과정보다 크다.

① ㄱ ② ㄴ ③ ㄱ, ㄷ
④ ㄴ, ㄷ ⑤ ㄱ, ㄴ, ㄷ

1등급 킬러 2020 7월 학평 12번 변형

03 그림은 별 A와 B에서 단위 시간당 동일한 양의 복사 에너지를 방출하는 면적을 나타낸 것이고, 표는 A와 B의 절대 등급을 나타낸 것이다.

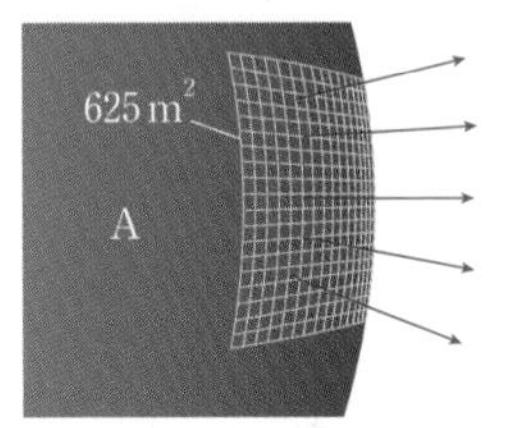

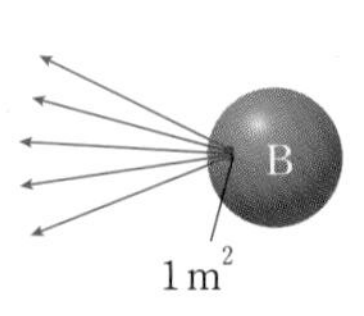

구분	절대 등급
A	+2.0
B	+4.0

이에 대한 설명으로 옳은 것만을 보기 에서 있는 대로 고른 것은?

보기
ㄱ. 표면 온도는 B가 A의 5배이다.
ㄴ. 광도는 A가 B의 약 2.5^2배이다.
ㄷ. 반지름은 A가 B의 50배보다 크다.

① ㄱ ② ㄷ ③ ㄱ, ㄴ
④ ㄴ, ㄷ ⑤ ㄱ, ㄴ, ㄷ

2021 9월 모평 11번 변형

04 그림 (가)는 태양과 질량이 비슷한 어느 별의 중심으로부터 표면까지의 거리에 따른 수소와 헬륨의 비율을, (나)는 p−p 반응과 CNO 순환 반응에서 중심 온도에 따른 에너지 생성률을 A, B로 순서 없이 나타낸 것이다.

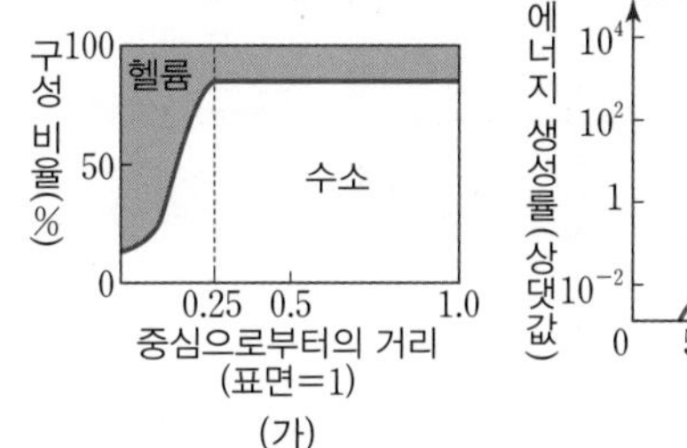

(가)

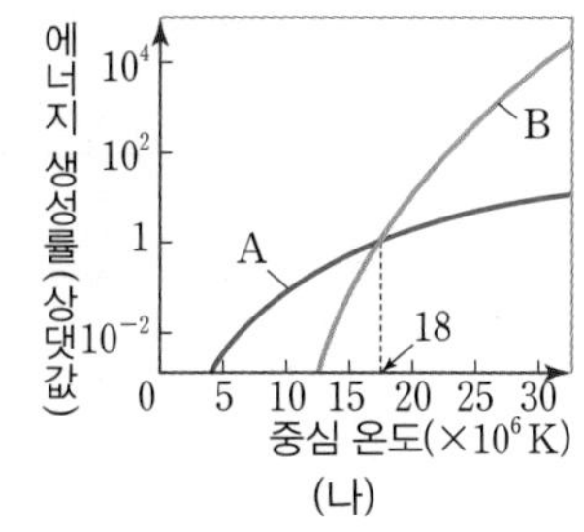

(나)

이 별에 대한 설명으로 옳은 것만을 ｜보기｜에서 있는 대로 고른 것은?

보기
ㄱ. 주계열성이다.
ㄴ. 별 전체에서 중심핵이 차지하는 부피는 약 25 %이다.
ㄷ. 중심부 온도는 1800만 K보다 높다.

① ㄱ ② ㄴ ③ ㄷ
④ ㄱ, ㄴ ⑤ ㄱ, ㄷ

05 그림은 질량이 같고, 진화 단계가 다른 두 별 (가)와 (나)의 내부 구조를 나타낸 것이다.

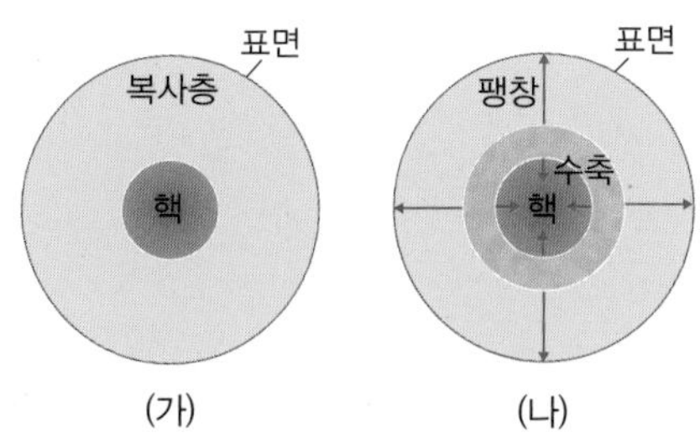

(가) (나)

(가)와 (나)에 대한 설명으로 옳은 것만을 ｜보기｜에서 있는 대로 고른 것은?

보기
ㄱ. (가)의 핵에서는 대류가 활발하다.
ㄴ. 별의 중심부 온도는 (나)가 (가)보다 낮다.
ㄷ. 별의 표면에 작용하는 중력의 크기는 (가)가 (나)보다 크다.

① ㄱ ② ㄴ ③ ㄷ
④ ㄱ, ㄷ ⑤ ㄴ, ㄷ

2022 수능 15번 유사

06 표는 주계열성 A, B, C를 각각 원 궤도로 공전하는 외계 행성 a, b, c의 공전 궤도 반지름, 질량, 반지름을 나타낸 것이다. 세 별의 질량과 반지름은 각각 같으며, 행성의 공전 궤도면은 관측자의 시선 방향과 나란하다.

외계 행성	공전 궤도 반지름 (AU)	질량 (목성=1)	반지름 (목성=1)
a	1	1	2
b	1	2	1
c	2	2	1

이에 대한 설명으로 옳은 것만을 ｜보기｜에서 있는 대로 고른 것은? (단, A, B, C의 시선 속도 변화는 각각 a, b, c와의 공통 질량 중심을 공전하는 과정에서만 나타난다.)

보기
ㄱ. 별빛 스펙트럼의 파장 변화량은 A가 B보다 작다.
ㄴ. 별과 공통 질량 중심 사이의 거리는 B가 C보다 짧다.
ㄷ. 행성의 식 현상에 의한 겉보기 밝기 변화는 A가 C보다 작다.

① ㄱ ② ㄴ ③ ㄷ
④ ㄱ, ㄴ ⑤ ㄴ, ㄷ

8강_ 외부 은하와 우주 팽창

2019 10월 학평 1번 변형

07 그림은 어느 외계 행성계에서 중심별이 주계열 단계에 머무는 기간 동안 행성 P의 표면 온도 변화를 시간에 따라 나타낸 것이다.

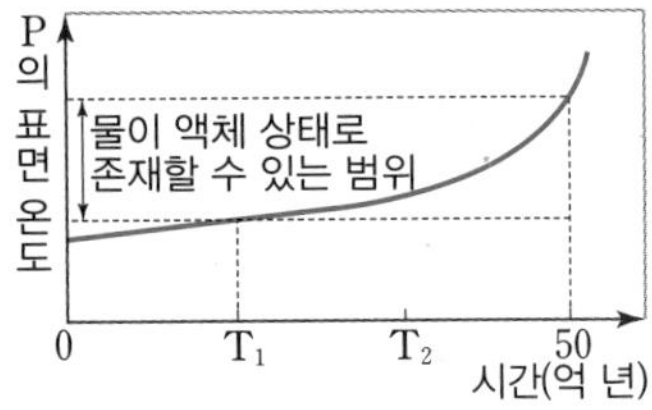

이에 대한 설명으로 옳은 것만을 보기 에서 있는 대로 고른 것은? (단, 태양의 주계열 수명은 100억 년이고, 행성 P의 표면 온도는 중심별의 광도만 고려한다.)

보기
ㄱ. 중심별의 질량은 태양보다 작다.
ㄴ. 생명 가능 지대의 폭은 T_1보다 T_2일 때 넓다.
ㄷ. P의 공전 궤도 반지름은 1 AU보다 크다.

① ㄱ ② ㄴ ③ ㄷ
④ ㄱ, ㄴ ⑤ ㄴ, ㄷ

1등급 킬러 2022 수능 20번 유사

08 그림은 외부 은하 A와 B에서 각각 발견된 Ia형 초신성의 겉보기 밝기를 시간에 따라 나타낸 것이다. 우리 은하에서 관측하였을 때 A와 B의 시선 방향은 60°를 이루고, F_0은 Ia형 초신성이 100 Mpc에 있을 때 겉보기 밝기의 최댓값이다. 이 자료에 대한 설명으로 옳은 것만을 보기 에서 있는 대로 고른 것은? (단, 빛의 속도는 c이고, 허블 상수는 70 km/s/Mpc이며, 두 은하는 허블 법칙을 만족한다.)

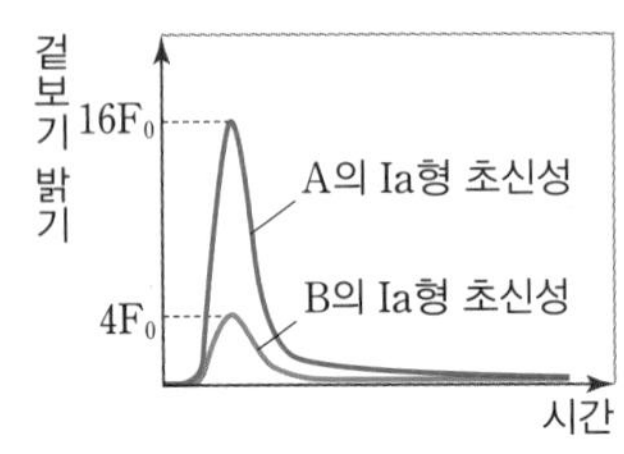

보기
ㄱ. 우리 은하에서 A까지의 거리는 25 Mpc이다.
ㄴ. 우리 은하에서 관측한 B의 후퇴 속도는 A의 4 배이다.
ㄷ. A에서 B의 Ia형 초신성을 관측하면, 겉보기 밝기의 최댓값은 $\frac{4}{3}F_0$이다.

① ㄱ ② ㄷ ③ ㄱ, ㄴ
④ ㄱ, ㄷ ⑤ ㄱ, ㄴ, ㄷ

09 표는 서로 다른 특이 은하 (가)와 (나)의 관측 영상과 관측 파장, 형태에 따른 분류를 나타낸 것이다.

은하	(가)	(나)
관측 영상		
관측 파장	( )	가시광선
형태 분류	허블의 은하 분류에 따르면 타원 은하이다.	스펙트럼에 나타난 방출선의 폭이 넓다.

이에 대한 설명으로 옳은 것만을 보기 에서 있는 대로 고른 것은?

보기
ㄱ. (가)를 관측한 파장 영역은 가시광선이다.
ㄴ. $\left(\frac{\text{중심핵의 밝기}}{\text{은하 전체 밝기}}\right)$는 (나)가 우리 은하보다 작다.
ㄷ. 은하를 구성하는 별들의 평균 색지수는 (가)가 (나)보다 크다.

① ㄱ ② ㄴ ③ ㄷ
④ ㄱ, ㄴ ⑤ ㄴ, ㄷ

2021 9월 모평 18번 유사

10 그림은 여러 외부 은하를 관측해서 구한 은하 A~I 의 성간 기체에 존재하는 원소의 질량비를 나타낸 것이다.

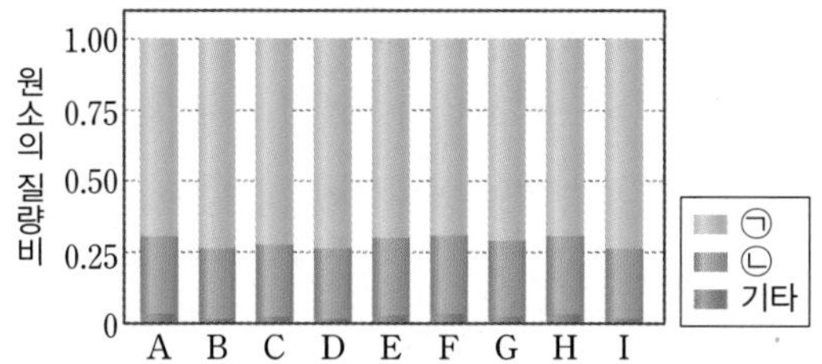

이에 대한 설명으로 옳은 것만을 | 보기 | 에서 있는 대로 고른 것은?

보기

ㄱ. ㉡은 대부분 별의 내부에서 핵융합에 의해 생성되었다.

ㄴ. 성간 기체에서 (㉠의 총 개수/㉡의 총 개수)의 평균값은 약 3이다.

ㄷ. 이 관측 결과는 빅뱅 우주론이 옳다는 근거가 된다.

① ㄱ ② ㄷ ③ ㄱ, ㄴ
④ ㄴ, ㄷ ⑤ ㄱ, ㄴ, ㄷ

11 그림 (가)는 빅뱅 이후 현재까지 우주의 팽창 속도 변화를, (나)는 현재 우주의 구성 요소 비율을 나타낸 것이다.

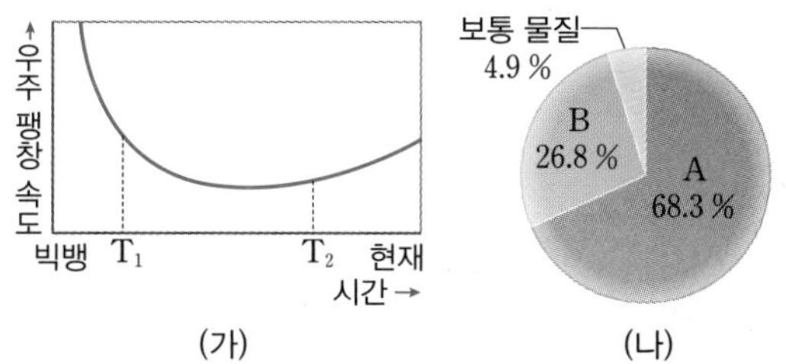

(가) (나)

이에 대한 설명으로 옳은 것만을 | 보기 | 에서 있는 대로 고른 것은?

보기

ㄱ. T_1일 때 우주는 가속 팽창하였다.

ㄴ. $\frac{\text{A의 비율}}{\text{B의 비율}}$은 T_1일 때보다 T_2일 때 크다.

ㄷ. 우리 은하의 회전 운동에 미치는 영향은 A가 가장 크다.

① ㄱ ② ㄴ ③ ㄷ
④ ㄱ, ㄴ ⑤ ㄱ, ㄷ

12 그림은 우주 공간에서 빛의 진행 경로가 다른 (가), (나), (다)를 구분하는 과정을 나타낸 것이다. (가), (나), (다)의 우주는 각각 열린 우주, 닫힌 우주, 평탄 우주 중 하나이다.

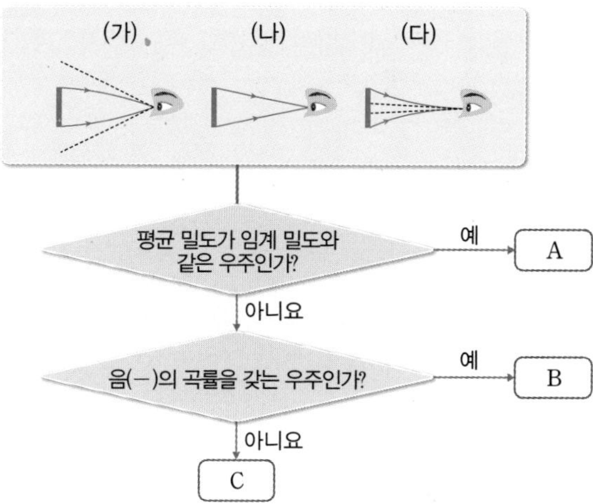

이에 대한 설명으로 옳은 것만을 | 보기 | 에서 있는 대로 고른 것은?

보기

ㄱ. A는 (나)이다.

ㄴ. 우주의 밀도는 B가 C보다 크다.

ㄷ. 현재 우주 공간에서 빛의 진행 경로는 C에 가깝다.

① ㄱ ② ㄷ ③ ㄱ, ㄴ
④ ㄱ, ㄷ ⑤ ㄴ, ㄷ

memo
시
험
대
박

뻐근한 손목을 가볍게!
손목 스트레칭

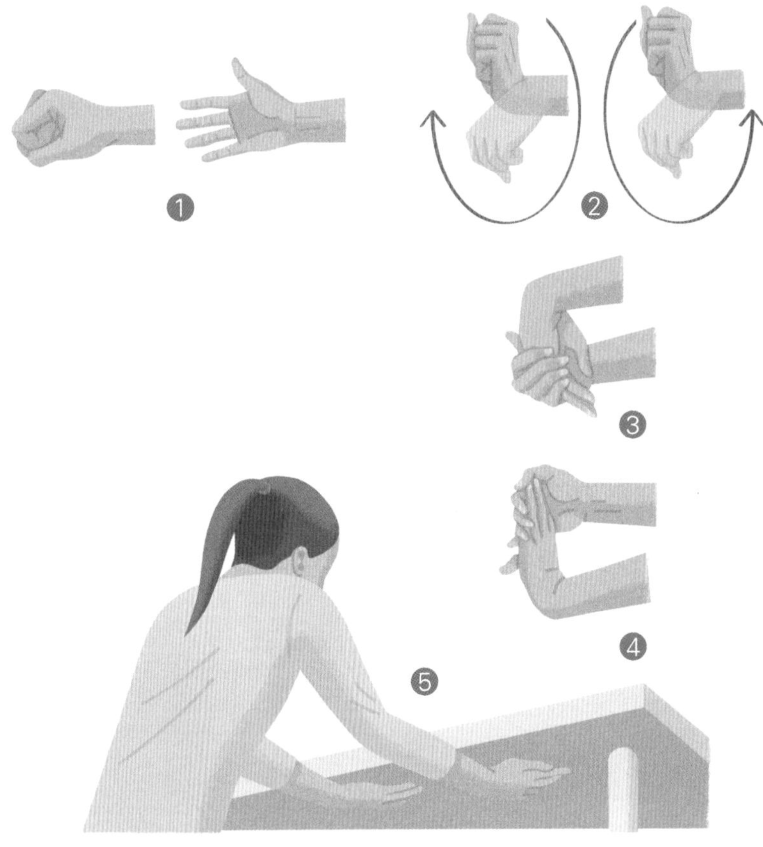

컴퓨터나 스마트폰, 반복적 움직임 등으로 인해 손목에 부담이 가면 때때로 손목이 아파지곤 합니다. 처음에는 잠시 저렸다 가 나아지곤 하지만, 심해지면 손가락도 쉽게 움직일 수 없을 만큼의 통증으로 일상생활이 불편할 정도라고 해요. 오늘 하루 고생한 손목을 스트레칭으로 충분히 풀어주세요.

❶ 엄지손가락이 바깥으로 나오게 주먹을 쥔 다음, 주먹을 폈다 쥐기를 5~10회 반복하세요.

❷ 손목을 시계 방향, 반 시계 방향으로 천천히 돌려주세요. 양손 각 10회씩 반복합니다.

❸ 팔을 쭉 뻗어 손바닥을 몸쪽으로 꺾어주세요.
한 번에 10초씩 유지해 주시고, 5번 반복해 주세요.

❹ 4.3번과 반대로, 손등을 몸쪽으로 당겨주세요.
이 동작도 한 번에 10초씩, 5번 반복해 주세요.

❺ 앉은 자세에서 손바닥과 손목으로 책상을 들어 올리듯 힘을 주어 5초간 유지해 주세요

수능공략 필승학습! 단기간에 끝장내자!

실전에 강한
수능전략

BOOK 3

정답과 해설

천재교육

수능전략

과·학·탐·구·영·역

지구과학 I

BOOK 3

정답과 해설

Book 1

WEEK

1

I 지권의 변동

DAY 1 개념 돌파 전략 ① 확인 Q 8~9쪽

[1강] **1** 고생대 말~중생대 초 **2** 상승부 **3** 길수록
4 많아 **5** 발산 **6** 자북극: $+90°$, 자남극: $-90°$
7 1 **8** 히말라야산맥

1 판게아는 고생대 말~중생대 초에 형성되었다.
2 새로운 해양 지각은 맨틀 대류의 상승부에서 생성된다.
3 수심이 깊을수록 초음파가 되돌아오기까지 걸린 시간이 길다.
4 해령에서 멀어질수록 해양 지각의 나이는 많아지고, 해저 퇴적물의 두께는 두꺼워진다.
5 발산 경계에서는 판이 생성되면서 양쪽으로 멀어진다.
6 자북극에서의 복각은 $+90°$, 자남극에서의 복각은 $-90°$이다.
7 자북극은 항상 1개만 존재했다.
8 히말라야산맥은 인도 대륙과 유라시아 대륙의 충돌로 형성되었다.

DAY 1 개념 돌파 전략 ① 확인 Q 10~11쪽

[2강] **1** 상승부 **2** 잡아당기는 **3** 높아 **4** 열점
5 유문암질 **6** 낮아 **7** 현무암질, 안산암질 **8** 염기성

1 해령은 맨틀 대류의 상승부에 위치한다.
2 해구에서 침강하는 판은 기존의 판을 잡아당기는 힘으로 작용한다.
3 플룸 상승류가 있는 곳은 온도가 높아 주변보다 밀도가 작다.
4 열점에서의 마그마 분출로 인해 화산섬이나 해산이 만들어진다.
5 SiO_2 함량이 높고 점성이 큰 마그마는 유문암질 마그마이다.
6 맨틀 물질에 물이 포함되면 용융점이 낮아진다.
7 섭입대 하부에서는 맨틀 물질의 용융으로 현무암질 마그마가 생성된다.
8 현무암은 SiO_2 함량이 낮은 염기성암이다.

DAY 1 개념 돌파 전략 ② 12~13쪽

1 ③ **2** ③ **3** ④ **4** ② **5** ① **6** ④

1 판 경계의 특징
③ B는 변환 단층이며, 변환 단층은 해양저 확장설의 증거가 된다.
바로 보기 A는 해령이며, 해령의 하부에서는 맨틀 대류가 상승한다. 화산 활동은 해령에서 활발하며, 변환 단층에서는 거의 일어나지 않는다. 해령으로부터 멀어질수록 해저 퇴적물의 두께는 두꺼워진다.

2 암석권과 연약권
ㄱ, ㄷ. A는 지각, B는 상부 맨틀이며 암석권을 구성하는 A와 B는 판에 해당한다. C는 연약권에 해당하며, 부분 용융 상태이므로 대류가 일어난다.
바로 보기 ㄴ. B는 상부 맨틀이다.

3 지구 자기장
④ 복각은 자기 적도에서 자북극으로 갈수록 커진다. 따라서 복각의 크기는 자북극에 가까운 B가 자기 적도에 위치한 C보다 크다.
바로 보기 복각은 자북극에서 $+90°$이다. 북반구에서 나침반의 자침은 수평면보다 아래를 향하며 부호는 (+)이다. C는 자기 적도에 위치하므로 복각은 $0°$이다.

4 플룸 구조론
맨틀의 온도는 하부가 상부보다 높다. 플룸 구조론을 통해 판 내부에서 일어나는 화산 활동을 설명할 수 있다.
바로 보기 ② 뜨거운 플룸은 (외)핵과 맨틀의 경계 부근에서 생성되어 상승한다.

5 하와이 열도
ㄱ. A~E가 북서-남동 방향으로 분포하며, 열점은 E 부근에 위치하므로 판은 북서쪽으로 이동하였다.
바로 보기 ㄴ, ㄷ. 화산섬의 나이는 E에서 가장 적으므로, 현재 열점은 A보다 남동쪽에 위치한다. 열점은 뜨거운 플룸의 상승부에 발달한다.

6 마그마의 생성

ㄴ, ㄷ. A는 해령, B는 열점에서 생성된 마그마이며, 이 지역에서 마그마는 압력 감소에 의해 생성된다. C는 주로 안산암질, D는 현무암질 마그마이다.

바로 보기 ㄱ. A는 해령에서 생성되는 현무암질 마그마이다.

DAY **2** 필수 체크 전략 ①　14~17쪽

❶-1 ㄱ, ㄴ, ㄷ	❷-1 ㄴ, ㄷ	❸-1 ㄱ, ㄴ	❹-1 ㄱ, ㄴ
❺-1 ㄱ	❻-1 ㄴ	❼-1 ㄷ	❽-1 ㄴ, ㄷ

❶-1 판의 운동과 맨틀 대류

ㄱ. A는 해구이며, 하부에서는 맨틀 대류가 하강한다.

ㄴ, ㄷ. B는 해령이며 새로운 해양 지각이 생성된다. 변환 단층은 해령 부근에서 발달한다.

❷-1 판의 경계

ㄴ, ㄷ. B는 변환 단층에 위치하며, 변환 단층은 보존 경계에 해당한다. 해양 지각의 나이는 해령으로부터의 거리가 가장 먼 C가 가장 많다.

바로 보기 ㄱ. A는 해령보다 서쪽에 위치하므로 서쪽으로 이동한다.

❸-1 고지자기

자료 분석 + 고지자기 줄무늬와 해양 지각의 확장

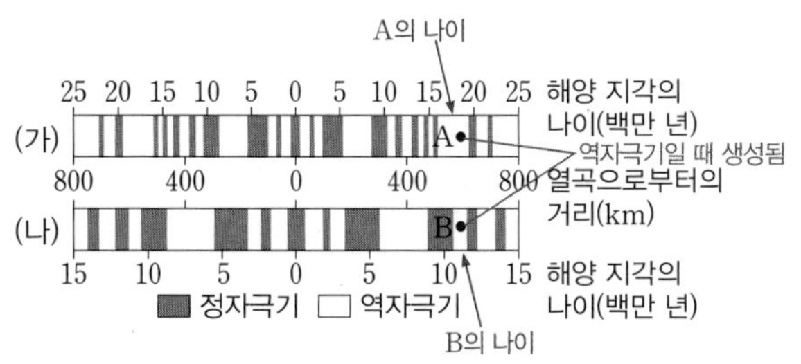

선택지 분석

㉠ A와 B에서 고지자기 방향은 남쪽을 가리킨다.

㉡ 해저 퇴적물의 두께는 A 지점이 B 지점보다 두껍다.

~~ㄷ~~. 해양 지각의 확장 속도는 (가)가 (나)보다 빠르다. → 느리다

ㄱ, ㄴ. A와 B는 역자극기에 생성되었으므로 고지자기 N극의 방향은 남쪽을 가리킨다. 해저 퇴적물의 두께는 나이가 더 많은 A 지점이 더 두껍다.

바로 보기 ㄷ. 해령으로부터의 거리가 같을 때 해양 지각의 나이는 (가)가 더 많다. 따라서 해양 지각의 확장 속도는 (가)가 (나)보다 느리다.

❹-1 판의 경계

ㄱ, ㄴ. 해령 양쪽으로 두 개의 판이 존재하며, 해구의 동쪽에 대륙판이 존재한다. A는 해령에 위치하며, B는 변환 단층에 위치한다.

바로 보기 ㄷ. C는 해구이며, 해구에서 섭입대를 따라 대륙판 쪽으로 갈수록 진원의 깊이는 깊어진다.

❺-1 고지자기

자료 분석 + 인도 대륙의 지리상 북극 위치 변화

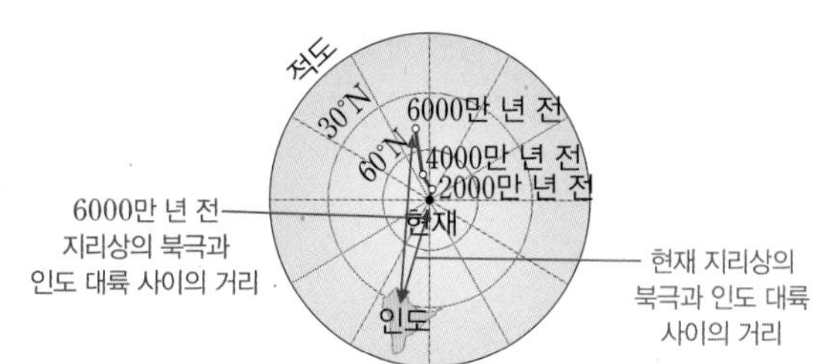

선택지 분석

㉠ ㄱ. 6000만 년 전 인도 대륙은 남반구에 위치하였다.

~~ㄴ~~. 인도 대륙의 이동 속도는 점차 빨라졌다. → 느려졌다

~~ㄷ~~. 인도 대륙에서 고지자기 복각의 크기는 계속 작아졌다. → 커졌다

ㄱ. 6000만 년 전의 지리상의 북극을 현재의 지리상의 북극으로 이동시켜보면 이 시기에 인도 대륙은 남반구에 위치하였다. 같은 기간 동안 고지자기 북극의 이동 거리는 점차 짧아졌다.

바로 보기 ㄴ, ㄷ. 같은 기간 동안 고지자기 북극의 이동 거리는 점차 짧아졌으므로 인도 대륙의 이동 속도는 점차 느려졌다. 인도 대륙은 남반구에서 적도를 지나 북반구로 북상하였으므로 복각의 크기(절댓값)는 작아지다가 커졌다.

❻-1 고지자기

자료 분석 + 고지자기 줄무늬와 복각

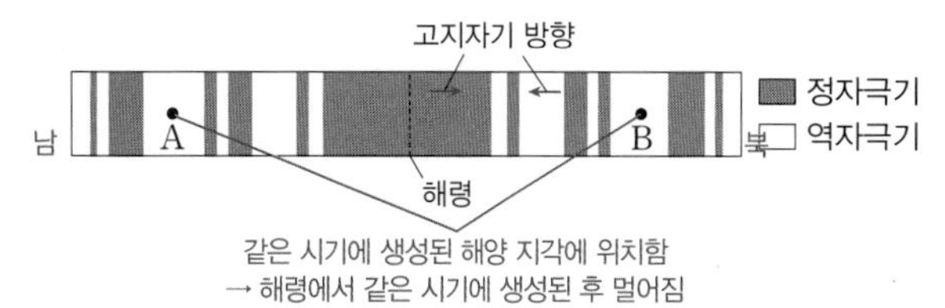

선택지 분석

~~ㄱ~~. A에서 고지자기 방향은 북쪽을 가리킨다.

㉡ 위도는 A가 B보다 낮다. 남쪽

~~ㄷ~~. 고지자기 복각의 크기는 A가 B보다 작다. → A와 B가 서로 같다.

ㄴ. 정자극기인 해령에서의 고지자기 방향이 오른쪽을 가리키고 있으므로 오른쪽이 북쪽이다. 따라서 위도는 A가 B보다 낮다.

바로 보기 ㄱ, ㄷ. A는 역자극기에 해당하므로 고지자기 방향은 남쪽을 가리킨다. A와 B는 같은 시기에 생성되었으므로 복각의 크기는 서로 같다.

7-1 대륙 이동설

ㄷ. 남아메리카 대륙과 아프리카 대륙이 멀어지면서 빙하의 흔적도 멀어졌다.

바로 보기 ㄱ, ㄴ. A는 고생대 말 판게아 형성 당시 남극 대륙 주변에 위치하였다. 현재 적도 부근의 빙하 흔적은 남극 대륙 주변의 대륙이 이동하면서 분포하게 된 것이다.

암기 Tip **대륙 이동설 증거 외우기**

8-1 대륙 이동설과 해양저 확장설

ㄴ, ㄷ. 고지자기 줄무늬는 해령을 축으로 대칭적으로 나타난다. (가)의 두 대륙 사이에 존재하는 대서양에는 대서양 중앙 해령이 분포하므로 고지자기 줄무늬가 대칭적으로 나타난다.

바로 보기 ㄱ. 메소사우루스 화석의 분포는 대륙 이동설의 증거로 제시되었다.

DAY **2 필수 체크 전략 ②** | 18~19쪽

[최다 오답 문제]

1 ① 2 ③ 3 ④ 4 ② 5 ④ 6 ② 7 ②

1 판 경계와 특징

자료 분석 + 판의 경계와 판의 확장 속도

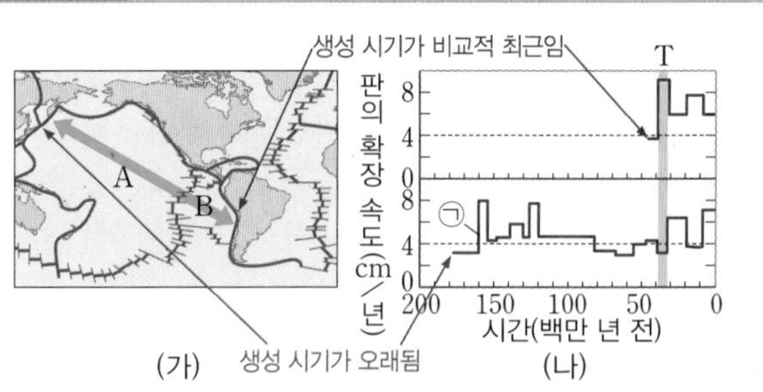

선택지 분석

㉠ ㉠은 A의 확장 속도에 해당한다.

~~ㄴ~~. A의 확장 속도가 빨라질 때, B의 확장 속도도 빨라졌다. → 느려졌다

~~ㄷ~~. T 기간에 생성된 판 위에 쌓인 심해 퇴적물의 두께는 A가 B의 2배보다 두껍다. → 같다

ㄱ. 해령으로부터 해구까지의 거리는 A가 더 멀므로 생성된 시간은 A가 더 길다. 따라서 ㉠은 A에 해당한다.

바로 보기 ㄴ, ㄷ. 그래프에서 A의 확장 속도가 빠를 때 대체로 B의 확장 속도는 느리다. 심해 퇴적물의 두께는 판의 확장 속도와 관계가 없고, 해양 지각의 나이와 관계가 있다. A와 B의 생성 시기가 같으므로 심해 퇴적물의 두께도 같다.

2 인도 대륙의 이동

자료 분석 + 시간에 따른 인도판의 위도 변화

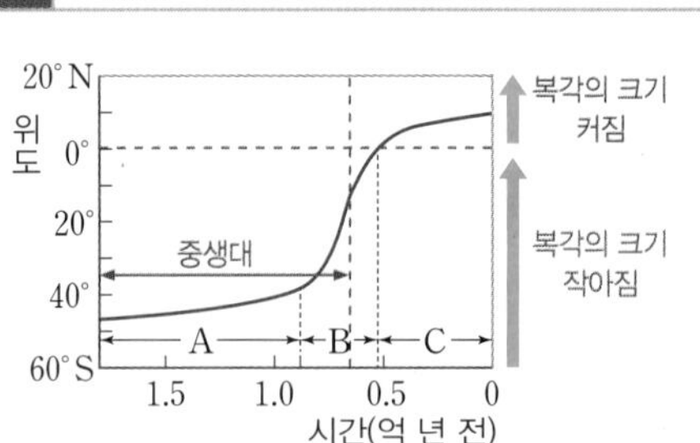

선택지 분석

㉠ 중생대 초에는 남반구에 위치하였다.

㉡ 북쪽으로 이동 속도가 가장 컸던 시기는 B이다.

~~ㄷ~~. 이 기간 동안 인도판의 고지자기 복각의 크기는 계속 작아졌다. → 작아지다가 커졌다.

ㄱ, ㄴ. 중생대는 약 6600만 년 전 이전에 해당하므로 이 시기에는 남반구에 위치하였다. 시간에 따른 위도 변화는 B 시기에 가장 컸다.

바로 보기 ㄷ. 인도판은 남반구에서 북상하다가 적도를 지나 북반구로 이동하였다. 따라서 복각의 크기는 작아지다가 커졌다.

3 고지자기

자료 분석 + 고지자기 분포

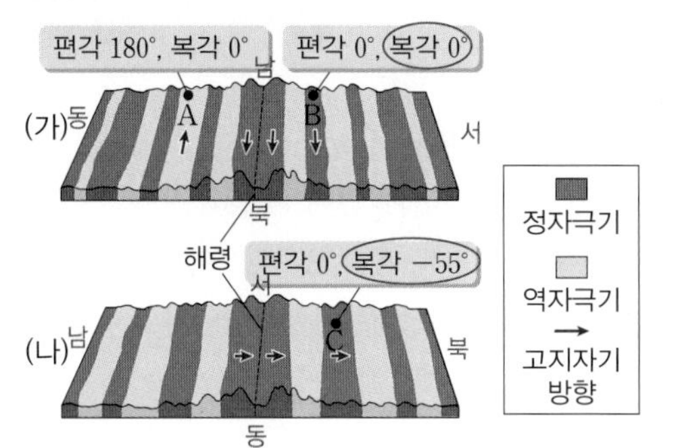

선택지 분석

~~ㄱ. (가)에서 해령은 동서 방향으로 발달해 있다.~~ → 남북
ㄴ. 생성 당시의 위도는 B가 C보다 적도에 가깝다.
ㄷ. C는 북쪽으로 이동하고 있다.

ㄴ, ㄷ. 복각의 크기는 B가 0°이고 C가 55°이다. 따라서 생성 당시의 위도는 B가 C보다 적도에 가깝다. C는 정자극기일 때의 고지자기 방향과 같은 방향으로 이동하므로 북쪽으로 이동하고 있다.

바로 보기 ㄱ. (가)의 정자극기인 해령에서 고지자기 방향은 그림의 아래쪽을 향하고 있으므로 아래쪽이 북쪽이다. 따라서 해령은 남북 방향으로 발달해 있다.

4 고지자기

자료 분석 + 고지자기극의 겉보기 이동

5억 년 전
5억 년 전
㉠ 시기에 북아메리카 대륙에서 지자기 북극까지의 거리
㉡ 시기에 북아메리카 대륙에서 지자기 북극까지의 거리
30° N
60° N
유럽
북아메리카
— 유럽에서 측정한 겉보기 극 이동 경로
— 북아메리카에서 측정한 겉보기 극 이동 경로

선택지 분석

~~ㄱ. 5억 년 전에 지리상 북극은 적도 부근에 위치하였다.~~ → 현재 북극
ㄴ. 북아메리카에서 측정한 고지자기 복각은 ㉡ 시기가 ㉠ 시기보다 크다.
~~ㄷ. 유럽은 ㉡ 시기부터 ㉢ 시기까지 저위도 방향으로 이동하였다.~~ 고위도

ㄴ. 복각은 고지자기극에 가까울수록 크다. 북아메리카 대륙과 고지자기극 사이의 거리는 ㉡ 시기가 ㉠ 시기보다 더 가깝다.

바로 보기 ㄱ, ㄷ. 고지자기극은 고지자기 방향으로부터 추정한 지리상 북극이므로 실제로는 현재의 진북에 위치해야 한다. 유럽은 고위도 방향으로 이동하였다.

5 히말라야산맥의 형성

자료 분석 + 히말라야산맥의 형성

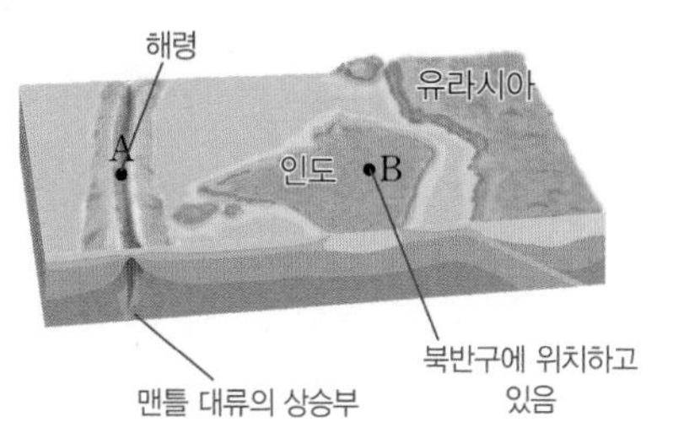

선택지 분석

~~ㄱ. 이 시기는 중생대이다.~~ → 신생대
ㄴ. A의 하부에서는 맨틀 물질이 상승하고 있다.
ㄷ. B에서 생성된 암석의 지자기 복각은 (+)값을 갖는다.

ㄴ, ㄷ. A에는 해령이 발달해 있으므로 맨틀 물질이 상승하고 있다. 그림은 유라시아 대륙과 인도 대륙이 충돌하기 직전의 모습이므로 북반구에 위치하여 B에서 생성된 암석의 지자기 복각은 (+) 값을 갖는다.

바로 보기 ㄱ. 인도 대륙은 중생대에 남반구에 위치하였으며, 신생대에 유라시아 대륙과 충돌하였다.

6 대륙 이동

자료 분석 + 대륙 분포의 변화

애팔래치아산맥의 위치
로디니아 → 판게아 → 인도
(가) 약 12억 년 전
(나) 고생대 말
(다)

선택지 분석

~~ㄱ. 애팔래치아산맥은 (가)의 초대륙이 형성되는 과정에서 만들어졌다.~~ → (나)
~~ㄴ. (가) 시기와 (나) 시기는 고생대에 해당한다.~~ → (나) 시기
ㄷ. (다) 시기에 대서양에는 판의 발산 경계가 존재하였다.

ㄷ. (다) 시기에 대서양을 중심으로 양쪽 대륙이 멀어지고 있다. 따라서 대서양에는 판의 발산 경계가 존재하였다.

바로 보기 ㄱ, ㄴ. 애팔래치아산맥은 판게아 형성 과정에서 생성되었다. (가)의 로디니아는 약 12억 년 전에, (나)의 판게아는 고생대 말에 형성되었다.

7 대륙 이동설

자료 분석 + 대륙 이동의 증거

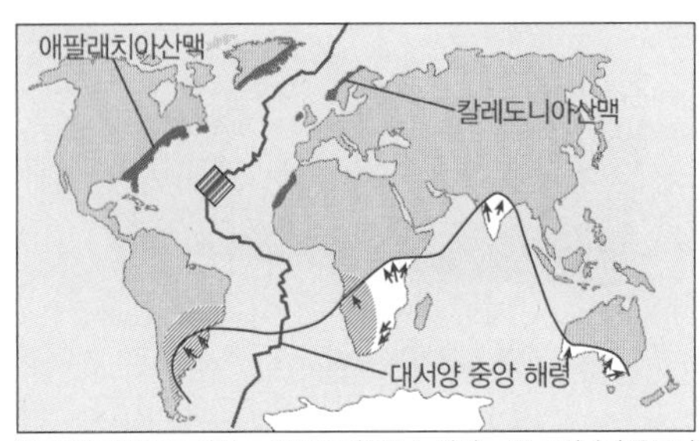

선택지 분석

ㄱ. 베게너는 고지자기 줄무늬가 대칭적으로 나타나는 것을 대륙 이동의 증거로 제시하였다. (×)

ㄴ. 고생대 말 습곡 산맥은 판게아 형성과 관련이 있다. (○)

ㄷ. 메소사우루스는 중생대(→ 고생대)에 번성하였다. (×)

ㄴ. 고생대 말 습곡 산맥은 애팔래치아산맥과 칼레도니아산맥에 해당하며, 이 산맥들은 판게아 형성 과정에서 형성되었다.

바로 보기 ㄱ, ㄷ. 고지자기 줄무늬는 대륙 이동설이 등장한 이후에 발견되었다. 메소사우루스는 고생대 말에 서식한 파충류이다.

DAY **3** 필수 체크 전략 ①

20~23쪽

❶-1 ㄱ	❷-1 ㄴ	❸-1 ㄱ	❹-1 ㄷ
❺-1 ㄱ, ㄴ	❻-1 ㄱ, ㄷ	❼-1 ㄱ, ㄴ	❽-1 ㄱ, ㄷ

❶-1 화성암의 종류와 특징

ㄱ. A는 화산암, B는 심성암이 생성되는 위치이다. 따라서 광물 입자의 평균 크기는 A가 B보다 작다.

바로 보기 ㄴ, ㄷ. 주상 절리는 화산암에서 주로 발달한다. (나)는 화강암이며, 심성암에 해당한다.

암기 Tip 화성암의 종류 외우기

❷-1 마그마의 구분

ㄴ. 온도는 현무암질 마그마인 B가 유문암질 마그마인 A보다 높다.

바로 보기 ㄱ, ㄷ. 유문암질 마그마인 A는 주로 대륙 지각의 용융으로 인해 생성된다. 섭입대 부근에서 분출하는 마그마는 주로 안산암질 마그마이며, 안산암질 마그마는 SiO_2 함량이 현무암질 마그마보다 크다.

❸-1 판을 이동시키는 힘

자료 분석 + 판의 경계와 판을 이동시키는 힘

선택지 분석

ㄱ. A에서는 맨틀 물질이 상승하면서 판을 밀어내는 힘이 작용한다. (○)

ㄴ. C(→ B)에서는 섭입하는 해양판이 침강하면서 잡아당기는 힘이 작용한다. (×)

ㄷ. 맨틀 대류가 하강하는 지점은 D(→ B)이다. (×)

ㄱ. A는 해령이며, 맨틀 물질이 상승하면서 판을 밀어내는 힘이 작용한다.

바로 보기 ㄴ, ㄷ. C에는 해구가 발달해 있지 않으므로 섭입하는 해양판이 침강하면서 잡아당기는 힘이 작용하지 않는다. D는 해령이며 맨틀 대류가 상승한다.

4-1 플룸 구조론

자료 분석+ 플룸의 구조

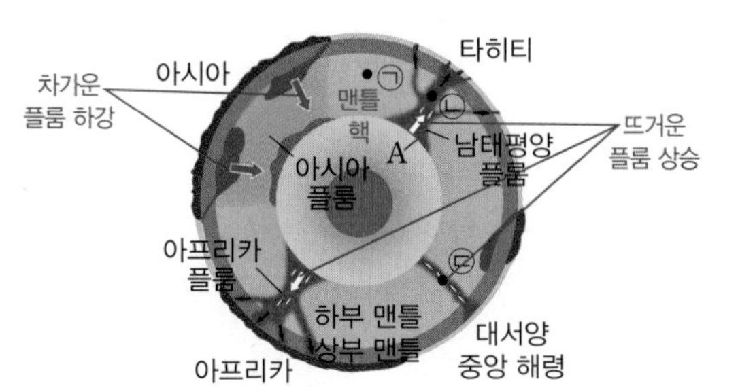

선택지 분석

ㄱ. A는 외핵과 내핵의 경계이다. (×) → 외핵과 맨틀
ㄴ. 온도는 ㉠이 ㉡보다 높다. (×) → 낮다
ㄷ. ㉢에서는 뜨거운 플룸이 상승한다. (○)

ㄷ. 대서양 중앙 해령 하부인 ㉢에서는 뜨거운 플룸이 상승한다.

바로 보기 ㄱ, ㄴ. 뜨거운 플룸이 상승을 시작하는 지역인 A는 외핵과 맨틀의 경계이다. 뜨거운 플룸은 주변보다 온도가 높다.

5-1 플룸 구조론

ㄱ, ㄴ. A는 섭입하는 해양판에 의해 생성된 차가운 플룸이다. B는 해령 하부이므로 맨틀 물질이 상승한다.

바로 보기 ㄷ. 맨틀 하부에서 차가운 플룸이 녹아 뜨거운 플룸이 되는 것이 아니며, 차가운 플룸이 가라앉으면 그 영향으로 뜨거운 맨틀 물질이 상승하면서 뜨거운 플룸이 형성된다.

6-1 마그마의 생성

ㄱ, ㄷ. 용융 온도는 맨틀 물질이 화강암보다 높다. ㉠은 섭입대에서 빠져나온 물에 의해 맨틀 물질의 용융점이 낮아지며 맨틀이 녹아 생성된 마그마이다.

바로 보기 ㄴ. 열점에서는 맨틀 물질의 상승에 의한 압력 감소에 의해 마그마가 생성된다.

7-1 아이슬란드의 형성 과정

ㄱ, ㄴ. 아이슬란드는 맨틀 대류의 상승부인 열점과 해령에 위치한다. 이 지역에서는 맨틀 물질의 상승에 의한 압력 감소로 마그마가 생성된다.

바로 보기 ㄷ. 열점에서 생성된 화산은 해령에서 만들어진 해양판 위에 위치하며, 해양판은 해령을 기준으로 멀어지기 때문에 해령과 화산 사이의 거리는 점차 멀어진다.

8-1 마그마의 생성

자료 분석+ 마그마 생성 과정

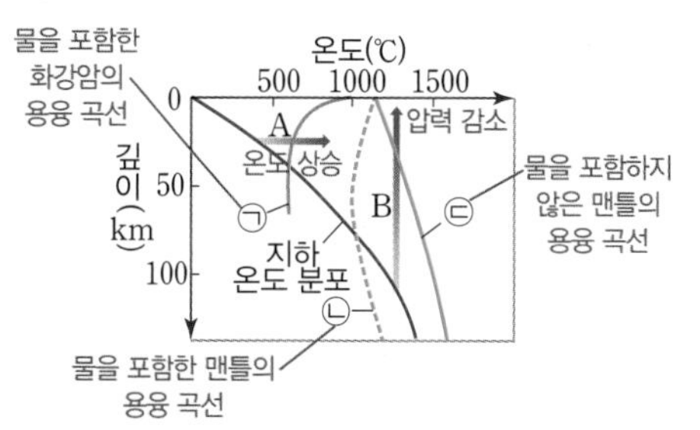

선택지 분석

ㄱ. ㉡과 ㉢은 맨틀의 용융 곡선이다. (○)
ㄴ. B 과정은 주로 섭입대 하부에서 일어난다. (×) → 해령과 열점
ㄷ. 섭입대 하부에서 마그마가 상승하는 동안 A 과정에 의해 마그마가 생성될 수 있다. (○)

ㄱ, ㄷ. ㉡과 ㉢은 각각 물을 포함한 맨틀과 물을 포함하지 않은 맨틀의 용융 곡선이다. 섭입대 하부에서 만들어진 뜨거운 현무암질 마그마가 상승하는 과정에서 A 과정과 같이 온도가 높아지면 대륙 지각이 녹아 마그마가 생성될 수 있다.

바로 보기 ㄴ. B 과정에서는 압력이 감소하므로 이러한 과정으로 마그마가 생성되는 지역은 해령이나 열점에 해당한다.

DAY 3 필수 체크 전략 ②

24~25쪽

[최다 오답 문제]

1 ① 2 ⑤ 3 ③ 4 ④ 5 ② 6 ③ 7 ② 8 ③

1 마그마 생성 장소

자료 분석+ 마그마 생성 장소

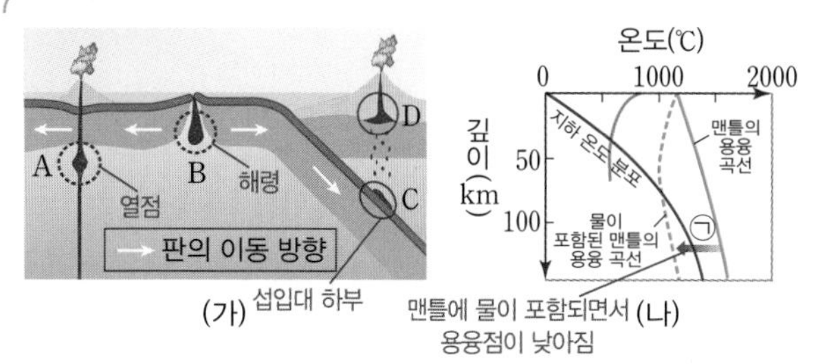

선택지 분석

ㄱ. A의 하부에서는 뜨거운 플룸이 상승한다. (○)
ㄴ. (가)의 B에서는 ㉠ 과정에 의해 마그마가 생성된다. (×) → C
ㄷ. A~D 중 생성되는 마그마의 SiO_2 함량(%)은 C가 가장 높다. (×) → D

ㄱ. A는 열점이며, 열점 하부에서는 뜨거운 플룸이 상승한다.

바로 보기 ㄴ, ㄷ. B는 해령이며, 압력 감소에 의해 마그마가 생성된다. ㉠은 맨틀에 물이 포함되면서 ~~용융~~점이 낮아져 마그마가 생성되는 과정이다. A, B, C에서는 현무암질 마그마가, D에서는 이보다 SiO_2 함량이 높은 마그마가 생성된다.

2 해령과 해저 지형

자료 분석 + 해령과 해저 퇴적물

두께가 가장 얇음 → 해령에 가장 가까움

지점	퇴적물 두께	바닥 퇴적물 나이
A	3 m	1백만 년
B	1000 m	(㉠) 년
C	500 m	(㉡) 년

두께가 가장 두꺼움 → 해령에서 가장 멂

선택지 분석

ㄱ. 수심은 A가 B보다 얕다.
ㄴ. B는 C보다 해구에 가깝다.
ㄷ. ㉠은 ㉡보다 크다. → 퇴적물 두께가 두꺼울수록 바닥 퇴적물의 나이가 많음

ㄱ, ㄴ. 퇴적물의 두께가 두꺼울수록 해령으로부터의 거리가 멀며, 바닥 퇴적물의 나이가 많다. 수심은 해령에 가까울수록 얕고 해구에 가까울수록 깊으므로, 퇴적물의 두께가 얇아 나이가 적은 A가 B보다 얕다.
ㄷ. B가 C보다 퇴적물 두께가 두꺼워 나이가 많으므로 바닥 퇴적물의 나이도 B가 C보다 많다.

3 하와이 열도

자료 분석 + 하와이 열도의 형성

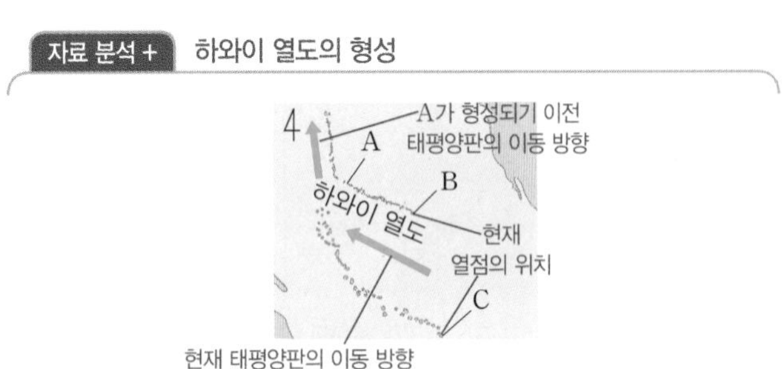

선택지 분석

ㄱ. A가 형성되기 이전 태평양판은 대체로 북북서 방향으로 이동하였다.
ㄴ. 화산섬의 나이는 A가 C보다 많다.
~~ㄷ~~. B에는 판의 발산 경계가 존재한다. (→ 판의 경계가 아님)

ㄱ, ㄴ. A가 형성되기 이전의 화산섬들은 A를 기준으로 북북서 방향으로 배열되어 있으므로 이 시기에 태평양판은 북북서 방향으로 이동하였다. C는 가장 최근에 생성된 화산섬이다.

바로 보기 ㄷ. B에는 판의 경계가 존재하지 않으며, 열점이 존재한다.

4 플룸 구조론과 맨틀 대류

자료 분석 + 플룸의 운동과 상부 맨틀의 대류

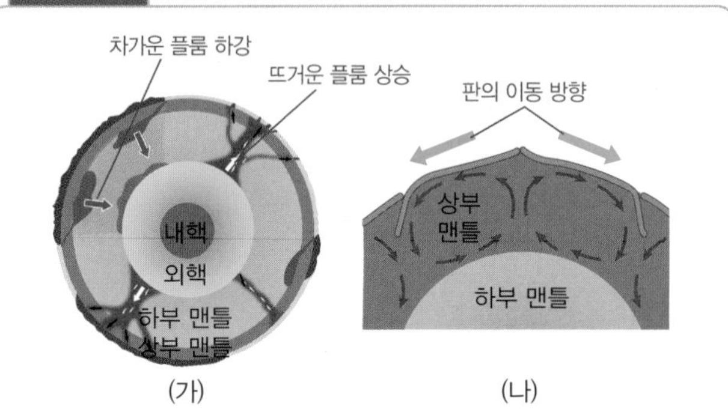

선택지 분석

~~ㄱ~~. (가)에서 뜨거운 플룸이 상승하는 곳은 주변보다 지진파의 속도가 빠르다. (→ 느리다)
ㄴ. 판의 이동은 (나)를 이용하여 설명할 수 있다.
ㄷ. 하와이 열도의 형성은 (가)와 (나)를 이용하여 설명할 수 있다.

ㄴ, ㄷ. 판의 이동은 상부 맨틀의 대류에 의해 일어난다. 하와이 열도는 판 내부에서 일어나는 화산 활동을 설명하는 (가)와 판의 이동을 설명하는 (나)를 이용하여 설명할 수 있다.

바로 보기 ㄱ. 뜨거운 플룸이 상승하는 곳은 온도가 높아 밀도가 작으므로 주변보다 지진파의 속도가 느리다.

5 열점과 지진파의 속도

자료 분석 + 열점과 플룸 상승류

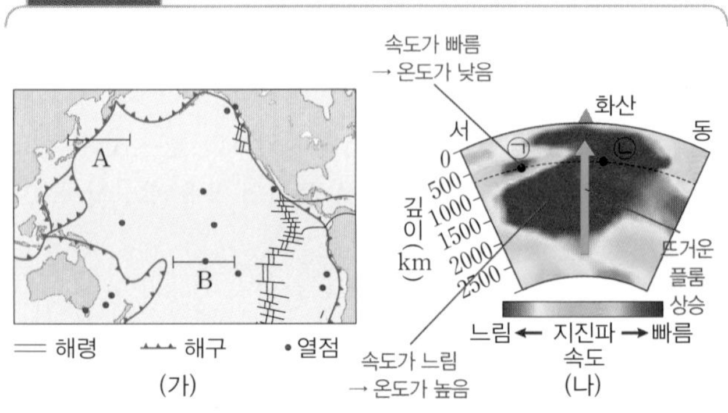

선택지 분석

~~ㄱ~~. A 구간에는 뜨거운 플룸의 상승류가 있다. (→ B)
~~ㄴ~~. 온도는 ㉠이 ㉡보다 높다. (→ 낮다)
ㄷ. (나)는 B 구간의 지진파 속도 분포이다.

ㄷ. (나)에서는 화산 아랫부분의 지진파 속도가 주변보다 느리므로 주변보다 온도가 높다. 따라서 이 지역은 열점이 분포하므로 B 구간에 해당한다.

바로 보기 ㄱ, ㄴ. A 구간은 해구가 분포하므로 뜨거운 플룸이 존재하지 않는다. (나)에서 청색 부분일수록 온도가 낮아 지진파의 속도가 빠르다.

6 수렴 경계에서의 마그마 생성

자료 분석 + 섭입대에서의 마그마 생성

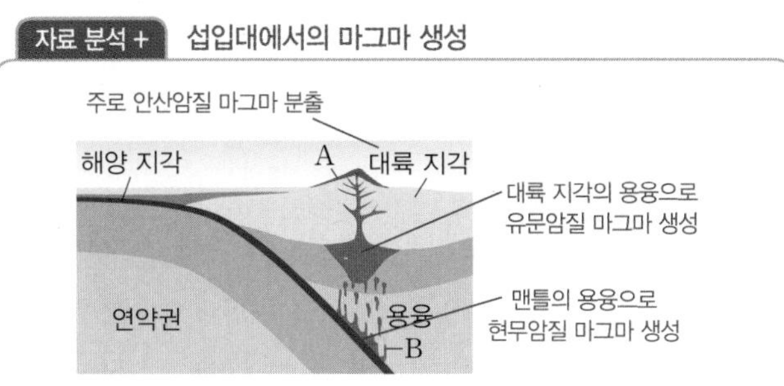

선택지 분석

㉠ A에 있는 화성암의 SiO_2 함량은 현무암보다 높다.
ㄴ(✗). B의 마그마는 해양 지각이 용융되어 생성된 것이다. → 맨틀
㉢ 대륙 지각의 용융점은 B의 마그마 온도보다 낮다.

ㄱ, ㄷ. A에는 대체로 안산암질 마그마의 냉각으로 생성된 암석이 분포한다. 따라서 현무암보다 SiO_2 함량이 높다. 주로 화강암으로 이루어진 대륙 지각의 용융점은 현무암질 마그마의 온도보다 낮다.

바로 보기 ㄴ. B의 마그마는 맨틀에 물이 포함되면서 용융점이 낮아져 맨틀이 녹아 생성된 것이다.

7 화성암의 구분

자료 분석 + 화성암의 구분

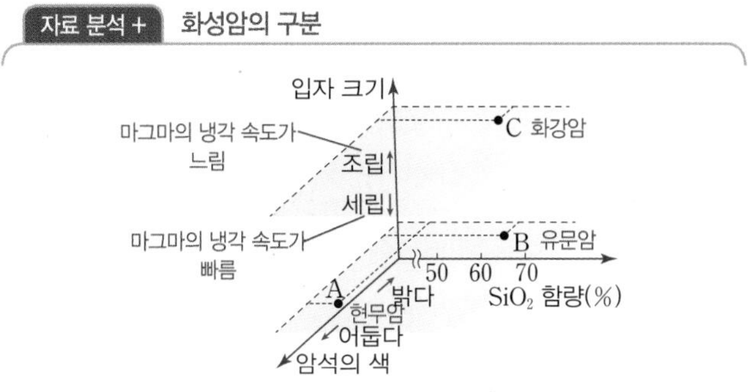

선택지 분석

ㄱ(✗). 암석이 생성된 깊이는 A가 C보다 깊다. → 얕다
㉡ 유문암은 B이다.
ㄷ(✗). C는 해령 부근에서 주로 발견된다. → A

ㄴ. 유문암은 입자의 크기가 작은 화산암이며 SiO_2 함량이 63 % 이상이므로 B이다.

바로 보기 ㄱ, ㄷ. A는 세립질, C는 조립질이므로 A가 더 얕은 곳에서 마그마가 빠르게 냉각되어 생성되었다. 해령 부근에는 현무암이 주로 분포한다.

8 판의 경계와 맨틀 대류

자료 분석 + 해구와 해령에서 판의 이동

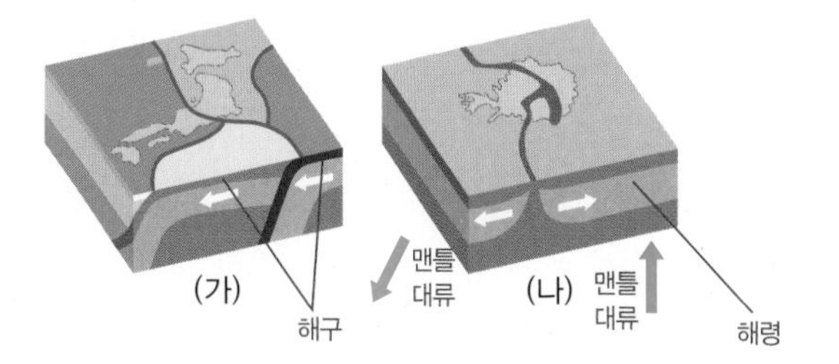

선택지 분석

㉠ (가)에는 맨틀 대류의 하강부가 존재한다.
㉡ 판 경계 부근에서 해양 지각의 나이는 (가)가 (나)보다 많다.
ㄷ(✗). 섭입하는 해양판이 판을 잡아당기는 힘은 (가)보다 (나)에서 강하게 작용한다. → (가)에서

ㄱ, ㄴ. (가)에는 해구가 발달해 있으므로 맨틀 대류의 하강부가 존재한다. (나)에서는 새로운 해양 지각이 생성되며, (가)에서는 오래된 해양 지각이 소멸된다.

바로 보기 ㄷ. (가)에서는 해양판의 섭입이 일어나며, (나)에서는 섭입이 일어나지 않으므로, 섭입하는 해양판이 판을 잡아당기는 힘은 (가)에서 더 강하게 작용한다.

누구나 합격 전략 | 26~27쪽

01 ② **02** ⑤ **03** A: 해령, B: 해구
04 ⑤ **05** ③ **06** ③ **07** ④
08 A → B → C **09** ④ **10** ⑤

01 고지자기

ㄷ. 복각은 고지자기 북극에 가까운 현재가 2억 년 전보다 크다.

바로 보기 ㄱ, ㄴ. 두 고지자기 이동 경로를 겹쳐보면 2억 년 전에는 두 대륙 사이의 거리가 현재보다 가까웠다. 지자기 북극은 언제나 하나였다.

BOOK 1

02 해저 지형

ㄱ, ㄴ, ㄷ. A는 대륙붕, B는 해구, C는 심해저 평원, D는 해령이다. 초음파의 왕복 시간은 수심이 가장 깊은 B에서 가장 길다. 해구인 B와 해령인 D는 판의 경계에 해당한다.

03 판의 경계와 해저 지형

A에서는 두 해양판이 양쪽으로 멀어지고 있으므로 해령이 발달하고, B에서는 대륙판과 해양판이 수렴하고 있으므로 해구가 발달한다.

04 맨틀 대류설

ㄱ, ㄴ, ㄷ. 맨틀이 대류함에 따라 대륙이 이동하는 것이며, 맨틀 대류가 상승하는 지역에서는 판의 발산 경계가 발달한다. 맨틀 내부에서 하부의 온도는 높고 상부의 온도는 낮으므로 상하부의 온도 차에 의한 열대류가 일어난다.

05 판 구조론의 정립 과정

ㄱ, ㄴ. 이론은 대륙 이동설(B) → 맨틀 대류설(A) → 해양저 확장설(C) → 판 구조론(D) 순으로 등장하였다. 변환 단층의 발견은 해양저 확장설의 증거가 될 수 있다.

바로 보기 ㄷ. 판 구조론에서는 판 내부에서 일어나는 화산 활동을 설명하지 못하며, 플룸 구조론은 판 내부에서 일어나는 화산 활동을 설명할 수 있다.

06 마그마의 생성 과정

ㄱ, ㄴ. ㉠은 물을 포함한, ㉡은 물을 포함하지 않은 맨틀의 용융 곡선이다. A의 깊이에서 맨틀에 물이 포함되면 용융점이 낮아지면서 맨틀 물질이 용융될 수 있다.

바로 보기 ㄷ. B의 환경에서는 압력이 낮아져도 암석의 용융점에 도달하지 못하므로 마그마는 생성되지 않는다.

07 마그마의 생성 장소

ㄴ, ㄷ. 마그마의 온도는 현무암질 마그마인 B가 안산암질 또는 유문암질 마그마인 C보다 높다. 해령인 A에서는 압력 감소에 의해 마그마가 생성된다.

바로 보기 ㄱ. SiO_2 함량은 현무암질 마그마인 A가 C보다 낮다.

08 하와이 열도

위치가 고정된 열점에서 분출된 마그마에 의해 처음 생성된 화산섬은 A이며, 이후 판이 이동함에 따라 B와 C가 차례대로 생성되었다. 따라서 화산섬의 생성 순서는 A → B → C이다.

09 화성암의 구분

④ A는 화강암이 현무암보다 큰 물리량이며, B는 현무암이 화강암보다 큰 물리량이다. 화강암은 현무암에 비해 마그마의 냉각 속도가 느리기 때문에 결정의 크기가 크며 SiO_2 함량이 높다.

10 플룸 구조론

ㄱ, ㄴ, ㄷ. A는 지구 내부로 가라앉는 차가운 플룸, B는 상승하는 뜨거운 플룸이다. A는 B보다 온도가 낮아 밀도가 크므로 지진파의 속도가 빠르다.

창의·융합·코딩 전략

28~31쪽

01 ⑤	02 ②	03 ①	04 ①	05 ③	06 ③
07 ③	08 ⑤	09 ①	10 ①	11 ⑤	12 ③

01 해저 지형

ㄱ. 고지자기 줄무늬는 해령을 중심으로 대칭적으로 나타난다.

ㄴ, ㄷ. 수심은 해령에서 해구 쪽으로 갈수록 깊어지며, 해구에서 가장 깊다. (가), (나)는 해양저 확장설을 지지하는 증거가 된다.

02 판게아

C. 판게아 형성 당시 인도 대륙은 남극 대륙 주변에 위치하였다.

바로 보기 A, B. 고생대 말에 판게아가 형성되는 과정에서 애팔래치아산맥이 형성되었다. 히말라야산맥은 신생대에 인도 대륙이 유라시아 대륙과 충돌하면서 형성되었다.

03 해저 지형 탐사

ㄱ. 수심이 깊을수록 해저면에서 반사되어 되돌아오는 음파의 왕복 시간이 길다.

바로 보기 ㄴ. 기준점과의 거리가 35 km인 지점에서 음파의 왕복 시간이 2.4초이므로, 수심$=\frac{1}{2}\times2.4\times1500=1800$ m이다.

ㄷ. 해구는 주변보다 수심이 매우 깊다. 이 지역은 주변보다 수심이 낮으므로 해령이 분포할 가능성이 크다.

04 판 경계와 지각 변동

ㄱ. A의 바다는 아프리카판의 북쪽에 위치하고 있으며, A의 위쪽에 분포하는 판은 아프리카판 방향으로 이동하고 있으므로 A의 바다는 점점 좁아질 것이다.

바로 보기 ㄴ, ㄷ. B 지역은 동아프리카 열곡대에 위치하고 있다. 동아프리카 열곡대의 하부에서는 맨틀 대류가 상승한다. C에서는 판이 멀어지며, D에서는 판이 충돌하고 있으므로 암석의 연령은 수렴 경계 부근인 D 지역이 C 지역보다 많다.

05 판 이동의 원리

ㄱ, ㄴ. 식용유 위에 나무판이 떠 있으므로 식용유는 맨틀에, 나무판은 지각에 해당한다. 가열된 식용유는 온도가 높아 밀도가 작아지므로 상승한다.

바로 보기 ㄷ. A는 식용유가 상승하는 부분이며, 양쪽으로 나무판이 멀어지므로 발산 경계에 해당한다. 따라서 A와 같은 판의 경계에는 해구가 아닌 해령이 형성될 수 있다.

06 고지자기와 대륙의 이동

ㄱ, ㄷ. (가)에서 깊이 1 m의 해저 퇴적물이 퇴적될 때는 정자극기였다. 따라서 이 시기에 자북극은 북반구에 위치하였다. (나)에서 A가 형성될 당시는 역자극기였으며, 복각은 (+)값이었다. 역자극기일 때 북반구에서의 복각은 (−)값을, 남반구에서의 복각은 (+)값을 갖는다. 따라서 A가 형성될 당시 (나)는 남반구에 위치하였다.

바로 보기 ㄴ. 깊이 0~6 m의 해저 퇴적물이 퇴적되는 동안 (가)에서는 정자극기와 역자극기가 한 번씩 나타났지만, (나)에서는 정자극기와 역자극기가 여러 번 반복되었다. 따라서 퇴적물이 퇴적된 기간은 (가)가 (나)보다 짧다.

07 해양저 확장설

ㄱ, ㄷ. 컨베이어 벨트의 상부는 A에서 B 방향으로 이동하며, 모래는 계속 체에서 빠져나와 컨베이어 벨트에 쌓이므로, A에서 B로 갈수록 쌓인 모래의 두께가 두껍다. 따라서 이 실험을 통해 해령에서 멀어질수록 심해저 퇴적층이 두꺼워지는 이유를 설명할 수 있다.

바로 보기 ㄴ. 컨베이어 벨트의 이동 속도와 관계없이 A에 쌓인 퇴적물의 두께는 매우 얇다. 그러나 컨베이어 벨트의 이동 속도가 빠를수록 A에서 B까지 이동하는 동안 퇴적되는 모래의 양이 적어지므로, A와 B에 쌓인 모래의 두께 차는 작아진다.

08 화성암의 분류

ㄱ, ㄴ. (ㄱ)은 화성암을 세립질과 조립질로 분류하였으므로, (ㄱ)은 입자의 크기에 따라 분류한 것이다. (ㄴ)은 화성암을 산성암, 중성암, 염기성암으로 분류하였으므로 (ㄴ)은 SiO_2 함량에 따라 분류한 것이다.

ㄷ. A는 세립질 암석 중 염기성암에 해당하므로 현무암, B는 조립질 암석 중 중성암에 해당하므로 섬록암에 해당한다.

09 플룸 구조론과 열점

ㄱ. 하와이섬은 뜨거운 플룸이 상승하는 지역에서 발달한 열점에서 분출한 마그마에 의해 형성된 것이다.

바로 보기 ㄴ, ㄷ. 열점은 판의 경계에 해당하지 않으므로 이 지역에서는 수렴 경계 부근에서 발달하는 습곡 산맥이나 해령의 열곡이 존재하지 않는다.

10 플룸 구조론

ㄱ. ㉠은 온도가 높아져 상승하는 잉크이므로 주변의 찬물보다 밀도가 작다.

바로 보기 ㄴ, ㄷ. ㉠과 같은 뜨거운 플룸은 해령이나 열점의 하부에서 주로 나타난다. 비커 바닥과 잉크의 경계 부분은 지구에서 맨틀과 핵의 경계에 해당한다.

11 마그마의 구분

ㄱ, ㄴ. SiO_2 함량이 안산암보다 높은 A는 유문암질 마그마이다. 해령 하부에서 압력 감소에 의해 맨틀 물질이 녹아 현무암질 마그마가 형성될 수 있다.

ㄷ. SiO_2 함량이 높을수록 점성이 크다.

12 판의 이동과 해저 지형

ㄱ, ㄴ. 해령으로부터 멀어질수록 해양판이 침강하면서 수심이 깊어진다. X 지점의 수심은 약 4 km이므로, (나)의 그래프에서 연령은 약 2천만 년이다.

바로 보기 ㄷ. (나)의 그래프에서 연령이 적을수록 수심의 변화가 크다는 것을 알 수 있다. 따라서 X 지점의 침강 속도는 점차 느려지고 있다.

Book 1

WEEK

2

Ⅱ 지구의 역사

DAY

1 개념 돌파 전략 ① 확인 Q

34~35쪽

[3강] **1** 속성 작용 **2** 유기적 **3** 사층리 **4** 연안
5 횡압력 **6** 주상 절리 **7** 포획암 **8** 융기

1 퇴적물이 퇴적암이 되기까지의 과정을 속성 작용이라고 한다.
2 유기적 퇴적암은 동식물이나 미생물의 유해가 쌓여 형성된다.
3 층리가 기울어지거나 엇갈린 상태로 퇴적된 구조를 사층리라고 한다.
4 연안 환경에는 삼각주, 강 하구, 해빈, 사주 등이 포함된다.
5 습곡과 역단층은 횡압력을 받아 형성된다.
6 주상 절리는 용암의 급속한 냉각으로 인해 형성된다.
7 관입이 일어나는 과정에서 기존의 암석 조각이 포획되어 포획암으로 산출된다.
8 부정합이 형성되기 위해서는 융기와 침강이 일어나야 한다.

DAY

1 개념 돌파 전략 ① 확인 Q

36~37쪽

[4강] **1** 동물군 천이 **2** 건층(열쇠층) **3** $2T$ **4** 좁
5 작아 **6** 짧아 **7** 빙하기, 고생대

1 동물군 천이의 법칙에 의하면 새로운 지층일수록 복잡하고 진화된 화석이 발견된다.
2 건층(열쇠층)은 암상에 의한 지층 대비에 유용하게 이용되는 지층이다.
3 모원소가 처음 양의 $\frac{1}{4}$이 남기 위해서는 반감기가 2번 지나야 한다.
4 시상 화석은 분포 면적은 좁고 생존 기간은 길어야 한다.
5 한랭한 시기에는 대기 중 ^{18}O이 감소하므로, 빙하의 산소 동위 원소비가 작아진다.
6 지질 시대의 길이는 현재에 가까울수록 짧아진다.
7 중생대에는 빙하기가 없었으며, 가장 큰 대멸종은 고생대 말에 있었다.

DAY

1 개념 돌파 전략 ②

38~39쪽

1 ④ **2** ③ **3** ③ **4** ① **5** ③ **6** ⑤

1 퇴적 구조

A는 점이 층리, B는 건열, C는 연흔이 나타나고 있다. 점이 층리는 수심이 깊은 곳에서 잘 형성되며, 건열은 형성 과정 중 수면 위로 노출된 적이 있다.

바로 보기 ④ 퇴적 당시 물이 흐른 방향을 알 수 있는 퇴적 구조는 사층리이다.

2 지질 구조

A는 습곡, B는 상반이 하반에 대해 위로 올라간 역단층이다. 습곡과 역단층 모두 횡압력을 받아 형성된다.

바로 보기 ③ 단층면을 기준으로 오른쪽에 위치한 상반이 하반에 대하여 상대적으로 위로 올라가 있다.

3 지질 단면도 분석

이 지역에는 습곡이 발달해 있으며, 습곡이 일어난 지층에 역단층이 형성되었다. 또한 습곡층이 침식된 후 새로운 지층이 쌓인 부정합이 나타난다.

바로 보기 ③ 부정합면을 경계로 아래의 지층이 경사져 있으므로 경사 부정합이 나타난다.

4 지층의 생성 순서

ㄱ. A는 B보다 위에 있으므로 A가 B보다 나중에 생성되었다.

바로 보기 ㄴ, ㄷ. 건층으로는 석탄층이나 응회암층이 주로 이용된다. 방사성 동위 원소의 반감기를 이용한 절대 연령 측정은 주로 화성암이나 변성암에서 가능하다.

5 방사성 원소의 반감기

시간이 지남에 따라 양이 감소하는 ㉡은 모원소인 X이며, 양이 증가하는 ㉠은 자원소인 Y이다. 반감기가 한 번 지나면 모원소는 처음 양의 $\frac{1}{2}$이, 두 번 지나면 모원소는 처음 양의 $\frac{1}{4}$이 남게 된다.

바로 보기 ③ X가 처음 양의 50 %로 감소하는 데 걸린 시간이 $\frac{T}{2}$이므로 반감기는 $\frac{T}{2}$이다.

6 지질 시대의 특징

⑤ 고생대 페름기 말에는 가장 큰 규모의 대멸종이 있었다.

바로 보기 지질 시대의 길이는 고생대가 중생대보다 길다. 중생대에는 빙하기가 없었으며 속씨식물이 출현하였고 암모나이트가 번성하였다.

DAY **2** 필수 체크 전략 ① 40~43쪽

❶-1 ㄱ, ㄴ, ㄷ ❷-1 ㄱ, ㄴ, ㄷ ❸-1 ㄱ ❹-1 ㄴ, ㄷ
❺-1 ㄱ, ㄷ ❻-1 ㄱ, ㄴ, ㄷ ❼-1 ㄱ, ㄴ, ㄷ ❽-1 ㄱ, ㄷ

❶-1 사암의 생성 과정

ㄱ, ㄴ. A 과정은 압축(다짐) 작용이며, 이 과정에 의해 공극이 감소하며 퇴적층의 밀도가 커진다. 압축(다짐) 작용과 교결 작용은 속성 작용에 해당한다.

ㄷ. 모래 입자가 속성 작용을 거치면 사암이 된다.

❷-1 퇴적암의 생성 과정

ㄱ, ㄴ. 생물의 유해나 분비물이 A 과정을 거쳐 만들어진 퇴적암은 유기적 퇴적암이다. 처트는 규질 생물체가 A 과정을 거치거나 SiO_2가 침전된 후 B 과정을 거쳐 만들어질 수 있다.

ㄷ. 쇄설물이 퇴적된 후 C 과정을 거치는 동안 다짐 작용에 의해 공극은 감소한다.

❸-1 퇴적 구조

자료 분석 + 건열과 점이 층리

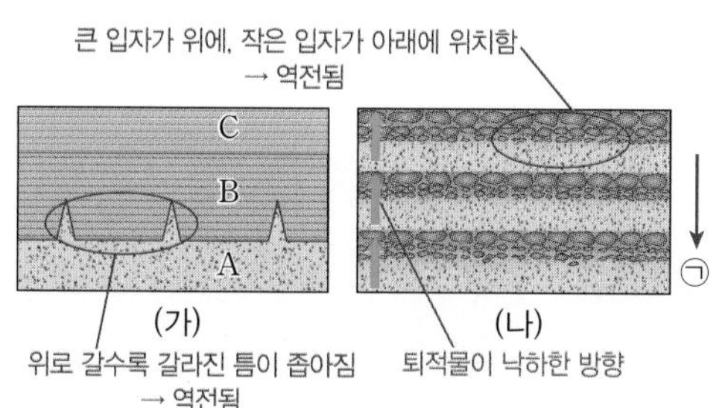

선택지 분석

㉠ (가)에서 지층은 C → B → A 순으로 생성되었다.
ⓧ. 퇴적층이 형성된 수심은 (가)가 (나)보다 깊다. (얕다)
ⓧ. (나)에서 퇴적물이 낙하한 방향은 ㉠이다. (㉠의 반대 방향이다)

ㄱ. (가)는 건열의 모양으로 보아 지층이 역전되어 있다. 따라서 지층의 생성 순서는 C → B → A이다.

바로 보기 ㄴ, ㄷ. 대체로 건열은 수심이 얕은 곳에서, 점이 층리는 수심이 깊은 곳에서 잘 형성된다. (나)의 점이 층리는 역전되어 있으므로 퇴적물은 ㉠의 반대 방향으로 낙하하였다.

❹-1 퇴적 구조

ㄴ, ㄷ. 사암층에는 사층리가 형성되어 있으므로, 이를 통해 퇴적물의 이동 방향을 알 수 있다. 셰일층에는 건열이 형성되어 있으므로 형성 과정 중 수면 위로 노출된 적이 있다.

바로 보기 ㄱ. 역암층에는 다양한 크기의 입자가 크기 순서대로 정렬되어 있지 않으므로 점이 층리가 발달해 있지 않다.

❺-1 지질 단면도 분석

ㄱ, ㄷ. 부정합면 아래에 경사층과 관입한 화성암이 있으므로 경사 부정합과 난정합이 나타난다. F는 B, C, E를 관입하였으므로, F에는 이들 암석의 조각들이 포획암으로 존재할 수 있다.

바로 보기 ㄴ. 단층면을 경계로 상반이 아래로 내려가 있으므로 정단층이 발달해 있다.

❻-1 부정합과 관입

자료 분석 + 부정합과 관입

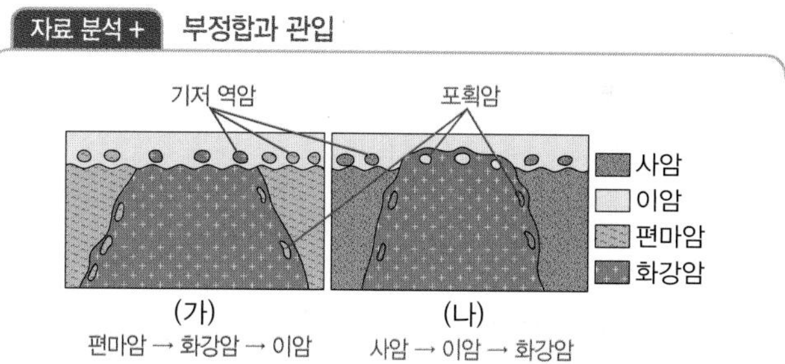

선택지 분석

㉠ (가)에서 암석의 생성 순서는 편마암 → 화강암 → 이암이다.
㉡ (나)에서 화강암은 이암을 관입하였다. → 이암 조각이 포획암의 형태로 나타남
㉢ (나)에서 포획암의 나이는 사암이 이암보다 많다.

ㄱ. (가)에서 편마암을 화강암이 관입하였고 이후 융기로 인한 침식 작용을 거친 후 부정합면 위에 이암이 퇴적되었다.

ㄴ, ㄷ. (나)에서 사암이 퇴적된 이후 융기로 인한 침식 작용을 거쳤고 부정합면 위에 이암이 퇴적되었다. 마지막으로 사암층과 이암층을 화강암이 관입하였다.

❼-1 화산암과 심성암에서 나타나는 절리

자료 분석 + 주상 절리와 판상 절리

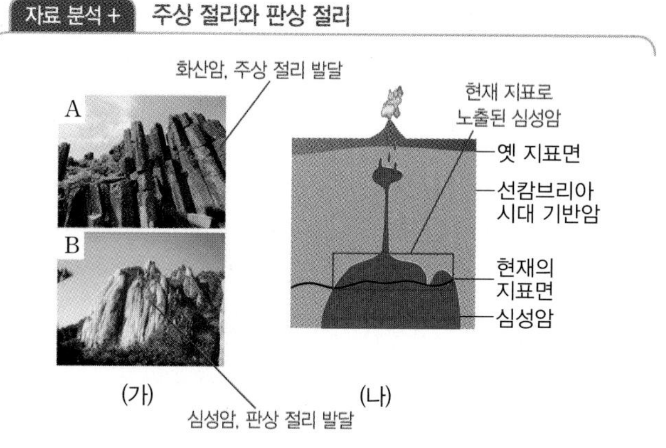

선택지 분석

㉠ A에는 주상 절리가 발달해 있다.
㉡ (나)의 심성암에 작용하는 압력은 점차 작아졌다.
㉢ (나) 지역의 현재 모습은 B이다. 침식으로 인해 지표면이 낮아짐

ㄱ. A에는 기둥 모양의 주상 절리가 발달해 있다.
ㄴ, ㄷ. (나)에서 지표면이 침식으로 인해 낮아졌으므로 심성암에 작용하는 압력이 낮아졌고, 이로 인해 심성암에 판상 절리가 발달한다.

8-1 지질 단면도 분석

ㄱ, ㄷ. 부정합면 아래에 관입한 화성암이 있으므로 A와 C는 난정합 관계이다. 이 지역은 B가 퇴적된 후 A가 관입하였다. 이후 C와 D가 퇴적되었고 역단층이 형성된 후 지층이 기울어진 다음 E가 퇴적되었다.

바로 보기 ㄴ. 단층은 지층이 기울어지기 전에 형성되었으므로 상반이 하반에 대해 위로 올라간 역단층이다.

DAY
2 필수 체크 전략 ②

44~45쪽

[최다 오답 문제]

1 ④ 2 ② 3 ① 4 ① 5 ② 6 ② 7 ③ 8 ⑤

1 관입과 부정합

자료 분석 + 관입과 부정합

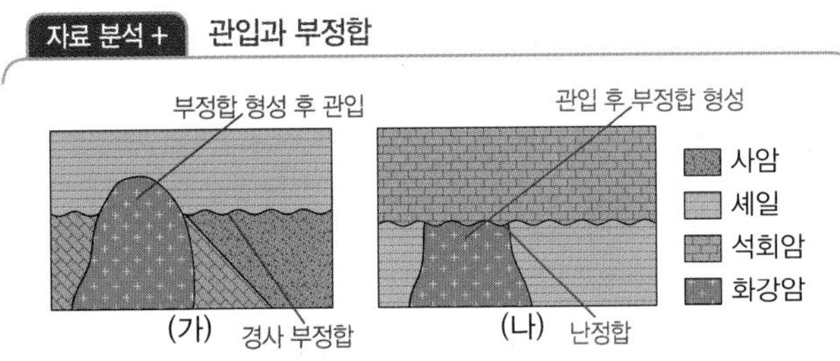

선택지 분석

~~ㄱ.~~ (가)에서는 난정합이 나타난다. → 경사 부정합
㉡ (가)와 (나)에서 가장 나중에 생성된 지층은 (나)의 석회암층이다.
㉢ (가)와 (나)의 셰일은 모두 화강암보다 먼저 생성되었다.

ㄴ, ㄷ. (가)에서 화강암은 가장 나중에 관입하였으며, (나)에서 석회암은 화강암보다 나중에 생성되었다. 화강암의 관입 시기는 같으므로 가장 나중에 생성된 지층은 (나)의 석회암이다. (가)와 (나)에서 화강암은 모두 셰일층을 관입하였으므로, 셰일은 모두 화강암보다 먼저 생성되었다.

바로 보기 ㄱ. (가)에는 경사 부정합이 나타난다.

2 퇴적암의 생성

자료 분석 + 속성 작용과 퇴적암 생성

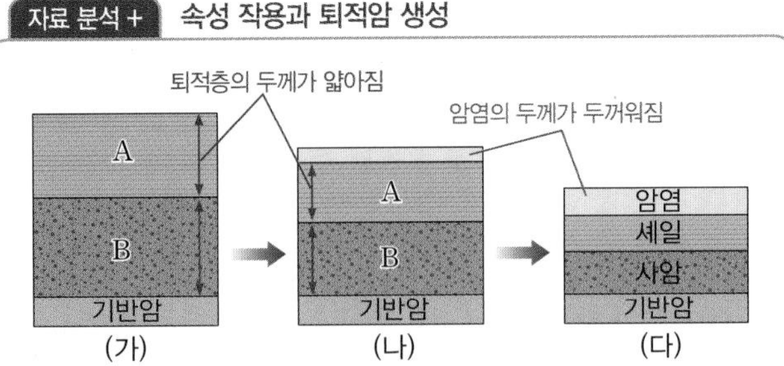

선택지 분석

~~ㄱ.~~ A는 모래로 이루어져 있다. → 진흙
㉡ (가) → (나) 과정에서 A와 B의 밀도는 증가하였다.
~~ㄷ.~~ (나)에서 A와 B는 수면 위에 위치하였다. 아래

ㄴ. (가) → (나) 과정에서 퇴적층 A와 B의 두께가 감소하였으므로 공극이 감소하면서 밀도가 증가하였다.

바로 보기 ㄱ, ㄷ. A는 셰일이 만들어지는 퇴적층이므로 진흙으로 이루어져 있다. (나) → (다) 과정에서 암염층의 두께가 두꺼워지고 있으므로 (나)에서 A와 B는 수면 아래에 위치하였다.

3 퇴적 구조와 퇴적 환경

자료 분석 + 점이 층리와 해양 퇴적 환경

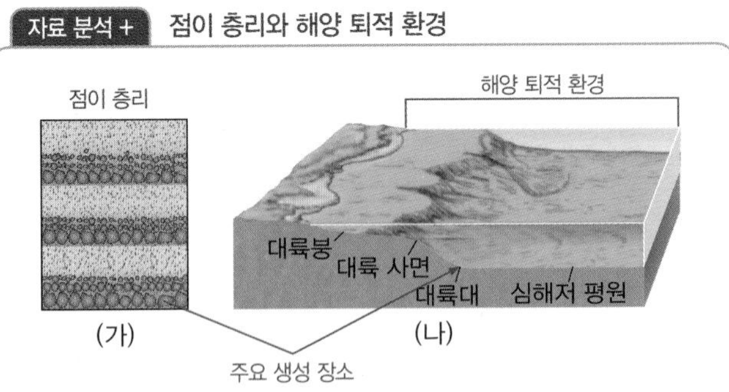

선택지 분석

㉠ (가)의 지층은 역전되지 않았다.
~~ㄴ.~~ (나)의 대륙붕은 퇴적 환경 중 연안 환경에 해당한다. → 해양
~~ㄷ.~~ (가)는 주로 심해저 평원에서 발견된다. 대륙대

ㄱ. (가)에서 큰 입자가 아래에 위치하므로 지층은 역전되지 않았다.

바로 보기 ㄴ, ㄷ. 대륙붕, 대륙 사면, 대륙대 등은 해양 환경에 해당한다. (가)의 점이 층리는 해저 지형에서 대륙 사면 끝의 경사가 완만해지는 지형인 대륙대에서 주로 발견된다.

4 퇴적 구조

자료 분석 + 건열과 사층리

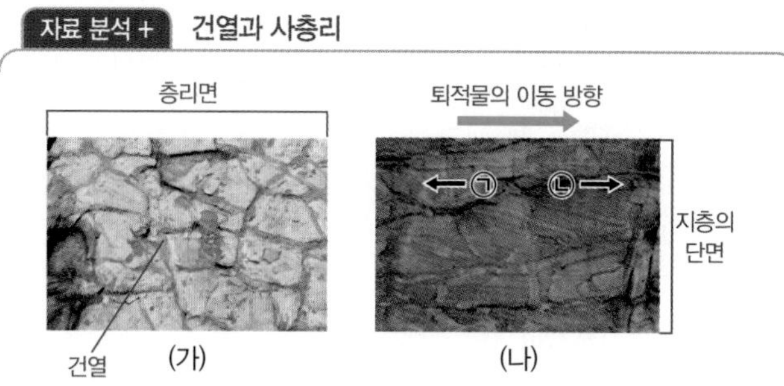

선택지 분석

ⓐ ㄱ. (가)는 건열이다.
✕ ㄴ. (나)에서 퇴적물은 ㉠ 방향으로 이동하였다. → ㉠의 반대 방향
✕ ㄷ. (가)와 (나)는 모두 층리면에서 관찰한 모습이다. → (가)는

ㄱ. (가)는 층리면이 갈라진 흔적이 나타나므로 건열이다.

바로 보기 ㄴ, ㄷ. 사층리는 퇴적물이 이동한 방향으로 층리가 기울어진다. 따라서 퇴적물은 ㉠의 반대 방향으로 이동하였다. (가)는 층리면에 발달한 건열이며, (나)는 지층의 단면에서 관찰되는 사층리이다.

5 퇴적 구조

자료 분석 + 연흔, 점이 층리, 건열

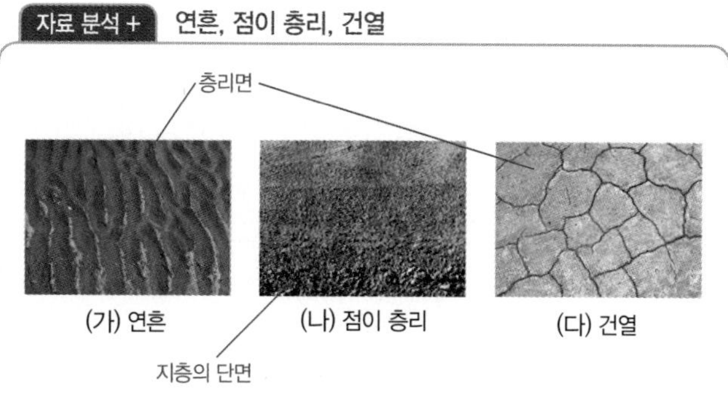

선택지 분석

✕ ㄱ. (가)와 (나)는 모두 층리면에서 관찰되는 퇴적 구조이다. → (다)
ⓑ ㄴ. (다)는 형성 과정에서 수면 위로 노출된 적이 있었다.
✕ ㄷ. (가)와 (다)는 퇴적물 입자의 크기가 클수록 잘 형성된다. → 작을

ㄴ. 건열은 형성 과정 중 수면 위로 노출되어 층리면이 건조되면서 갈라진 흔적이다.

바로 보기 ㄱ, ㄷ. (가)는 층리면에서 (나)는 지층의 단면에서 나타나는 층리이다. 연흔과 건열은 퇴적물 입자의 크기가 작을수록 잘 형성된다.

6 지질 단면도 분석

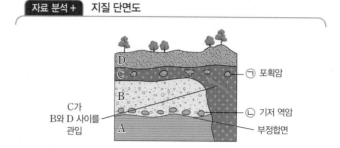

자료 분석 + 지질 단면도

D, C, B, A
㉠ 포획암
㉡ 기저 역암
부정합면
C가 B와 D 사이를 관입

선택지 분석

✕ ㄱ. ㉠과 ㉡은 기저 역암이다. → ㉠은 포획암이다.
ⓑ ㄴ. 지층과 암석의 생성 순서는 A → B → D → C이다.
✕ ㄷ. 이 지역은 최소 3회 이상 융기한 적이 있다. → 2회

ㄴ. A, B, D가 차례로 퇴적된 후 C가 관입하였다.

바로 보기 ㄱ, ㄷ. 기저 역암은 부정합면 아래 지층의 쇄설물이 부정합면 위의 지층에 포함된 것이다. C는 화성암이며 C보다 위에 있는 D의 암석 조각이 포함되어 있으므로 ㉠은 포획암이다. 부정합면이 하나 있으며 현재 최상부가 수면 위에 노출되어 있으므로 융기는 최소 2회 이상 있었다.

7 습곡과 단층

자료 분석 + 습곡과 단층

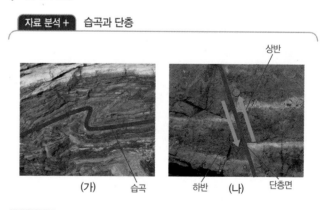

상반
(가) 습곡
하반 (나) 단층면

선택지 분석

ⓐ ㄱ. (가)는 (나)보다 대체로 더 깊은 곳에서 잘 형성된다.
✕ ㄴ. (나)는 장력을 받아 형성되었다. → 횡압력
ⓒ ㄷ. (가)와 (나)는 주로 퇴적암층에서 잘 관찰된다.

ㄱ, ㄷ. (가)는 습곡, (나)는 역단층이다. 습곡은 온도가 높은 지하 깊은 곳에서 잘 형성된다. 습곡과 단층은 주로 퇴적암층에서 잘 관찰된다.

바로 보기 ㄴ. (나)는 상반이 하반에 대해 위로 올라간 역단층이다. 따라서 횡압력을 받아 형성되었다.

8 지질 단면도 분석

자료 분석 + 지질 단면도

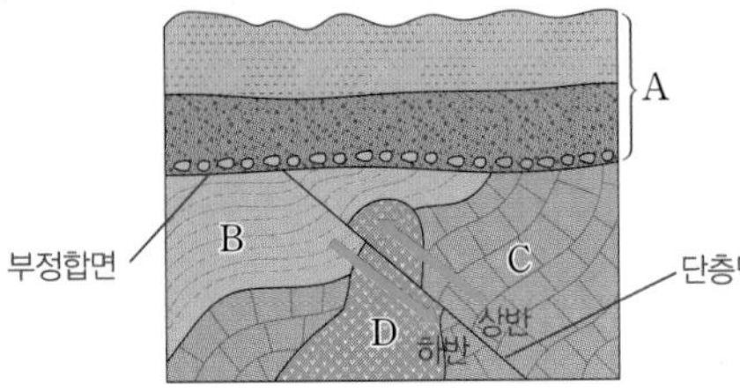

선택지 분석

㉠ 이 지역은 횡압력을 받은 적이 있다.
㉡ B와 D의 생성 순서를 파악하는 데에는 관입의 법칙이 이용된다.
㉢ 기저 역암의 나이는 D보다 많다.

ㄱ, ㄴ. 상반이 위로 올라간 역단층이 존재하며, 습곡이 발달해 있으므로 이 지역은 횡압력을 받은 적이 있다. D는 B를 관입하였으므로 관입의 법칙을 이용하여 선후 관계를 알 수 있다.

ㄷ. 기저 역암은 B나 C의 암석 조각이다. D는 B와 C를 관입하였으므로 B와 C보다 나중에 생성되었다. 따라서 기저 역암의 나이는 D보다 많다.

DAY
3 필수 체크 전략 ① 46~49쪽

❶-1 ㄱ ❷-1 ㄱ, ㄴ, ㄷ ❸-1 ㄱ, ㄴ, ㄷ ❹-1 ㄱ
❺-1 ㄱ, ㄷ ❻-1 ㄷ ❼-1 ㄱ, ㄷ ❽-1 ㄴ

❶-1 산소 동위 원소비

ㄱ. (가)에서 기온 편차는 대체로 (−)값을 보이므로, 이 기간 동안 평균 기온은 현재보다 낮았다.

바로 보기 ㄴ, ㄷ. 그래프에서 해양 생물 껍질의 산소 동위 원소비가 높을수록 평균 기온은 낮다. 해양에 산소 동위 원소비가 높으면 해양 생물의 산소 동위 원소비는 높지만 빙하의 산소 동위 원소비는 낮아진다.

❷-1 표준 화석과 시상 화석

ㄱ. A는 중생대, D는 신생대 표준 화석이다.

ㄴ, ㄷ. 삼엽충과 화폐석은 바다에서 서식했던 생물이며, 산호는 따뜻하고 수심이 얕은 바다에서 주로 서식한다.

❸-1 방사성 원소의 반감기

자료 분석 + 방사성 원소의 붕괴 곡선

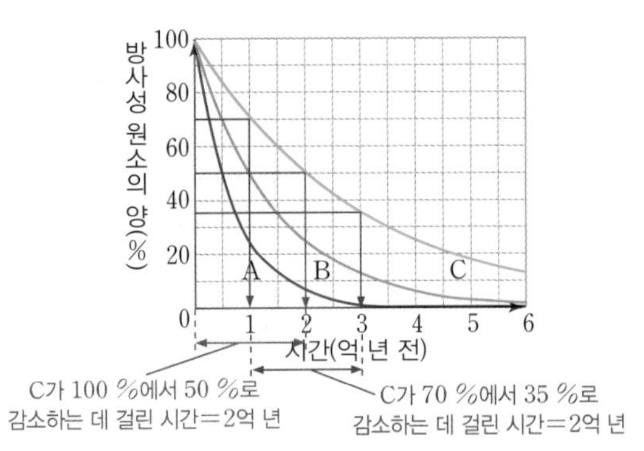

선택지 분석

→ 0.5억 년
→ 1억 년

㉠ 반감기는 A가 B보다 짧다.
㉡ 방사성 원소가 처음 양의 25 %가 될 때까지 걸리는 시간은 B가 C보다 짧다.
㉢ 암석에 포함된 C의 양이 처음 양의 70 %에서 35 %로 감소하는 데 걸리는 시간은 2억 년이다.

ㄱ, ㄴ. 반감기는 A가 0.5억 년, B가 1억 년이다. 반감기가 짧을수록 모원소의 양(%)이 빨리 감소한다. 반감기는 B가 C보다 짧으므로 방사성 원소가 처음 양의 25 %가 될 때까지 걸리는 시간도 B가 C보다 짧다.

ㄷ. 반감기는 처음 양의 $\frac{1}{2}$이 될 때까지 걸리는 시간이므로, 처음 양의 70 %에서 35 %로 감소하는 데 걸리는 시간도 반감기와 같다.

❹-1 지층의 대비

ㄱ. 가장 최근에 생성된 지층은 (가)의 화폐석 화석이 산출되는 석회암층 위에 퇴적된 셰일층이다.

바로 보기 ㄴ, ㄷ. 석회암층은 한 지역 내에서 반복적으로 나타나기도 하며, 서로 다른 지질 시대에 퇴적되기도 했으므로 건층으로 적합하지 않다. (나)는 제일 아래에 암모나이트 화석이 산출되는 중생대 지층이 있으므로 고생대 퇴적층은 존재하지 않는다.

❺-1 절대 연령과 지층의 생성 순서

자료 분석 + 지질 단면과 자원소의 함량 변화

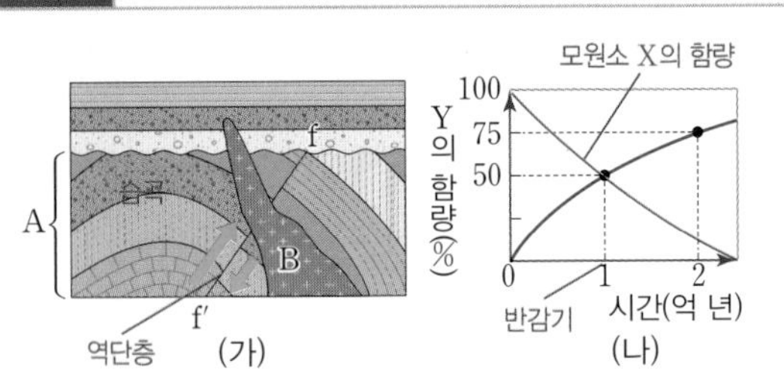

선택지 분석

㉠ 단층 f−f′는 습곡이 일어난 후에 형성되었다.
~~ㄴ~~. A는 횡압력과 장력을 모두 받았다.
㉢ A에서는 삼엽충 화석이 발견될 수 있다.

ㄱ, ㄷ. A가 퇴적된 후 횡압력을 받아 습곡이 형성되었으며, 이후 단층 f−f′가 형성되었다. B에 포함된 X의 양은 처음 양의 10 %이므로 반감기가 3번이 지난 후이다. (나)에서 반감기는 1억 년이므로 B의 절대 연령은 3억 년보다 많다. A는 B보다 먼저 생성되었으므로 고생대층인 A에서는 삼엽충 화석이 발견될 수 있다.

바로 보기 ㄴ. A에는 습곡과 역단층이 나타나므로 횡압력만 받았다.

6-1 지질 시대의 구분

ㄷ. 히말라야산맥은 신생대인 D 시기에 인도 대륙과 유라시아 대륙이 충돌하여 형성되었다.

바로 보기 ㄱ, ㄴ. 지질 시대의 길이는 선캄브리아 시대, 고생대, 중생대, 신생대 순으로 갈수록 짧아진다. 따라서 A는 선캄브리아 시대이다. 최초의 광합성 생명체인 남세균은 선캄브리아 시대인 시생 누대에 등장하였다.

7-1 지질 시대의 특징

자료 분석+ 지질 시대의 환경과 생물

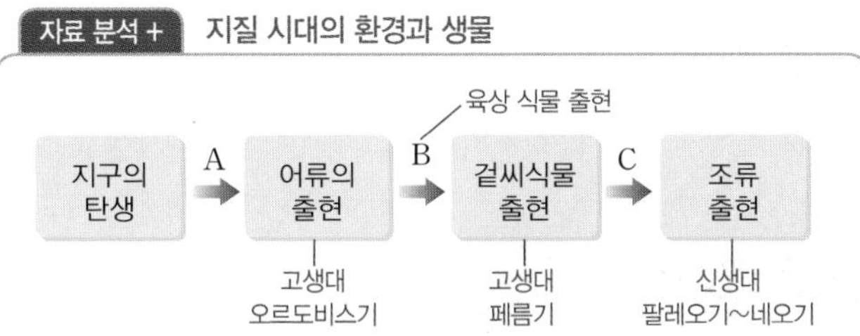

선택지 분석

㉠ A는 B와 C를 더한 것보다 길다.
~~ㄴ~~. 육상 식물은 A 동안에 출현하였다. → B
㉢ B는 2.9억 년보다 짧다.

ㄱ, ㄷ. 어류는 고생대 초에, 겉씨식물은 고생대 말에, 조류는 신생대에 출현하였으므로 A는 B와 C를 더한 것보다 길다. 어류는 고생대 초, 겉씨식물은 고생대 말에 출현하였으므로 B는 고생대 전체 길이인 약 2.9억 년보다 짧다.

바로 보기 ㄴ. 육상 식물은 어류가 출현한 이후 고생대 실루리아기에 출현하였다. 따라서 B 동안에 출현하였다.

8-1 지질 시대의 환경과 기후

자료 분석+ 지질 시대의 기후와 표준 화석

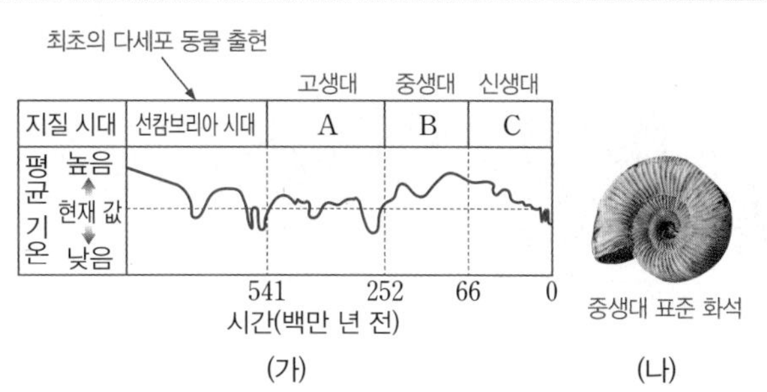

선택지 분석

~~ㄱ~~. 최초의 다세포 동물은 A 시기에 출현하였다. → A시기 이전에
㉡ B 시기에는 빙하기가 없었다.
~~ㄷ~~. (나)는 C 시기의 표준 화석이다. (C → B)

ㄴ. B는 중생대이며, 중생대는 빙하기가 없는 온난한 기후였다.

바로 보기 ㄱ, ㄷ. 최초의 다세포 동물은 선캄브리아 시대인 원생 누대에 출현하였다. (나)는 암모나이트 화석으로, B 시기인 중생대의 표준 화석이다.

DAY **3** 필수 체크 전략 ② | 50~51쪽

[최다 오답 문제]

1 ④ **2** ③ **3** ① **4** ④ **5** ③ **6** ④ **7** ① **8** ④

1 절대 연령과 지질 구조

자료 분석+ 지질 단면도와 방사성 원소의 양

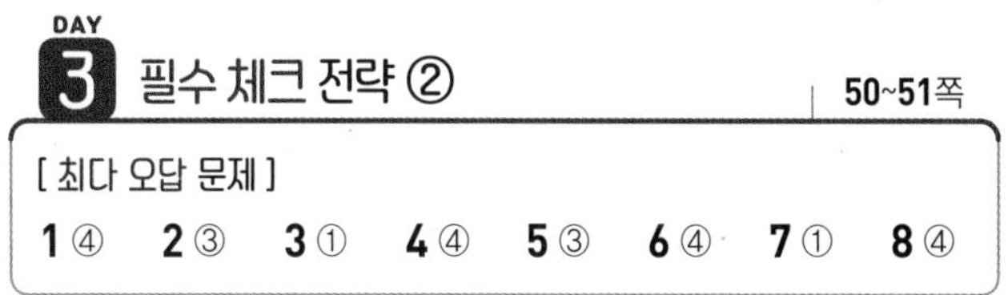

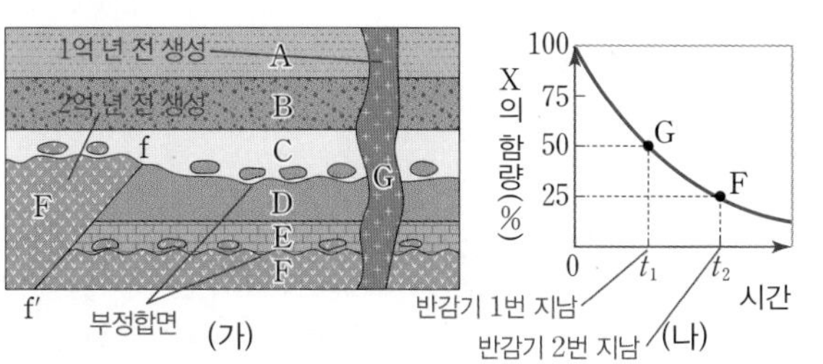

선택지 분석

~~ㄱ~~. A는 고생대에 퇴적되었다. → 중생대
㉡ D가 퇴적된 이후 f−f′이 형성되었다.
㉢ 단층 상반에 위치한 F는 최소 2회 수면 위로 노출되었다.

ㄴ, ㄷ. 단층은 E와 D가 퇴적된 이후 횡압력을 받아 형성되었다. 단층 상반에 위치한 F는 두 번의 부정합을 거쳤으므로 최소 2회 수면 위로 노출되었다.

바로 보기 ㄱ. A는 F가 관입한 이후, G가 관입하기 전에 퇴적되었으므로 절대 연령은 2억 년~1억 년 사이이다. 따라서 중생대에 퇴적되었다.

2 지질 단면도 분석

자료 분석 + 지질 단면도

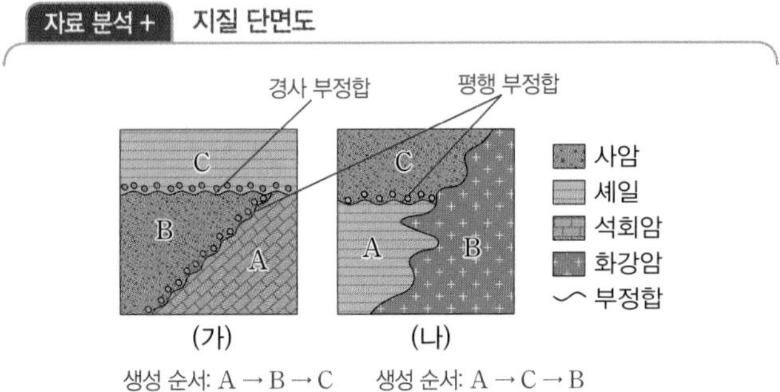

선택지 분석

㉠ 평행 부정합이 나타난다.
㉡ C에서 A의 암석으로 이루어진 기저 역암이 발견될 수 있다.
~~ㄷ~~. 암석의 생성 순서는 A → B → C이다. (나)는 A → C → B이다.

ㄱ, ㄴ. (가)에서 A와 B, (나)에서 A와 C는 평행 부정합 관계이다. 부정합면 위에 있는 C에서는 부정합면 아래에 있는 A의 암석으로 이루어진 기저 역암이 발견될 수 있다.

바로 보기 ㄷ. 암석의 생성 순서는 (가)에서 A → B → C이지만, (나)에서는 A → C → B이다.

3 지질 시대의 환경과 생물

자료 분석 + 완족류와 삼엽충의 과의 수 변화 및 멸종 비율

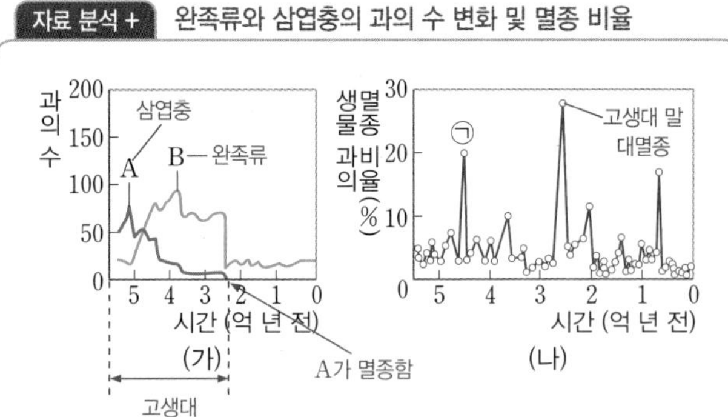

선택지 분석

㉠ A는 삼엽충이다.
~~ㄴ~~. 완족류 과의 수 감소율은 고생대 중기가 고생대 말보다 크다. 작다
~~ㄷ~~. 방추충은 ㉠ 시기에 멸종하였다. 고생대 말

ㄱ. A는 고생대 말에 멸종하였으므로 삼엽충이다.

바로 보기 ㄴ, ㄷ. 완족류의 과의 수 감소율은 고생대 중기보다 가장 대규모의 멸종이 일어났던 고생대 말이 더 크다. 방추충은 고생대 말에 멸종하였다.

4 지층의 대비

자료 분석 + 지층의 대비

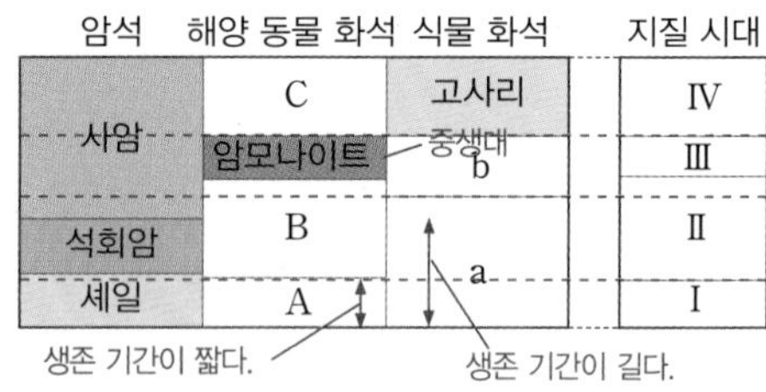

선택지 분석

~~ㄱ~~. 지질 시대의 구분에는 암석이 화석보다 유용하다. 화석이 더 유용하다.
㉡ 표준 화석으로는 A가 a보다 적당하다.
㉢ 겉씨식물은 b에 해당할 수 있다.

ㄴ, ㄷ. 표준 화석은 생존 기간이 짧아야 한다. A는 지질 시대 I 에만 살았지만, a는 지질 시대 I 과 II 에도 살았으므로 표준 화석으로는 A가 적당하다. 암모나이트는 중생대의 표준 화석이다. 겉씨식물은 고생대 말에 등장하여 중생대에 번성하였으므로 b에 해당할 수 있다.

바로 보기 ㄱ. 암석은 여러 지질 시대에 걸쳐 같은 암석이 존재하는 경우가 많으므로 지질 시대의 구분에는 화석이 더 유용하다.

5 절대 연령과 지질 구조

자료 분석 + 지질 단면도와 방사성 원소의 양

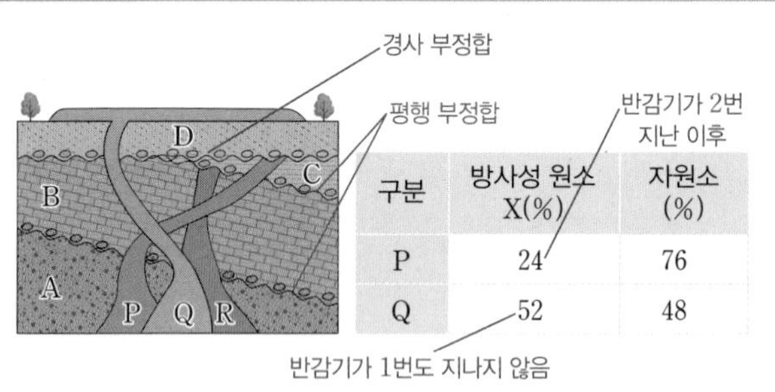

구분	방사성 원소 X(%)	자원소 (%)
P	24	76
Q	52	48

선택지 분석

㉠ 이 지역에는 평행 부정합이 존재한다.
~~ㄴ~~. R는 C가 퇴적된 후 관입하였다. → 퇴적되기 전
㉢ 암석의 절대 연령은 P가 Q의 2배보다 많다.

ㄱ, ㄷ. A와 B, B와 C는 평행 부정합 관계이다. P에는 X가 24 % 남아 있으므로 반감기가 2번 지난 이후이며, Q는 X가 52 % 남아 있으므로 아직 반감기가 한 번도 지나지 않았다. 따라서 절대 연령은 P가 Q의 2배보다 많다.

바로 보기 ㄴ. R가 B를 관입한 후 부정합이 형성되었으므로 R는 C가 퇴적되기 전에 관입하였다.

6 지질 시대의 특징과 지질 단면도 분석

자료 분석+ 지질 단면도와 화석

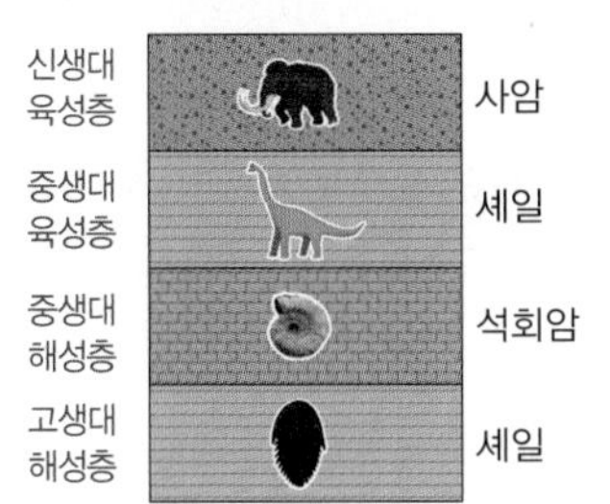

선택지 분석

~~ㄱ~~. 셰일층은 모두 같은 지질 시대에 퇴적되었다. → 고생대와 중생대
ⓛ 고생대 지층은 해성층, 신생대 지층은 육성층이다.
ⓒ 중생대에는 융기가 일어났다.

ㄴ, ㄷ. 고생대 지층은 삼엽충 화석이 산출되는 셰일층이며, 삼엽충은 바다에 서식하였으므로 해성층이다. 신생대 지층은 매머드 화석이 산출되므로 육성층이다. 중생대 지층은 석회암층과 셰일층이며, 아래에 있는 석회암층은 해성층인데 위에 있는 셰일은 육성층이므로 중생대에는 융기가 일어났다.

바로 보기 ㄱ. 아래의 셰일층은 고생대에, 위의 셰일층은 중생대에 퇴적되었다.

7 지질 시대의 환경과 생물

자료 분석+ 지질 시대의 특징

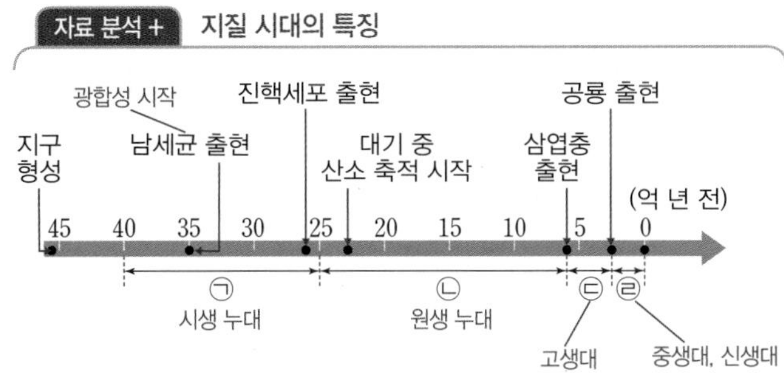

선택지 분석

ⓖ 최초의 광합성은 ㉠ 시기에 시작되었다.
~~ㄴ~~. ㉡, ㉢, ㉣은 현생 누대에 해당한다.
~~ㄷ~~. 최초의 척추동물은 ㉡ 시기에 출현하였다. ㉢

ㄱ. 최초의 광합성은 ㉠ 시기인 시생 누대에 시작되었다.

바로 보기 ㄴ, ㄷ. ㉡은 원생 누대, ㉢은 고생대, ㉣은 중생대와 신생대에 해당하므로 현생 누대는 ㉢, ㉣이다. 최초의 척추동물인 어류는 고생대인 ㉢ 시기에 출현하였다.

8 지질 시대의 환경과 생물

자료 분석+ 해양 동물과 육상 식물 과의 수 변화

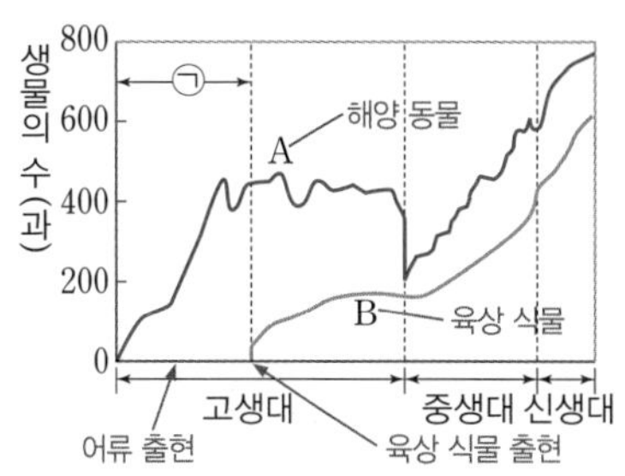

선택지 분석

ⓖ 육상 식물은 B이다.
~~ㄴ~~. ㉠ 시기에는 대기 중에 산소가 존재하지 않았다. 존재하였다
ⓒ ㉠ 시기에는 바다에 어류가 서식하였다.

ㄱ, ㄷ. 육상 식물은 해양 동물보다 나중에 출현하였으므로 육상 식물은 B이다. 육상 식물의 출현은 실루리아기, 어류의 출현은 오르도비스기이므로 ㉠ 시기에는 어류가 서식하였다.

바로 보기 ㄴ. ㉠ 시기에는 대기 중에 산소가 존재하였다. 이후 산소 농도가 증가하면서 오존층이 형성되었다.

누구나 합격 전략

52~53쪽

01 ⑤	02 ②	03 평행 부정합	04 ③
05 ⑤	06 ②	07 ①	08 6천만 년
09 ③	10 ④		

01 퇴적암의 생성 과정

ㄱ. 화산재는 A→D 과정을 거쳐 응회암이 된다.
ㄴ, ㄷ. A나 B와 같은 과정으로 생성된 다양한 쇄설물이 속성 과정을 거쳐 생성된 퇴적암은 쇄설성 퇴적암이다. D는 퇴적물이 퇴적암이 되는 과정이므로 속성 과정이다.

02 퇴적 환경

ㄷ. 삼각주는 연안 환경인 C에 해당한다.

바로 보기 ㄱ, ㄴ. 선상지, 하천, 호수, 사막 등이 육상 환경에 해당하므로 육상 환경은 B이다. 점이 층리는 수심이 깊은 ㉠에서 잘 발달한다.

03 부정합

부정합면을 경계로 상하의 지층이 나란하므로, 이 부정합은 평행 부정합이다.

04 퇴적 구조

ㄱ, ㄴ. A는 위로 갈수록 입자의 크기가 작아지고 있으므로 점이 층리가 발달해 있다. 점이 층리는 수심이 깊은 곳에서 잘 형성된다.

바로 보기 ㄷ. 연흔과 건열 및 점이 층리의 모양으로 보아 이 지역은 지층이 역전되지 않았다.

05 지질 구조

ㄱ, ㄴ. 지층이 휘어진 습곡과 상반이 하반에 대해 올라간 역단층이 나타난다. 또한, 부정합면 아래에 경사층이 존재하므로 경사 부정합이 존재한다.

ㄷ. 부정합이 형성되는 과정에서 융기가 일어나며, 침식이 일어나는 긴 시간 동안 퇴적이 중단된다.

06 지층의 대비

ㄴ. 주변 지층과 대비했을 때 A에는 ■와 ◆이 산출되는 지층 사이에 ▲이 산출되는 지층이 존재하지 않는다. 따라서 이 기간 동안 퇴적이 중단되었다.

바로 보기 ㄱ, ㄷ. C에는 가장 오래된 표준 화석인 ☆과 가장 최근의 표준 화석인 ◆가 모두 존재한다.

07 표준 화석과 지질 시대의 특징

ㄱ. A는 삼엽충 화석이 발견되는 고생대 지층이며, 고생대에는 초대륙 판게아가 존재하였다.

바로 보기 ㄴ, ㄷ. 암모나이트와 겉씨식물 화석은 모두 중생대 지층에서 산출되지만, B는 해성층이므로 겉씨식물 화석이 발견될 수 없다. 아래에서 위로 갈수록 최근의 표준 화석이 산출되므로 지층은 역전되지 않았다.

08 방사성 원소와 반감기

(나)일 때 X는 처음 양의 $\frac{1}{8}$이 남아 있다. 따라서 반감기가 3번 지난 후이다. 1.8억 년 동안 반감기가 3번 지났으므로 반감기는 6천만 년이다.

09 지층의 대비

ㄱ, ㄷ. 건층은 응회암층과 같이 특정한 환경에서 일시적으로 광범위하게 형성되는 지층이 적합하다. B에는 셰일층과 이암층 사이에 A와 같은 사암층이 존재하지 않으므로 부정합이 존재한다.

바로 보기 ㄴ. 가장 오래된 지층은 B에서 역암층 아래에 있는 사암층이다.

10 지층의 대비

ㄴ, ㄷ. 고생대 실루리아기 다음은 데본기이다. 최초의 척추동물은 오르도비스기에 출현하였으므로 그 이후인 ㉡ 시기에는 바다에 척추동물이 서식하였다.

바로 보기 ㄱ. ㉠은 캄브리아기이며, 최초의 육상 식물은 실루리아기에 출현하였다.

창의·융합·코딩 전략

54~57쪽

01 ③	02 ②	03 ⑤	04 ③	05 ⑤	06 ③	07 ④
08 ①	09 ④	10 ④	11 ③	12 ③	13 ③	14 ②

01 퇴적 구조

A, B. (가)는 사층리이며, 층리가 기울어진 방향을 통해 퇴적물이 공급된 방향을 알 수 있다. (나)는 연흔이며, 층리면에서 관찰한 것이다.

바로 보기 C. (가)와 (나)는 역암층에서는 잘 나타나지 않으며, 입자가 작은 셰일층이나 사암층에서 잘 나타난다.

02 주상 절리와 판상 절리

ㄷ. 주상 절리와 판상 절리는 모두 암석에 생긴 틈이나 균열이며, 이로 인해 절리를 따라 풍화와 침식 작용이 활발하게 일어난다.

바로 보기 ㄱ, ㄴ. 주상 절리는 용암이 빠르게 냉각되어 생성되는 화산암에서, 판상 절리는 심성암에서 주로 나타난다. 따라서 암석이 생성된 깊이는 판상 절리가 나타나는 (나)가 더 깊다. 다각형 기둥 모양의 절리는 (가)의 주상 절리이다.

03 퇴적암의 구분

ㄱ. A는 역암이며, 퇴적암은 속성 작용을 거쳐 생성된다.

ㄴ, ㄷ. 석탄은 생물의 유해가 퇴적되어 생성되는 유기적 퇴적암에 해당한다. 따라서 유기적 퇴적암이 아니라 화학적 퇴적암에 해당하는 B는 암염이다.

04 퇴적암의 특징

ㄱ, ㄷ. 셰일은 진흙이 다짐 작용과 교결 작용을 받아 생성된 퇴적암이다. 처트는 석회암과 같이 화학적 침전에 의해서도 생성되며, 생명체의 유해가 쌓여 형성되기도 한다.

바로 보기 ㄴ. (나)는 유기적 퇴적암이므로, 주로 생명체의 유해나 골격의 일부가 쌓여 생성된 암석이다.

05 퇴적 구조와 환경

ㄱ. (가)에서는 현무암과 용암 동굴이 분포하므로 마그마가 지표에서 빠르게 냉각되었다. 따라서 이 지역에서는 판상 절리보다 주상 절리가 주로 관찰된다.

ㄴ, ㄷ. (나)에는 삼엽충과 필석 화석이 관찰되는 고생대 해성층이 존재하고, (다)에는 공룡 발자국 화석이 관찰되는 중생대 육성층이 존재한다.

06 지사학의 법칙

③ A는 아래에 있는 사암이 위에 있는 석회암보다 먼저 퇴적되었다고 말하고 있으므로 지층 누중의 법칙에 해당한다. B는 부정합의 형성 과정을 말하고 있으므로 부정합의 법칙에 해당한다. C는 관입한 화강암이 가장 나중에 형성되었다고 말하고 있으므로 관입의 법칙에 해당한다.

07 퇴적 구조와 퇴적 환경

ㄴ, ㄷ. 연흔과 사층리는 주로 수심이 얕은 물 밑에서 형성되며 매머드 발자국 화석이 발견되므로, 이 지역의 지층은 수심이 얕은 물 밑에서 퇴적되었다. 응회암은 화산재가 퇴적되어 형성된다.

바로 보기 ㄱ. 매머드는 신생대의 표준 화석이다.

08 지질 구조

A. (가)는 단층면을 기준으로 왼쪽에 위치한 상반이 오른쪽에 위치한 하반보다 상대적으로 아래로 내려와 있으므로 정단층이다.

바로 보기 B, C. (나)는 습곡이며, 습곡은 횡압력에 의해 형성되므로, 주로 수렴 경계 부근에서 발달한다. 정단층은 장력, 역단층은 횡압력을 받아 형성된다.

09 지질 시대의 특징

A, B. (가)는 판게아가 분리되고 파충류가 번성한 중생대이다. 따라서 (가)의 지층에서는 공룡 화석이 발견될 수 있다. 히말라야산맥이 형성된 시기인 (나)는 신생대이다.

바로 보기 C. 매머드는 신생대에 번성하였으므로 (나)이다.

10 지질 시대의 환경과 생물

ㄴ, ㄷ. A는 시생 누대, B는 원생 누대, C는 현생 누대에 해당한다. 최초의 광합성은 시생 누대에 시작되었다. 따라서 대기 중 산소의 농도는 계속 증가해왔으므로 A 누대가 B 누대보다 낮았다. 현생 누대는 고생대, 중생대, 신생대에 해당하므로 그 길이가 가장 짧다.

바로 보기 ㄱ. ㉠은 최초의 광합성 생물인 남세균이며, 남세균은 시생 누대인 A 누대에 출현하였다.

11 지층의 연령

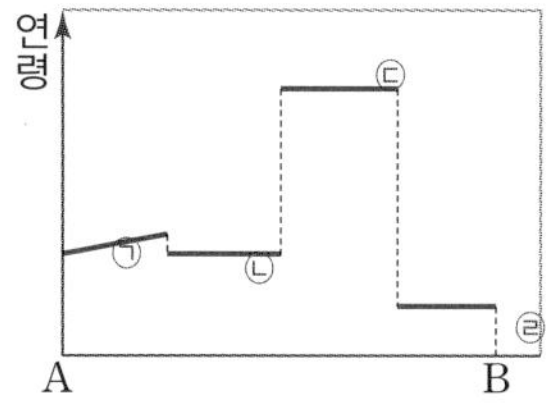

③. 그래프에서 A에 가장 가까운 암석부터 차례대로 ㉠, ㉡, ㉢, ㉣이라고 했을 때, 연령은 ㉢이 가장 많고 ㉣이 가장 적다. 따라서 암석의 생성 순서는 ㉢ → ㉠ → ㉡ → ㉣이다. 따라서 이 조건에 맞는 지질 단면은 ③번이며, 이 지역에서는 편마암 → 셰일 → 안산암 → 섬록암 순으로 형성되었다.

12 표준 화석과 시상 화석

ㄱ, ㄴ. A와 C에서는 고생대 표준 화석인 삼엽충, 필석, 방추충 화석이 발견되므로 A와 C의 셰일층과 석회암층은 모두 고생대에 퇴적되었다. B에서는 고사리 화석이 발견되므로 육상에서 퇴적되었다.

바로 보기 ㄷ. B의 고사리와 C의 산호는 모두 따뜻한 환경에서 서식하는 생물이다. 따라서 B와 C의 셰일층과 석회암층이 퇴적될 당시 기후는 온난하였다.

13 지질 시대의 생물

A, B. (가)는 어류가 번성하고 최초의 양서류가 출현한 데본기이다. 오존층은 이보다 먼저인 실루리아기에 형성되었다. 최초의 파충류가 출현한 (나)는 석탄기이다.

바로 보기 C. 고생대에서 기(紀)의 순서는 캄브리아기 → 오르도비스기 → 실루리아기 → 데본기 → 석탄기 → 페름기이다.

14 지질 시대의 환경과 생물

ㄷ. C는 고생대에 번성하였다. 최초의 파충류는 고생대 석탄기에 출현하였으므로, C가 생존한 시기에 파충류가 출현하였다.

바로 보기 ㄱ, ㄴ. 표준 화석은 생존 기간이 짧을수록, 분포 면적이 넓을수록 유리하다. A는 고생대, 중생대, 신생대에 걸쳐 모두 생존하였으므로 표준 화석으로 적절하지 않다. B는 중생대에 번성하였으며, 중생대에는 빙하기가 없었다.

BOOK 1

신유형·신경향 전략

60~63쪽

01 ②	02 ②	03 ③	04 ①	05 ①
06 ③	07 ④	08 ②		

01 인도 대륙의 이동

자료 분석 + 인도 대륙의 복각 변화

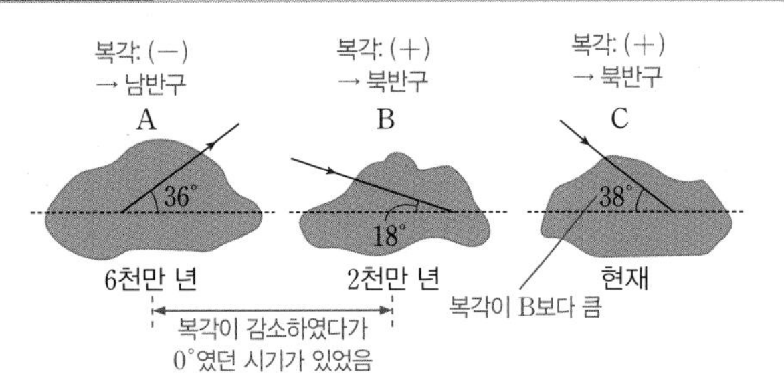

선택지 분석

~~ㄱ~~. A, B, C 모두 복각은 (+)값을 갖는다. → A의 복각은 (−)
~~ㄴ~~. B는 C보다 고위도에서 생성되었다. → 저위도
ⓒ A → B 기간 동안 인도 대륙은 적도에 위치한 적이 있다.

ㄷ. 남반구에서 복각의 부호는 (−), 북반구에서는 (+)이다. A → B 기간 동안 복각의 부호가 (−)에서 (+)로 바뀌었으므로 이 기간 동안 인도 대륙은 적도에 위치한 적이 있다.

바로 보기 ㄱ, ㄴ. 복각의 부호는 고지자기의 방향이 수평면보다 위를 향하면 (−), 아래를 향하면 (+)이다. 따라서 A에서는 (−), B와 C에서는 (+) 값을 갖는다. 복각이 클수록 암석이 생성된 위도가 높으므로 복각이 큰 C가 B보다 더 고위도에서 생성되었다.

02 마그마의 종류와 생성 장소

자료 분석 + 섭입대에서의 지진파 속도 편차

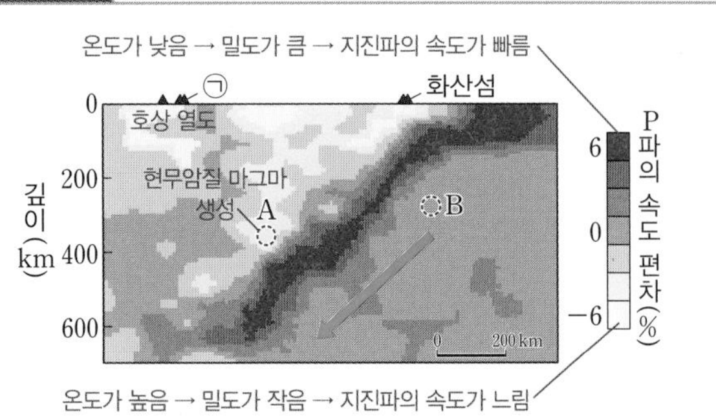

선택지 분석

~~ㄱ~~. ㉠은 열점이다. → 호상 열도
ⓛ A 지점에서는 주로 SiO_2의 함량이 52 %보다 낮은 마그마가 생성된다.
~~ㄷ~~. B 지점에서 맨틀 대류는 상승한다. → 하강

ㄴ. A 지점은 섭입하는 해양판에서 빠져나온 물에 의해 맨틀 물질이 녹아 현무암질 마그마가 생성되므로 이 마그마의 SiO_2 함량은 52 %보다 낮다.

바로 보기 ㄱ, ㄷ. ㉠은 섭입하는 해양판에 의해 생성된 마그마가 상승하여 만들어진 화산섬이므로 호상 열도이다. B는 섭입대 근처이므로 맨틀 대류는 하강한다.

03 퇴적암의 생성

자료 분석 + 퇴적층의 단면과 공극의 변화

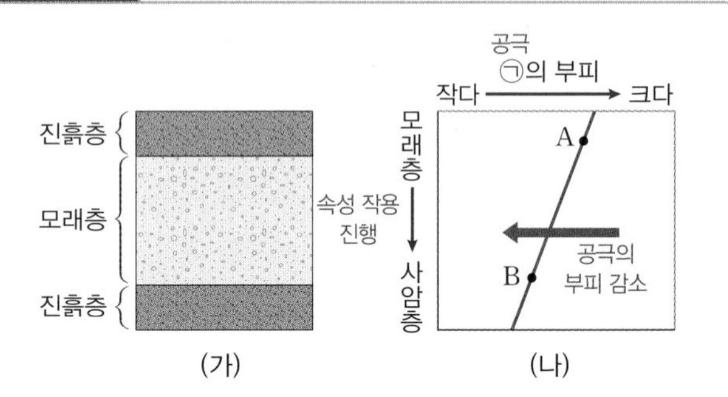

선택지 분석

ⓖ 모래층에서 ㉠이 차지하는 비율은 작아진다.
~~ㄴ~~. 공극에서 교결 물질이 차지하는 비율은 작아진다. → 커
ⓒ 밀도는 커진다.

ㄱ, ㄷ. ㉠은 공극이며, 속성 작용이 일어나면 퇴적층에서 공극이 차지하는 비율은 점차 작아지고 밀도는 커진다.

바로 보기 ㄴ. 속성 작용이 일어나는 동안 공극에 교결 물질이 채워지면서 입자들이 접착되므로, 공극에서 교결 물질이 차지하는 비율은 커진다.

04 절대 연령

자료 분석 + 방사성 원소의 붕괴

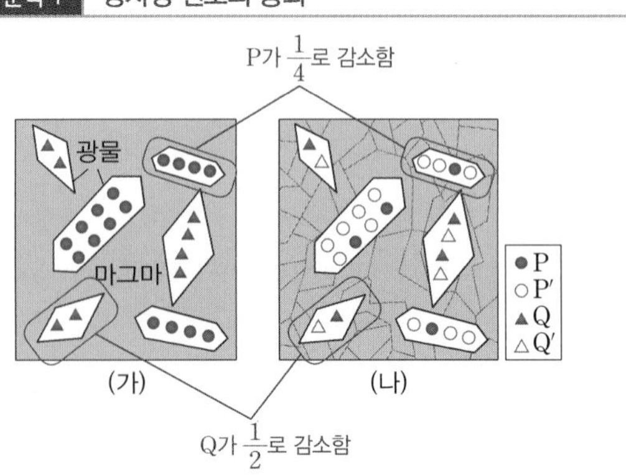

선택지 분석

ⓖ (나)에서 P는 처음 양의 25 %가 남아 있다.
~~ㄴ~~. 반감기는 P가 Q보다 길다. → 짧다
~~ㄷ~~. 광물에 포함된 모원소의 양이 많을수록 반감기는 길어진다. → 반감기는 모원소의 양과 관계없이 일정

ㄱ. (나)에서 P는 처음 양의 $\frac{1}{4}$만 남아 있다. 따라서 P는 처음 양의 25 %가 남아 있다.

바로 보기 ㄴ, ㄷ. (나)에서 P는 처음 양의 $\frac{1}{4}$이 남아 있지만, Q는 $\frac{1}{2}$이 남아 있다. 따라서 반감기는 P가 Q보다 짧다. 반감기는 광물에 처음 포함되어 있던 모원소의 양과 관계없이 일정하다.

05 판 구조론의 정립 과정

A. 남아메리카 대륙의 동해안과 아프리카 대륙의 서해안 모양이 비슷한 것은 대륙 이동설인 ㉠의 증거이다.

바로 보기 B, C. ㉡은 맨틀 대류설이며, 맨틀 대류가 상승하는 곳에는 해령이 형성된다. 음향 측심 자료를 이용한 해저 지형의 발견은 베게너가 대륙 이동설을 발표한 이후에 가능했다.

06 플룸 구조론과 열점의 분포

자료 분석 + 플룸의 구조와 열점의 분포

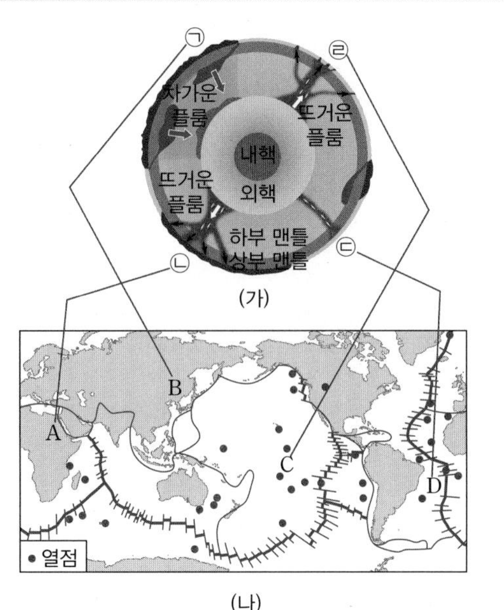

선택지 분석

ⓞ ㉠은 B에 해당한다.

ⓞ ㉢에는 판의 발산 경계가 발달해 있다.

✗ C에서 분출되는 마그마는 대부분 해양 지각의 용융으로 생성된다. (해양 지각 → 맨틀)

ㄱ, ㄴ. ㉠은 차가운 플룸이며, A~D 중 차가운 플룸은 B의 하부에 존재한다. ㉢의 하부에는 뜨거운 플룸이 상승하고 있다. 따라서 ㉢에는 대서양 중앙 해령과 같은 판의 발산 경계가 발달해 있다.

바로 보기 ㄷ. C는 열점이며, 열점에서 분출되는 마그마는 주로 맨틀 물질의 용융으로 생성된다.

07 퇴적 구조와 지층의 연령

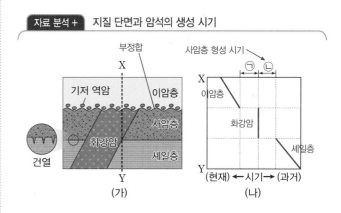

자료 분석 + 지질 단면과 암석의 생성 시기

부정합 X 기저 역암 이암층 사암층 화강암 셰일층 건열 Y (가)

사암층 형성 시기 ㉠ ㉡ X 이암층 화강암 셰일층 Y (현재) ← 시기 → (과거) (나)

선택지 분석

✗ 기저 역암을 구성하는 암석들은 ㉠ 시기에 생성되었다. (㉠ 시기 이전)

ⓞ 사암층은 ㉡ 시기 중에 퇴적되었다.

ⓞ 셰일층과 사암층은 모두 수면 위로 노출된 적이 있었다.

ㄴ. (나)에서 ㉠보다 현재에 가까운 시기는 이암층이 퇴적된 기간이며, ㉠과 ㉡ 사이에 생성 시기가 일정한 구간은 화강암에 해당한다. ㉡보다 과거인 시기는 셰일층이 퇴적된 기간이다. (가)에서 사암층의 생성 시기는 화강암과 셰일층 사이이므로 ㉡에 해당한다.

ㄷ. 셰일층에는 건열이, 사암층은 부정합 형성 과정에서 융기를 겪었으므로 두 지층 모두 수면 위로 노출된 적이 있었다.

바로 보기 ㄱ. 기저 역암을 구성하는 암석들은 화강암이나 사암으로 이루어져 있다. 따라서 이 암석들은 ㉠보다 이전에 생성된 것이다.

08 지질 시대의 환경과 생물

자료 분석 + 대륙 수 변화와 대륙 분포 변화

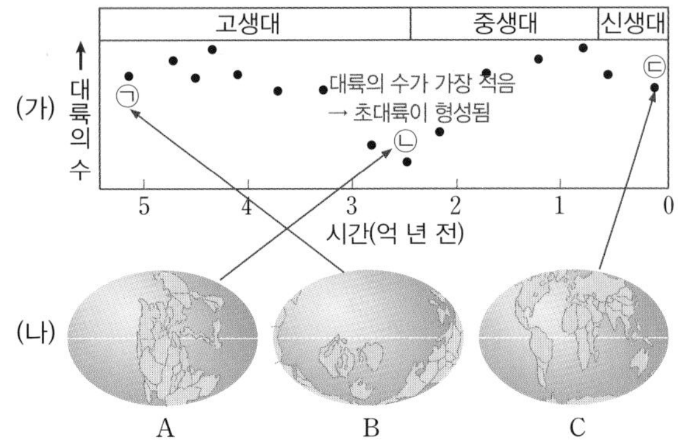

선택지 분석

~~ㄱ~~. (가)의 기간 동안 대륙 분포는 A → B → C 순으로 변하였다. (B → A → C)

㉡ ㉡ 시기에 대멸종이 있었다.

~~ㄷ~~. 애팔래치아산맥은 ㉢ 시기에 형성되었다. (㉡)

ㄴ. ㉡은 고생대 말이며, 이 시기에 대멸종이 있었다.

바로 보기 ㄱ, ㄷ. 판게아가 형성된 A는 고생대 말인 ㉡에 해당한다. C는 현재와 비슷한 수륙 분포를 보이므로 ㉢에 해당한다. 따라서 (가)의 기간 동안 대륙 분포는 B → A → C 순으로 변하였다. 애팔래치아산맥은 판게아가 형성된 ㉡ 시기에 형성되었다.

1·2등급 확보 전략 1회

64~67쪽

01 ③	02 ③	03 ③	04 ④	05 ④
06 ④	07 ③	08 ①	09 ③	10 ②
11 ②	12 ①	13 ②	14 ②	15 ④

01 고지자기 복각과 대륙 이동

자료 분석 + 고지자기 복각과 위도

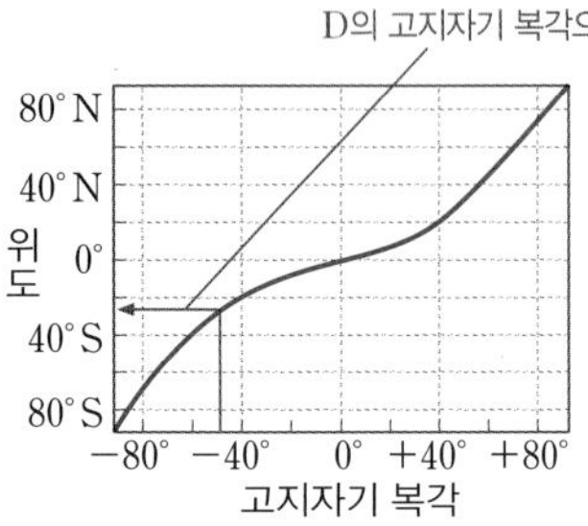

화성암	생성 시기	고지자기 복각	
A	현재	+38°	북반구
B	↕	+18°	북반구
C		−37°	남반구
D	과거	−48°	남반구

선택지 분석

㉠ A와 B가 생성된 시기에는 북반구에 위치하였다.

㉡ A~D 중 적도에 가장 가까웠던 시기는 B가 생성된 시기이다.

~~ㄷ~~. D가 생성된 시기에 이 지역의 위도는 40°S보다 높다. (낮다)

ㄱ, ㄴ. A와 B의 고지자기 복각은 모두 (+) 값을 갖는다. 따라서 A와 B가 생성된 시기에 이 지역은 북반구에 위치하였다. 적도에서 고지자기 복각은 0°이다. 따라서 적도에 가장 가까웠던 시기는 복각이 0°에 가장 가까운 B가 생성된 시기이다.

바로 보기 ㄷ. D가 생성된 시기에 고지자기 복각은 −48°이며, 그림에서 고지자기 복각이 −48°일 때 위도는 40°S보다 낮다.

02 고지자기극의 위치 변화

자료 분석 + 고지자기극의 위치 변화

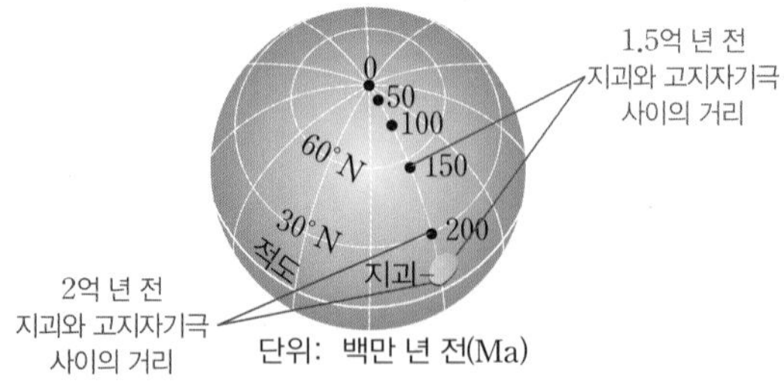

선택지 분석

㉠ 고지자기 복각은 150 Ma보다 200 Ma에 컸다.

~~ㄴ~~. 200 Ma~0 Ma 동안 북쪽으로 이동하였다. (→ 남쪽)

㉢ 200 Ma~0 Ma 동안 이동 속도는 점차 느려졌다.

ㄱ, ㄷ. 고지자기 복각은 고지자기극에 가까울수록 크므로 고지자기극에 더 가까운 200 Ma에 더 컸다. 현재에 가까울수록 50 Ma 간격으로 나타낸 고지자기극 사이의 거리가 짧아지므로, 200 Ma~0 Ma 동안 이 지괴의 이동 속도는 점차 느려졌다.

바로 보기 ㄴ. 고지자기극은 지리상 북극에 위치해야 하므로, 실제로는 이 지괴가 지리상 북극으로부터 멀어지며 남쪽으로 이동하였다.

03 해저 지형

자료 분석 + 해령으로부터의 거리에 따른 수심과 연령

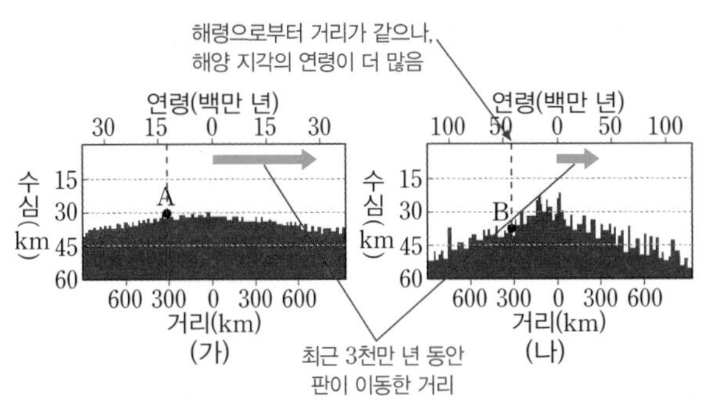

선택지 분석

㉠ 해령으로부터의 거리에 따른 수심 변화는 (가)가 (나)보다 작다.
~~ㄴ~~. 최상부와 최하부 퇴적물의 퇴적 시기 차이는 A가 B보다 크다. → 작다
㉢ 최근 3천만 년 동안 해양 지각의 평균 확장 속도는 (가)가 (나)보다 빠르다.

ㄱ, ㄷ. 해령으로부터의 거리에 따른 수심 변화는 기울기가 작은 (가)가 (나)보다 작다. 최근 3천만 년 동안 해양 지각이 이동한 거리는 (가)에서 600 km가 넘지만, (나)에서는 300 km가 되지 않는다. 따라서 해양 지각의 평균 확장 속도는 (가)가 (나)보다 빠르다.

바로 보기 ㄴ. 최상부와 최하부 퇴적물의 퇴적 시기 차이는 퇴적물의 두께가 두꺼울수록 크다. 퇴적물의 두께는 해양 지각의 나이가 많을수록 두꺼우므로, 해양 지각의 나이가 더 많은 B가 A보다 크다.

04 판 경계와 맨틀 대류

자료 분석 + 판 경계의 특징

A 해구
태평양판의 이동 방향
해령 B
C 해구

선택지 분석

~~ㄱ~~. A에서는 주로 현무암질 마그마가 분출된다. → 안산암질
㉡ B는 맨틀 대류의 상승부에 위치한다.
㉢ 해양 지각의 연령은 A가 B보다 많다.

ㄴ, ㄷ. B는 해령이며, 해령은 맨틀 대류가 상승하는 곳에 발달한다. 해양 지각의 연령은 해령으로부터의 거리가 멀수록 많다. B는 해양 지각이 생성되는 곳이며, A는 해양 지각이 소멸되는 곳이므로 해양 지각의 연령은 A가 B보다 많다.

바로 보기 ㄱ. A는 해구이며, 해구 부근에서 분출하는 마그마는 주로 안산암질 마그마이다.

05 해저 지형과 마그마 생성

자료 분석 + 해저 지형과 마그마

구간 a_1-a_2	
거리(km)	수심(m)
0	5602
200	5420
400	4871
600	4297
800	A (121)
1000	5194
1200	5093
1400	5491
1600	5372
1800	5315
2000	5151

주변에 비해 수심이 매우 낮으며 급격하게 수심이 얕아짐 → 해산(열점)

구간 b_1-b_2	
거리(km)	수심(m)
0	4269
200	4085
400	4008
600	3881
800	3456
1000	B (3097)
1200	3447
1400	3734
1600	4147
1800	4260
2000	4328

주변에 비해 수심이 약간 얕음 → 해령

선택지 분석

~~ㄱ~~. A는 발산형 경계에 위치한다. → 판의 경계에 해당하지 않음
㉡ B에서는 현무암질 마그마가 분출한다.
㉢ A와 B에서 분출되는 마그마는 주로 압력 감소에 의해 생성된다.

ㄴ, ㄷ. b_1-b_2 구간의 가운데 부분은 주변보다 수심이 얕은 부분이 나타나므로 B에는 해령이 존재한다. 따라서 현무암질 마그마가 분출한다. a_1-a_2 구간의 가운데 부분은 수심이 약 120 m로 수심이 매우 얕은 해저 화산이 존재한다. 따라서 태평양에 위치한 열점에 의해 마그마가 분출하는 지역이다. 열점과 해령에서는 주로 압력 감소에 의해 마그마가 생성된다.

바로 보기 ㄱ. A는 열점 위에 위치한 지점이므로 판의 경계에 해당하지 않는다.

06 해령과 고지자기

자료 분석 + 고지자기 분포와 해양 지각의 나이

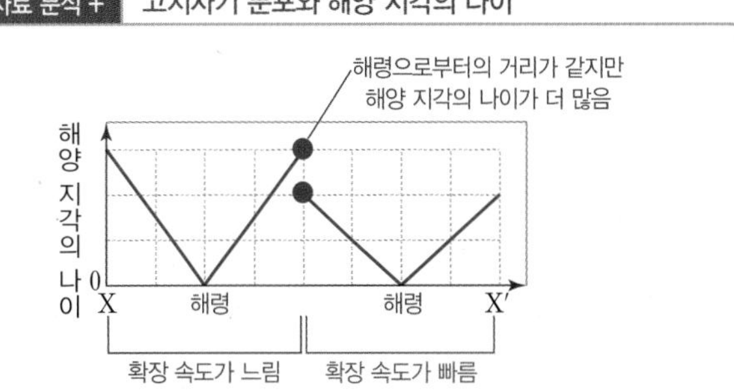

선택지 분석

~~①~~ 해령 X′ X 해령

~~②~~
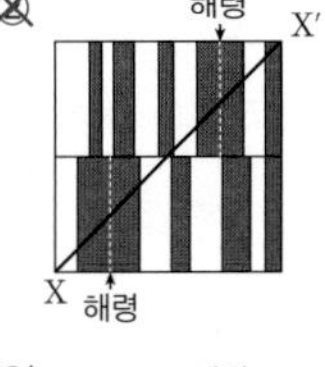

~~③~~
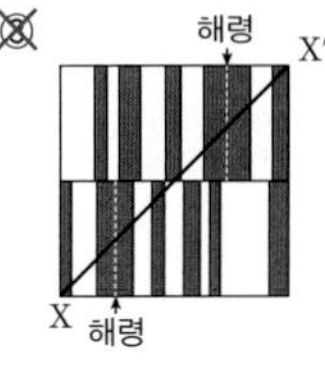

④
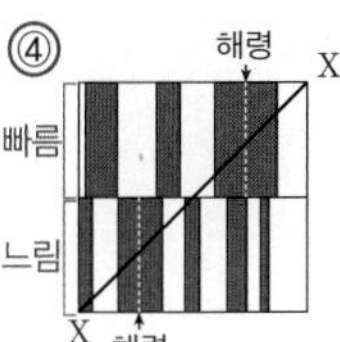

~~⑤~~
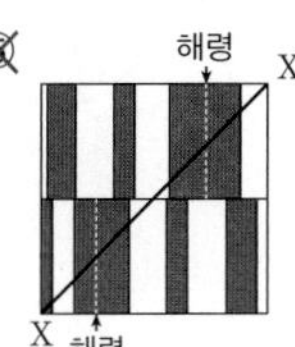

④ X－X′ 구간에서 해양 지각의 나이가 0인 지점이 두 군데 나타나므로 이 지점에 해령이 위치한다. 해령으로부터 같은 거리에 있는 지점에서 해양 지각의 나이는 X′보다 X에 가까운 해령이 많으므로 X에 가까운 해령에서 해양 지각의 확장 속도가 느리다. 해양 지각의 확장 속도가 느릴수록 고지자기 줄무늬가 좁고 촘촘하게 나타난다. 따라서 측정한 지역의 고지자기 분포로 가장 적절한 것은 ④이다.

07 고지자기와 대륙의 이동

자료 분석 + 고지자기와 대륙의 이동

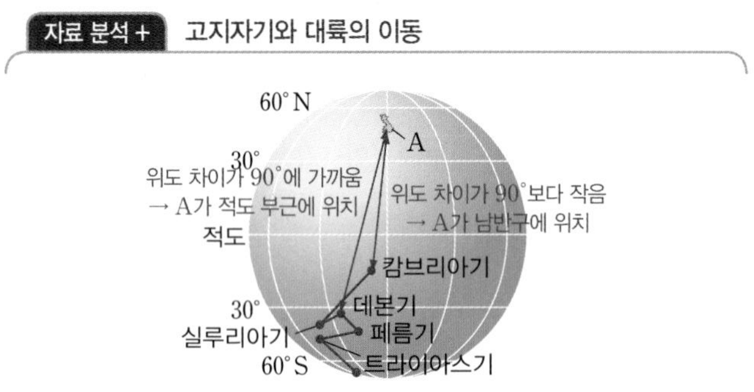

선택지 분석

㉠ 캄브리아기일 때 고지자기 복각의 부호는 (－)였다.
ㄴ. 위도는 트라이아스기가 데본기일 때보다 낮았다. → 높았다
㉢ 중생대 이후 대체로 북상하였다.

ㄱ, ㄷ. 캄브리아기일 때 고지자기극과 A 지점과의 위도 차이는 90°보다 작으므로 A 지점은 남반구에 위치하였다. 따라서 이 시기에 고지자기 복각의 부호는 (－)였다. 중생대 이후 A 지점과의 위도 차이는 점차 커지므로 A 지점은 점차 북상하였다.

바로 보기 ㄴ. 데본기에는 고지자기극과 A 지점의 위도 차가 거의 90°에 가까워 적도 부근에 위치하였으며, 트라이아스기에는 90°보다 크므로 북반구 저위도에 위치하였다. 따라서 위도는 트라이아스기가 데본기일 때보다 높았다.

08 마그마 생성 과정과 화성암

자료 분석 + 마그마 생성 과정과 화성암

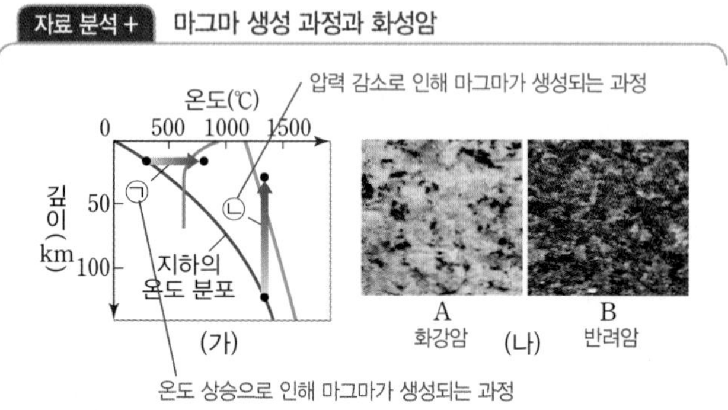

선택지 분석

㉠ 해령에서는 ㉡ 과정으로 인해 마그마가 생성된다.
ㄴ. ㉠ 과정으로 생성된 마그마의 냉각으로 생성된 암석은 B이다. → A
ㄷ. ㉡ 과정으로 마그마가 생성되기 위해서는 반드시 열의 공급이 필요하다. → 열의 공급이 없어도 압력의 감소로 인해 마그마 생성 가능

ㄱ. 해령에서는 맨틀 물질이 상승하면서 압력이 감소하기 때문에 마그마가 생성된다. 따라서 해령에서는 ㉡ 과정으로 인해 마그마가 생성된다.

바로 보기 ㄴ. A는 색이 밝은 화강암, B는 색이 어두운 반려암이다. ㉠ 과정으로 생성된 마그마는 유문암질 마그마이며, 유문암질 마그마가 냉각되면 유문암이나 화강암이 생성된다. 따라서 ㉠ 과정으로 생성된 마그마의 냉각으로 생성된 암석은 화강암인 A이다.

ㄷ. ㉡ 과정은 압력의 감소로 인해 마그마가 생성되는 과정이며, 온도 상승이 없어도, 압력이 감소함에 따라 마그마가 생성될 수 있다.

09 마그마 생성 장소

자료 분석 + 섭입대 부근에서의 마그마 생성

선택지 분석

㉠ 온도는 A가 B보다 낮다.
㉡ 점성은 A가 B보다 크다.
ㄷ. B는 주로 해양 지각이 용융되어 생성된 것이다. → 맨틀

ㄱ, ㄴ. B에서 생성되는 현무암질 마그마의 온도는 매우 높으며, A의 온도는 이보다 낮다. 마그마의 점성은 온도가 낮고 SiO_2 함량이 높은 A가 더 크다.

바로 보기 ㄷ. B는 해양 지각에서 빠져나온 물에 의해 맨틀 물질의 용융점이 낮아져 맨틀이 용융되어 생성된 것이다.

10 마그마의 생성

자료 분석 + 맨틀의 용융 곡선

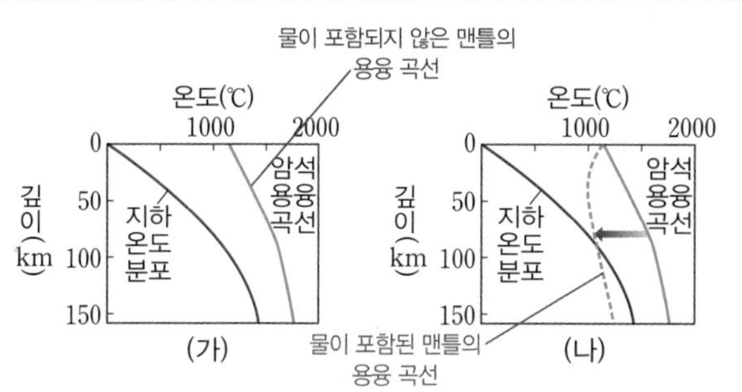

선택지 분석

✕ ㄱ. (가)에서 암석의 용융 곡선은 물이 포함된 맨틀의 용융 곡선이다. → 포함되지 않은

✕ ㄴ. (나)에서 생성된 마그마의 SiO_2 함량은 63 %보다 크다. → 52 %보다 작다

ⓒ ㄷ. 해양판이 섭입하는 섭입대 부근에서는 (나)와 같은 조건에서 마그마가 생성된다.

ㄷ. 해양판이 섭입하는 섭입대 부근에서는 해양판에서 빠져나온 물에 의해 맨틀의 용융점이 낮아지므로 (나)와 같은 조건에서 현무암질 마그마가 생성된다.

바로 보기 ㄱ, ㄴ. (가)에서 암석의 용융 곡선은 물을 포함하지 않은 맨틀의 용융 곡선이다. (나)에 의해 맨틀이 용융되면 SiO_2 함량이 52 % 이하인 현무암질 마그마가 생성된다.

11 판의 경계와 화산의 분포

자료 분석 + 태평양 주변의 화산 분포

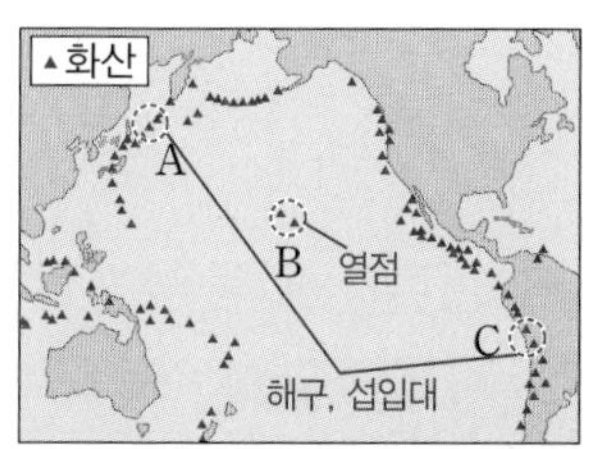

선택지 분석

✕ ㄱ. A의 하부에서는 뜨거운 플룸이 상승하고 있다. → B

ⓛ ㄴ. 화산에서 분출되는 용암의 평균 SiO_2 함량은 B가 C보다 낮다.

✕ ㄷ. C의 하부에서는 주로 압력 감소에 의해 마그마가 생성된다. → B

ㄴ. B에는 열점이 위치하며, SiO_2 함량이 52 % 이하인 현무암질 마그마가 분출된다. C에는 해구가 발달해 있으며, 이 지역에서는 현무암질 마그마보다 SiO_2 함량이 높은 안산암질 마그마가 주로 분출된다.

바로 보기 ㄱ, ㄷ. A의 호상 열도 전면에는 해구가 발달해 있으며, 이 지역의 하부에서는 차가운 플룸이 하강한다. 섭입대가 위치한 C의 하부에서는 해양판에서 빠져나온 물에 의해 맨틀의 용융점이 낮아지면서 마그마가 생성된다.

12 열점과 고지자기

자료 분석 + 열점과 화산섬의 분포 및 고지자기 복각

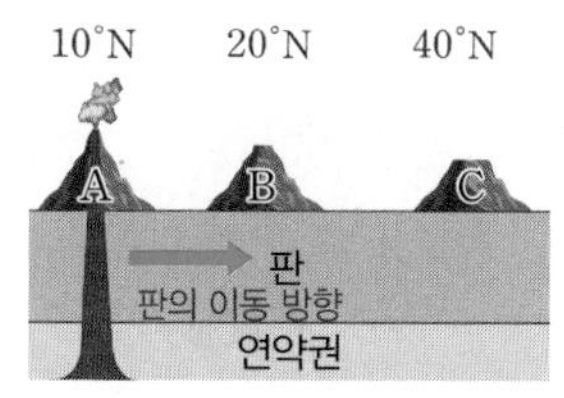

화산섬	A	B	C
연령 (백만 년)	0	15	40
위도	10°N	20°N	40°N
고지자기 복각	(　)	(㉠)	(㉡)

선택지 분석

ⓖ ㄱ. ㉠과 ㉡은 서로 같다.

✕ ㄴ. 판은 남쪽으로 이동하고 있다. → 북쪽

✕ ㄷ. 각각의 화산섬에서 구한 고지자기극의 위도는 B가 C보다 높다. → 모두 같다.

ㄱ. ㉠과 ㉡은 B와 C에서 구한 고지자기 복각이다. 두 화산섬은 모두 같은 열점에서 생성되었으므로 생성 당시의 위도가 같다. 따라서 고지자기 복각도 서로 같다.

바로 보기 ㄴ, ㄷ. A → B → C로 갈수록 북반구에서 위도가 높아지고 있으므로, 판은 북쪽으로 이동하고 있다. 각각의 화산섬들은 현재 위치는 다르지만, 모두 하나의 열점에서 생성되었으므로 각각의 화산섬에서 구한 고지자기극의 위도는 모두 같다.

13 열점과 화산 활동

자료 분석 + 카나리아 제도의 화산과 열점

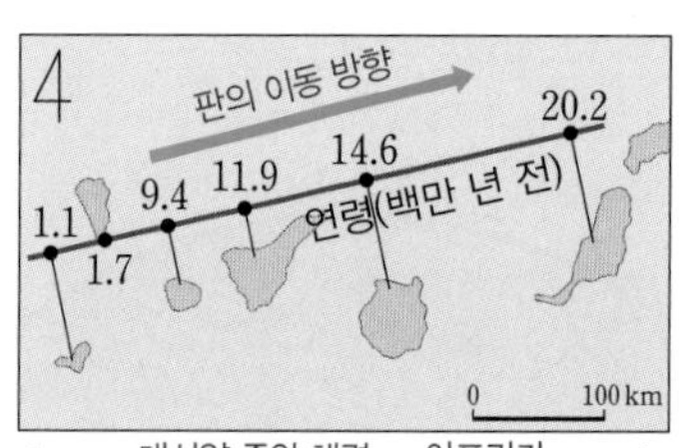

선택지 분석

✕ ㄱ. 섭입대 부근에서의 화산 활동에 의해 형성되었다. → 대서양에는 해구가 발달하지 않음

ⓛ ㄴ. 대서양 중앙 해령보다 동쪽에 위치한다.

✕ ㄷ. 이 지역 부근의 하부에서는 차가운 맨틀이 하강한다. → 뜨거운 맨틀이 상승

ㄴ. 북동쪽으로 갈수록 화산섬의 나이가 많아지고 있으므로, 판이 동쪽으로 이동하고 있다. 따라서 이 화산섬들은 대서양 중앙 해령보다 동쪽에 위치한다.

바로 보기 ㄱ, ㄷ. 이 지역 부근에서는 뜨거운 맨틀 물질이 상승하고 있으며, 이로 인해 열점이 발달해 있다. 따라서 이 화산섬들은 열점에 의한 화산 활동으로 형성되었다.

14 화성암의 특징

자료 분석 + 화성암의 종류와 특징

선택지 분석

~~ㄱ.~~ 암석을 형성한 마그마의 냉각 속도는 A가 D보다 빨랐다. → 느렸다

~~ㄴ.~~ SiO_2 함량은 B가 C보다 많다. → 적다

ⓒ 암석의 밀도는 B가 D보다 크다.

ㄷ. 철과 마그네슘이 많이 포함된 유색 광물의 함량이 높을수록 암석의 색이 어두워지며, 밀도는 커진다.

바로 보기 ㄱ, ㄴ. 마그마의 냉각 속도가 빠를수록 입자의 크기가 작다. SiO_2 함량은 암석의 색이 밝은 산성암이 암석의 색이 어두운 염기성암보다 크다.

15 플룸 구조론

자료 분석 + 뜨거운 플룸과 차가운 플룸

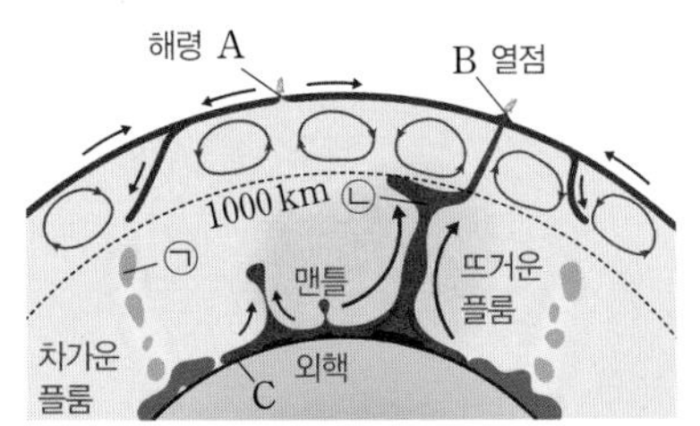

선택지 분석

~~ㄱ.~~ A와 B는 모두 판의 발산 경계에 해당한다. → B는 열점이다

ⓛ C는 맨틀과 외핵의 경계이다.

ⓒ 지진파의 속도는 ㉠ 지점이 ㉡ 지점에서보다 빠르다.

ㄴ, ㄷ. 뜨거운 맨틀은 외핵과 맨틀의 경계 부근에서부터 상승을 시작한다. 지진파의 속도는 온도가 낮은 ㉠ 지점이 더 빠르다.

바로 보기 ㄱ. A는 판이 양쪽으로 멀어지는 발산 경계인 해령, B는 판 내부에서 화산 활동이 일어나는 열점이다.

1·2등급 확보 전략 2회

68~71쪽

01 ④	02 ①	03 ①	04 ②	05 ②
06 ①	07 ③	08 ②	09 ④	10 ⑤
11 ①	12 ③	13 ③	14 ③	15 ②

01 관입과 포획

자료 분석 + 관입암과 포획암

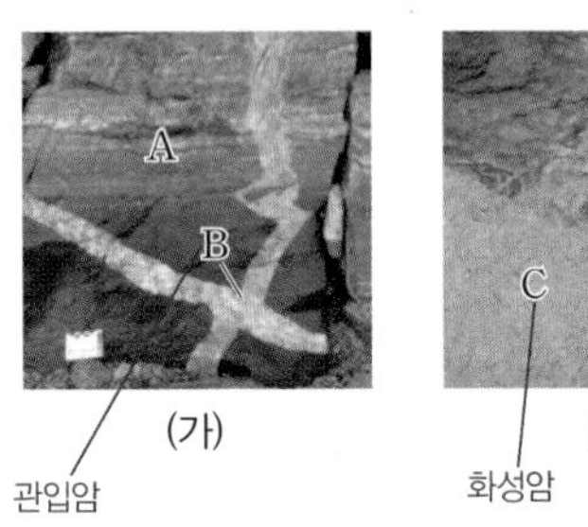

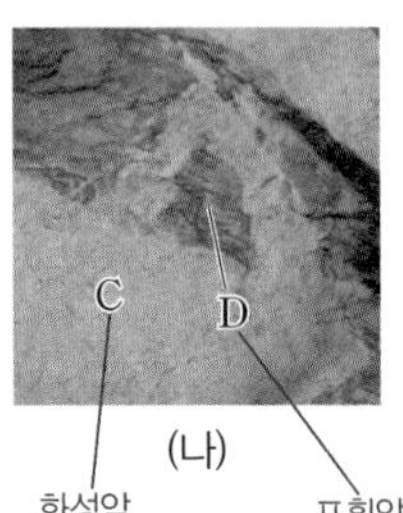

선택지 분석

~~ㄱ.~~ 관입에 의해 A에는 열에 의한 변성 작용을 받은 흔적이 나타난다. → B

ⓛ C는 화성암이다.

ⓒ 암석의 나이는 B가 가장 많다.

ㄴ, ㄷ. D는 포획암이며, 화성암 C가 관입하는 과정에서 기존에 있던 암석의 일부가 포획되어 형성되었다. 관입 당한 암석 B가 관입한 암석 A보다 먼저 생성되었으며, 포획암 D는 관입암 C보다 먼저 생성되었다. 관입암과 포획암의 나이는 같으므로 암석의 나이는 B가 가장 많다.

바로 보기 ㄱ. A가 B를 관입하였으므로 마그마의 열에 의한 변성 작용을 받은 흔적은 B에 나타난다.

02 퇴적암의 구분

자료 분석 + 퇴적물의 기원에 따른 퇴적암의 구분

구분	퇴적물	퇴적암
유기적 퇴적암 A	식물	석탄
	규조	㉠ 처트
쇄설성 퇴적암 B	모래	사암
	㉡ 화산재	응회암

선택지 분석

ⓐ A는 유기적 퇴적암이다.

~~ㄴ.~~ ㉠은 석회암이다. → 처트

~~ㄷ.~~ ㉡의 평균 입자 크기는 자갈보다 크다. → 작다

ㄱ. A는 식물과 규조 등 생물체의 유해가 퇴적되어 형성된 암석이므로 유기적 퇴적암이다.

바로 보기 ㄴ, ㄷ. ㉠은 규조가 퇴적되어 형성된 유기적 퇴적암이므로 처트이다. ㉡은 응회암을 형성한 퇴적물이므로 화산재이다. 화산재의 입자 크기는 자갈보다 작다.

03 지질 구조

자료 분석 + 지질 구조

(가) 습곡 (나) 주상 절리 (다) 포획

선택지 분석

㉠ (가)의 지역에서는 역단층이 정단층보다 잘 발달한다.
~~ㄴ~~. (나)는 지하 깊은 곳에서 생성된 후 융기한 것이다. → 지표에서 빠르게 냉각됨
~~ㄷ~~. (다)에서 A는 화성암, B는 퇴적암이다. → 포획암, 화성암

ㄱ. (가)는 습곡이며, 습곡은 횡압력에 의해 형성되므로 이 지역에는 장력에 의해 형성되는 정단층보다 횡압력에 의해 형성되는 역단층이 잘 발달한다.

바로 보기 ㄴ, ㄷ. (나)는 다각형 기둥 모양의 주상 절리이다. 주상 절리는 지표에서 용암이 급속히 냉각될 때 형성된다. (다)에서 A는 포획암이며, B는 관입한 화성암이다.

04 지질 구조

자료 분석 + 퇴적층과 퇴적 구조

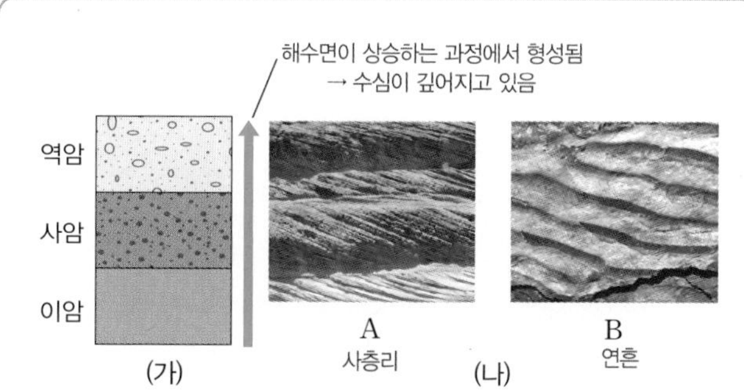

선택지 분석

~~ㄱ~~. 퇴적층이 형성된 깊이는 역암층이 이암층보다 얕다. → 깊다
㉡ A를 통해 퇴적물이 이동한 방향을 알 수 있다.
~~ㄷ~~. (가)에서 B가 나타날 가능성은 역암층이 이암층보다 크다. → 작다

ㄴ. A는 사층리이며, 사층리를 통해 퇴적물이 이동한 방향을 알 수 있다.

바로 보기 ㄱ, ㄷ. 해수면이 상승하는 과정에서 퇴적된 것이므로 최근에 퇴적된 퇴적층일수록 수심이 깊다. 따라서 퇴적층이 형성된 깊이는 역암층이 이암층보다 깊다. B는 연흔이며, 연흔은 수심이 얕고 입자의 크기가 작을수록 잘 발달한다. 따라서 (가)의 역암층보다 이암층에서 나타날 가능성이 크다.

05 지질 단면과 퇴적 구조

자료 분석 + 지질 단면과 퇴적 구조

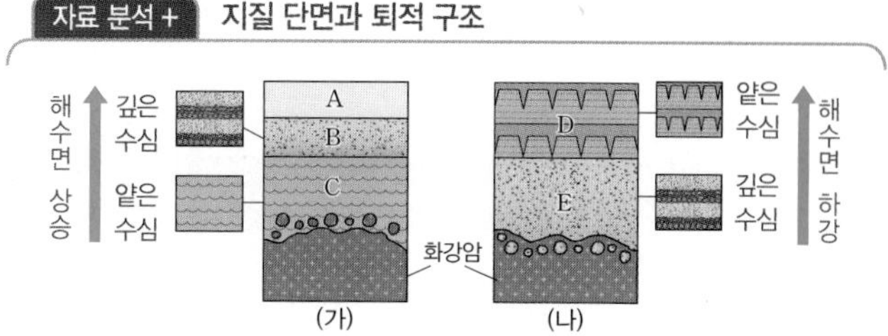

선택지 분석

~~ㄱ~~. (가)의 지역은 해수면이 하강하였다. → 상승
~~ㄴ~~. (나)의 지층 E와 화강암층 사이에는 부정합면이 존재한다.
㉢ A~E 중 가장 먼저 생성된 지층은 E이다. E를 화강암이 관입함

ㄷ. (가)에서 화강암은 C, B, A보다 먼저 생성되었으며, (나)에서 화강암은 E가 생성된 후 관입하였다. 따라서 가장 먼저 생성된 지층은 E이다.

바로 보기 ㄱ, ㄴ. (가)에서 C에는 연흔이, B에는 점이 층리가 나타나므로 수심이 점차 깊어졌다. 따라서 해수면은 상승하였다. (나)의 화강암에 있는 작은 암석들은 기저 역암이 아닌 포획암이다. 따라서 부정합면은 존재하지 않는다.

06 퇴적암의 구분

자료 분석 + 사암, 규조토, 암염의 구분

사암, 규조토, 암염
→ 쇄설성 퇴적암인가?
- 예 → A (사암)
- 아니요 → ㉠
  - 예 → 암염 (화학적 퇴적암)
  - 아니요 → B (규조토) (유기적 퇴적암)

선택지 분석

㉠ 퇴적물 입자의 평균 크기는 A가 역암보다 작다.
~~ㄴ~~. '유기적 퇴적암인가?'는 ㉠에 해당한다.
~~ㄷ~~. B는 주로 석회질 생물체가 퇴적되어 생성된다.

ㄱ. A는 쇄설성 퇴적암이므로 사암이다. 퇴적물 입자의 평균 크기는 사암이 역암보다 작다.

바로 보기 ㄴ, ㄷ. 암염은 유기적 퇴적암이 아닌 화학적 퇴적암이므로, '유기적 퇴적암인가?'는 ㉠으로 적합하지 않다. B는 규조토이므로 주로 규질 생물체가 퇴적되어 생성된다.

07 점이 층리의 형성 과정

자료 분석 + 점이 층리 형성 원리

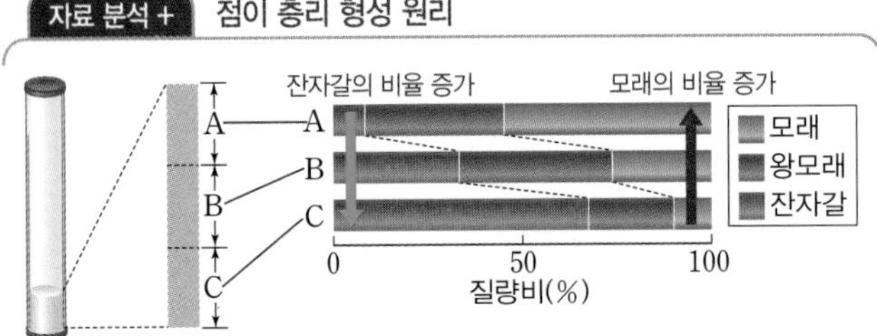

선택지 분석

ㄱ '점이 층리'는 ㉠에 해당한다.
ㄴ '작을'은 ㉡에 해당한다.
~~ㄷ~~ (나)와 같은 과정은 ~~대륙대보다 대륙붕~~에서 주로 일어난다.

ㄱ, ㄴ. 입자의 크기가 다양한 여러 종류의 퇴적물이 섞여 있을 때, 입자의 크기에 따른 퇴적 속도 차이에 의해 형성되는 퇴적 구조를 알아보기 위한 실험이므로 점이 층리의 형성 원리를 알아보기 위한 실험이다. 퇴적물 상부로 갈수록 입자의 크기가 큰 잔자갈의 비율은 감소하고, 입자의 크기가 작은 모래의 비율은 증가하므로, 입자의 크기가 작을수록 천천히 가라앉는다는 것을 알 수 있다.

바로 보기 ㄷ. 대륙 사면을 따라 빠르게 이동하던 퇴적물이 경사가 완만한 대륙대에 도달하는 과정에서 점이 층리가 잘 형성된다.

08 부정합의 특징

자료 분석 + 평행 부정합과 경사 부정합

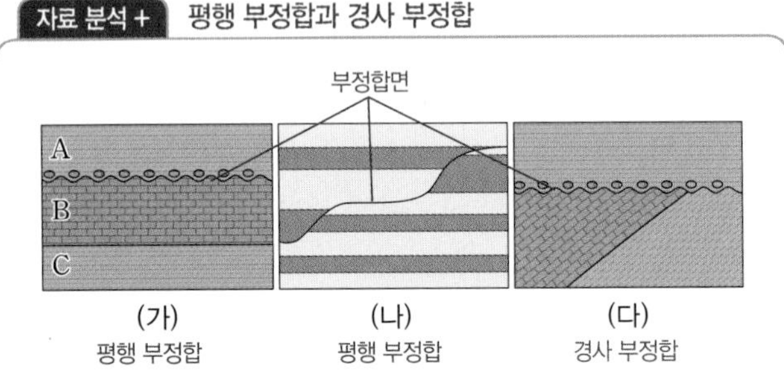

(가) 평행 부정합 (나) 평행 부정합 (다) 경사 부정합

선택지 분석

~~ㄱ~~ (가)에서 발견되는 기저 역암은 주로 A의 암석으로 이루어져 있다. → B
~~ㄴ~~ (나)에는 경사 부정합이 발달해 있다. → 평행
ㄷ (다) 지역은 융기 이전에 습곡 작용을 받은 적이 있다.

ㄷ. (다) 지역에는 부정합면 아래의 지층이 경사져 있는 경사 부정합이 발달해 있다. 따라서 융기 이전에 습곡 작용을 받은 적이 있다.

바로 보기 ㄱ, ㄴ. 기저 역암은 부정합면 아래에 위치한 지층의 침식으로 인해 생성된 쇄설물로 구성된다. 따라서 (가)의 기저 역암은 주로 B의 암석으로 이루어져 있다. (나)는 부정합면을 경계로 상하 지층이 서로 평행하므로, 평행 부정합이 발달해 있다.

09 지질 시대의 생물

자료 분석 + 동물 과의 수 변화

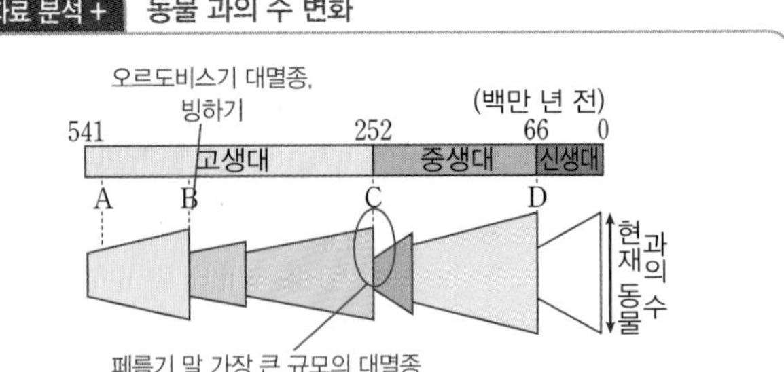

선택지 분석

~~ㄱ~~ 최초의 다세포 동물은 A 시기에 출현하였다. → A 시기 이전
ㄴ 평균 기온은 B 시기가 D 시기보다 낮았다.
ㄷ 동물 과의 멸종 비율은 C 시기가 D 시기보다 크다.

ㄴ, ㄷ. B 시기는 대멸종이 있었던 오르도비스기 말로 평균 기온이 낮았으며, D 시기는 중생대 말로 평균 기온이 높았다. 동물 과의 멸종 비율은 가장 대규모의 대멸종이 있었던 고생대 말인 C 시기가 D 시기보다 컸다.

바로 보기 ㄱ. 최초의 다세포 동물은 A 시기보다 이전인 원생 누대에 출현하였다.

10 지질 구조와 절대 연령

자료 분석 + 지질 단면도와 절대 연령

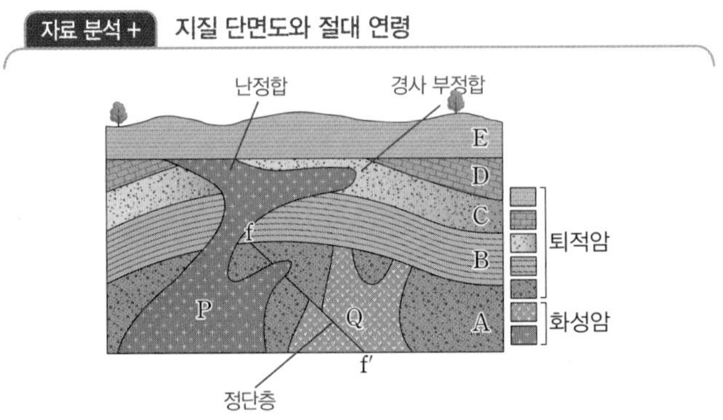

선택지 분석

ㄱ B와 C에서는 공룡 화석이 발견될 수 있다. → 절대 연령이 약 1억 년~2억 년 사이
ㄴ 이 지역에는 경사 부정합과 난정합이 나타난다.
ㄷ 단층 f－f′는 장력에 의해 형성되었다. (정단층)

ㄱ. X의 반감기는 1억 년이다. P에 포함된 방사성 원소의 양은 처음의 45 %이므로 절대 연령은 1억 년보다 조금 많다. Q에 포함된 방사성 원소의 양은 처음의 30 %이므로 2번째 반감기에 가까운 시기이다. 따라서 절대 연령은 2억 년보다 조금 적다. 따라서 절대 연령이 약 1억 년과 2억 년 사이인 B와 C에서는 중생대 표준 화석인 공룡 화석이 발견될 수 있다.
ㄴ. 부정합면 아래에 경사층과 화성암이 모두 존재하므로 이 지역에는 경사 부정합과 난정합이 모두 나타난다.

ㄷ. 단층 f−f′는 단층면에 대해 상반이 아래로 내려갔으므로 정단층이며, 정단층은 장력에 의해 형성된다.

11 지질 시대와 표준 화석

자료 분석 + 지층과 화석

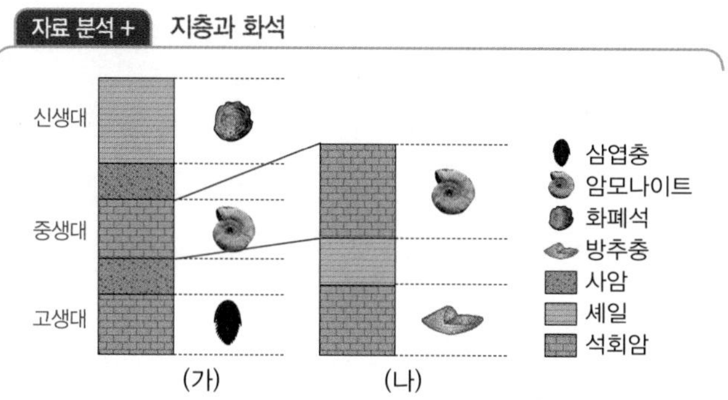

선택지 분석

ㄱ (가)의 셰일층은 해성층이다.
ㄴ. 셰일층이 퇴적된 시기는 (가)가 (나)보다 먼저이다. → 나중
ㄷ. 석회암층은 모두 같은 지질 시대에 퇴적되었다. (고생대 또는 중생대)

ㄱ. (가)의 셰일층에서는 화폐석 화석이 산출되므로 이 지층은 해성층이다.

바로 보기 ㄴ, ㄷ. 화폐석 화석이 산출되는 (가)의 셰일층은 신생대에 퇴적되었다. (나)의 셰일층은 고생대 표준 화석인 방추충 화석이 발견되는 석회암층과 중생대 표준 화석인 암모나이트 화석이 발견되는 석회암층 사이에 있으므로 고생대에서 중생대 사이에 퇴적된 것이다. 따라서 셰일층이 퇴적된 시기는 (나)가 먼저이다. 석회암층에서는 고생대 또는 중생대의 표준 화석이 발견되므로 서로 다른 지질 시대에 퇴적되었다.

12 지질 시대의 특징

자료 분석 + 지질 시대의 구분

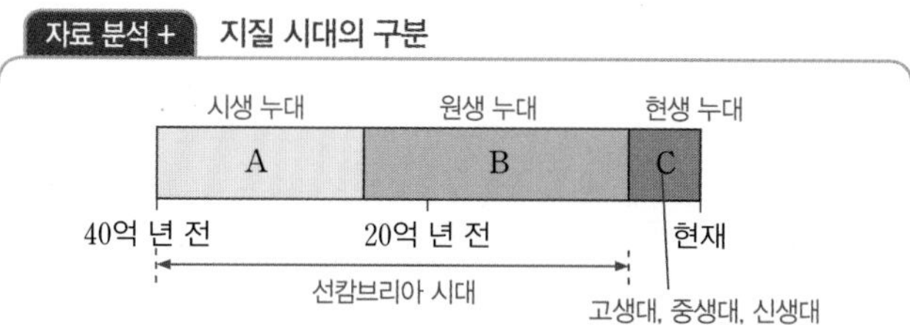

선택지 분석

ㄱ 남세균은 A 시기에 출현하였다.
ㄴ. 삼엽충은 B 시기에 번성하였다. → C 시기
ㄷ A와 B는 선캄브리아 시대에 해당한다.

ㄱ, ㄷ. A는 시생 누대, B는 원생 누대, C는 현생 누대이다. 남세균은 시생 누대인 A 시기에 출현하였다. 선캄브리아 시대는 시생 누대와 원생 누대를 포함하므로 A와 B는 선캄브리아 시대에 해당한다.

바로 보기 ㄴ. 삼엽충은 고생대에 번성하였다. 고생대, 중생대, 신생대는 모두 현생 누대인 C 시기에 해당한다.

13 지층의 연령

자료 분석 + 지질 단면도와 지층의 연령 분포

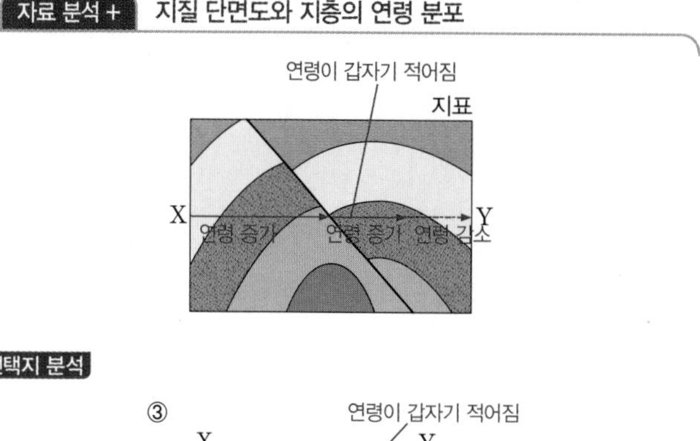

선택지 분석

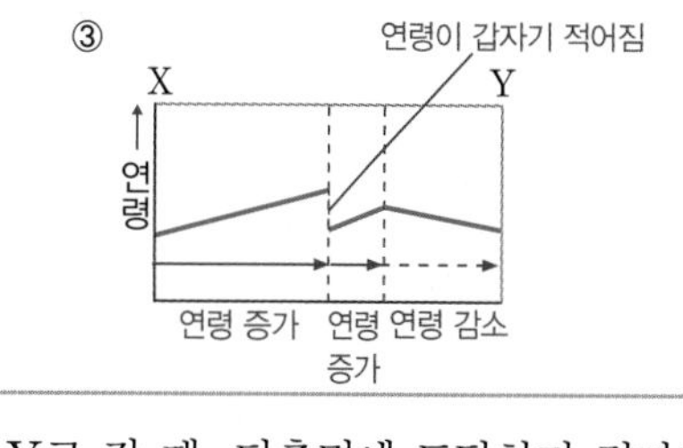

③ X에서 Y로 갈 때, 단층면에 도달하기 전까지는 점차 아래쪽 지층 방향으로 진행하므로, 지층의 연령은 많아진다. 이 지역에는 정단층이 존재하므로, 상반이 하반에 대해 아래로 내려가 있다. 따라서 같은 높이에서 단층면을 경계로 오른쪽 지층은 왼쪽 지층보다 연령이 갑자기 적어진다. 이후 다시 지층의 연령은 많아지다가 적어진다.

14 지질 시대의 특징과 생물

자료 분석 + 생명체의 출현 순서

A. 최초의 원시 포유류 출현 중생대 초
B. 최초의 속씨식물 출현 중생대
C. 최초의 광합성 생명체 출현 시생 누대
D. 최초의 척추동물 출현 고생대 초

선택지 분석

ㄱ A와 B는 모두 중생대에 일어났다.
ㄴ B−C 기간이 B−D 기간보다 길다.
ㄷ. D는 오존층 형성 이후에 일어났다. (이전에)

ㄱ, ㄴ. 최초의 원시 포유류와 속씨식물은 중생대에 출현하였다. 최초의 광합성 생명체는 시생 누대에 출현하였고, 최초의 속씨식물은 중생대에, 최초의 척추동물은 고생대에 출현하였으므로 B−C 기간이 B−D 기간보다 길다.

바로 보기 ㄷ. 최초의 척추동물인 어류는 고생대 오르도비스기에 출현하였다. 오존층은 고생대 실루리아기에 형성되었다.

15 절대 연령

자료 분석 + 지질 구조와 절대 연령

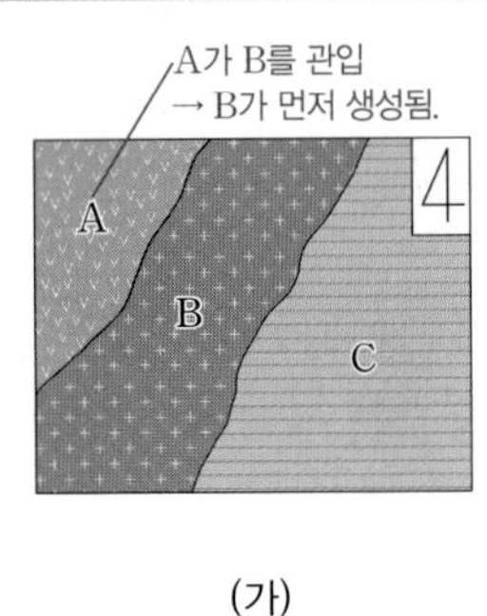

(가)

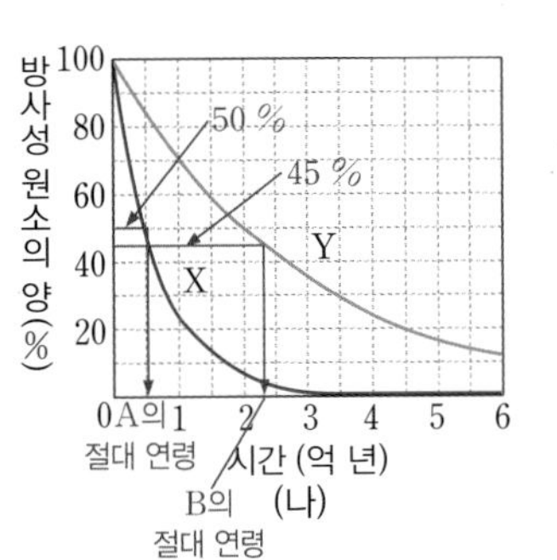

(나)

선택지 분석

~~ㄱ.~~ A에 포함된 방사성 원소의 붕괴 곡선은 Y(→X)이다.

ⓛ 절대 연령은 B가 A의 4배보다 많다.

~~ㄷ.~~ C에서는 삼엽충 화석이 발견될 수 있다(→없다).

ㄴ. A에는 방사성 원소가 50 % 남아 있고, B에는 45 %가 남아 있다.

만약 A에 포함된 방사성 원소의 붕괴 곡선을 Y, B에 포함된 방사성 원소의 붕괴 곡선을 X라고 하면 A와 B의 절대 연령은 각각 2억 년과 0.5억 년이어야 한다. 그런데 A는 B를 관입하였고, B와 C는 부정합으로 접하고 있으므로 절대 연령은 B가 A보다 많아야 한다. 따라서 A에 포함된 방사성 원소의 붕괴 곡선은 X, B에 포함된 방사성 원소의 붕괴 곡선은 Y이다.

이를 이용하여 계산한 A와 B의 절대 연령은 각각 약 0.5억 년, 약 2.3억 년이다. 결국 절대 연령은 B가 A의 4배보다 많다.

바로 보기 ㄱ. A에 포함된 방사성 원소의 붕괴 곡선은 X이다.

ㄷ. B의 절대 연령은 약 2.3억 년이므로 중생대에 퇴적되었다. C는 B 이후에 퇴적되었으므로 고생대 표준 화석인 삼엽충 화석이 발견될 수 없다.

Book 2

WEEK 1

Ⅲ 대기와 해양의 변화
Ⅳ 대기와 해양의 상호 작용

DAY 1 개념 돌파 전략 ① 확인 Q 8~9쪽

[5강] **1** 정체성 고기압 **2** 서쪽에서 동쪽 **3** 적외 **4** 태풍의 눈 **5** 시계 **6** 여름 **7** 수온 약층 **8** 감소

1 시베리아 고기압은 중심부가 거의 이동하지 않는다.

2 우리나라 주변에서 온대 저기압은 편서풍의 영향으로 동쪽으로 이동한다.

3 적외 영상은 주간, 야간에 모두 이용 가능하다.

4 태풍의 눈에서는 기압이 가장 낮지만, 바람이 약하고, 하강 기류가 나타난다.

5 태풍 진행 방향의 오른쪽 지역은 위험 반원으로 풍향이 시계 방향으로 변한다.

6 뇌우는 강한 상승 기류가 나타나는 여름에 잘 발생한다.

7 수온 약층은 수심이 깊어질수록 수온이 급격하게 낮아져 안정한 층이다.

8 담수가 유입되면 해수의 염분은 감소하므로 밀도가 낮아진다.

DAY 1 개념 돌파 전략 ① 확인 Q 10~11쪽

[6강] **1** 페렐 순환 **2** 동한 **3** 크 **4** 그린란드 주변 해역, 웨델해 **5** 남풍 **6** 강 **7** 근일점 **8** 온실

1 대기 대순환 세포 중 직접 순환은 해들리 순환, 극순환이고 간접 순환은 페렐 순환이다.

2 동한 난류와 북한 한류가 동해의 40°N 부근에서 만나 조경 수역이 형성된다.

3 해수의 밀도는 남극 저층수>북대서양 심층수>남극 중층수이다.

4 북반구의 그린란드 주변 해역, 남반구의 웨델해 부근 해역은 대표적인 침강 해역이다.

5 북반구에서 해수는 바람 방향의 오른쪽 90° 방향으로 이동한다.

6 무역풍이 평상시보다 강할 때 라니냐가 발생한다.

7 공전 궤도 이심률이 클수록 근일점이 가까워지고, 원일점이 멀어진다.

8 지구 온난화의 주요 원인은 온실 기체의 증가이다.

DAY 1 개념 돌파 전략 ② 12~13쪽

1 ④ 2 ① 3 ③ 4 ③ 5 ③ 6 ⑤

1 온대 저기압과 날씨

A는 한랭 전선 후면에 위치하여 적란운이 발달하며 소나기가 내린다. B는 한랭 전선과 온난 전선 사이에 위치하여 비교적 날씨가 맑다. C는 온난 전선 전면에 위치하여 층운형 구름이 발달하고 이슬비가 내린다.

바로 보기 ⑤ 온난 전선이 통과하면 기압이 낮아지고, 한랭 전선이 통과하면 기압이 높아진다.

2 태풍과 날씨

ㄱ. 태풍은 세력이 약해질수록 중심 기압이 높아진다.

바로 보기 ㄴ, ㄷ. 태풍은 편서풍의 영향을 받아 북동쪽으로 이동하였으며, 태풍이 이동하는 동안 제주도는 안전 반원에 위치하여 풍향이 시계 반대 방향으로 변하였다.

3 해수의 밀도

해수의 밀도는 수온이 낮을수록, 염분이 높을수록, 수압이 클수록 커진다. 수온-염분도(T-S도)에서 해수의 밀도는 오른쪽 아래로 갈수록 커지므로 해수의 밀도는 A=B>C이다.

바로 보기 ⑤ 해수의 밀도는 A=B>C이다. A와 C를 혼합하면 해수의 밀도는 B보다 작아진다.

4 대기 대순환과 표층 순환

자료 분석 + 북태평양 아열대 순환

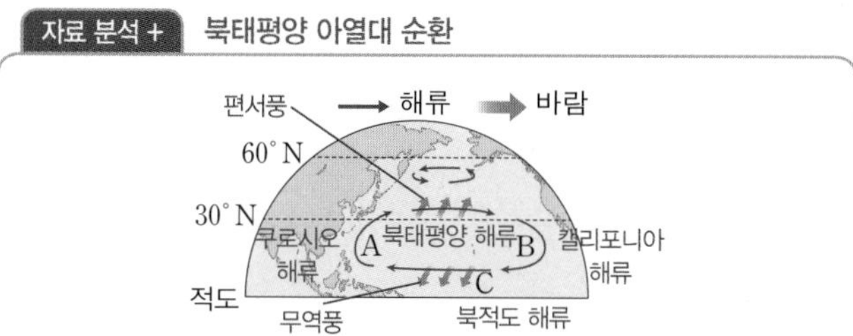

- 북태평양 아열대 순환: 북적도 해류 → 쿠로시오 해류 → 북태평양 해류 → 캘리포니아 해류
- 쿠로시오 해류는 난류, 캘리포니아 해류는 한류
- 북태평양 해류는 편서풍, 북적도 해류는 무역풍에 의해 형성

선택지 분석

~~①~~ A는 한류이다. → 난류
~~②~~ B는 쿠로시오 해류이다. → 캘리포니아
③ C는 무역풍에 의해 형성되었다.
~~④~~ 해수의 염분은 A가 B보다 대체로 낮다. → 높다
~~⑤~~ 북태평양 아열대 순환은 시계 반대 방향으로 흐른다. → 시계

③ C는 무역풍에 의해 형성된 해류로 동쪽에서 서쪽으로 흐르는 북적도 해류이다.

바로 보기 ⑤ 무역풍대의 해류와 편서풍대의 해류로 이루어진 순환을 아열대 순환이라고 하는데 북반구에서는 시계 방향, 남반구에서는 시계 반대 방향으로 순환한다.

5 엘니뇨

ㄱ. 태평양 중앙부에서 상승 기류가 우세하므로 엘니뇨 시기의 대기 순환이다.

ㄷ. 엘니뇨 시기에는 동쪽 연안(페루 연안)에서 평상시보다 수온이 높고, 무역풍이 약하므로 용승이 약해진다.

바로 보기 ㄴ. 서쪽 연안(인도네시아 연안)에서 하강 기류가 평상시보다 우세해져 강수량이 감소한다.

6 대기 중 이산화 탄소의 농도 변화

대기 중 이산화 탄소의 농도는 우리나라와 지구 전체에서 계속 증가하는 추세이다. 이로 인해 온실 효과가 강화되어 지구의 평균 기온이 점점 높아지고 있다. 특히 우리나라는 지구 전체 평균보다 온실 기체의 농도가 높고, 평균 기온 상승률도 높다.

DAY 2 필수 체크 전략 ① 14~17쪽

❶-1 ㄱ, ㄷ ❷-1 ㄴ ❸-1 ㄷ ❹-1 ㄴ, ㄷ
❺-1 ㄴ ❻-1 ㄱ ❼-1 ③

❶-1 기단의 변질

ㄱ, ㄷ. 서고 동저형의 기압 배치가 나타나므로 겨울철 일기도이다. 찬 기단이 황해상을 지나는 동안 열과 수증기를 공급받아 서해안에 많은 눈이 내릴 수 있다.

바로 보기 ㄴ. 하강 기류는 고기압이 위치한 A에서 우세하며, B에서는 상승 기류가 우세하다.

❷-1 전선과 날씨

ㄴ. A에는 찬 공기, B에는 따뜻한 공기가 있다. 특히 B 지역은 북태평양 기단의 영향을 받고 있다.

BOOK 2

바로 보기 ㄱ. A 지역에는 찬 기단이 남하하므로 북풍 계열의 바람이 분다.
ㄷ. B 지역에 있는 따뜻한 기단이 발달하면 정체 전선의 위치는 북쪽으로 이동한다.

3-1 온대 저기압과 날씨

앞으로 C 지역은 한랭 전선이 통과함에 따라 풍향이 시계 방향(남서풍에서 북서풍)으로 변한다.
ㄷ. 앞으로 C 지역의 풍향은 시계 방향으로 변한다.

바로 보기 ㄱ, ㄴ. A는 한랭 전선 후면, B는 온난 전선 전면, C는 한랭 전선과 온난 전선 사이에 위치한다. C 지역은 현재 따뜻한 기단이 위치하므로 기온이 A와 B 지역보다 높다.

4-1 태풍의 구조

자료 분석+ 태풍의 구조

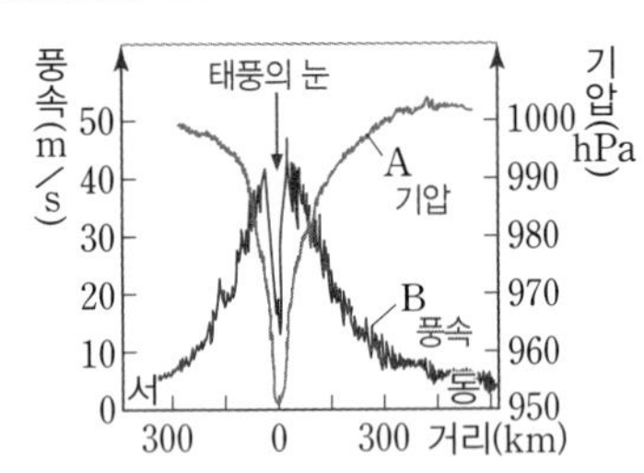

- 기압: 태풍 중심에서 최소이고, 중심에서 멀어질수록 증가한다.
- 풍속: 태풍 중심(눈)에서 약하고, 중심을 벗어나면 매우 강하다.
- 태풍의 눈: 바람이 약하고, 하강 기류가 나타나 구름이 거의 없다.

선택지 분석

~~ㄱ~~. A는 풍속이다. → 기압
ㄴ 태풍 중심에 약한 하강 기류가 나타난다.
ㄷ 태풍 중심의 동쪽 지역에서는 풍향이 시계 방향으로 바뀐다.

ㄴ, ㄷ. 태풍의 눈이 위치한 중심에는 약한 하강 기류가 나타난다. 현재 태풍이 북상하고 있으므로 태풍 중심의 동쪽(오른쪽) 지역은 위험 반원에 해당하며, 풍향이 점차 시계 방향으로 바뀐다.

바로 보기 ㄱ. A는 중심에서 가장 작은 값을 가지므로 기압이다.

5-1 우리나라의 악기상

우박은 강한 상승 기류에 의해 형성될 수 있으므로 뇌우, 한랭 전선 등에 동반되어 나타난다. 고기압이 발달한 곳에서는 하강 기류가 우세하므로 우박이 거의 발생하지 않는다.

6-1 해수의 성질

A는 수온, B는 염분, C는 밀도이다.

바로 보기 ㄴ. 표층 염분은 주로 (증발량−강수량)에 비례하며, 위도 20°~30° 해역에서 최댓값을 갖는다.
ㄷ. 0°~60° 해역에서 해수의 밀도는 수온에 반비례하는 경향이 잘 나타난다.

7-1 태풍의 이동과 날씨 변화

자료 분석+ 태풍의 이동과 날씨

일시	중심 기압(hPa)	이동 속도(km/h)
2일 00시	935	23
2일 06시	940	22
2일 12시	945	23
2일 18시	945	32
3일 00시	950	36
3일 06시	960	70
3일 12시	970	45
	계속 증가	감소 → 증가 → 감소

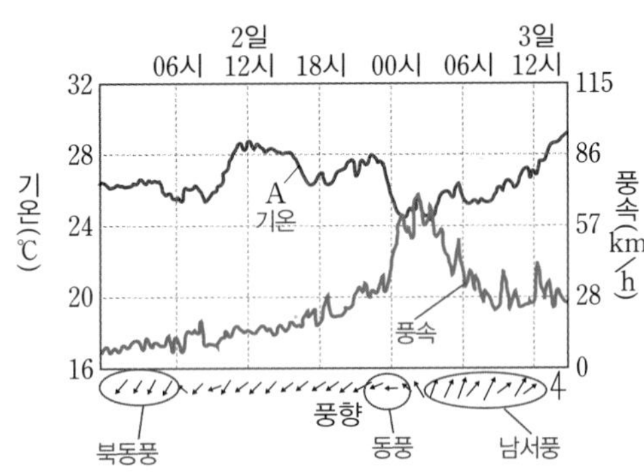

- 이 기간 동안 중심 기압은 계속 높아졌다. → 세력은 계속 약해졌다.
- 이동 속도는 느려지다가 빨라지고 다시 느려졌다.
- 풍향은 시계 방향(북동풍 → 동풍 → 남서풍)으로 바뀌었다. → 위험 반원에 위치하였다.

선택지 분석

ㄱ A는 기온이다.
~~ㄴ~~. 태풍의 세력이 약해질수록 이동 속도는 빠르다. → 느려지다가 빨라지고 다시 느려졌다.
ㄷ 관측소는 태풍 진행 경로의 오른쪽에 위치하였다.

ㄱ, ㄷ. 태풍이 관측소 부근을 통과하는 동안 풍속은 증가했다가 감소해야 한다. 따라서 A는 풍속이 될 수 없으므로 기온이다. 관측소에서 풍향은 시계 방향(북동풍 → 동풍 → 남서풍)으로 바뀌었으므로 관측소는 태풍 진행 경로의 오른쪽에 위치하였다.

바로 보기 ㄴ. 2일 00시부터 3일 12시까지 태풍의 세력은 계속 약해졌지만, 태풍의 이동 속도는 느려지다가 빨라지고 다시 느려졌다.

DAY

2 필수 체크 전략 ②

18~19쪽

[최다 오답 문제]

1 ③ 2 ④ 3 ⑤ 4 ⑤ 5 ⑤ 6 ④ 7 ② 8 ①

1 정체 전선과 날씨

자료 분석 + 정체 전선과 날씨

B가 A보다 밝다.
→ 구름 최상부 높이는 B가 A보다 높다.

(가) (나)

• 구름대의 남쪽 경계 부근에 정체 전선이 있다.
→ b와 c 사이에 전선이 있다.
• B가 A보다 밝다.
→ 구름 최상부 온도는 B가 A보다 낮다.

선택지 분석

~~ㄱ~~. ㉠은 이동성 고기압이다. → 정체성
~~ㄴ~~. 125°E에서 장마 전선은 지점 a와 지점 b 사이에 위치한다. → 지점 b와 지점 c 사이
㉢ 구름 최상부의 온도는 영역 A가 영역 B보다 높다.

ㄷ. 구름 최상부의 온도는 적외 영상에서 밝게 보이는 B가 A보다 낮다.

바로 보기 ㄱ. ㉠은 정체성 고기압인 북태평양 고기압이다.
ㄴ. 장마 전선은 구름대의 남쪽 경계 부근(b와 c 사이)에 위치한다.

2 온난 전선과 날씨

자료 분석 + 온난 전선과 날씨

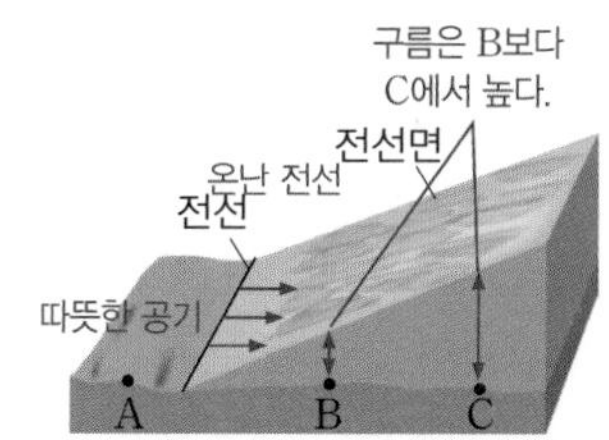

• 구름의 높이: B<C
→ 구름 최상부 온도는 B가 C보다 높다.
→ 적외 영상에서는 B가 C보다 어둡게 보인다.

선택지 분석

㉠ 기온은 A가 B보다 높다.
~~ㄴ~~. 적외 영상에서는 B 부근이 C 부근보다 밝게 나타난다. → 어둡게
㉢ 앞으로 전선은 B와 C를 통과할 것이다.

ㄱ, ㄷ. A와 B 사이에 온난 전선이 있으며, 앞으로 이 전선은 B와 C를 통과할 것이다.

바로 보기 ㄴ. 구름의 높이는 B보다 C에서 높으므로 적외 영상에서는 온도가 높은 B 부근이 C 부근보다 어둡게 나타난다.

3 태풍의 이동과 풍속 분포

자료 분석 + 태풍에 의한 풍속 분포

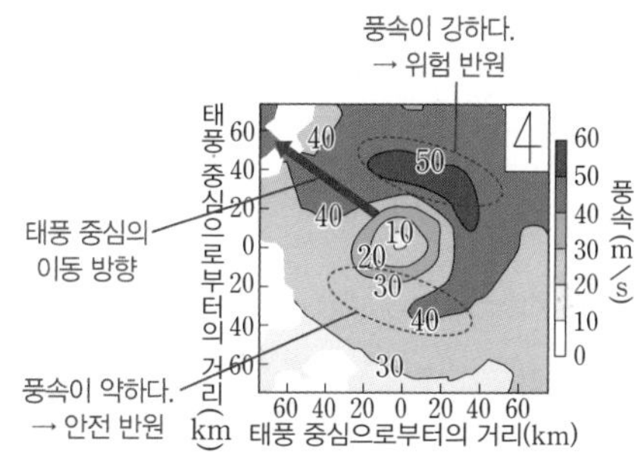

• 태풍에 의해 시계 반대 방향으로 바람이 불어 들어온다.
→ 바람에 의해 표층 해수가 중심에서 멀어진다.
→ 표층 해수의 발산이 일어난다.

선택지 분석

㉠ 태풍은 북서 방향으로 이동하고 있다.
㉡ 태풍의 중심 해역에서 표층수의 발산이 나타난다.
㉢ 태풍의 상층 공기는 시계 방향으로 불어 나간다.

ㄱ. 태풍 진행 방향의 오른쪽에서 풍속이 상대적으로 강하다. 현재 북동쪽의 풍속이 강하므로 이 태풍은 북서쪽으로 진행하고 있다.

ㄴ. 지표 부근에서 시계 반대 방향으로 바람이 불고 있으므로 해수는 저기압 중심부에서 바깥쪽으로 이동하여 표층수의 발산이 나타난다.

ㄷ. 저기압의 하층부(지표 부근)에서는 시계 반대 방향으로 공기가 불어 들어오고, 상층부(상공)에서는 시계 방향으로 공기가 불어 나간다.

4 태풍과 날씨

자료 분석 + 태풍과 날씨

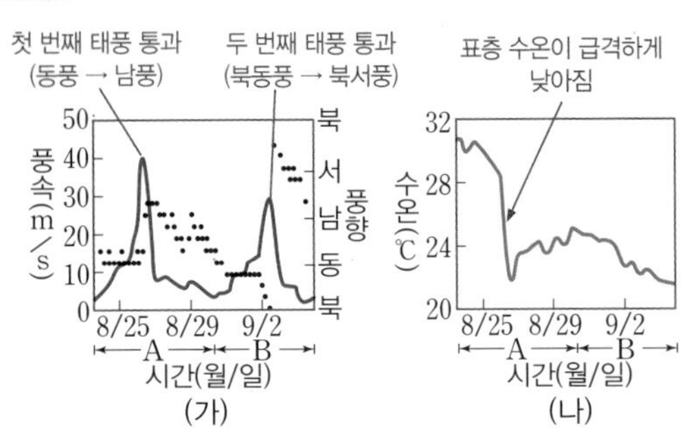

- 두 번째 태풍이 통과할 때 풍향이 시계 반대 방향으로 변함 → 안전 반원에 위치함
- A 시기 태풍 통과 후 수온이 급격히 감소 → B 시기 태풍의 세력을 약화시키는 역할을 함

선택지 분석

ㄱ̸. A 시기에 태풍의 눈은 관측소를 통과하였다. → 통과하지 않았다.
ⓛ B 시기에 관측소는 태풍의 안전 반원에 위치하였다.
ⓒ A 시기의 수온 변화는 B 시기에 통과하는 태풍을 약화시키는 역할을 하였다.

ㄴ. B에서 풍향은 시계 반대 방향(북동풍 → 북서풍)으로 변하였으므로 관측소는 안전 반원에 위치하였다.

ㄷ. 태풍의 에너지원은 수증기의 잠열이므로 A 시기의 급격한 수온 감소는 B 시기에 통과하는 태풍을 약화시키는 역할을 하였다.

바로 보기 ㄱ. 태풍의 눈이 통과하였다면 A 시기에 풍속이 급격히 감소한 시기가 나타나야 한다.

5 일기도 해석

자료 분석 + 일기도 해석

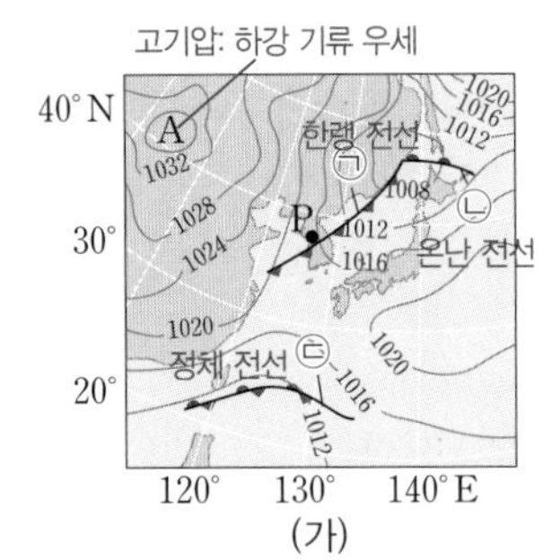

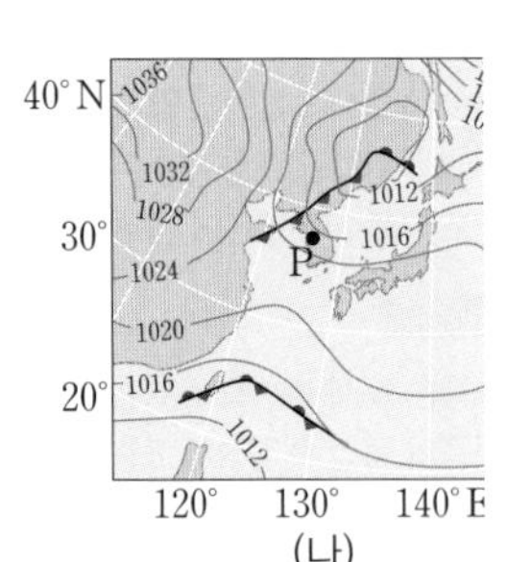

- 전선의 평균 이동 속도: ㉠ > ㉡ > ㉢

선택지 분석

ㄱ̸. A에서는 상승 기류가 우세하다. → 하강
ⓛ 전선의 평균 이동 속도는 ㉠ > ㉡ > ㉢이다.
ⓒ 이 기간 동안 P 지역의 풍향은 시계 방향으로 변했다.

ㄴ. 전선의 평균 이동 속도는 ㉠(한랭 전선) > ㉡(온난 전선) > ㉢(정체 전선)이다.

ㄷ. 관측 기간 동안 한랭 전선이 P 지역을 통과하였고, 풍향은 남서풍에서 북서풍으로 변하였다.

바로 보기 ㄱ. A는 주변보다 기압이 높으므로 하강 기류가 우세하다.

6 뇌우의 발달 단계

자료 분석 + 뇌우의 발달 단계

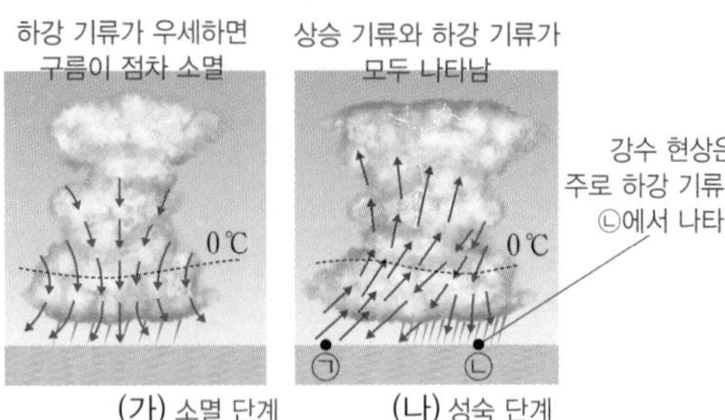

선택지 분석

ㄱ̸. (가)는 성숙 단계에 해당한다. → 소멸
ⓛ (나)에서 시간당 강수량은 ㉠보다 ㉡에서 많다.
ⓒ 우박의 발생 가능성은 (가)보다 (나)에서 크다.

ㄴ, ㄷ. (나)에서 강수 현상은 주로 하강 기류가 우세한 ㉡에서 나타난다. 우박은 강한 상승 기류에서 만들어지므로 (가)보다 (나)에서 발생할 가능성이 높다.

바로 보기 ㄱ. (가)는 소멸 단계, (나)는 성숙 단계에 해당한다.

7 수온의 연변화

자료 분석 + 깊이에 따른 수온의 연변화

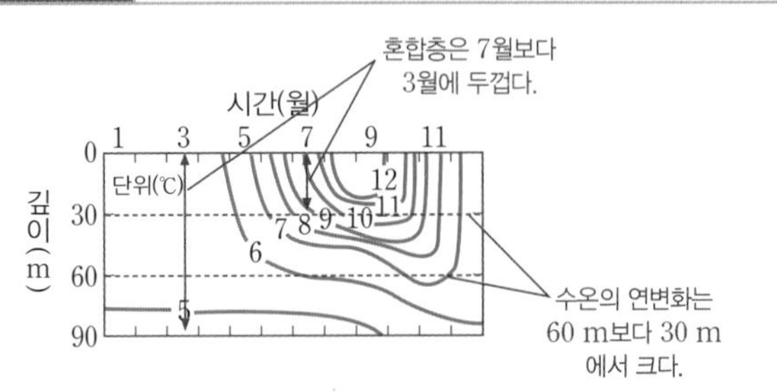

선택지 분석

ㄱ̸. 혼합층은 3월에서 7월로 갈수록 두꺼워진다. → 얇아진다
ㄴ̸. 수온의 연교차는 깊이 30 m보다 60 m에서 크다. → 작다
ⓒ 6 ℃ 등수온선은 11월이 5월보다 깊은 곳에서 나타난다.

ㄷ. 6 ℃ 등수온선은 5월에서 11월로 갈수록 점점 깊은 곳에서 나타난다.

바로 보기 ㄱ. 3월에는 표면부터 깊이 90 m까지 수온이 거의 일정한 혼합층이고, 7월에는 대략 표면에서 깊이 30 m까지 혼합층이 형성되어 있다.

ㄴ. 수온의 연변화는 깊이 30 m에서 5.5~10 ℃이고, 깊이 60 m에서 5.5~7 ℃이다.

8 우리나라 주변 해역의 표층 염분 분포

자료 분석 + 계절에 따른 표층 염분 변화

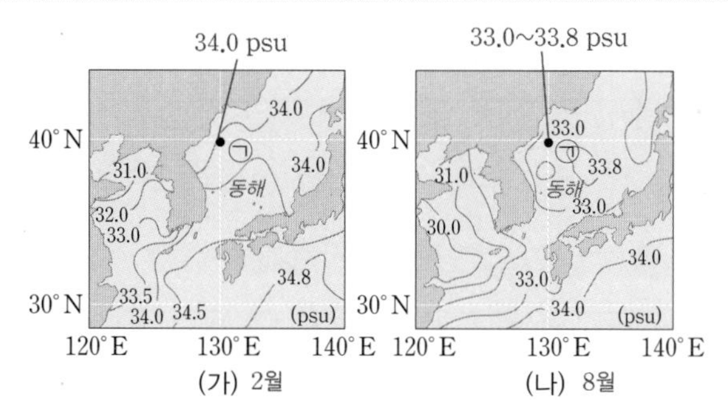

- 표층 염분: 2월 > 8월 → 여름에 강수량이 많기 때문이다.
- ㉠에서 염분은 2월에 높고, 수온은 2월에 낮다. → 해수의 밀도는 2월에 크다.

선택지 분석

㉠ (가)는 2월의 표층 염분 분포이다.
✗. (나)에서 황해가 동해보다 표층 염분이 낮은 원인은 (증발량-강수량)이 작기 때문이다. → 강물이 유입되기 때문
✗. ㉠ 지점에서 표층 해수의 밀도는 (가)보다 (나)에서 크다. → 작다

ㄱ. (가)는 2월, (나)는 8월의 표층 염분 분포이다. 우리나라는 여름철에 강수량이 집중되어 표층 염분이 낮다.

바로 보기 ㄴ. (나)에서 황해가 동해보다 표층 염분은 낮은 원인은 육지에서 바다로 많은 양의 담수가 유입되기 때문이다.

ㄷ. ㉠ 지점에서 표층 해수의 염분은 2월보다 8월에 낮고, 수온은 2월보다 8월에 높다. 따라서 해수의 밀도는 2월보다 8월에 작다.

DAY
3 필수 체크 전략 ①

20~23쪽

❶-1 ㄴ	❷-1 ㄴ, ㄷ	❸-1 ㄴ	❹-1 ㄷ
❺-1 ㄱ, ㄴ	❻-1 ㄴ	❼-1 ㄱ, ㄷ	❼-2 ㄱ, ㄷ

❶-1 대기 대순환

A와 D는 페렐 순환이고, B와 C는 해들리 순환이다. B의 지상에서는 남동 무역풍이 분다.

바로 보기 ㄱ. A는 페렐 순환으로 간접 순환이다.

ㄷ. 북태평양 해류는 페렐 순환에 의해 지상에서 부는 편서풍의 영향으로 위도 40°N 부근에서 흐르는 해류이다. 해들리 순환 C와 페렐 순환 D가 만나는 위도대는 30°N 부근으로, 아열대 고압대가 존재한다.

❷-1 표층 순환

A는 무역풍에 의해 서쪽으로, D는 편서풍에 의해 동쪽으로 흐른다. 고위도로 수송하는 에너지양은 난류인 B가 한류인 C보다 많다.

바로 보기 ㄱ. 남태평양 아열대 순환은 시계 반대 방향으로 순환한다. 따라서 해류의 순환 방향은 A → B → D → C이다.

❸-1 심층 순환

자료 분석 + 대서양의 심층 순환

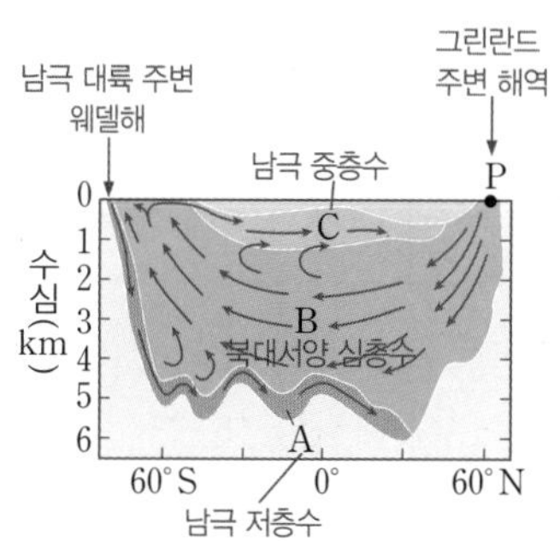

- 해수의 밀도: A > B > C

선택지 분석

✗. A는 그린란드 해역에서 침강하여 형성되었다. → 웨델해
㉡ 해수의 밀도는 A > B > C이다.
✗. P에서 침강이 강해지면 심층 순환은 약해진다. → 강해진다

ㄴ. A는 남극 저층수, B는 북대서양 심층수, C는 남극 중층수이다. 해수의 밀도는 A > B > C이다.

바로 보기 ㄱ. A는 남극 대륙의 웨델해에서 침강하여 형성되었다.

ㄷ. P에서 침강이 강할수록 심층 순환은 활발해진다.

❹-1 세계의 용승 해역

용승이 활발한 해역은 영양 염류가 풍부하여 플랑크톤의 농도가 높다.

바로 보기 ㄱ. 용승 해역은 주변 해역에 비해 수온이 낮으므로 A의 표층 수온은 주변 해역보다 낮다.

ㄴ. B에서는 북풍 계열의 바람에 의해 용승이 일어난다.

BOOK 2

5-1 공전 궤도 이심률 변화에 따른 기후 변화

ㄱ. 이심률이 작을수록 근일점 거리가 멀다. 따라서 근일점 거리는 현재가 13000년 전보다 멀다.

ㄴ. 우리나라는 근일점일 때 겨울철이다. 따라서 이심률이 작을수록 근일점 거리가 멀어 우리나라에서 기온의 연교차가 증가한다.

바로 보기 ㄷ. 이 기간 동안 이심률이 계속 감소하였으므로 남반구 지역에서는 북반구와 반대로 기온의 연교차가 계속 감소하였다.

6-1 지구 온난화

ㄴ. 과거 40만 년 동안 기온 편차는 대체로 (−)값이었다. 따라서 이 기간 동안 지구의 평균 기온은 현재 기온보다 대체로 낮았다.

바로 보기 ㄱ. 기온과 대기 중 이산화 탄소의 농도는 대체로 비례한다.

ㄷ. 산업 활동에 의한 화석 연료 사용은 18세기부터 시작되었다. 따라서 지난 40만 년 동안 이산화 탄소의 농도 변화는 화석 연료 사용량 증가와 관계가 없다.

7-1 엘니뇨와 라니냐

ㄱ. (가)는 라니냐 시기, (나)는 엘니뇨 시기이다. 따라서 A에서 무역풍의 세기는 라니냐 시기인 (가)일 때 더 크다.

ㄷ. 라니냐일 때 해면 기압은 B가 A보다 높고, 엘니뇨일 때 해면 기압은 A가 B보다 높다. 따라서 (B 지점 해면 기압−A 지점 해면 기압)의 값은 라니냐 시기인 (가)일 때 더 크다.

바로 보기 ㄴ. B에서 따뜻한 해수층의 두께는 라니냐 시기보다 엘니뇨 시기에 두껍다. 따라서 B에서 따뜻한 해수층의 두께 편차(관측값−평년값)는 (나)일 때 더 크다.

암기 Tip 엘니뇨 시기의 특징

구분	동태평양 (페루 연안)	서태평양 (호주 연안)
수온	증가	거의 변화 없음
강수량	증가	감소
기압	감소	증가
해수면 높이	증가	감소

7-2 엘니뇨와 라니냐

자료 분석 + 엘니뇨와 라니냐

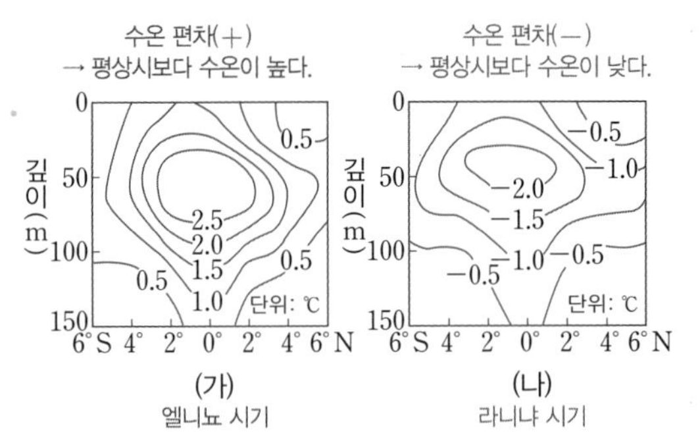

- (가): 수온 편차 (+) → 엘니뇨 시기
- (나): 수온 편차 (−) → 라니냐 시기

선택지 분석

ㄱ (가)는 엘니뇨 시기이다.
~~ㄴ~~. 워커 순환은 (가)보다 (나)일 때 약해진다. → 강해진다.
ㄷ (나)일 때 해수면의 높이 편차는 (−) 값이다.

ㄱ. (가)일 때 동태평양 적도 부근 해역에서 표층 수온 편차가 (+)이므로 엘니뇨 시기에 해당한다.

ㄷ. (나)는 라니냐 시기이므로 동태평양에서 해수면의 높이는 평상시보다 낮다.

바로 보기 ㄴ. 워커 순환은 (가)의 엘니뇨 시기보다 (나)의 라니냐 시기일 때 강하다.

DAY 3 필수 체크 전략 ②

24~25쪽

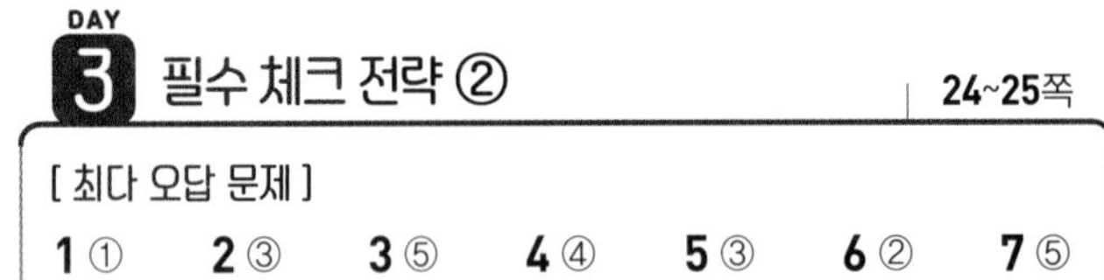

[최다 오답 문제]
1 ① 2 ③ 3 ⑤ 4 ④ 5 ③ 6 ② 7 ⑤

1 표층 순환

자료 분석 + 북아메리카 서쪽 연안의 표층 해류 분포

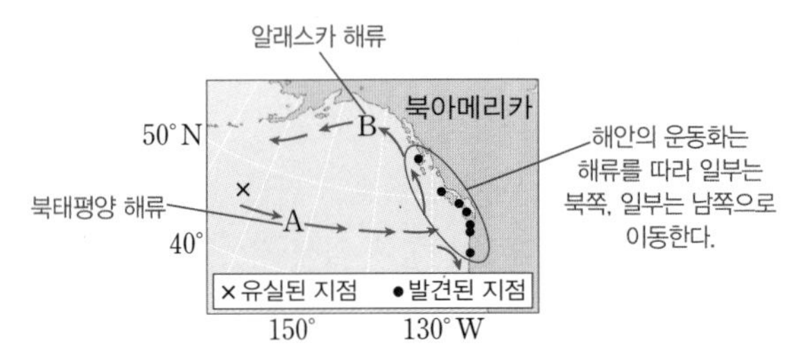

- A: 편서풍의 영향으로 동쪽으로 흐른다.
- B: 극동풍의 영향으로 서쪽으로 흐른다.

선택지 분석

㉠ A는 북태평양 해류이다.
~~ㄴ~~. B는 편서풍에 의해 형성되었다. → 극동풍
~~ㄷ~~. 북아메리카 해안의 운동화는 해류의 영향으로 대부분 북쪽으로 이동할 것이다. → 북쪽과 남쪽

ㄱ. A는 편서풍의 영향으로 동쪽으로 흐르는 북태평양 해류이다.

바로 보기 ㄴ. B는 극동풍에 의해 서쪽으로 흐른다.
ㄷ. 해안의 운동화는 고위도로 흐르는 해류와 저위도로 흐르는 해류의 영향으로 북쪽, 남쪽으로 모두 이동할 수 있다.

2 우리나라 주변의 해수

자료 분석 + 우리나라 주변 해수의 성질

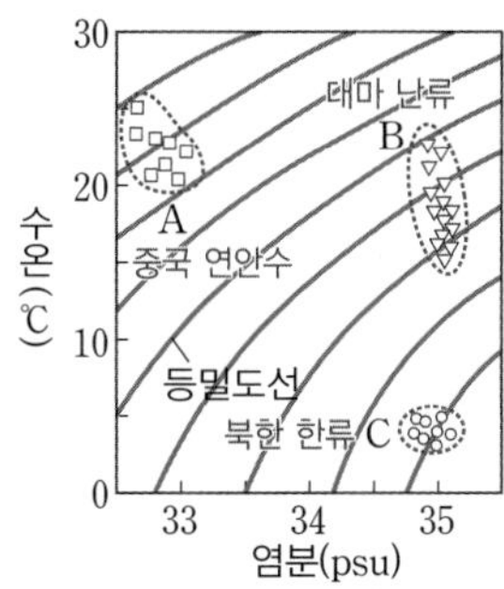

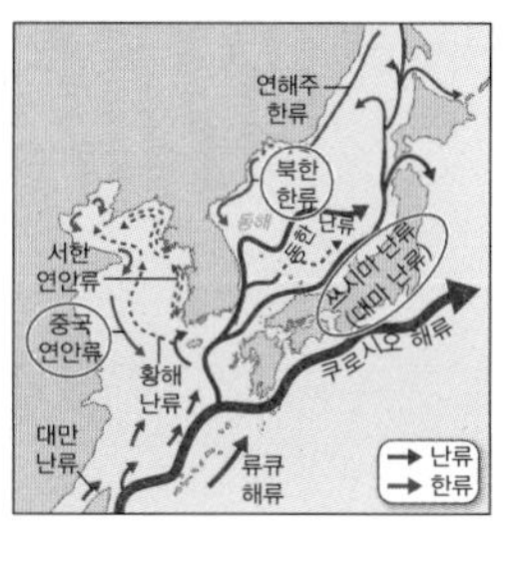

- 해수의 밀도: A < B < C
- 중국 연안수: 강물의 유입으로 염분이 낮다.
- 북한 한류: 연해주 한류의 지류로 수온이 낮다.
- 대마 난류: 쿠로시오 해류의 지류로 수온이 높다.

선택지 분석

~~ㄱ~~. 해수의 밀도는 중국 연안수가 가장 높다. → 낮다
~~ㄴ~~. B와 C가 만나 조경 수역을 형성한다. → 동한 난류
㉢ 해류가 분포하는 위도는 C가 가장 높다.

A는 중국 연안수, B는 대마 난류, C는 북한 한류이다. 수온이 가장 낮은 C가 가장 고위도에 위치한다.

바로 보기 ㄱ. 해수의 밀도는 중국 연안수 A가 가장 낮다.
ㄴ. 동한 난류와 북한 한류(C)가 만나 조경 수역을 형성한다.

3 심층 순환과 심층 해수의 나이

자료 분석 + 심층 해수의 연령 분포

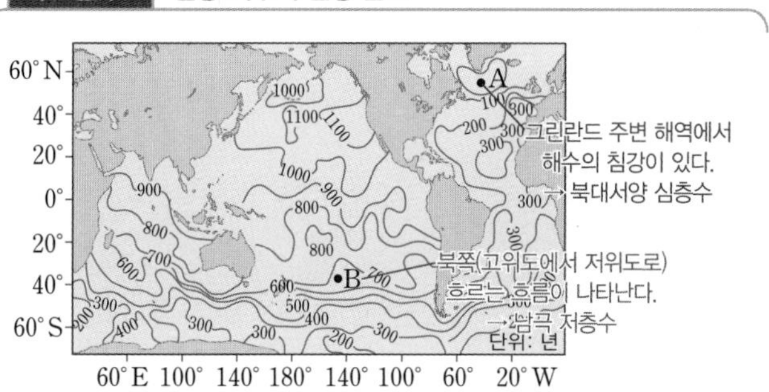

- 태평양 심층 해수의 연령 분포: 대략 200년~1100년
- 대서양 심층 해수의 연령 분포: 대략 100년~400년

선택지 분석

㉠ 심층 해수의 평균 연령은 북태평양이 북대서양보다 많다.
㉡ A 해역에는 표층 해수가 침강하는 곳이 있다.
㉢ B에는 저위도로 흐르는 심층 해수가 있다.

ㄱ. 심층 해수의 평균 연령은 북태평양이 북대서양보다 대체로 많다.
ㄴ, ㄷ. A에서 표층 해수가 침강하여 북대서양 심층수가 형성된다. B에는 해저를 따라 적도 쪽으로 흐르는 남극 저층수인 심층 해수가 있다.

4 심층 순환의 원리

자료 분석 + 심층 순환 모형

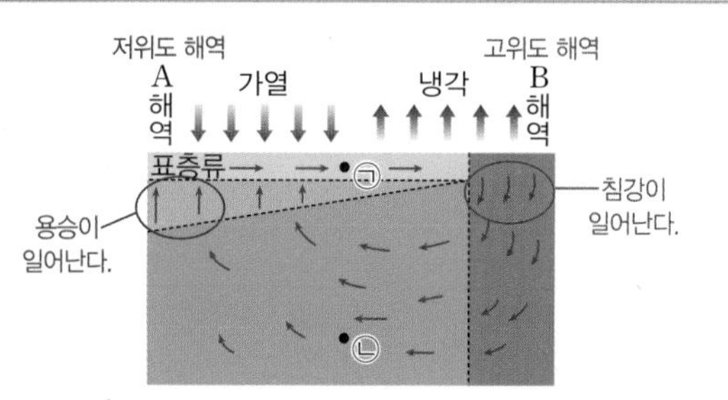

선택지 분석

~~ㄱ~~. 위도는 A 해역이 B 해역보다 높다. → 낮다
㉡ 단위 시간당 단위 면적을 통과하는 해수의 양은 ㉠이 ㉡보다 많다.
㉢ 심층 해수의 평균 용존 산소량은 A 해역이 B 해역보다 적다.

ㄴ. 유속은 표층수인 ㉠이 심층수인 ㉡보다 빠르다.
ㄷ. 표층에서 가라앉은 해수는 용존 산소량이 많다. 가라앉는 해수가 저위도로 이동하는 동안 산소를 소모하므로 용존 산소량이 점점 감소한다.

바로 보기 ㄱ. 심층 순환 모형에서 표층수는 고위도로 이동하고, 심층수는 저위도로 이동한다.

5 연안 용승

자료 분석 + 연안 용승

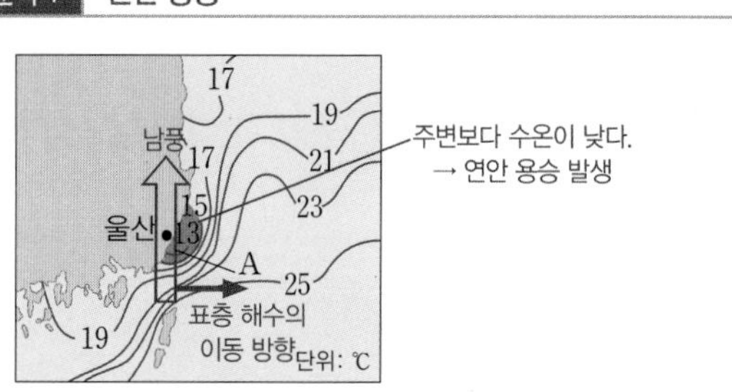

선택지 분석

㉠ A에서 연안 용승이 일어났다.
㉡ 이 해역에서 남풍 계열의 바람이 불었다.
~~ㄷ~~. 울산 앞바다에서 적란운이 두껍게 발달할 것이다. → 안개가 발생

ㄱ, ㄴ. A 해역에서 남풍 계열의 바람에 의해 표층 해수가 먼 바다로 이동하여 용승이 일어났다.

바로 보기 ㄷ. 울산 앞바다의 수온이 주변보다 낮으므로 안개가 발생할 수 있다.

6 기후 변화 요인

자료 분석 + 기후 변화 요인 비교

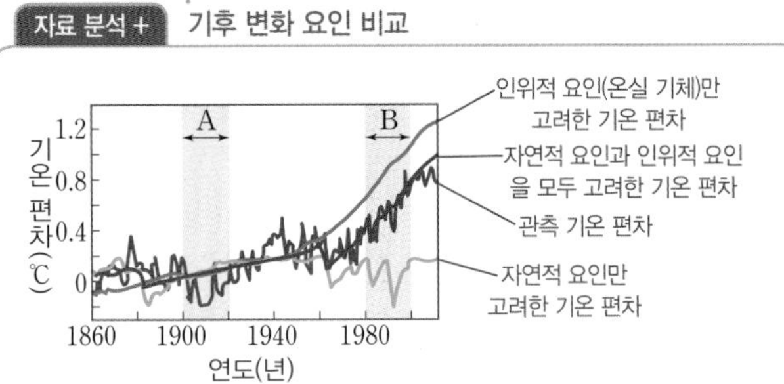

— 관측 기온 편차
— ㉠만을 고려한 기온 편차
— ㉡만을 고려한 기온 편차
— ㉠과 ㉡을 모두 고려한 기온 편차

- **기온 편차: 온실 기체만 고려한 값 > 관측값 > 자연적 요인만을 고려한 값**
- **㉠: 온실 기체 → 인위적 요인**
- **㉡: 자연적 요인(예 화산 활동)**

선택지 분석

~~ㄱ~~. **해수면의 평균 높이는 A 시기가 B 시기보다 높다.** → 낮다
ⓛ **화산 활동에 의한 대기의 반사율 변화는 ㉡의 영향에 해당한다.**
~~ㄷ~~. **B 시기 동안 ㉠은 지구의 평균 기온 증가를 완화시키는 역할을 하였다.** (㉠ → ㉡)

ㄴ. 화산 활동은 기후 변화를 일으키는 자연적 요인에 해당한다.

바로 보기 ㄱ. 해수면의 평균 높이는 평균 기온이 높은 B 시기가 A 시기보다 높다.

ㄷ. ㉠은 온실 기체, ㉡은 자연적 요인이다. B 시기 동안 ㉠과 ㉡을 모두 고려한 기온 편차는 ㉠만 고려한 기온 편차보다 작다. 따라서 ㉡은 지구의 평균 기온 증가를 완화시키는 역할을 하였다.

7 지구의 열수지

자료 분석 + 지구의 열수지

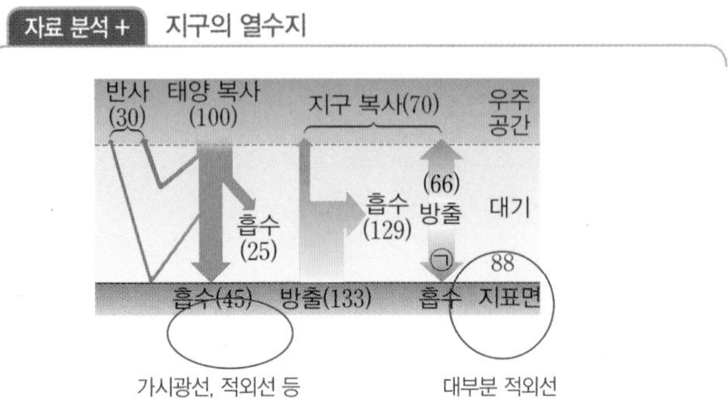

- **우주 공간: 태양 복사 100 = 반사 30 + 지구 복사 70**
- **지표: 흡수(태양 복사 45 + 대기 복사 88) = 방출(지표 복사 133)**
- **대기: 흡수(태양 25 + 지표 129) = 방출(66 + 88)**

선택지 분석

ⓖ **지구에서 반사되는 태양 복사 에너지는 대기에서 흡수하는 태양 복사 에너지보다 많다.**
ⓛ **지표에 흡수되는 에너지는 가시광선 영역보다 적외선 영역이 많다.**
ⓒ **대기 중 이산화 탄소의 농도가 증가하면 ㉠은 증가한다.**

ㄱ. 지구에서 반사되는 태양 복사 에너지는 30단위, 대기에서 흡수하는 태양 복사 에너지는 25단위이다.

ㄴ. 지표에 흡수되는 에너지는 태양 복사 45단위, 대기 복사 88단위(㉠)이다. 이중 대기 복사는 대부분 적외선 영역의 복사이다.

ㄷ. 대기 중 이산화 탄소의 농도가 증가하면 대기에서 지표로 재복사되는 에너지 ㉠이 증가한다.

누구나 합격 전략 | 26~27쪽

01 ③	02 ②	03 A: 황사, B: 안개, C: 폭설	
04 ①	05 ④	06 ⑤	07 ②
08 서쪽	09 ⑤	10 ②	

01 온대 저기압의 발달 단계

ㄱ, ㄴ. 온대 저기압의 일생은 정체 전선 상에서 형성되어 폐색 전선이 만들어지면서 소멸한다. 따라서 발달 단계는 (나) → (가) → (다)이다. A는 한랭 전선의 후면이므로 소나기가 내리고, B는 온난 전선의 전면이므로 이슬비가 내린다.

바로 보기 ㄷ. (다) 단계에서 폐색 전선이 나타난다.

02 겨울철 일기도

ㄷ. 시베리아 기단이 황해상을 지나면서 열과 수증기를 공급받아 서해안 지역에 폭설이 내릴 수 있다.

바로 보기 ㄱ. 대륙성 기단인 시베리아 기단의 영향을 받고 있다.

ㄴ. 북서쪽에 위치한 고기압의 영향으로 서풍 계열의 바람이 우세하다.

03 우리나라의 악기상

안개는 기층이 냉각되어 안정해지면서 잘 형성되고, 폭설은 불안정한 기층에서 강한 상승 기류가 형성되면서 발달한다.

04 태풍의 이동 경로

ㄱ. 태풍은 5°N 부근의 열대 해상에서 발생하였다.

바로 보기 ㄴ. 우리나라는 태풍 진행 방향의 오른쪽인 위험 반원에 위치하였다.

ㄷ. 태풍은 육지에 상륙하면 세력이 급격하게 약해지므로 태풍의 중심 기압은 7월 9일보다 7월 11일에 높았다.

05 해수의 층상 구조

ㄱ. 바람은 적도 해역보다 중위도 해역에서 대체로 강하므로 혼합층은 적도 해역보다 중위도 해역에서 두껍다.

ㄴ. A, B, C층 중에서 가장 안정한 층은 수온 약층(B)이다.

바로 보기 ㄷ. 심해층(C)이 시작되는 깊이는 적도보다 중위도에서 깊다.

암기 Tip 해수의 층상 구조

- 혼합층: 혼합이 잘 되어 수온이 거의 일정한 층
- 수온 약층: 수온이 도약하는 층 → 급격하게 변하는
- 심해층: 수온 변화가 심심한 층 (거의 없는)

06 표층 순환

ㄴ. D의 해류는 북적도 해류로 해들리 순환에 의해 형성된 무역풍의 영향을 받는다.

ㄷ. A, B, C, D의 해류는 무역풍과 편서풍의 영향으로 순환하는데, 이를 북태평양 아열대 순환이라고 한다.

바로 보기 ㄱ. A에서 난류인 쿠로시오 해류, C에서 한류인 캘리포니아 해류가 흐른다.

07 심층 수괴의 특징

ㄴ. A는 남극 중층수, B는 북대서양 심층수, C는 남극 저층수이다. 해수의 밀도는 A < B < C이다.

바로 보기 ㄱ. A는 남극 중층수이다.

ㄷ. C는 남극 대륙 부근의 웨델해에서 침강하여 형성되었다.

08 연안 용승

북반구에서 표층 해수는 바람의 오른쪽 직각 방향으로 이동한다. 이 해안에서는 북풍이 지속적으로 불고 있으므로 표층 해수는 서쪽으로 이동하고, 심층에서 찬 해수의 용승이 일어난다.

09 연안 용승

자료 분석 + 엘니뇨와 라니냐 시기의 연직 수온 분포

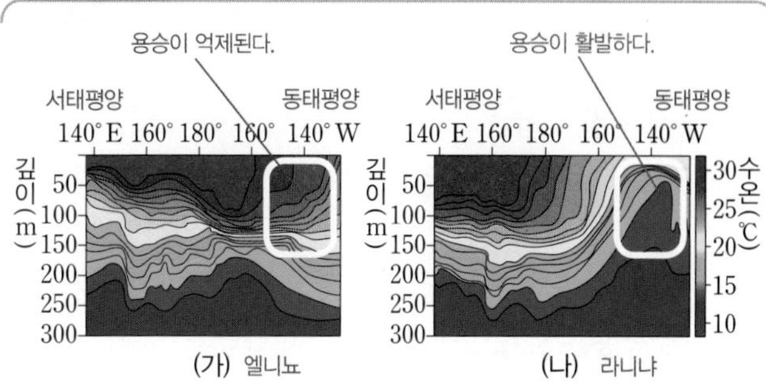

(가) 엘니뇨　　(나) 라니냐

선택지 분석

㉠ (가)는 엘니뇨 시기의 연직 수온 분포이다.
㉡ 남적도 해류는 (가)보다 (나)일 때 강하다.
㉢ 동서 방향의 해수면 높이 차는 (가)보다 (나)일 때 급하다.

ㄱ. (가)는 동태평양 해역에서 용승이 억제되는 엘니뇨 시기에 해당하고, (나)는 동태평양 해역에서 용승이 활발하게 일어나는 라니냐 시기에 해당한다.

ㄴ. 남적도 해류는 무역풍이 강하게 부는 라니냐 시기에 강하다.

ㄷ. 동서 방향의 해수면 높이 차는 따뜻한 해수가 서쪽으로 이동하는 라니냐 시기에 급하다.

10 지구 온난화

ㄷ. 온실 효과가 커지므로 평균 기온이 상승하여 아열대 기후대의 북쪽 한계선은 현재보다 북쪽으로 이동한다.

바로 보기 ㄱ. 지구 온난화로 지구의 평균 해수면은 현재보다 높아진다.

ㄴ. 기온은 고위도 지역이 저위도 지역보다 많이 상승하므로 남북 간의 기온 차는 현재보다 감소할 것이다.

창의·융합·코딩 전략

28~31쪽

01 ③	02 ②	03 ④	04 ②	05 ④	06 ④
07 ⑤	08 ②	09 ④	10 ②	11 ④	

01 기상 영상의 특징

ㄱ. (가)와 (나)는 가시 영상, (다)는 적외 영상의 특징이다.

ㄷ. 집중 호우 지역은 적란운이 발달하므로 적외 영상과 가시 영상에서 모두 밝게 나타난다.

바로 보기 ㄴ. (다)는 적외 영상이며, 구름 최상부의 높이가 높을수록, 즉 온도가 낮을수록 밝게 나타난다.

02 태풍과 날씨

ㄷ. 생성 당시 태풍의 중심 기압은 1000 hPa이고, 소멸 당시 태풍의 중심 기압은 990 hPa이다. 따라서 태풍의 $\frac{\text{소멸 당시 중심 기압}}{\text{생성 당시 중심 기압}}$은 1보다 작다.

바로 보기 ㄱ. 태풍은 6일 6시 이후 계속 북동쪽으로 진행하였으므로 6일 6시 이전에 이미 전향점을 통과하였다.

ㄴ. A 지점은 태풍 이동 경로의 왼쪽인 안전 반원에 위치하였으므로 풍향은 시계 반대 방향으로 변하였다.

03 기후 변화의 요인

ㄱ. A는 기후 변화를 일으키는 내적 요인이므로 화산 활동이다. 화산 활동이 일어나 화산재가 상층 대기로 올라가면 대기의 반사율을 변화시킬 수 있다.

ㄴ. B는 지구 자전축의 경사 방향이 바뀌는 세차 운동이다.

바로 보기 ㄷ. C는 공전 궤도 이심률 변화이다. 태양의 남중 고도가 달라질 수 있는 요인은 세차 운동이다. 궤도 이심률이 바뀌면 근일점 거리와 원일점 거리가 변한다.

04 표층 해류의 이용

자료 분석 + 콜럼버스의 항해 경로

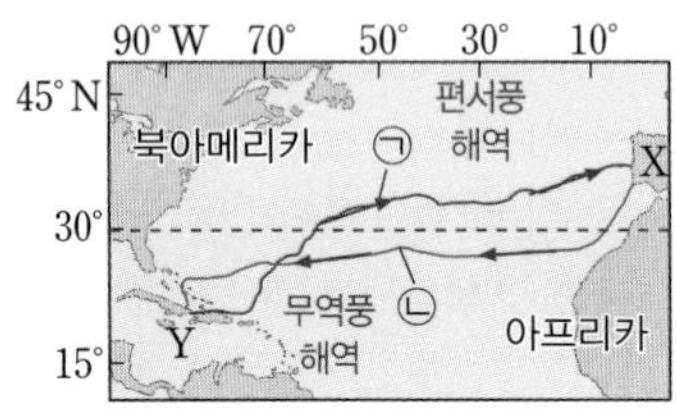

- X → Y: ㉡ 항로, 무역풍과 북적도 해류를 이용
- Y → X: ㉠ 항로, 편서풍과 북대서양 해류를 이용

선택지 분석

~~ㄱ~~. 콜럼버스는 X에서 Y로 갈 때, ㉠ 항로를 이용했어. → ㉡

ⓛ ㉡ 항로로 이동하면 주로 무역풍을 이용할 수 있어.

~~ㄷ~~. ㉠, ㉡ 항로는 직선 항로에 비해 이동 시간이 많이 걸렸을 거야. → 적게

ㄴ. ㉡ 항로에는 무역풍대인 0°~30° 해역을 많이 포함하고 있다. 따라서 ㉡ 항로에서는 주로 무역풍을 이용할 수 있다.

바로 보기 ㄱ, ㄷ. 콜럼버스는 Y에서 X로 갈 때 ㉠ 항로를 따라 이동하면서 편서풍과 북대서양 해류를 이용하였고, X에서 Y로 갈 때는 ㉡ 항로를 따라 이동하면서 무역풍과 북적도 해류를 이용하였다. 이 당시에는 바람과 해류를 활용하여 항해해야 하므로 직선 항로를 이용할 경우 ㉠, ㉡ 항로보다 시간이 훨씬 많이 걸린다.

05 심층 순환의 원리 실험

ㄱ. 종이컵을 거쳐 소금물이 아래로 가라앉으므로 종이컵이 위치한 곳은 고위도의 침강 해역에 해당한다.

ㄷ. ㉠ 대신 따뜻한 수돗물을 사용하면 소금물과의 밀도 차가 더 커지므로 심층 순환이 더 활발해지고, 스타이로폼 조각의 이동이 더 빨라진다.

바로 보기 ㄴ. (나)에서 수조 바닥으로 가라앉은 물은 오른쪽으로 이동하고, 표층의 물은 왼쪽으로 이동한다.

06 기단의 변질

ㄱ. 기단 A는 한랭 건조한 시베리아 기단으로 상대적으로 따뜻한 황해를 지나면서 열과 수증기를 공급받아 적란운이 생성될 수 있다. 이로 인해 서해안 지역에 폭설이 내릴 수 있다.

ㄴ. B는 주로 여름철 날씨에 영향을 주는 고온 다습한 북태평양 기단이다. 이 기단이 상대적으로 차가운 바다를 지나면서 냉각되어 안개가 생성될 수 있다.

바로 보기 ㄷ. ㉠은 북태평양 기단의 변질로 나타날 수 있는 기상 현상이므로 안개가 적절하다.

07 우리나라의 주요 악기상

ㄱ. 열대야는 한여름에 나타나므로 ㉠ 기단은 북태평양 기단이다.

ㄴ. A는 주로 봄철에 잘 발생하는 황사이다. 황사는 편서풍의 영향을 받아 서쪽에서 동쪽으로 이동한다.

ㄷ. B는 우박이다. 우박은 강한 상승 기류에 의해 생성된 뇌우에 동반되어 나타날 수 있다.

08 온대 저기압과 날씨

② A는 온난 전선과 한랭 전선 사이에 위치할 때, B는 온난 전선 앞쪽에 위치할 때, C는 한랭 전선 뒤쪽에 위치할 때의 날씨 변화이다.

우리나라 부근에서 온대 저기압은 서쪽에서 동쪽으로 이동하므로 온난 전선이 먼저 통과한 후에 한랭 전선이 통과한다. 따라서 날씨 변화가 나타나는 순서는 B(온난 전선 전면) → A(온난 전선과 한랭 전선 사이) → C(한랭 전선 후면)이다.

09 과거 기후의 연구

B. 나무는 고온 다습할수록 성장 속도가 빠르므로 나무의 나이테 분석을 통해 강수량과 기온 변화를 추정할 수 있다.

C. 과거 지질 시대 동안 나타난 기후 변화를 알고자 할 때, 그 당시 살았던 생물의 분포와 퇴적 환경 연구가 주로 이용된다.

바로 보기 A. 극지방의 빙하 시추 연구는 최근 수십만 년 정도의 기후 변화를 연구하는 데 이용될 수 있다.

10 엘니뇨

B. 엘니뇨 시기에는 평상시에 비해 무역풍이 약해지기 때문에 동태평양 해역에서는 연안 용승이 약해지고, 태평양 중앙부에서 페루 연안에 이르는 해역의 표층 수온이 상승한다.

바로 보기 A. 엘니뇨 시기에는 인도네시아에서 평상시보다 하강 기류가 우세해지기 때문에 강수량이 감소하여 산불이나 가뭄 피해가 자주 발생한다.

C. 평상시에는 무역풍에 의해 따뜻한 해수가 서쪽으로 이동하여 해수면 높이는 동쪽보다 서쪽이 높다. 엘니뇨 시기에는 따뜻한 해수가 평상시보다 동쪽으로 이동하여 동서 방향의 해수면 경사가 완만해진다.

11 지구 온난화

ㄱ. 이산화 탄소 농도와 북극 얼음 면적은 서로 반비례 관계이다. 관측 기간 동안 지구의 평균 기온이 상승하여 얼음 면적이 감소하였으므로 평균 해수면은 높아졌을 것이다. 따라서 세 학생 중 제시한 내용이 옳은 학생은 B이다.

ㄷ. 이 기간 동안 우리나라도 지구 온난화의 영향으로 평균 기온이 상승하였을 것이다. 이로 인해 우리나라에서 여름은 길어지고 겨울은 짧아졌을 것이다.

바로 보기 ㄴ. 이 기간 동안 극지방의 얼음 면적이 감소하였으므로 평균 반사율은 대체로 감소하였다.

Book 2

WEEK

2

Ⅴ 별과 외계 행성계
Ⅵ 외부 은하와 우주 팽창

DAY
1 개념 돌파 전략 ① 확인 Q

34~35쪽

[7강] **1** A형 **2** 주계열성 **3** 백색 왜성 **4** p−p **5** 복사층 **6** 짧아 **7** 작 **8** 지구

1 A형은 표면 온도가 약 10000 K인 흰색 별이다.

2 태양은 대부분의 별들이 속해 있는 주계열성에 속한다.

3 태양과 질량이 비슷한 별은 적색 거성을 거쳐 최종적으로 백색 왜성으로 진화한다.

4 태양의 중심부에서는 CNO 순환 반응보다 p−p 반응이 더 우세하게 일어난다.

5 태양은 중심핵 → 복사층 → 대류층으로 이루어져 있다.

6 별이 지구 쪽으로 접근하면 청색 편이, 멀어지면 적색 편이가 나타난다.

7 식 현상을 이용하여 발견한 행성들은 대부분 공전 궤도 반지름이 지구보다 작고, 공전 주기가 짧다.

8 태양계에서 유일하게 생명 가능 지대에 있는 행성은 지구이다.

DAY
1 개념 돌파 전략 ① 확인 Q

36~37쪽

[8강] **1** 막대 나선 은하 **2** 퀘이사 **3** 길어 **4** 일정하다 **5** 길어진다. **6** 작았다 **7** 보통 물질 **8** 0

1 우리 은하는 막대 구조와 나선팔이 있다.

2 퀘이사는 매우 멀리 떨어져 있어 적색 편이가 매우 크다.

3 은하까지의 거리가 멀수록 후퇴 속도가 크므로 흡수선의 파장이 길어진다.

4 빅뱅 우주론에서는 우주가 팽창함에 따라 우주의 질량은 일정하고, 온도와 밀도는 감소한다고 설명한다.

5 우주가 팽창함에 따라 우주 배경 복사의 파장은 점점 길어진다.

6 급팽창 이전에는 우주의 크기가 우주의 지평선보다 작아서 우주 전체가 균질해질 수 있었다.

7 보통 물질은 전자기파로 직접 관측할 수 있다.

8 평탄 우주는 우주의 밀도가 임계 밀도와 같으므로 우주의 곡률이 0이다.

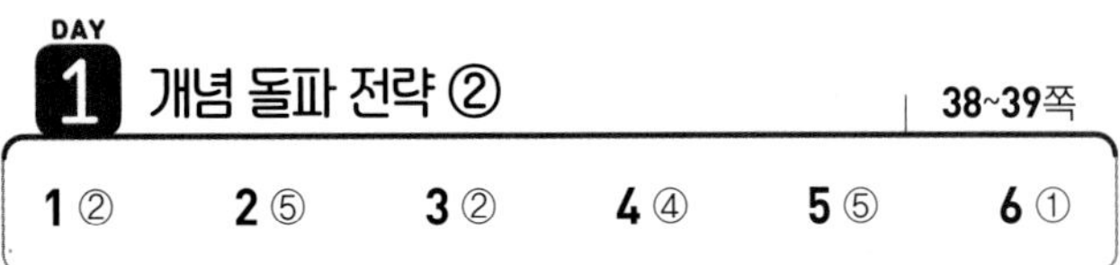

1 별의 광도와 크기

자료 분석 + 별의 광도와 반지름 관계

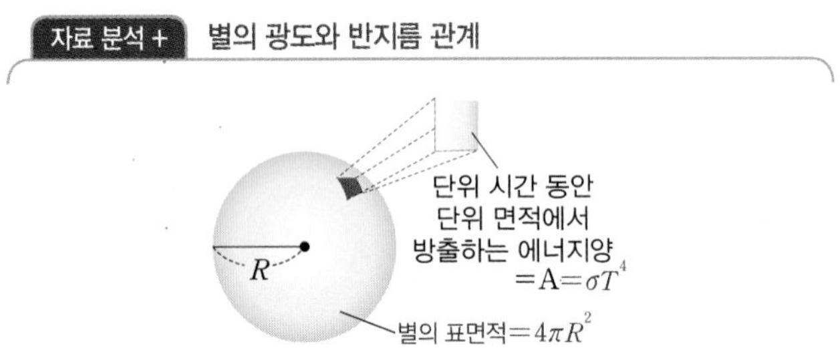

• 슈테판 · 볼츠만 법칙: 단위 시간, 단위 면적당 방출하는 에너지양(E)은 표면 온도의 4제곱에 비례

$$E=\sigma T^4 (\sigma=5.670\times10^{-8}\ \mathrm{W\cdot m^{-2}\cdot K^{-4}})$$

• 광도(L): 별이 단위 시간 동안 방출하는 에너지의 양

$$L=4\pi R^2\times\sigma T^4$$

선택지 분석

~~ㄱ~~. A는 표면 온도에 반비례한다. → 4제곱에 비례

~~ㄴ~~. 별의 크기가 같을 때, 광도는 A가 클수록 작다. → 크다

ⓒ 1초마다 별이 방출하는 에너지양은 $4\pi R^2\times$ A이다.

ㄷ. 별의 광도는 별이 단위 시간당 방출하는 에너지양이므로 단위 면적에서 단위 시간 동안 방출하는 에너지양(A)에 전체 표면적을 곱하여 얻을 수 있다. 따라서 별의 광도는 $4\pi R^2\times$ A이다.

바로 보기 ㄱ, ㄴ. A는 표면 온도의 4제곱에 비례한다. 별의 반지름(R)이 같을 때, 광도는 표면 온도(T)가 높을수록 크다.

2 H-R도

자료 분석 + 별의 광도와 반지름 관계

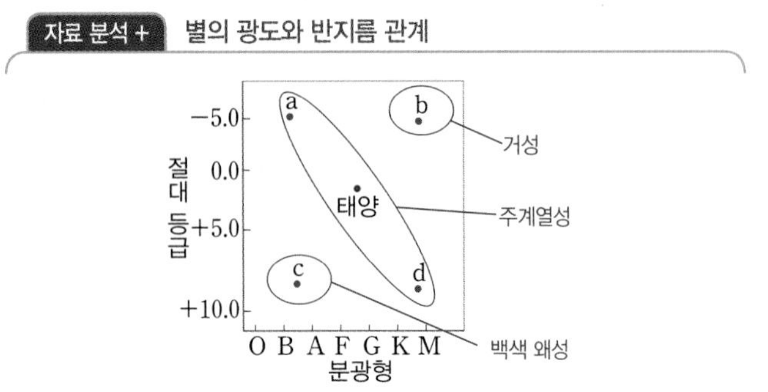

• 별의 반지름: b > a > 태양 > d > c

• 별의 밀도: b < a < 태양 < d < c

선택지 분석

ⓐ a와 d는 주계열성이다.

ⓑ 반지름은 b가 가장 크다.

ⓒ 별의 밀도는 c가 가장 크다.

ㄱ. H-R도에서 주계열성은 왼쪽 위에서 오른쪽 아래로 대각선을 따라 분포하므로 태양을 포함한 a와 d는 주계열성이다.

ㄴ, ㄷ. 반지름은 H-R도에서 오른쪽 위로 갈수록 증가하므로 b가 가장 크고, 밀도는 왼쪽 아래로 갈수록 증가하므로 c가 가장 크다.

3 외계 행성 탐사 방법

외계 행성을 탐사하는 방법에는 시선 속도 이용법, 식 현상 이용법, 미세 중력 렌즈 효과 이용법, 직접 촬영법 등이 있다.

바로 보기 ② 중심별의 분광형을 측정하면 표면 온도를 알 수 있고, 절대 등급을 측정하면 광도를 알 수 있지만 중심별 주변에 행성의 존재 여부는 확인할 수 없다.

4 은하의 종류

①은 충돌 은하, ②는 정상 나선 은하, ③은 불규칙 은하, ④는 막대 나선 은하, ⑤는 타원 은하이다. 우리 은하는 나선팔과 막대 구조를 갖고 있으므로 막대 나선 은하에 속한다.

5 우주 배경 복사

우주 배경 복사는 우주의 나이가 약 38만 년이 되었을 때 중성 원자가 만들어지고 투명한 우주가 되면서 형성된 복사 에너지로 빅뱅 우주론의 가장 강력한 증거이다. 우주 배경 복사가 형성될 당시에는 약 3000 K의 흑체 복사에 해당했으나 현재는 우주의 팽창으로 약 2.7 K 흑체 복사로 관측된다. 우주 배경 복사는 방향에 따라 미세한 온도 편차가 존재한다.

6 우주의 구성 요소

A는 암흑 물질, B는 암흑 에너지, C는 보통 물질이다.

바로 보기 ㄴ. B는 암흑 에너지로 우주를 가속 팽창시키는 원인으로 알려져 있다.

ㄷ. C는 보통 물질로 전자기파를 흡수하거나 방출한다.

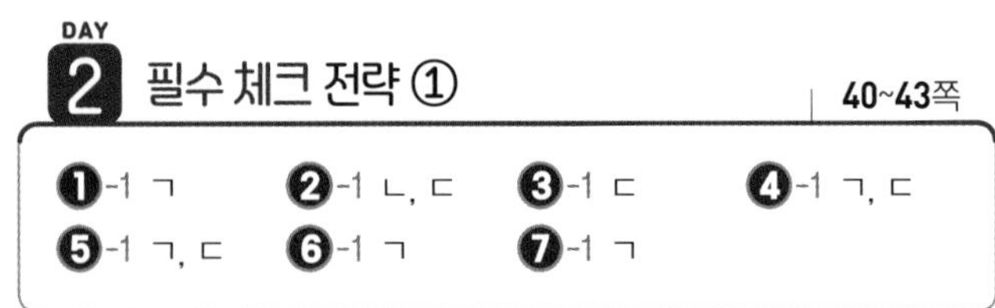

DAY
2 필수 체크 전략 ①
40~43쪽
❶-1 ㄱ ❷-1 ㄴ, ㄷ ❸-1 ㄷ ❹-1 ㄱ, ㄷ
❺-1 ㄱ, ㄷ ❻-1 ㄱ ❼-1 ㄱ

❶-1 플랑크 곡선

ㄱ. 최대 에너지 세기를 갖는 파장은 (가)<태양<(나)이므로 별의 표면 온도는 (가)>태양>(나)이다. 별이 단위 시간 동안 단위 면적에서 방출하는 에너지양은 표면 온도의 4제곱에 비례하므로 (가)가 태양보다 많다.

바로 보기 ㄴ. (나)는 태양보다 표면 온도가 낮은 별이므로 붉은색 별이다.

ㄷ. (가)와 (나)는 절대 등급이 같으므로 광도가 같다. 표면 온도는 (가)가 (나)보다 높으므로, 별의 반지름은 (가)가 (나)보다 작다.

❷-1 별의 종류

자료 분석 + 별의 광도와 반지름 관계

별	분광형	절대 등급
(가)	G	+5.0
(나)	A	+1.0
(다)	B	+10.0

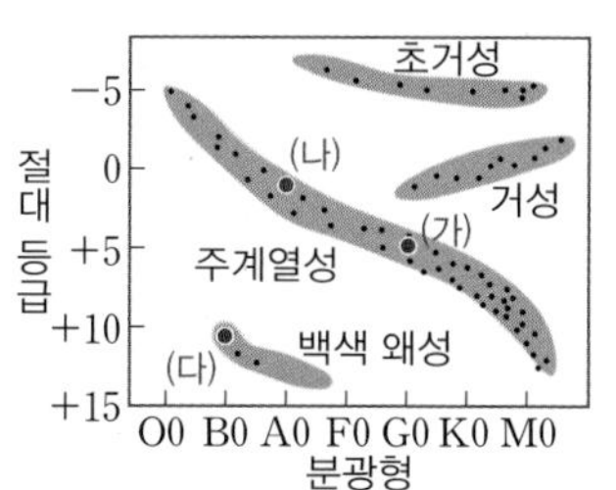

• (가)와 (나)는 주계열성, (다)는 백색 왜성이다.

선택지 분석

ㄱ. (가)의 중심부에는 대류핵이 존재한다. → 존재하지 않는다.
ㄴ. 별이 단위 시간 동안 방출하는 에너지양은 (나)가 (다)보다 많다.
ㄷ. 별의 반지름은 (다)가 가장 작다.

ㄴ. 별이 단위 시간 동안 방출하는 에너지양을 광도라고 한다. 광도는 절대 등급이 작은 (나)가 (다)보다 크다.

ㄷ. 별의 반지름은 백색 왜성인 (다)가 가장 작다.

바로 보기 ㄱ. 대류핵이 존재하는 별은 태양보다 질량이 큰 주계열성이다. (가)는 태양과 분광형이 같고 절대 등급이 비슷한 별이므로 주계열성이다. 따라서 (가)의 중심부에는 대류핵이 존재하지 않는다.

❸-1 원시별의 진화

ㄷ. 원시별이 주계열성으로 진화하는 동안 반지름은 계속 작아진다.

바로 보기 ㄱ. 원시별의 질량이 클수록 진화 속도가 빠르고, 표면 온도가 높은 주계열성이 된다. 따라서 주계열성이 되는 데 걸린 시간은 A가 B보다 짧다.

ㄴ. 진화하는 동안 표면 온도의 변화는 질량이 큰 A가 크게 나타난다. 질량이 작은 C는 진화하는 동안 광도 변화가 크게 나타난다.

❹-1 수소 핵융합 반응의 종류

ㄱ, ㄷ. A는 CNO 순환 반응, B는 p−p 반응이다. 분광형이 M형인 주계열성은 중심부 온도가 낮으므로 A보다 B가 우세하다.

바로 보기 ㄴ. 태양은 p−p 반응이 더 우세하므로 중심부 온도가 ㉠보다 낮다.

❺-1 식 현상을 이용한 행성 탐사

자료 분석 + 식 현상에 의한 중심별의 밝기 변화

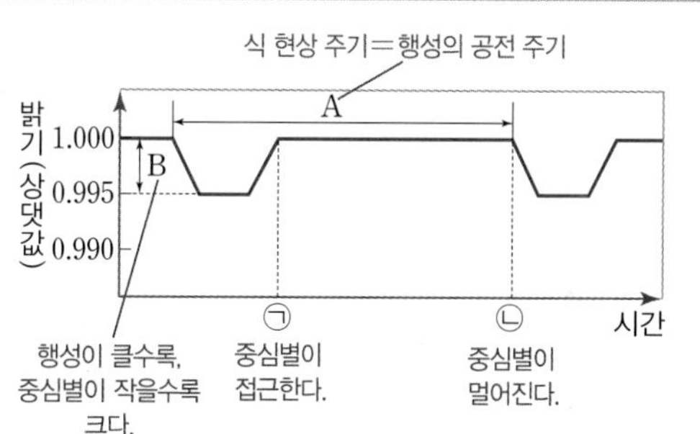

선택지 분석

ㄱ. A는 행성의 공전 주기에 해당한다.
ㄴ. B는 중심별의 반지름이 클수록 커진다. → 행성
ㄷ. 중심별의 흡수선 파장은 ㉠보다 ㉡일 때 길다.

ㄱ. A는 식 현상이 반복되는 주기이므로 행성의 공전 주기에 해당한다.

ㄷ. ㉠일 때 중심별은 지구 쪽으로 가까워지고, ㉡일 때 지구로부터 멀어지므로 중심별의 흡수선 파장은 ㉠보다 ㉡일 때 길다.

바로 보기 ㄴ. B는 행성에 의한 가려진 중심별의 면적이 클수록 커진다. 따라서 행성의 반지름이 클수록, 중심별의 반지름이 작을수록 커진다.

❻-1 생명 가능 지대

ㄱ. (가)의 중심별은 태양보다 광도가 작으므로 생명 가능 지대에 있는 행성까지의 거리는 지구보다 가깝다.

바로 보기 ㄴ. (나)의 중심별은 태양보다 광도가 크므로 중심별로부터 1 AU에 있는 행성에 입사하는 복사 에너지양 ㉡이 지구보다 많다.

ㄷ. 행성이 생명 가능 지대에 머물 수 있는 시간은 중심별의 질량이 큰 (나)가 (가)보다 짧다.

7-1 미세 중력 렌즈 효과를 이용한 행성 탐사

ㄱ. ㉡일 때 별 X에 의한 미세 중력 렌즈 효과가 가장 크므로 별 Y가 가장 밝게 보인다.

바로 보기 ㄴ. 행성의 미세 중력 렌즈 효과에 의해 별 Y의 밝기가 변하는 것을 관측하여 행성의 존재를 확인할 수 있다.

ㄷ. 별 X와 Y 사이의 거리가 가까우면 거리가 먼 Y의 별빛이 증폭되는 비율이 작기 때문에 행성의 존재 여부를 확인하기 어렵다.

DAY
2 필수 체크 전략 ②

44~45쪽

[최다 오답 문제]

1 ⑤ 2 ④ 3 ② 4 ① 5 ① 6 ② 7 ③ 8 ③

1 파장에 따른 복사 에너지 분포

자료 분석 + 파장에 따른 복사 에너지의 세기 비교

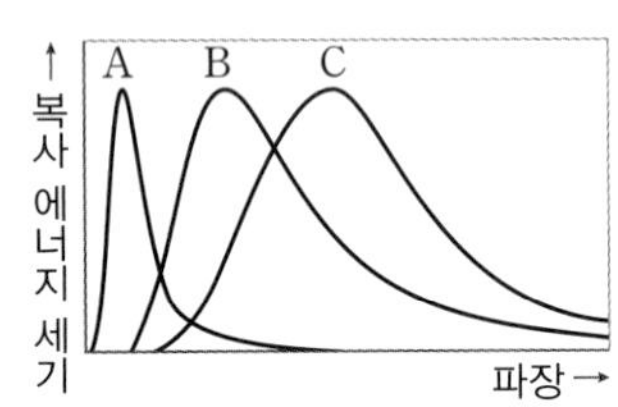

- 별의 광도: A=B=C
- 별의 표면 온도: A>B>C
- 별의 반지름: A<B<C
- 별까지의 거리: A>B>C
- 별의 겉보기 밝기: A<B<C

선택지 분석

㉠ 표면 온도는 A>B>C이다.
㉡ 반지름은 A<B<C이다.
㉢ 별까지의 거리는 A가 C보다 크다.

ㄱ. 표면 온도는 최대 에너지 세기를 갖는 파장이 짧을수록 높으므로 A>B>C이다.

ㄴ. 별의 반지름은 광도가 클수록, 표면 온도가 낮을수록 크다. 세 별의 광도가 같으므로 반지름은 A<B <C이다.

ㄷ. 그래프의 면적은 겉보기 밝기에 해당한다. A와 C는 절대 밝기(광도)가 같지만, 겉보기 밝기는 C가 A보다 밝다. 따라서 별까지의 거리는 A가 더 멀다.

2 분광형에 따른 흡수선의 종류와 세기

자료 분석 + 흡수선의 종류와 세기

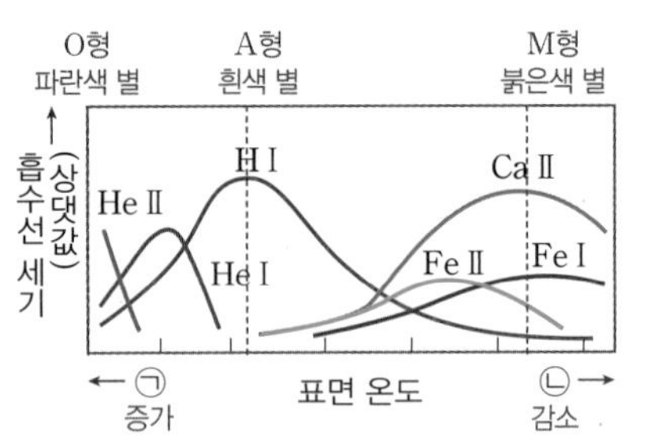

선택지 분석

㉠ 표면 온도 증가 방향은 ㉠이다.
㉡ 흰색 별은 H I 흡수선이 Ca II 흡수선보다 강하다.
~~ㄷ~~. 붉은색 별은 파란색 별보다 He I 흡수선이 강하다. (→ 약하다)

ㄱ. 고온의 별에서 헬륨 흡수선이 나타나므로 표면 온도 증가 방향은 ㉠이다.

ㄴ. 흰색 별의 분광형은 A형이다. A형은 H I 흡수선이 가장 강하게 나타나는 별이다.

바로 보기 ㄷ. He I 흡수선은 표면 온도가 높은 파란색 별에서 뚜렷하며, 붉은색 별에서는 금속 원소와 분자에 의한 흡수선이 상대적으로 잘 나타난다.

3 별의 종류

자료 분석 + H−R도와 별의 종류

별	절대 등급	분광형
㉠	+12.2	B1
㉡	+1.5	A1
㉢	−1.5	G5

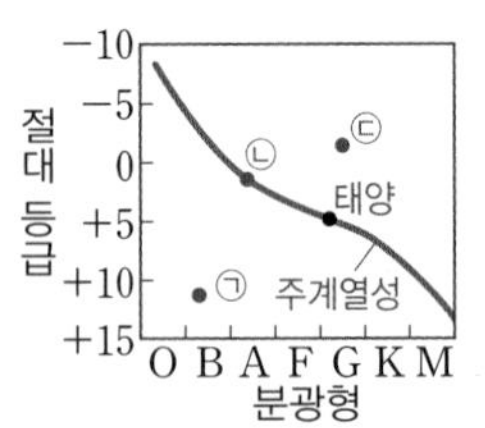

선택지 분석

~~ㄱ~~. ㉠의 중심에서는 수소 핵융합 반응이 일어난다. (→ 일어나지 않는다.)
㉡ ㉡은 태양보다 질량이 크다.
~~ㄷ~~. ㉢은 정역학 평형 상태를 유지한다. (→ 유지하지 못한다.)

ㄴ. ㉡은 H−R도에서 태양보다 왼쪽 상단에 위치하는 주계열성이다. 따라서 태양보다 질량이 크다.

바로 보기 ㄱ. ㉠은 백색 왜성이므로 별 내부에서 핵융합 반응이 일어나지 않는다.

ㄷ. ㉢은 거성이다. 거성은 정역학 평형 상태를 유지하지 못한다.

4 별의 물리량

자료 분석 + 별의 물리량 비교

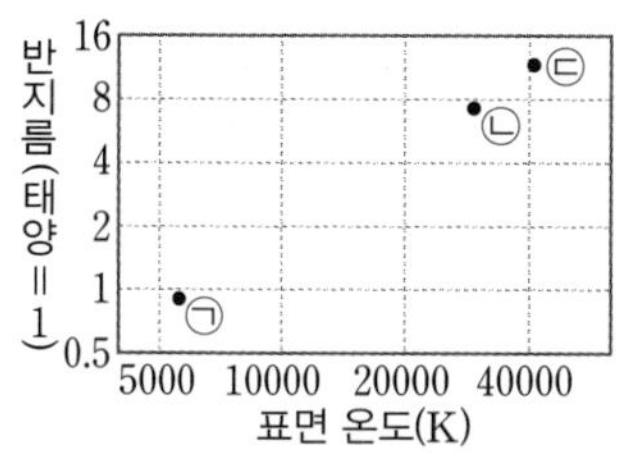

- ㉠은 태양과 표면 온도, 반지름이 비슷한 주계열성이다.
- ㉡과 ㉢은 모두 표면 온도가 30000 K 이상이다.
- ㉡은 표면 온도가 태양의 약 5배, 반지름이 약 8배이므로 광도는 약 $5^4 \times 8^2 = 40000$배이다.

선택지 분석

㉠ ㉠은 중심핵에서 p−p 반응이 우세하게 일어난다.
~~ㄴ~~. ㉡은 최종 진화 단계에서 백색 왜성이 된다. → 중성자별(또는 블랙홀)
~~ㄷ~~. ㉢은 거성 단계에서 철 핵융합 반응이 활발하게 일어난다. → 철 원자핵까지 생성될 수 있다.

ㄱ. ㉠은 태양과 질량이 비슷한 별이므로 중심핵에서 p−p 반응이 우세하게 일어난다.

바로 보기 ㄴ. ㉡은 태양보다 질량이 훨씬 크므로 최종 진화 단계에서 중성자별 또는 블랙홀이 된다.

ㄷ. ㉢은 거성 단계에서 핵융합 반응을 통해 철 원자핵까지 생성될 수 있다. 철보다 무거운 원자핵은 초신성 폭발 과정에서 생성된다.

5 주계열성의 에너지원

자료 분석 + 주계열성에서 중심핵의 성분 변화

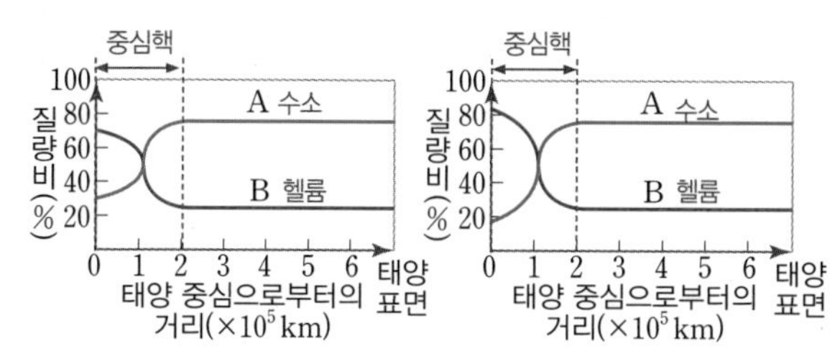

- 중심핵에서 헬륨의 비율: (가) < (나)
  → 태양의 나이: (가) < (나)

선택지 분석

㉠ 태양의 나이는 (가)보다 (나)일 때 많다.
~~ㄴ~~. (가)일 때 중심핵의 반지름은 1×10^5 km이다. → 1×10^5 km보다 크다.
~~ㄷ~~. 태양이 주계열을 벗어날 무렵, A의 질량비는 B의 질량비보다 작다. → 크다

ㄱ. 태양의 나이가 많아질수록 중심부에서 헬륨이 차지하는 비율이 많아진다. 따라서 태양의 나이는 (가)보다 (나)일 때 많다.

바로 보기 ㄴ. 태양을 구성하는 수소와 헬륨의 질량비는 약 3:1이다. (가)에서 중심핵의 크기는 수소 핵융합 반응이 일어나고 있는 영역이므로 중심에서부터 A의 비율 감소가 시작하는 곳까지이다.

ㄷ. 주계열에 머무는 동안 수소 핵융합 반응에 의해 중심부에서 헬륨이 계속 생성되지만 별 전체에서는 여전히 수소가 헬륨보다 훨씬 많다.

6 시선 속도 변화를 이용한 외계 행성 탐사

자료 분석 + 중심별의 시선 속도 변화

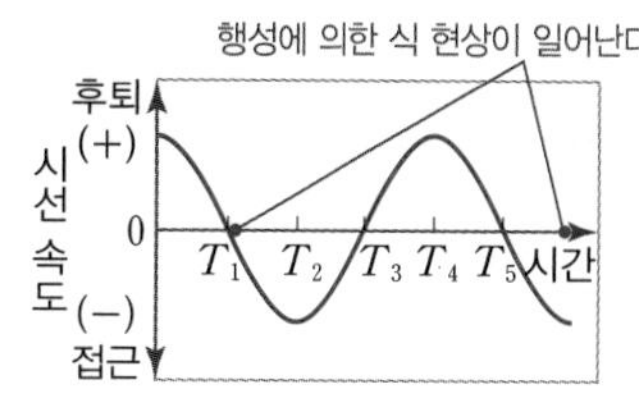

- 중심별이 멀어질 때 행성은 가까워진다.
- 중심별이 가장 멀어졌을 때 식 현상이 일어난다.
  → T_1 또는 T_5일 때 일어난다.

선택지 분석

~~ㄱ~~. 행성의 스펙트럼을 관측하여 얻은 자료이다. → 중심별
㉡ T_2일 때 행성은 지구로부터 멀어지고 있다.
~~ㄷ~~. 행성에 의한 식 현상이 관측될 수 있는 시기는 T_3이다. → T_1 또는 T_5

ㄴ. T_2일 때 중심별이 지구 쪽으로 가까워지므로 행성은 지구로부터 멀어진다.

바로 보기 ㄱ. 중심별의 시선 속도 변화는 중심별의 스펙트럼에서 흡수선의 파장 변화를 관측하여 알아낼 수 있다.

ㄷ. 행성에 의한 식 현상은 중심별이 멀어지다가 다시 가까워지기 시작하는 T_1, T_5일 때 일어날 수 있다.

7 별의 진화

자료 분석 + 별의 내부 구조와 진화

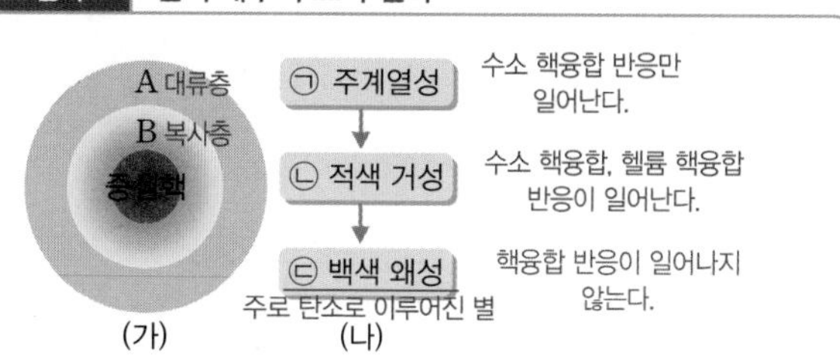

선택지 분석

㉠ 복사층은 B이다.
㉡ 중심부 온도는 ㉠보다 ㉡일 때 높다.
~~ㄷ~~. ㉡ → ㉢에서 탄소 핵융합 반응이 일어난다. → 일어나지 않는다.

ㄱ. A는 대류층, B는 복사층이다.
ㄴ. 주계열성이 거성으로 진화할 때 중심부 온도는 상승한다.
바로 보기 ㄷ. 태양과 질량이 비슷한 별은 헬륨 핵융합 반응까지 일어날 수 있다.

8 생명 가능 지대

자료 분석 + 중심별의 물리량과 생명 가능 지대

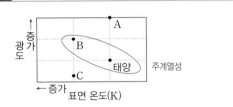

- 광도: A＞B＞태양＞C
- 생명 가능 지대의 폭: A＞B＞태양＞C
- 별의 수명: B＜태양

선택지 분석

㉠ 생명 가능 지대의 폭은 A＞B＞C이다.
㉡ 행성의 공전 궤도 반지름은 ㉠이 ㉢보다 크다.
~~ㄷ~~. 행성이 생명 가능 지대에 머무는 시간은 ㉡이 지구보다 길다. (짧다.)

ㄱ, ㄴ. 중심별의 광도는 A＞B＞C이므로 생명 가능 지대까지의 거리는 A＞B＞C이고, 생명 가능 지대에 위치한 행성의 공전 궤도 반지름도 ㉠＞㉡＞㉢이다.
바로 보기 ㄷ. B는 태양보다 왼쪽 상단에 위치하므로 태양보다 질량이 큰 주계열성이다. 따라서 행성이 생명 가능 지대에 머무는 시간은 ㉡이 지구보다 짧다.

DAY

3 필수 체크 전략 ①

46~49쪽

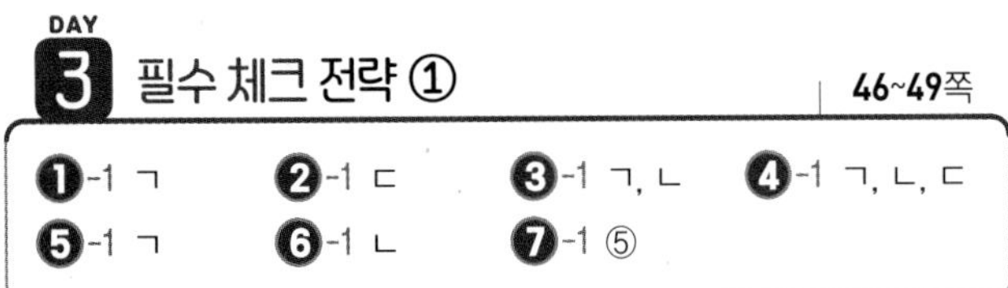

1-1 은하의 분류

ㄱ. (가)는 타원 은하, (나)는 나선 은하, (다)는 불규칙 은하이다.
바로 보기 ㄴ. 불규칙 은하는 규모가 상대적으로 작기 때문에 구성 별의 평균 개수가 가장 적다.
ㄷ. 은하에 속한 별의 평균 연령은 나이가 많은 별들로 이루어진 타원 은하 (가)가 나선 은하 (나)보다 많다.

2-1 은하의 종류와 특징

ㄷ. A는 타원 은하, B는 불규칙 은하이다. 은하의 전체 질량에 대한 성간 물질의 질량비는 A가 B보다 작다.
바로 보기 ㄱ. A는 타원 은하이므로 중심부에 막대 구조가 없다.
ㄴ. 은하의 형태와 진화 사이에는 연관성이 없다는 사실이 밝혀졌다.

3-1 전파 은하

ㄱ, ㄴ. 제트와 로브 구조는 (나)에서 잘 나타나므로 (가)는 가시광선 영상, (나)는 전파 영상이다.
바로 보기 ㄷ. (가)와 (나)는 특이 은하이다. 특이 은하가 방출하는 에너지양은 보통 은하에 비해 훨씬 많으므로 이 은하의 광도는 우리 은하보다 크다.

4-1 허블 법칙

ㄱ. B는 A보다 3배 멀리 있으므로 흡수선의 파장 변화량도 3배이다. 따라서 B에서 흡수선의 관측 파장 ㉠은 406 nm이다.

ㄴ. A에서 적색 편이는 $\frac{402-400}{400}=0.005$이므로 후퇴 속도는 $0.005\times3\times10^5=1500$ km/s/Mpc이다. A의 거리는 20 Mpc이므로 허블 상수는 $\frac{1500}{20}=75$ km/s/Mpc이다.

ㄷ. A에서 관측한 B의 후퇴 속도는 75 km/s/Mpc×40 Mpc=3000 km/s이다.

5-1 우주 배경 복사

자료 분석 + 우주 배경 복사

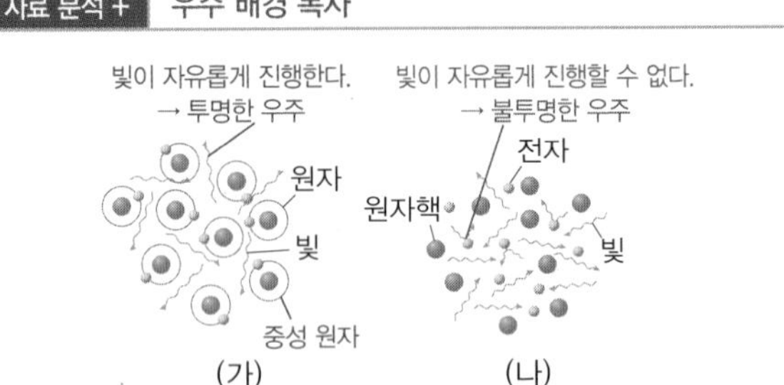

- 우주의 온도: (가) ＜ (나)
- (가)의 빛이 현재 우주 배경 복사로 관측된다.

선택지 분석

㉠ 우주의 온도는 (나)보다 (가)에서 낮다.
~~ㄴ~~. (가) 시기 이후에 우주의 급팽창이 일어났다. (→ 이전에)
~~ㄷ~~. (나) 시기의 빛은 오늘날 우주 배경 복사로 관측된다. ((가))

ㄱ. (가)는 원자핵과 전자가 결합하여 중성 원자가 생성되었으므로 우주의 온도는 (나)보다 (가)에서 낮다.
바로 보기 ㄴ. 우주의 급팽창은 빅뱅 직후에 일어났다.
ㄷ. (가)는 투명한 우주, (나)는 불투명한 우주에 해당한다. (가)일 때 빛이 오늘날 우주 배경 복사로 관측된다.

6-1 우주의 크기 변화

ㄴ. 우주가 팽창함에 따라 암흑 물질의 비율은 계속 감소하였으므로 암흑 물질이 차지하는 비율은 A 시기가 현재보다 크다.

바로 보기 ㄱ. A 시기에 우주는 물질의 영향으로 감속 팽창했다. 우주의 급팽창은 빅뱅 직후에 일어났다.

ㄷ. 우주가 팽창하면서 우주의 온도가 낮아졌고, 우주 배경 복사의 파장도 계속 길어졌다.

7-1 허블의 은하 분류

ㄱ. (가)는 막대 나선 은하, (나)는 정상 나선 은하, (다)는 불규칙 은하, (라)는 타원 은하이다. A는 타원 은하이므로 (라)에 해당한다.

ㄴ. 타원 은하 (라)에서는 새로 생성되는 별이 거의 없으므로 질량이 큰 주계열성의 비율이 다른 은하에 비해 매우 낮다. 따라서 은하를 구성하는 주계열성 중 태양보다 질량이 큰 별의 비율은 (나)가 (라)보다 높다.

ㄷ. 은하의 규모가 같다면, 현재 단위 시간당 생성되는 별의 개수는 막대 나선 은하 (가)가 불규칙 은하 (다)보다 작다.

DAY

3 필수 체크 전략 ②

50~51쪽

[최다 오답 문제]

1 ① 2 ⑤ 3 ④ 4 ② 5 ④ 6 ② 7 ① 8 ⑤

1 은하의 종류와 특징

자료 분석 + 은하에 속한 별들의 색지수 분포

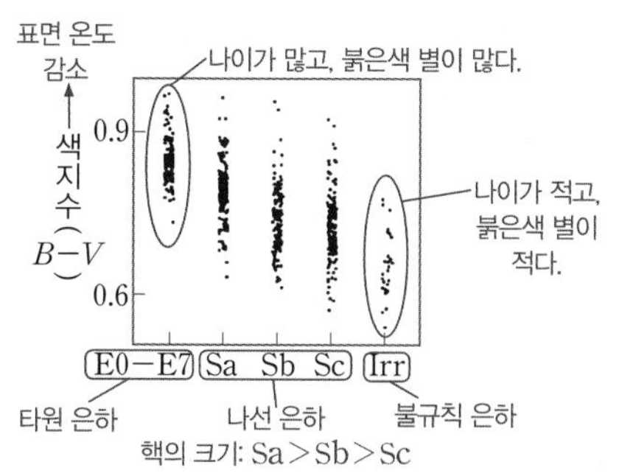

- 색지수($B-V$): 타원 은하>나선 은하>불규칙 은하
- 별의 평균 나이: 타원 은하>나선 은하>불규칙 은하

선택지 분석

ㄱ 색지수($B-V$)는 타원 은하가 불규칙 은하보다 크다.

~~ㄴ~~. 붉은색 별의 비율은 불규칙 은하가 나선 은하보다 높다. → 낮다

~~ㄷ~~. 나선 은하는 은하핵의 상대적 크기가 클수록 별의 평균 나이가 적다. → 많다

ㄱ. 자료에서 색지수($B-V$)는 타원 은하>나선 은하>불규칙 은하이다.

바로 보기 ㄴ. 색지수($B-V$)가 클수록 표면 온도가 낮으므로 붉은색 별의 비율이 높다. 따라서 붉은색 별의 비율은 불규칙 은하가 나선 은하보다 낮다.

ㄷ. 은하핵의 상대적 크기는 Sa형>Sb형>Sc형이므로 은하핵의 상대적 크기가 클수록 색지수가 크고 별의 평균 나이가 많다.

2 허블 법칙

자료 분석 + 허블 법칙

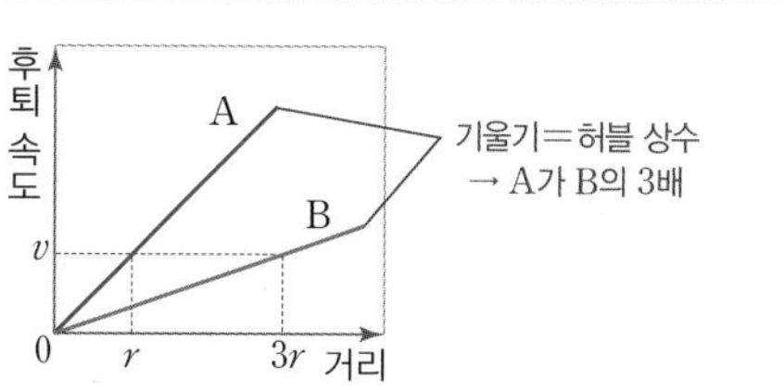

- 허블 상수: A가 B의 3배
- 우주의 나이(=허블 상수의 역수): B가 A의 3배

선택지 분석

ㄱ 허블 상수는 A가 B의 3배이다.

ㄴ 우주의 나이는 A가 B의 $\frac{1}{3}$배이다.

ㄷ 현재 우주의 팽창 속도는 A가 B의 3배이다.

ㄱ. 그래프의 기울기는 허블 상수이므로 허블 상수는 A가 B의 3배이다.

ㄴ. 우주의 나이는 허블 상수의 역수이므로 A가 B의 $\frac{1}{3}$배이다.

ㄷ. 우주의 팽창 속도는 허블 상수에 해당하므로 A가 B의 3배이다.

3 특이 은하

자료 분석 + 특이 은하의 스펙트럼

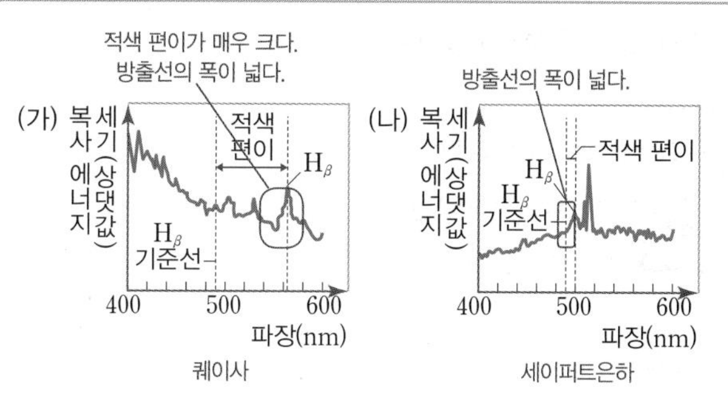

- 적색 편이: (가)>(나)
  → 우리 은하로부터의 거리: (가)>(나)
- (가)와 (나) 모두 방출선의 폭이 매우 넓다.

선택지 분석

~~ㄱ~~. (가)는 세이퍼트은하이다. → 퀘이사

ㄴ (가)와 (나)는 모두 방출선의 폭이 일반 은하보다 넓다.

ㄷ $\frac{\text{은하 중심부에서 방출되는 에너지}}{\text{은하 전체에서 방출되는 에너지}}$는 (가)가 (나)보다 크다.

ㄴ. 특이 은하는 방출선의 폭이 일반 은하에 비해 훨씬 넓게 나타난다.

ㄷ. 퀘이사는 은하 중심부에서 에너지 방출이 집중되어 있으므로 중심부 밝기가 세이퍼트은하에 비해 훨씬 크다.

바로 보기 ㄱ. 적색 편이가 더 큰 (가)가 퀘이사이고, (나)는 세이퍼트은하이다.

4 외부 은하의 적색 편이

자료 분석 + 외부 은하의 적색 편이

적색 편이: B가 A의 2배
→ 거리는 B가 A의 2배

방출선	고유 파장(Å)	관측 파장(Å)	
		퀘이사 A($z=0.16$)	퀘이사 B($z=0.32$)
(가)	a	5036	5730
(나)	4861	b	c
(다)	5007	d	e

b와 d의 적색 편이는 같다. c와 e의 적색 편이는 같다.

• 퀘이사 A의 적색 편이 $z_A=\frac{b-4861}{4861}=\frac{d-5007}{5007}=0.16$

• 퀘이사 B의 적색 편이 $z_B=\frac{c-4861}{4861}=\frac{e-5007}{5007}=0.32$

선택지 분석

ㄱ. A는 B보다 거리가 멀다. → 가깝다

ㄴ. $\frac{b}{c}$는 $\frac{d}{e}$와 같다.

ㄷ. a는 (다)의 고유 파장보다 크다. → 작다

ㄴ. b와 d의 적색 편이는 0.16이고, c와 e의 적색 편이는 0.32이다. $b=4861\times0.16+4861=1.16\times4861$이고, $c=4861\times0.32+4861=1.32\times4861$이다. 따라서 $\frac{b}{c}$는 $\frac{1.16}{1.32}$이다. 같은 방법으로 계산하면 $\frac{d}{e}$도 $\frac{1.16}{1.32}$으로 같다.

바로 보기 ㄱ. 방출선 (가)의 관측 파장은 B가 A보다 길다. 따라서 퀘이사의 거리는 B가 A보다 멀다.

ㄷ. 퀘이사 A의 적색 편이가 0.16이므로, 방출선 (가)에서 $\frac{5036-a}{5036}=0.16$이다. 따라서 a는 약 4230이며, (다)의 고유 파장 5007보다 작다.

5 우주론 비교

자료 분석 + 빅뱅 우주론과 정상 우주론

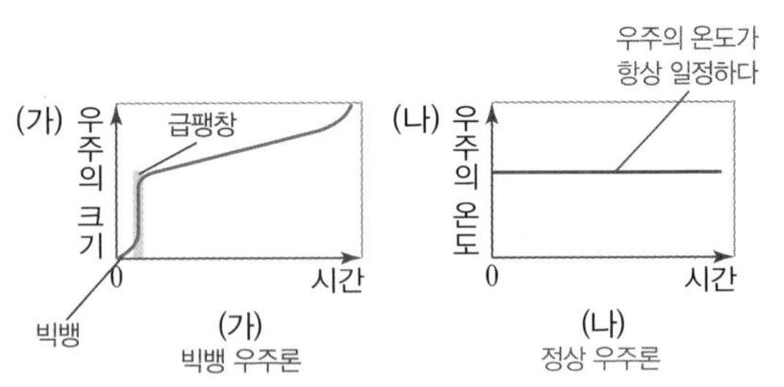

(가) 빅뱅 우주론 (나) 정상 우주론

선택지 분석

㉠ A는 수소와 헬륨의 질량비가 약 3 : 1로 관측됨을 설명할 수 있다.

ㄴ. 우주의 밀도 변화는 B가 A보다 크다. → A가 B보다

㉢ A와 B는 모두 허블 법칙을 설명할 수 있다.

ㄱ, ㄷ. A는 급팽창 이론을 포함한 빅뱅 우주론, B는 정상 우주론이다. A와 B는 우주 팽창과 관련된 허블 법칙을 설명할 수 있다. 하지만 수소와 헬륨의 질량비가 약 3 : 1로 관측됨을 설명할 수 있는 우주론은 빅뱅 우주론이다.

바로 보기 ㄴ. (가)의 우주론 A에서는 우주의 밀도가 계속 감소하고, (나)의 우주론 B에서는 우주의 밀도가 계속 일정하다.

6 우주 팽창 모형

자료 분석 + 우주 팽창 모형

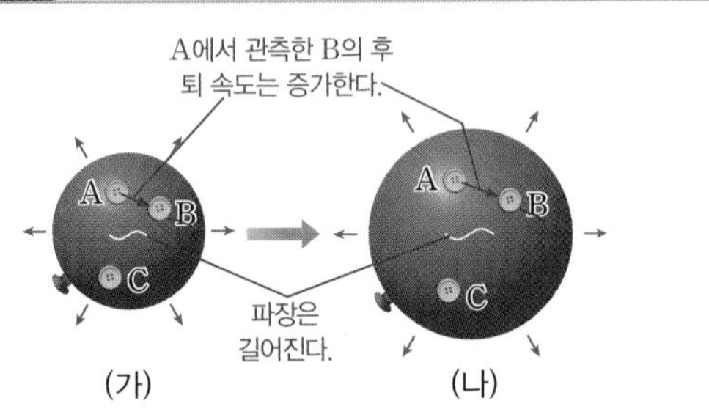

(가) (나)

• 우주 배경 복사의 파장: (가)<(나)

선택지 분석

ㄱ. 우주 배경 복사의 온도는 (가)와 (나)에서 같다. → (가)보다 (나)에서 낮다

ㄴ. A에서 관측되는 B의 시선 속도는 (가)와 (나)에서 같다. → (가)보다 (나)에서 크다

㉢ B에서 구한 허블 상수는 C에서 구한 것과 같다.

ㄷ. 허블 상수는 우주가 팽창하는 속도에 해당한다. 따라서 우주의 어느 위치에서 관측하더라도 허블 상수는 동일하며, 허블 법칙도 동일하게 나타난다.

바로 보기 ㄱ. 우주가 팽창할 때, 우주 배경 복사의 온도는 계속 감소한다.

ㄴ. A에서 관측되는 B의 시선 속도는 거리에 비례하므로 (가)보다 (나)에서 크다.

7 우주의 구성 요소와 우주 팽창 속도 변화

자료 분석 + 우주의 구성 요소와 우주 팽창 속도 변화

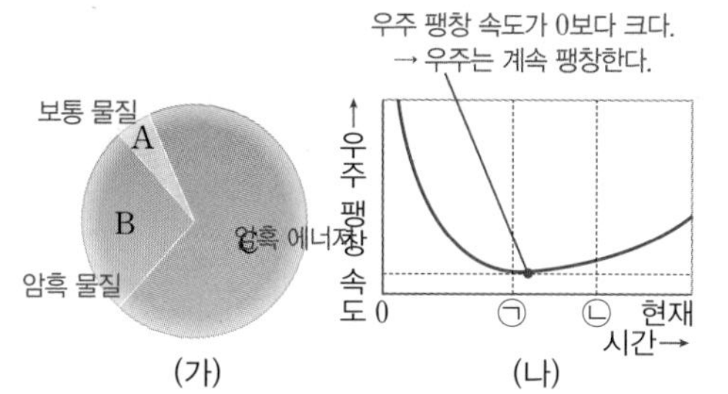

- 현재 우주의 구성 요소 비율: 보통 물질 < 암흑 물질 < 암흑 에너지
- 암흑 에너지가 우주 팽창에 미치는 영향: ㉠ < ㉡ < 현재

선택지 분석

㉠ A와 B는 빛을 굴절시키는 역할을 할 수 있다.
~~ㄴ~~. ㉠ 시기에 우주는 팽창하지 않았다. → 팽창한다.
~~ㄷ~~. C가 우주 팽창에 미치는 영향은 ㉡ 시기가 현재보다 크다. → 작다

ㄱ. A(보통 물질)와 B(암흑 물질)는 중력과 상호 작용하므로 중력 렌즈 현상을 일으킬 수 있다.

바로 보기 ㄴ. ㉠ 시기에 우주의 팽창 속도는 0보다 컸으므로 계속 팽창하였다.

ㄷ. C는 암흑 에너지로 우주 팽창에 미치는 영향은 우주의 크기가 커질수록 증가한다.

8 우주 모형 비교

자료 분석 + 우주 모형 비교

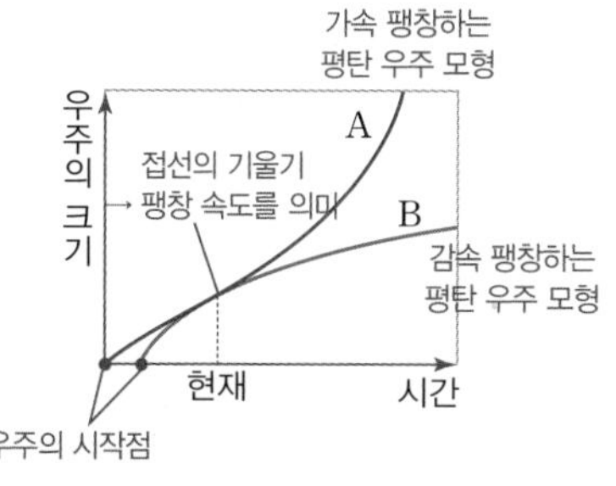

- 평탄 우주: 우주의 평균 밀도 = 임계 밀도
- A: 암흑 에너지에 의해 가속 팽창
- B: 암흑 에너지가 존재하지 않아서 감속 팽창

선택지 분석

~~ㄱ~~. 우주의 평균 밀도
㉡ 우주의 나이
㉢ 암흑 에너지의 비율

ㄴ, ㄷ. A는 암흑 에너지에 의해 가속 팽창하는 평탄 우주 모형이고, B는 암흑 에너지가 없는 감속 팽창하는 평탄 우주 모형이다. 우주의 나이는 A 모형이 B 모형보다 많다.

바로 보기 ㄱ. 두 모형 모두 평탄 우주 모형이므로 현재 우주의 평균 밀도는 임계 밀도와 같다.

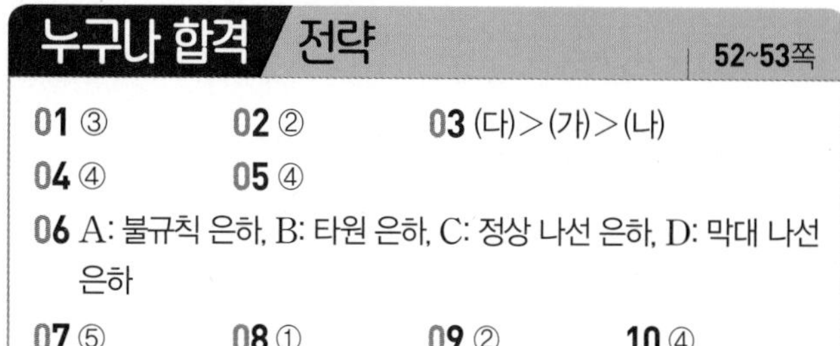

누구나 합격 전략 | 52~53쪽

01 ③ **02** ② **03** (다) > (가) > (나)
04 ④ **05** ④
06 A: 불규칙 은하, B: 타원 은하, C: 정상 나선 은하, D: 막대 나선 은하
07 ⑤ **08** ① **09** ② **10** ④

01 파장에 따른 에너지 분포 곡선

자료 분석 + 파장에 따른 에너지 분포 곡선 비교

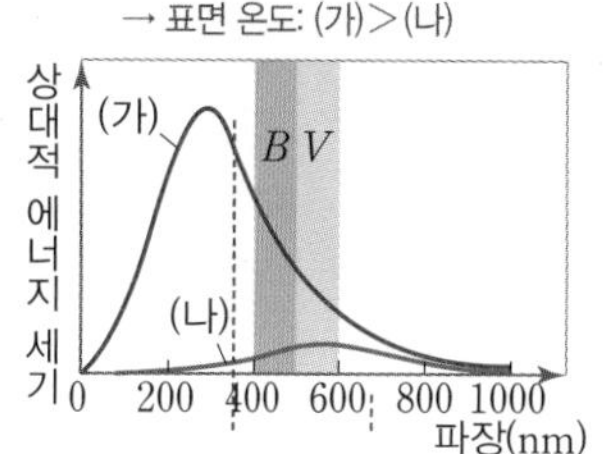

- (가): B 필터를 통과한 빛 > V 필터를 통과한 빛
  → B 등급 < V 등급
- (나): B 필터를 통과한 빛 < V 필터를 통과한 빛
  → B 등급 > V 등급

선택지 분석

㉠ 별의 표면 온도는 (가)가 (나)보다 높다.
㉡ 광도는 (가)가 (나)보다 크다.
~~ㄷ~~. (나)는 B 등급보다 V 등급이 크다. → 작다

ㄱ. 최대 복사 에너지 세기를 갖는 파장은 (가)가 (나)보다 짧으므로 표면 온도는 (가)가 (나)보다 높다.

ㄴ. 거리가 같으므로 광도는 복사 에너지의 상대적 세기가 강한 (가)가 (나)보다 크다.

바로 보기 ㄷ. (나)는 V 필터를 통과한 빛이 B 필터를 통과한 빛보다 많으므로 B 등급보다 V 등급이 작다.

02 주계열성의 내부 구조

ㄷ. 두 별은 모두 주계열성이므로 정역학 평형 상태에 있다.

바로 보기 ㄱ, ㄴ. (가)는 질량이 태양의 2배 이하인 별로 P－P 반응이 더 우세하고, (나)는 태양의 2배 이상인 별로 CNO 순환 반응이 더 우세하다.

03 별의 진화

별이 진화하는 동안 핵융합 반응이 일어나므로 질량은 조금씩 감소한다. 따라서 별의 평균 밀도는 크기가 클수록 작다. 별의 반지름은 (다) < (가) < (나)이므로 평균 밀도는 (다) > (가) > (나)이다.

BOOK 2

04 H-R도와 별의 종류

ㄴ, ㄷ. ㉠, ㉢은 주계열성이고, ㉣은 적색 거성, ㉡은 백색 왜성이다. 스펙트럼에서 수소 흡수선의 세기는 분광형이 A형인 ㉡이 G형인 ㉢보다 강하다.

ㄷ. 별의 중심부 온도는 적색 거성 ㉣이 주계열성 ㉠보다 높다.

바로 보기 ㄱ. ㉠은 태양보다 질량이 큰 별이므로 주계열 수명이 태양보다 짧다.

05 외계 행성 탐사 방법

ㄱ. 행성과 중심별은 같은 방향으로 공전하므로 외계 행성의 공전 방향은 A이다.

ㄴ. 현재 위치에서 별이 지구 쪽으로 접근하므로 별빛의 청색 편이가 나타난다.

바로 보기 ㄷ. 행성에 의한 식 현상은 현재로부터 대략 $\frac{3}{4}$T 후에 일어난다.

06 외부 은하의 분류

허블은 가시광선 영역에서 관측되는 은하의 형태를 기준으로 외부 은하를 타원 은하(B), 정상 나선 은하(C), 막대 나선 은하(D), 불규칙 은하(A)로 구분하였다.

07 특이 은하

ㄱ, ㄴ. (가)는 퀘이사이고, (나)는 전파 은하이다. 전파 은하는 전파 영역에서 관측할 때 로브와 제트 구조가 잘 보이므로 (나)는 전파 영역에서, (가)는 가시광선에서 관측한 것이다.

ㄷ. (가)와 (나)는 모두 특이 은하이므로 은하 중심부에 질량이 매우 큰 블랙홀이 존재한다.

08 허블 법칙

ㄱ. 가로축이 거리(r), 세로축이 후퇴 속도(v)이므로 그래프의 기울기는 허블 상수($H=\frac{v}{r}$)에 해당한다.

바로 보기 ㄴ. 적색 편이는 후퇴 속도에 비례하므로 A가 B의 $\frac{1}{3}$배이다.

ㄷ. C는 A보다 빨리 멀어지고 있으므로 시간이 지날수록 두 은하 사이의 거리는 멀어진다.

09 우주론 비교

ㄷ. 우주 배경 복사는 빅뱅 우주론의 증거가 될 수 있다.

바로 보기 ㄱ. 이 우주론은 우주가 팽창하면서 밀도가 점점 감소한다. 따라서 빅뱅 우주론이다.

ㄴ. 빅뱅 우주론에서 우주의 온도는 시간에 따라 점점 감소하므로 B에 해당한다.

10 우주의 구성 요소

자료 분석 + 우주 구성 요소의 밀도 변화

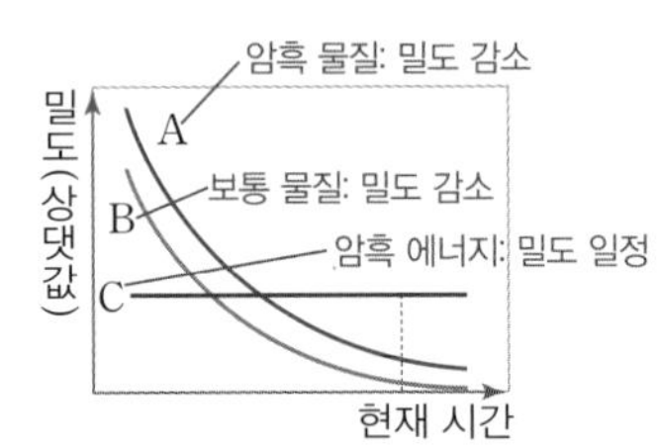

- 우주가 팽창할수록 C의 상대적 비율이 증가한다.
- 현재 우주에서 차지하는 비율: C>A>B

선택지 분석

ㄱ. (A)는 전자기파와 상호 작용한다. → 중력
ㄴ. B는 우주 팽창을 억제시키는 역할을 한다.
ㄷ. 시간이 지날수록 C가 차지하는 비율은 증가한다.

ㄴ. A는 암흑 물질, B는 보통 물질, C는 암흑 에너지이다. B는 보통 물질이므로 인력으로 작용하여 우주 팽창을 억제시키는 역할을 한다.

ㄷ. 시간이 지날수록 A와 B의 밀도가 감소하므로 C가 차지하는 비율이 증가한다.

바로 보기 ㄱ. 암흑 물질은 질량이 있으므로 중력과 상호 작용한다.

창의·융합·코딩 전략 | 54~57쪽

01 ①	02 ③	03 ②	04 ⑤	05 ②	06 ②
07 ③	08 ①	09 ④	10 ③	11 ②	12 ⑤

01 별의 종류

ㄱ. (가)는 주계열성, (나)는 백색 왜성, (다)는 거성이다.

바로 보기 ㄴ. 별의 광도는 백색 왜성보다 거성이 크다.

ㄷ. 거성에 속한 별들은 대부분 태양보다 광도가 크다. 표면 온도는 태양보다 주로 낮은 편이지만, 태양보다 높은 초거성도 있다.

02 생명 가능 지대

철수, 영희: 그림에서 생명 가능 지대의 거리는 A가 B보다 멀다. 따라서 A는 B보다 광도가 크고, 생명 가능 지대의 폭이 넓다.

바로 보기 민수: 행성 a와 b는 중심별로부터의 거리가 같지만, 중심별의 광도는 A가 B보다 크다. 따라서 행성의 표면 온도는 a가 b보다 높다.

03 식 현상을 이용한 외계 행성 탐사

자료 분석 + 식 현상을 이용한 외계 행성 탐사 모형 실험

15 cm, 15 cm, 전구, 밝기 측정 장치, B, A, 회전, 회전, 회전대

A가 B보다 반지름이 크다.

밝기, ㉠, B에 의한 밝기 감소, A에 의한 밝기 감소, 시간

- 반지름은 A가 B보다 크다. → 밝기 감소는 A가 B보다 크다.
- 전구로부터의 거리는 같다. → 식 현상 주기가 같다.

선택지 분석

~~ㄱ~~. 도플러 효과를 이용한 외계 행성 탐사 방법을 알아보기 위한 실험이다. → 식 현상

~~ㄴ~~. 탐구 결과에서 ㉠의 밝기 변화는 B에 의해 나타난 결과이다. → A

ⓒ 회전대가 1회전 할 때마다 전구의 밝기 변화는 2번씩 나타난다.

이 탐구는 식 현상을 이용한 외계 행성 탐사 방법의 원리를 알아보기 위한 것이다. A는 B보다 크므로 전구의 밝기 변화가 더 크게 나타난다.

ㄷ. 회전대가 1회전할 때 전구의 밝기 변화는 A와 B에 의해 각각 1번씩 나타난다.

바로 보기 ㄱ. 식 현상을 이용한 외계 행성 탐사 방법을 알아보기 위한 실험이다.

ㄴ. 탐구 결과에서 ㉠의 밝기 변화는 A에 의해 나타난 결과이다.

04 특이 은하

ㄱ. A는 나선 은하 형태로 관측되는 세이퍼트은하이다.

ㄴ. B는 우주 생성 초기에 생성되어 거리가 매우 멀고, 적색 편이가 매우 큰 퀘이사이다.

ㄷ. C는 전파 은하로 제트와 로브 구조를 갖고 있다.

05 우주 팽창 모형

B. ㉠으로부터 멀어지는 속도는 거리에 비례하므로, 멀리 있는 ㉢이 가까운 ㉡보다 크다.

바로 보기 A. 풍선 모형에서 ㉠, ㉡, ㉢은 외부 은하에 해당한다.

C. 풍선 모형에서 풍선이 부풀어 오를 때 ㉠, ㉡, ㉢은 서로로부터 멀어진다. 이때 풍선 모형에서 풍선 표면의 모든 지점이 동등하므로 팽창의 중심점은 존재하지 않는다.

06 우주의 구성 요소

ㄴ. 나선 은하의 회전 속도는 암흑 물질에 의한 중력 효과로 인해 예상했던 것보다 훨씬 크다. 현재 우주의 구성 요소 중 암흑 물질이 차지하는 비율은 두 번째로 크므로 ㉡이 암흑 물질이다.

바로 보기 ㄱ. 우주가 팽창할수록 물질(㉡과 ㉢)의 밀도가 감소하므로 상대적으로 암흑 에너지 ㉠의 비율이 계속 증가한다.

ㄷ. B는 가속 팽창의 원인이므로 암흑 에너지 ㉠이다.

07 흑체 복사

A. 별의 성질은 흑체에 가깝기 때문에 별의 복사 특징은 흑체의 복사 법칙으로 근사시켜 설명할 수 있다.

C. 별의 단위 면적에서 단위 시간 동안 방출하는 에너지양은 표면 온도의 4제곱에 비례한다. 따라서 표면 온도가 2배일 때, 단위 시간 동안 방출하는 에너지양은 16배가 된다.

바로 보기 B. 별의 표면 온도가 높을수록 짧은 파장 영역에서 방출하는 빛의 양이 상대적으로 많아진다.

08 별의 진화

철수. A는 태양과 질량이 비슷한 별의 최종 진화 단계에서 형성되는 행성상 성운이다.

바로 보기 영희. B는 태양보다 질량이 훨씬 큰 별의 최종 진화 단계에서 형성된 초신성 잔해이다. 초신성 잔해의 중심부에는 중성자별이나 블랙홀이 존재한다.

민수. 별의 질량은 행성상 성운을 형성한 별보다 초신성 폭발을 일으킨 별이 크다.

09 우주 팽창 실험

ㄱ. 풍선이 팽창하는 동안 A로부터 멀어지는 속도는 거리가 멀수록 크다. A로부터의 거리는 C가 B의 1.5배이므로 멀어지는 속도도 C가 B의 1.5배이다.

ㄷ. 풍선 표면에서 특정한 팽창의 중심점은 존재하지 않는다. 따라서 점 A, B, C 중 어느 곳을 기준점으로 정하더라도 멀어지는 속도가 거리에 비례하는 허블 법칙이 성립한다.

바로 보기 ㄴ. 풍선이 팽창하기 전에 B와 C 사이의 거리는 4이고, 멀어지는 속도는 거리에 비례하므로 ㉠은 12이다.

10 외계 행성 탐사 방법

ㄱ. A는 시선 속도 이용법, B는 식 현상 이용법, C는 미세 중력 렌즈 효과 이용법이다.

ㄴ. 행성에 의한 중심별의 식 현상은 행성의 공전 주기마다 반복되어 나타난다. 따라서 B에서 관측되는 별의 밝기 변화는 주기적으로 나타난다.

바로 보기 ㄷ. 현재까지 발견된 외계 행성들은 대부분 시선 속도 변화 또는 식 현상을 이용하여 발견되었다.

11 우주론

C. 빅뱅 우주론의 근거가 되는 관측 증거는 우주 배경 복사와 가벼운 원소의 비율이다.

바로 보기 A. 허블은 외부 은하의 적색 편이를 관측하여 우주가 팽창한다는 사실을 증명하였다.

B. 우주의 급팽창은 빅뱅 직후에 일어났다. 급팽창 이후 우주의 팽창 속도는 점점 감소하였다가, 암흑 에너지의 비율이 증가함에 따라 우주의 팽창 속도가 다시 증가하였다. 현재 우주는 가속 팽창하고 있다.

12 우리 은하의 회전과 암흑 물질

ㄱ. 태양계에서 질량은 거의 대부분 태양이 차지하고 있다. 따라서 행성들의 공전 속도가 태양에서 멀어질수록 급격하게 감소하는 회전을 한다. 따라서 (가)의 가설로 '우리 은하의 질량은 중심에 집중되어 있다.'가 적절하다.

ㄴ. 우리 은하의 회전 곡선은 태양계 행성들의 회전 속도와 달리 은하 중심에서 멀어지더라도 감소하지 않는다. 따라서 (나)의 가설로 '우리 은하의 중심 이외의 지역에도 질량이 많이 분포한다.'가 적절하다.

ㄷ. 우리 은하 외곽부에는 전자기파로 감지할 수 없는 암흑 물질이 많이 분포한다. 이로 인해 은하의 회전 속도 분포는 은하 중심에서 멀어지더라도 감소하지 않는다.

신유형·신경향 전략

60~63쪽

01 ②	02 ②	03 ①	04 ⑤	05 ①
06 ③	07 ④	08 ③		

01 해수의 성질

자료 분석 + 우리나라 주변 해수의 성질

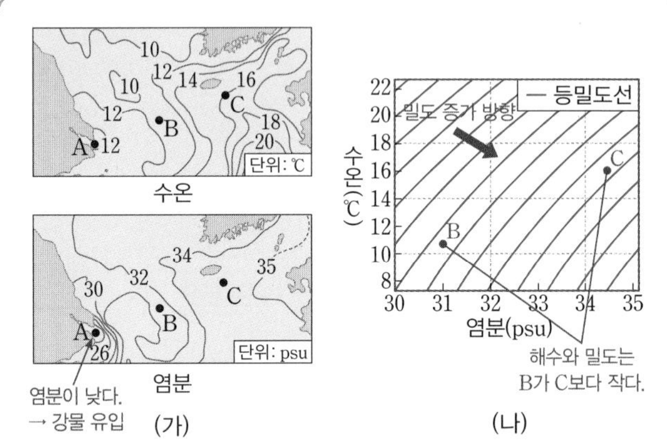

선택지 분석

~~ㄱ.~~ A에서 염분이 낮은 원인은 (증발량 − 강수량)이 작기 때문이다.

~~ㄴ.~~ 용존 산소량은 B가 C보다 적다. (→ 많다)

ⓒ 표층 해수의 밀도는 A < B < C이다.

담수의 유입

ㄷ. 세 해역의 해수를 수온−염분도에 나타내면 표층 해수의 밀도는 A < B < C이다.

바로 보기 ㄱ. A에서는 육지에서 담수가 유입되어 표층 염분이 낮게 나타난다.

ㄴ. 해수의 용존 산소량은 수온에 반비례하므로 B보다 C에서 적다.

02 기후 변화 요인 실험

자료 분석 + 자전축의 경사각 변화 실험

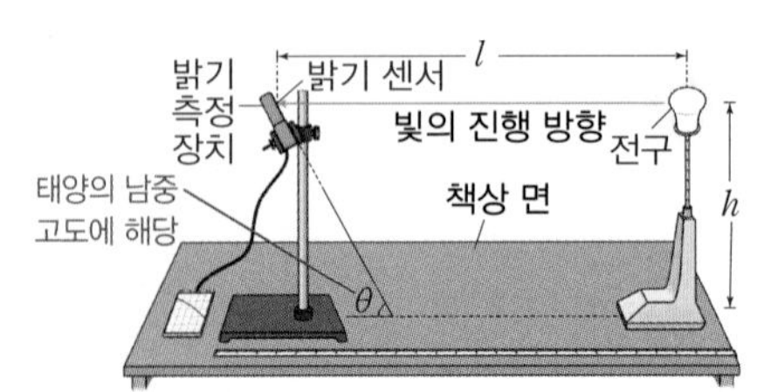

• θ가 클수록 센서에 입사하는 빛의 양이 증가한다.

선택지 분석

~~ㄱ.~~ 기후 변화 요인 중 이심률 변화에 따른 영향을 알아보기 위한 실험이다. (→ 지구 자전축의 경사각 변화)

ⓛ ㉠의 크기는 '태양의 남중 고도'에 해당한다.

~~ㄷ.~~ (라)에서 θ가 작아질수록 밝기 센서에서 측정된 밝기는 커진다. (→ 커질수록)

ㄴ. 이 실험에서 θ는 빛이 입사하는 각도이므로 태양의 남중 고도에 해당한다.

바로 보기 ㄱ. 이 실험은 θ에 따른 에너지 입사량의 차이에 대해 알아보는 실험이므로 지구 자전축의 경사각과 관련 있다.
ㄷ. θ가 작아질수록 밝기 측정 장치에 들어오는 전구의 빛이 감소하므로 밝기는 작아진다.

03 별의 물리량

자료 분석+ 주계열성의 물리량 비교

태양 광도의 64배 → 질량은 태양의 약 3배

광도(태양=1): 10^4, 10^3, 10^2, 10^1, 1, 10^{-1}

시간(년): 10^{10}, 10^9, 10^8, 10^7, 10^6, 10^5

질량(태양=1): 1, 5, 10

태양의 주계열 수명

광도가 태양의 1000배인 별의 주계열성 수명

광도가 태양의 1000배인 별의 질량

구분 \ 별	㉠	㉡
표면 온도(태양=1)	2	3
반지름(태양=1)	2	4

• ㉠의 광도는 태양 광도의 $2^4 \times 2^2 = 64$배이다.
• ㉡의 광도는 태양 광도의 $3^4 \times 4^2 = 1296$배이다.

선택지 분석

㉠ 주계열 수명은 A이다.
~~ㄴ~~. ㉠의 질량은 태양의 4배보다 크다. → 작다
~~ㄷ~~. ㉡의 주계열 수명은 10^8년보다 길다. → 짧다

ㄱ. 질량이 클수록 주계열성 수명이 짧으므로 A는 주계열 수명, B는 광도이다.

바로 보기 ㄴ. ㉠은 광도가 태양의 64배이므로 질량이 태양의 3.5배보다 작다.
ㄷ. ㉡의 광도는 태양의 약 1000배보다 크므로 질량이 태양의 6.5배 이상이다. 따라서 주계열 수명이 10^8년보다 짧다.

04 우주 팽창

자료 분석+ 우주 팽창과 빛의 진행

(나)일 때 A에서 출발한 빛이 78억 년 후에 우리 은하에 도착한다.

우리 은하

38만 년일 때 ㉠, ㉡에서 출발한 빛이 138억 년 후에 우리 은하에 도착한다.

시간(우주의 나이)

(가) 138억 년

(나) 60억 년

38만 년

우주 배경 복사

선택지 분석

㉠ ㉠과 ㉡에서 출발한 우주 배경 복사의 온도는 (가)에서 거의 동일하게 측정된다.
㉡ (나)의 은하 A에서 출발한 빛은 약 78억 년 후에 (가)의 우리 은하에 도달한다.
㉢ 우리 은하에서 측정되는 우주 배경 복사의 파장은 (가)보다 (나)에서 짧다.

ㄱ. 현재 우리 은하에서 관측되는 우주 배경 복사는 우주 전체에서 거의 같은 세기로 나타난다.
ㄴ. 그림에서 우주의 나이 60억 년일 때 은하 A에서 출발한 빛이 우주의 나이 138억 년일 때 우리 은하에 도착한다. 따라서 (나)의 은하 A에서 출발한 빛이 우리 은하까지 이동하는데 약 78억 년 걸렸다.
ㄷ. 우주 배경 복사의 파장은 우주가 팽창함에 따라 점점 길어지므로 우리 은하에서 관측한 우주 배경 복사의 파장은 (가)보다 (나)에서 짧다.

BOOK 2

05 기상 영상

자료 분석+ 가시 영상과 적외 영상 비교

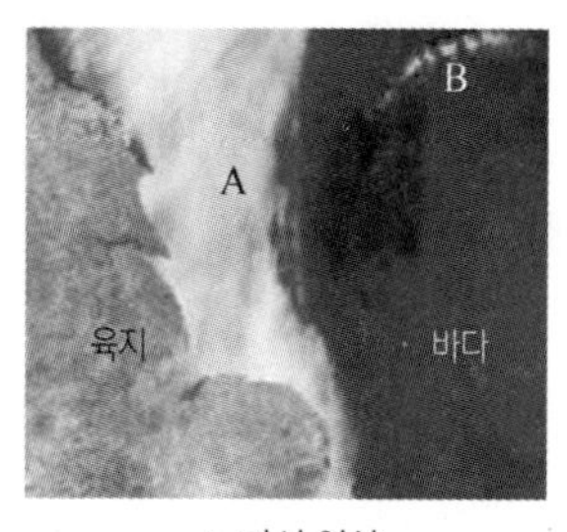

▲ 가시 영상

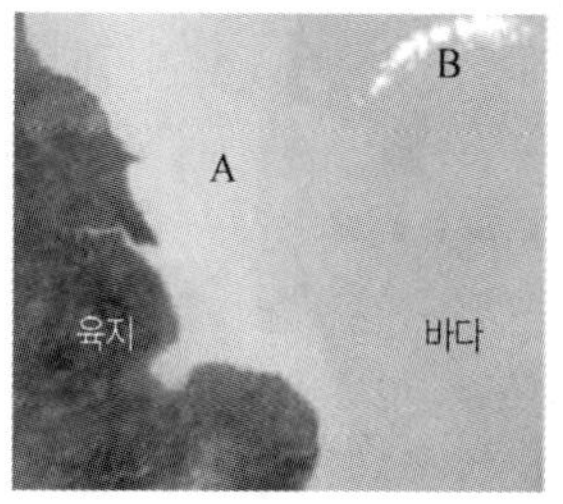

▲ 적외 영상

햇빛 반사량: 바다 < 육지　　온도: 바다 < 육지

가시 영상	적외 영상
육지가 바다보다 밝다.	바다가 육지보다 밝다.
A와 B의 밝기가 비슷하다.	B가 A보다 밝다.

구름의 두께: A≒B　　구름의 높이: B > A

• A는 구름이 두껍고, 높이가 낮다. → 하층운(또는 중층운)
• B는 구름이 두껍고, 높이가 높다. → 상층운

선택지 분석

㉠ 육지는 바다보다 온도가 높다.
~~ㄴ~~. A는 상층운이다. → 하층운(또는 중층운)
~~ㄷ~~. 구름의 햇빛 반사량은 B가 A보다 많다. → A와 B가 거의 같다.

ㄱ. 적외 영상에서 바다가 육지보다 밝게 보이므로 온도는 육지가 바다보다 높다.

바로 보기 ㄴ. A는 B와 구름의 두께가 비슷하고, 높이는 더 낮은 구름이다.
ㄷ. 가시 영상에서 A와 B가 비슷한 밝기로 보이므로 햇빛의 반사량도 비슷하다.

06 해수의 염분 변화 실험

자료 분석 + 염분에 영향을 미치는 요인

과정	실험 방법
A	증류수 100 mL를 넣어 섞는다.
B	10분간 가열하여 증발시킨다.
C	얼음이 생길 때까지 천천히 얼린다.

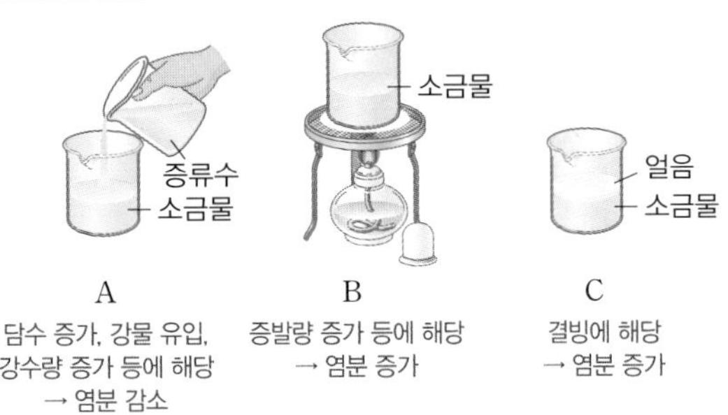

A: 담수 증가, 강물 유입, 강수량 증가 등에 해당 → 염분 감소
B: 증발량 증가 등에 해당 → 염분 증가
C: 결빙에 해당 → 염분 증가

선택지 분석

ㄱ. 우리나라에서 겨울철보다 여름철에 염분이 낮은 이유는 A 과정으로 설명할 수 있다.
ㄴ. 태평양이 대서양보다 평균 염분이 낮은 이유는 A와 B의 과정으로 설명할 수 있다.
~~ㄷ~~. C에서 얼음의 부피가 증가할수록 염분은 감소한다. (→ 증가)

ㄱ, ㄴ. 우리나라는 여름철에 강수량이 집중되므로 표층 염분이 낮아진다. 태평양은 대서양보다 (증발량−강수량)이 작아서 표층 염분이 낮다.

바로 보기 ㄷ. 얼음이 얼 때, 순수한 물이 먼저 얼고 염류는 빠져나와 주변 해수의 염분이 증가한다. 따라서 C에서 얼음의 부피가 증가할수록 소금물의 염분은 증가한다.

07 외계 행성 탐사

자료 분석 + 중심별의 시선 속도 변화

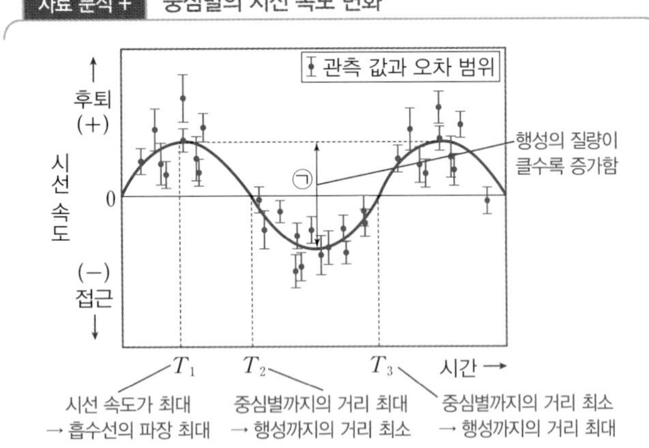

선택지 분석

ㄱ. '백두'의 스펙트럼에서 흡수선의 파장은 T_1일 때 가장 길게 나타난다.
ㄴ. 태양으로부터 '한라'까지의 거리는 T_2보다 T_3일 때 멀다.
~~ㄷ~~. '한라'의 반지름이 현재의 2배였다면 ㉠은 4배가 되었을 것이다. (→ 질량이 2배였다면 ㉠은 더 커진다.)

ㄱ. T_1일 때 중심별의 후퇴 속도가 가장 크므로 흡수선의 관측 파장이 가장 길다.
ㄴ. 행성은 중심별이 멀어질 때 가까워지고, 중심별이 가까워질 때 멀어진다. 따라서 태양으로부터 '한라'까지의 거리는 T_2보다 T_3일 때 멀다.

바로 보기 ㄷ. 중심별의 시선 속도 변화량 ㉠은 행성의 질량에 영향을 받는다. 행성의 반지름과는 직접적인 관련성이 없다.

08 급팽창 우주론

자료 분석 + 우주의 급팽창

구분	우주의 크기	우주의 지평선의 크기
급팽창 이전	R_1	H_1
급팽창 이후	R_2	H_2

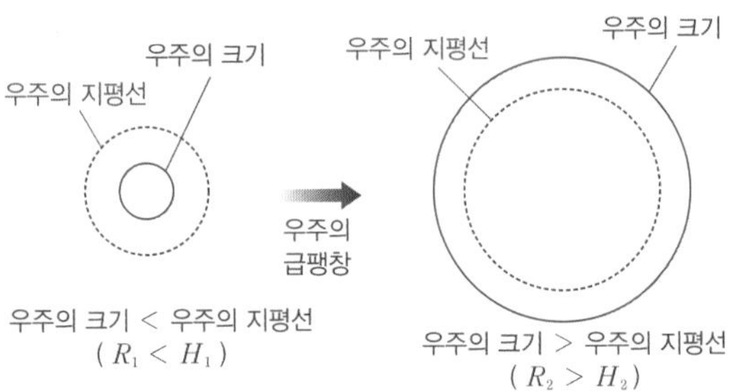

선택지 분석

ㄱ. 급팽창 시기에 우주는 빛보다 빠른 속도로 팽창하였다.
~~ㄴ~~. 급팽창 이전에는 R_1이 H_1보다 컸다. (→ 작았다)
ㄷ. H_2 영역 내부에서는 우주의 온도가 거의 균일하다.

ㄱ. 빅뱅 직후에 우주는 아주 짧은 시간 동안 빛보다 빠른 속도로 팽창하였다.
ㄷ. 급팽창 이전에 상호 작용을 통해 우주가 균일하였기 때문에 급팽창 이후에도 우주는 거의 균일할 수 있었다.

바로 보기 ㄴ. 급팽창 이전에는 $R_1 < H_1$이었으나, 급팽창 이후에는 $R_2 > H_2$가 되었다.

1·2등급 확보 전략 1회

64~67쪽

01 ③	02 ①	03 ④	04 ①	05 ①
06 ⑤	07 ⑤	08 ④	09 ②	10 ⑤
11 ⑤	12 ③			

01 태풍과 날씨

자료 분석+ 태풍과 기상 영상

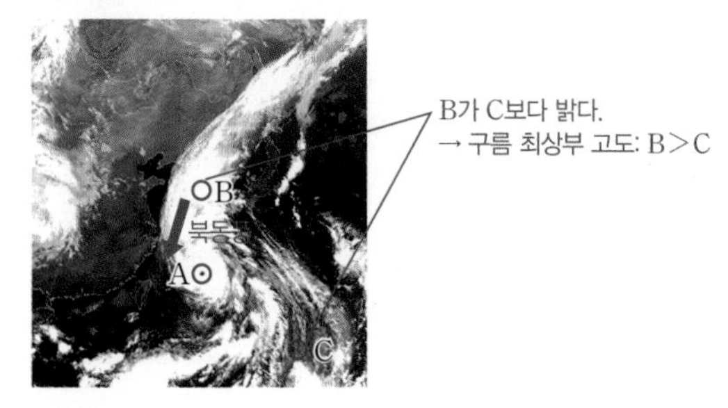

• A: 저기압성 바람에 의해 표층수의 발산 → 용승

선택지 분석

㉠ A 해역에서 바람에 의한 표층수의 발산이 나타난다.
㉡ 구름 최상부의 고도는 B가 C보다 높다.
~~ㄷ~~. B의 지상에서는 서풍(→동풍) 계열의 바람이 우세하다.

ㄱ. A는 태풍의 중심 부근 해역이므로 저기압성 회전에 의해 해수가 중심부에서 바깥쪽으로 이동하고, 심층에서 찬 해수의 용승이 일어난다.

ㄴ. 이 영상은 새벽에 관측하였으므로 적외 영상이고, B가 C보다 밝게 보이므로 구름 최상부의 고도는 B가 C보다 높다.

바로 보기 ㄷ. 저기압에서 바람은 시계 반대 방향으로 불어 들어온다. 따라서 B에서는 북동풍이 분다.

02 온대 저기압과 날씨

자료 분석+ 전선 주변의 기온 분포

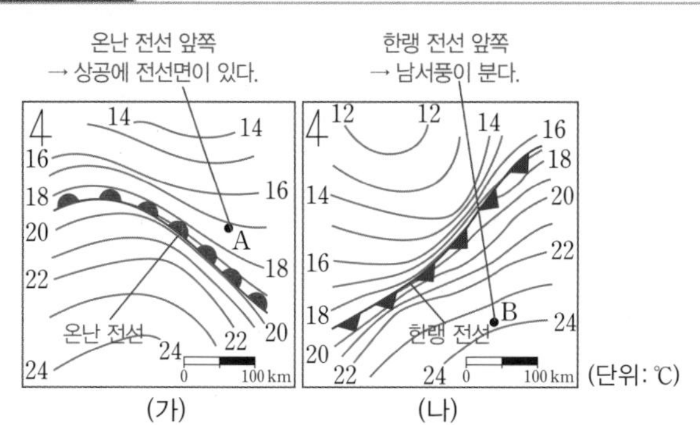

선택지 분석

㉠ A 지역의 상공에는 전선면이 나타난다.
~~ㄴ~~. B 지역에서는 북풍(→남풍) 계열의 바람이 분다.
~~ㄷ~~. 온대 저기압이 통과할 때, (가)의 전선이 (나)의 전선보다 늦게(→먼저) 통과한다.

ㄱ. (가)에서 A는 온난 전선의 앞쪽에 위치하며, 따뜻한 공기가 찬 공기 위로 타고 오르면서 전선면을 형성하므로 온난 전선의 앞쪽에 위치한 A의 상공에 전선면이 나타난다.

바로 보기 ㄴ. B는 한랭 전선의 앞쪽에 위치해 있으므로 남풍 계열의 바람(주로 남서풍)이 우세하게 나타난다.

ㄷ. (가)에는 온난 전선, (나)에는 한랭 전선이 존재하며, 온대 저기압이 통과할 때, 온난 전선이 통과한 후에 한랭 전선이 통과한다.

03 정체 전선과 날씨

자료 분석+ 정체 전선과 날씨

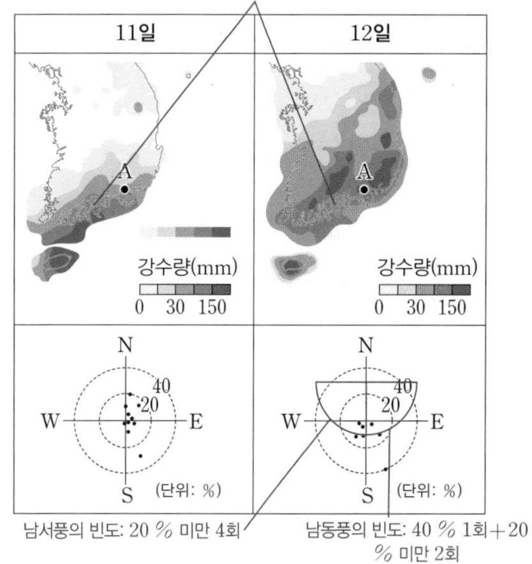

• 강수 구역은 11일보다 12일에 북쪽에 위치하였다.
• 11일: 북풍이 남풍보다 우세하였다.
• 12일: 남풍이 우세하였고, 서풍보다 동풍의 빈도가 높았다.

선택지 분석

㉠ 정체 전선은 11일보다 12일에 북쪽에 위치하였다.
~~ㄴ~~. 12일에 풍향은 동풍보다 서풍이 우세하였다. (→ 서풍보다 동풍이)
㉢ 북태평양 기단의 영향은 11일보다 12일에 컸다.

ㄱ, ㄷ. 이 기간 동안 정체 전선이 북상하여 11일에는 북풍 계열의 바람이 12일에는 남풍 계열의 바람이 더 우세하였다. 따라서 북태평양 기단의 영향은 12일에 더 컸다.

바로 보기 ㄴ. 12일에 A 지역의 바람 빈도를 비교해보면 남서풍의 빈도보다 남동풍의 빈도가 높았다. 따라서 풍향은 서풍보다 동풍이 우세하였다.

04 기단의 변질

자료 분석 + 기단의 변질

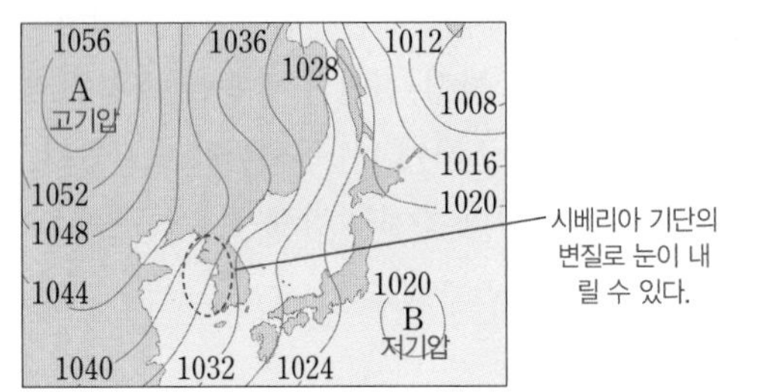

선택지 분석

㉠ 적외 영상에서는 A 지역이 B 지역보다 어둡다.
~~ㄴ~~. 서해 연안에서 안개 주의보가 발생할 가능성이 크다. → 대설 주의보
~~ㄷ~~. 동해 연안에서 기단의 변질로 상승 기류가 발달할 가능성이 크다. (동해 → 서해)

ㄱ. A에는 고기압이 발달하여 구름이 거의 없고, B에는 저기압이 발달하여 구름이 많다. 따라서 적외 영상에서는 A 지역이 B 지역보다 어둡게 보인다.

바로 보기 ㄴ. 시베리아 기단이 황해 상을 지나면서 열과 수증기를 공급받아 적란운이 발달하고, 서해 연안에 폭설이 내릴 수 있다. 안개는 따뜻한 기단이 찬 바다에 의해 냉각될 때 자주 나타난다.

ㄷ. 기단의 변질로 상승 기류가 발달하는 곳은 서해 연안이다. 동해 연안은 상대적으로 맑은 날씨가 나타난다.

05 해수의 위도별 층상 구조

자료 분석 + 해수의 층상 구조

위도
60°N 30° 0° 30° 60°S
깊이(m) 0 500 1000 1500
A 혼합층
B 수온 약층
C 심해층
h_1 — 혼합층의 두께는 적도 해역이 30° 해역보다 얇다.
h_2 — 밀도 변화율은 30° 해역이 60°해역보다 크다.
깊이에 따라 수온과 밀도가 급격하게 변한다. → 가장 안정한 층

선택지 분석

㉠ h_1 구간에서 해수의 연직 이동은 적도 해역보다 30° 해역에서 활발하다.
~~ㄴ~~. h_2 구간에서 깊이에 따른 밀도 변화율은 30° 해역보다 60° 해역에서 크다. (크다 → 작다)
~~ㄷ~~. 적도 해역에서 60° 해역으로 갈수록 표층 해수의 용존 산소량은 대체로 감소한다. (감소 → 증가)

A는 혼합층, B는 수온 약층, C는 심해층이다.

ㄱ. h_1 구간에서 적도 해역은 혼합층과 수온 약층 일부가 포함되어 있고, 30° 해역은 혼합층으로만 이루어져 있다. 해수의 연직 이동은 적도 해역보다 30° 해역에서 활발하다.

바로 보기 ㄴ. 수온 약층은 깊이에 따른 밀도 변화가 크므로 h_2 구간에서 깊이에 따른 밀도 변화율은 30° 해역이 60° 해역보다 크다.

ㄷ. 적도 해역에서 60° 해역으로 갈수록 표층 수온이 낮아지므로 표층 해수의 용존 산소량은 대체로 증가한다.

06 해수의 성질

자료 분석 + 깊이에 따른 해수의 성질 변화

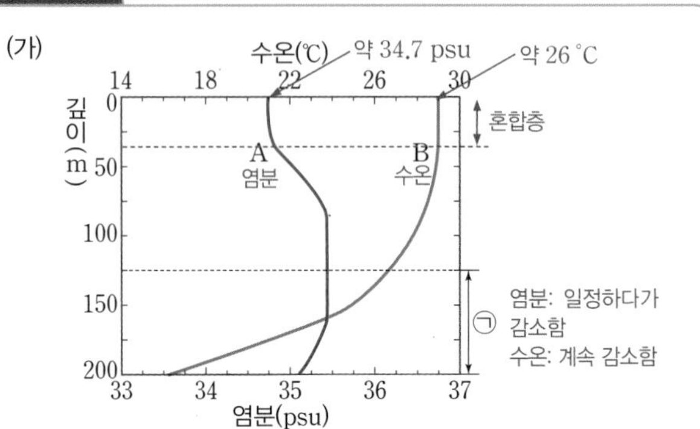

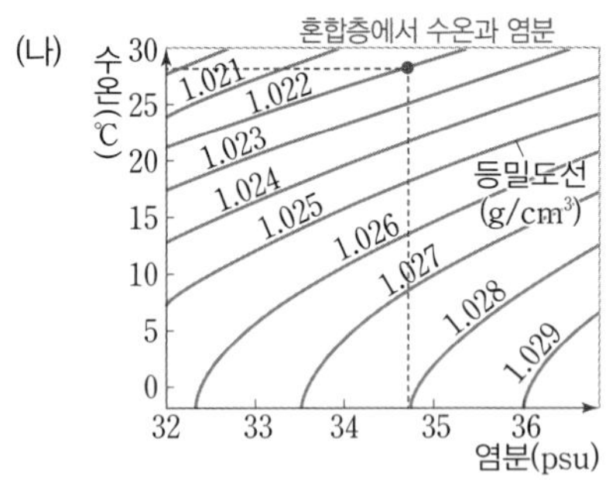

선택지 분석

㉠ A는 깊이에 따른 염분 분포이다.
~~ㄴ~~. ㉠ 층에서 깊이에 따른 밀도 변화는 수온보다 염분에 더 큰 영향을 받는다. → 염분보다 수온
㉢ 혼합층을 이루는 해수의 평균 밀도는 1.023 g/cm³보다 작다.

ㄱ. 깊이가 깊어질수록 수온은 일정하거나 감소한다. A는 깊이가 깊어질 때 증가하는 구간이 있으므로 염분이다.

ㄷ. A가 염분, B가 수온이므로 혼합층을 이루는 해수의 염분은 약 34.7 psu, 수온은 약 29 ℃이다. 이 값을 (나)에 나타내면, 해수의 평균 밀도가 약 1.022 g/cm³임을 확인할 수 있다.

바로 보기 ㄴ. ㉠ 층에서 염분은 일정하다가 감소하고, 수온은 계속 감소한다. 이 구간에서 염분은 밀도를 감소시키는 요인으로 작용하고, 수온은 밀도를 증가시키는 요인으로 작용한다. 한편, 해수의 밀도는 깊이가 깊어질수록 증가하므로 ㉠ 층에서 해수의 밀도는 증가한다. 따라서 이 구간에서 해수의 밀도 변화는 염분보다 수온에 더 큰 영향을 받았다.

07 대기 대순환과 표층 순환

자료 분석 + 평균 해면 기압의 분포

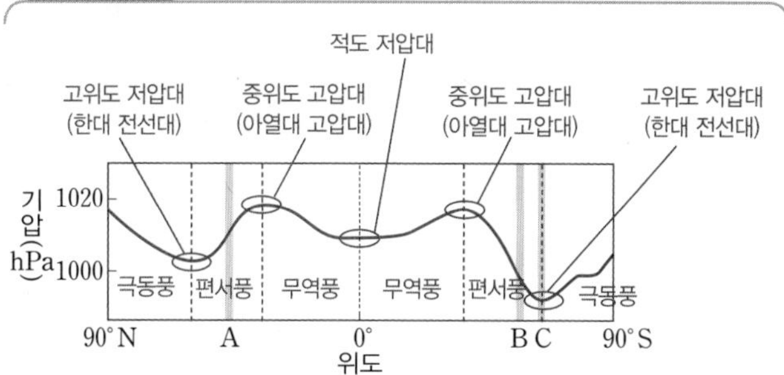

선택지 분석

~~ㄱ. A 해역의 해류는 무역풍에 의해 형성되었다.~~ → 편서풍
ㄴ. B 해역에서는 남극 순환 해류가 흐른다.
ㄷ. C 해역에서는 대기 대순환에 의해 해수의 용승이 나타난다.

ㄴ. B 해역에서는 편서풍에 의해 형성된 남극 순환 해류가 흐른다.

ㄷ. C 해역에서는 편서풍과 극동풍에 의해 표층 해수의 발산이 일어나 심층 해수의 용승이 일어난다.

바로 보기 ㄱ. A 해역에서는 아열대 고압대에서 고위도 저압대로 편서풍이 분다.

08 지구의 열수지

자료 분석 + 지구의 열수지

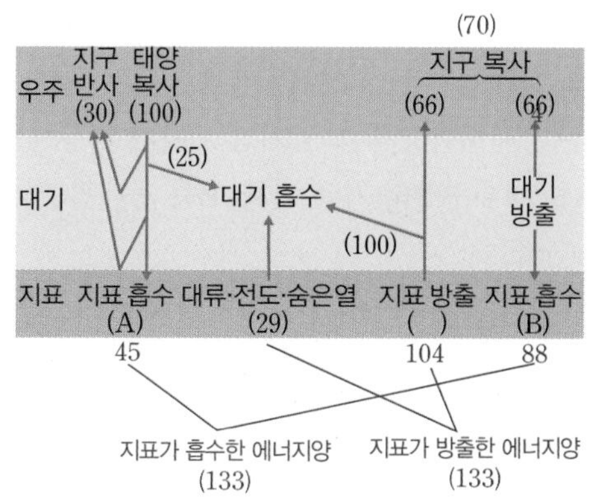

- 우주: 태양 복사 100=반사 30+지구 복사 70
- 대기: 태양에서 흡수 25+지표에서 흡수 129=우주 복사 66+지표로 복사 88
- 지표: 태양에서 흡수 45+대기에서 흡수 88=지표 방출 104+대류 · 전도 · 숨은열 29

선택지 분석

~~ㄱ. A는 B보다 크다.~~ → 작다
ㄴ. 지표가 방출하는 복사 에너지양은 (A+B−29)와 같다.
ㄷ. B는 적외선 영역의 에너지가 대부분을 차지한다.

ㄴ. 지표가 방출하는 복사 에너지양은 지표 방출 104이다. 이 값은 지표가 흡수하는 에너지양 A+B에서 대류 · 전도 · 숨은열 29를 뺀 값과 같다.

ㄷ. B는 대기에서 지표로 재복사하는 에너지양에 해당한다. 대기 복사는 대부분 적외선 영역의 에너지가 차지한다.

바로 보기 ㄱ. A는 45, B는 88이므로 A가 B보다 작다.

09 엘니뇨와 라니냐

자료 분석 + 엘니뇨와 라니냐 시기의 수온과 플랑크톤 분포

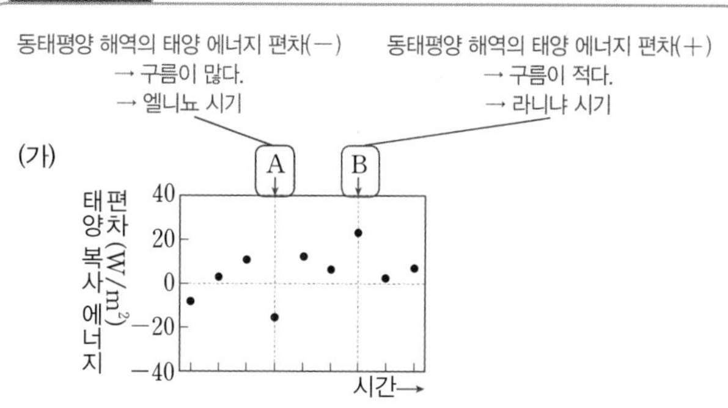

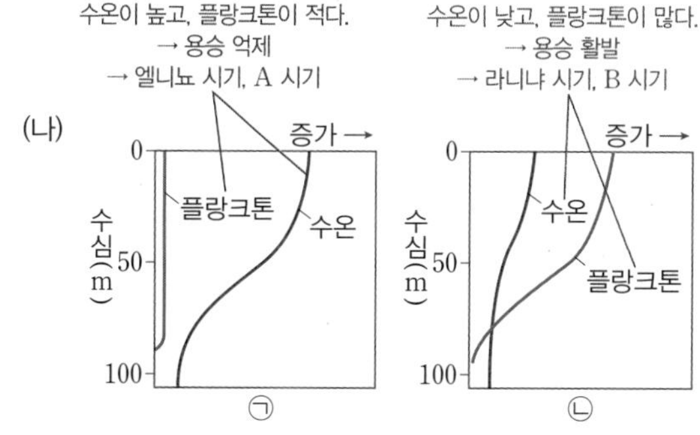

선택지 분석

~~ㄱ. ㉠은 B에 해당한다.~~ → A에
~~ㄴ. ㉡일 때 서태평양 적도 부근 해역은 평년보다 건조하다.~~ → 다습
ㄷ. 태평양 적도 부근 해역에서 동서 방향의 해수면 경사는 B보다 A일 때 완만하다.

ㄷ. 태평양 적도 부근 해역에서 동서 방향의 해수면 경사는 라니냐 시기인 B보다 엘니뇨 시기인 A일 때 완만하다.

바로 보기 ㄱ. A는 엘니뇨 시기, B는 라니냐 시기이고, ㉠은 용승이 약한 엘니뇨 시기 A이고, ㉡은 용승이 활발한 라니냐 시기 B이다.

ㄴ. ㉡은 라니냐 시기이므로 서태평양 적도 부근 해역은 평년보다 상승 기류가 활발하여 강수량이 많다.

10 세차 운동

자료 분석 + 세차 운동

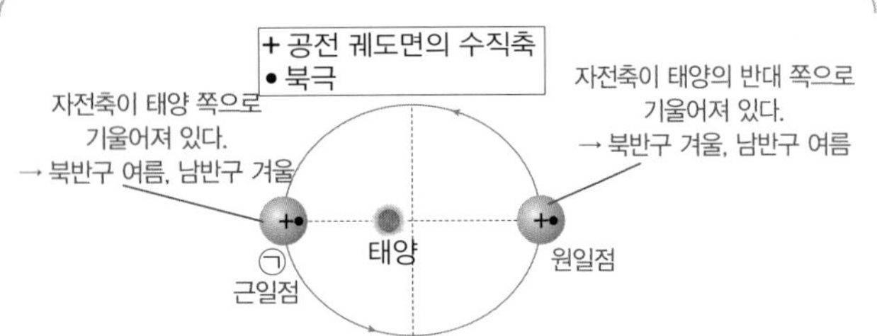

+ 공전 궤도면의 수직축
● 북극
자전축이 태양 쪽으로 기울어져 있다.
→ 북반구 여름, 남반구 겨울
자전축이 태양의 반대 쪽으로 기울어져 있다.
→ 북반구 겨울, 남반구 여름
태양
㉠ 근일점
원일점

선택지 분석

~~ㄱ.~~ 지구가 ㉠에 위치할 때 북반구는 겨울이다. → 여름
ⓛ 기온의 연교차는 30°N보다 30°S에서 작다.
ⓒ 지구가 원일점에 위치할 때 우리나라에서 태양의 남중 고도는 T일 때보다 T+13000년 후에 높다.

ㄴ. 북반구는 근일점(㉠)에서 여름, 원일점에서 겨울이고, 남반구는 근일점에서 겨울, 원일점에서 여름이다. 따라서 기온의 연교차는 30°N보다 30°S에서 작다.

ㄷ. T+13000년 후에는 지구의 세차 운동에 의해 지구가 원일점에 위치할 때 북반구는 여름이다. 따라서 T+13000년 후에 지구가 원일점에 위치할 때 우리나라에서 태양의 남중 고도는 T일 때보다 높다.

바로 보기 ㄱ. T 시기에 지구가 근일점(㉠)에 위치할 때 북반구는 여름, 남반구는 겨울이다.

11 이심률 변화가 기후에 미치는 영향

자료 분석 + 이심률 변화가 기후에 미치는 영향

시기	궤도 이심률
현재	0.017
A	0.011

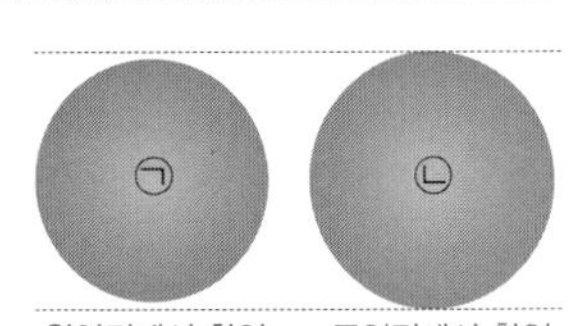

㉠
㉡
원일점에서 촬영
근일점에서 촬영

- 지구가 근일점에 위치 → 북반구 겨울, 남반구 여름
- 이심률 감소 → 북반구 근일점 거리 증가 → 북반구 겨울철 평균 기온 감소

선택지 분석

ⓖ ㉠을 관측했을 때 남반구는 겨울철이다.
ⓛ ㉠과 ㉡의 겉보기 크기 차는 현재보다 A 시기에 작다.
ⓒ 남반구 중위도에서 기온의 연교차는 현재보다 A 시기에 작다.

ㄱ. ㉠은 원일점, ㉡은 근일점에서 관측한 것이다. 지구가 원일점에 위치할 때 남반구는 겨울철이다.

ㄴ. 궤도 이심률이 클수록 근일점 거리가 더 가까워지고, 원일점 거리는 더 멀어진다. 따라서 ㉠과 ㉡의 겉보기 크기 차는 현재보다 궤도 이심률이 작은 A 시기에 작다.

ㄷ. A 시기에는 궤도 이심률이 현재보다 작으므로 근일점 거리가 현재보다 멀고, 원일점 거리가 현재보다 가깝다. 남반구는 근일점일 때 여름, 원일점일 때 겨울이므로 기온의 연교차는 현재보다 A 시기에 작다.

12 엘니뇨와 라니냐

자료 분석 + 엘니뇨와 라니냐

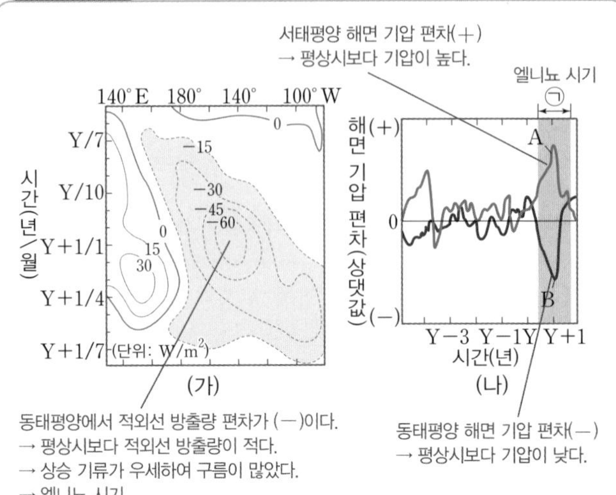

서태평양 해면 기압 편차(+)
→ 평상시보다 기압이 높다.
엘니뇨 시기
㉠
140° E 180° 140° 100° W
Y/7
Y/10
Y+1/1
Y+1/4
Y+1/7
시간(년/월)
(단위: W/m²)
(가)
해면 기압 편차(상댓값)
Y−3 Y−1 Y Y+1
시간(년)
(나)
동태평양에서 적외선 방출량 편차가 (−)이다.
→ 평상시보다 적외선 방출량이 적다.
→ 상승 기류가 우세하여 구름이 많았다.
→ 엘니뇨 시기
동태평양 해면 기압 편차(−)
→ 평상시보다 기압이 낮다.

- (가) 엘니뇨 시기: 동태평양에 구름이 많으므로 기상 위성에서 관측된 적외선 방출량이 평상시보다 적다.

선택지 분석

ⓖ 적도 태평양 중앙 해역에서 구름 발생량이 평상시보다 많다.
~~ㄴ.~~ 워커 순환이 평상시보다 강해진다. → 약해
ⓒ A는 서태평양의 기압 편차에 해당한다.

ㄱ. (가) 시기에 적도 태평양의 중앙부와 동쪽 해역에서 적외선 방출 복사 에너지 편차가 (−)값이므로 평상시보다 구름이 많았다. 따라서 ㉠은 엘니뇨 시기에 해당한다.

ㄷ. 엘니뇨 시기에는 동태평양의 해면 기압 편차가 평상시보다 감소하고, 서태평양의 해면 기압 편차가 평상시보다 증가하므로 A는 서태평양의 기압 편차, B는 동태평양의 기압 편차에 해당한다.

바로 보기 ㄴ. 엘니뇨 시기에는 워커 순환이 평상시에 비해 약해진다.

1·2등급 확보 전략 2회

68~71쪽

01 ①	02 ③	03 ⑤	04 ①	05 ④
06 ④	07 ⑤	08 ①	09 ③	10 ②
11 ②	12 ①			

01 별의 진화

자료 분석 + 별의 진화

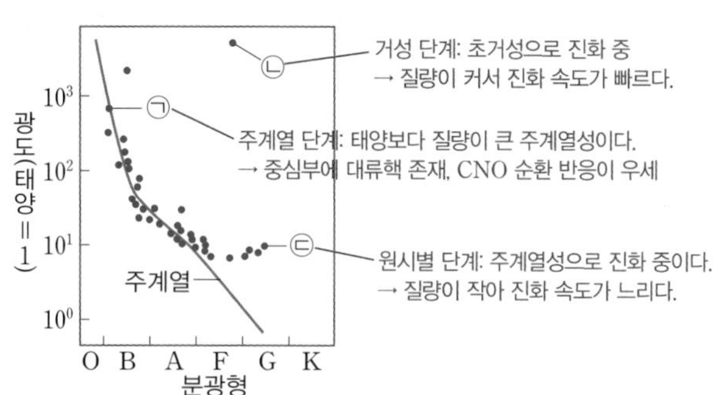

선택지 분석

㉠ ㉠ 중심부에는 대류핵이 존재한다.
~~ㄴ~~. ㉢의 주요 에너지원은 수소 핵융합 반응 에너지이다. → 중력 수축 에너지
~~ㄷ~~. 별의 중심부 온도는 ㉠>㉡>㉢이다. (㉡>㉠>㉢)

ㄱ. ㉠은 분광형이 B형인 주계열성이다. 태양보다 질량이 훨씬 크므로 중심부에 대류핵이 존재한다.

바로 보기 ㄴ. ㉢은 질량이 작아 아직 원시별 단계에 있는 별이다. 따라서 ㉢의 주요 에너지원은 중력 수 축 에너지이다.
ㄷ. 별의 중심부 온도는 거성 ㉡>주계열성 ㉠>원시별 ㉢이다.

02 별의 진화

자료 분석 + 별의 진화

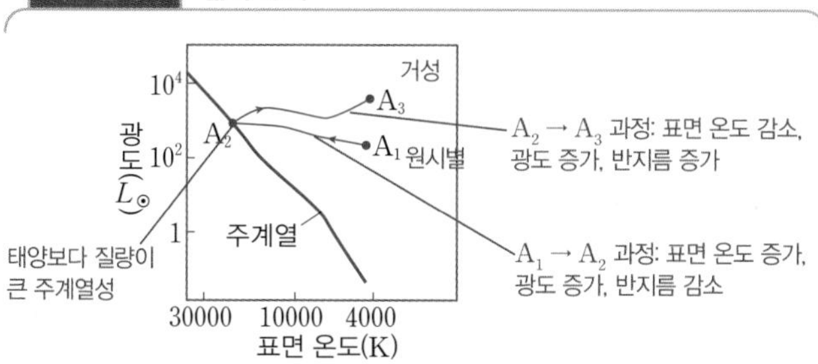

• **별의 반지름:** $A_3 > A_1 > A_2$

선택지 분석

㉠ $A_1 \rightarrow A_2$ 동안 주요 에너지원은 중력 수축 에너지이다.
~~ㄴ~~. $A_2 \rightarrow A_3$ 동안 중심부에서 수소 핵융합 반응이 일어난다. → 헬륨핵의 수축
㉢ 별의 $\frac{\text{나중 크기}}{\text{처음 크기}}$는 $A_2 \rightarrow A_3$ 과정이 $A_1 \rightarrow A_2$ 과정보다 크다.

ㄱ. $A_1 \rightarrow A_2$는 원시별이 주계열성으로 진화하는 과정이므로 이 시기의 주요 에너지원은 중력 수축 에너지이다.
ㄷ. 별의 반지름은 A_3이 A_1일 때보다 크다. 따라서 별의 $\frac{\text{나중 크기}}{\text{처음 크기}}$는 $A_2 \rightarrow A_3$ 과정이 $A_1 \rightarrow A_2$ 과정보다 크다.

바로 보기 ㄴ. $A_2 \rightarrow A_3$ 동안 주계열성이 거성으로 진화하므로 수소 껍질 연소가 일어난다.

03 별의 물리량

자료 분석 + 별의 물리량

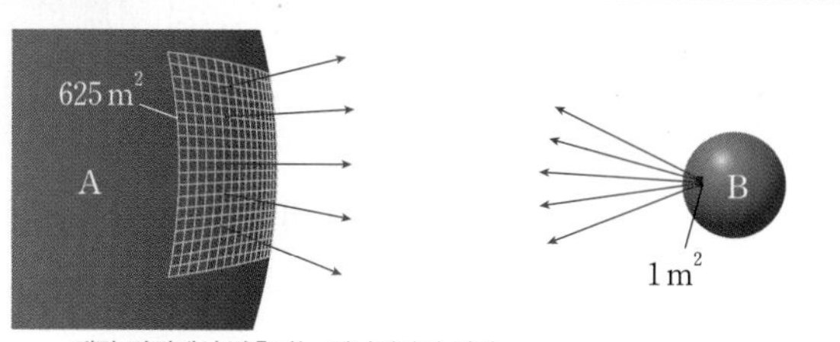

해당 면적에서 방출하는 에너지양이 같다.
→ 단위 면적에서 방출하는 에너지양은 B가 A의 625배(=5^4배)
→ 표면 온도: B가 A의 5배

구분	절대 등급
A	+2.0
B	+4.0

2등급 차에 해당하는 밝기 비는 약 2.5^2배=6.25배

선택지 분석

㉠ 표면 온도는 B가 A의 5배이다.
㉡ 광도는 A가 B의 약 2.5^2배이다.
㉢ 반지름은 A가 B의 50배보다 크다.

ㄱ. 단위 시간 동안 단위 면적에서 방출하는 에너지양은 표면 온도의 4제곱에 비례하는데 B가 A의 625배(=5^4배)이다. 따라서 별의 표면 온도는 B가 A의 5배이다.
ㄴ. 1등급 차에 해당하는 밝기의 비는 약 2.5배이고, A는 B보다 2등급 작으므로 약 2.5^2≒6.25배 밝다.
ㄷ. 별의 반지름은 광도의 제곱근에 비례하고, 표면 온도의 제곱에 반비례하므로 A가 B의 50배보다 크다.

$$\frac{R_A}{R_B} = \sqrt{\left(\frac{L_A}{L_B}\right)} \times \left(\frac{T_B}{T_A}\right)^2 \fallingdotseq 2.5 \times 5^2 > 50$$

04 주계열성의 에너지원

자료 분석 + 주계열성의 에너지원

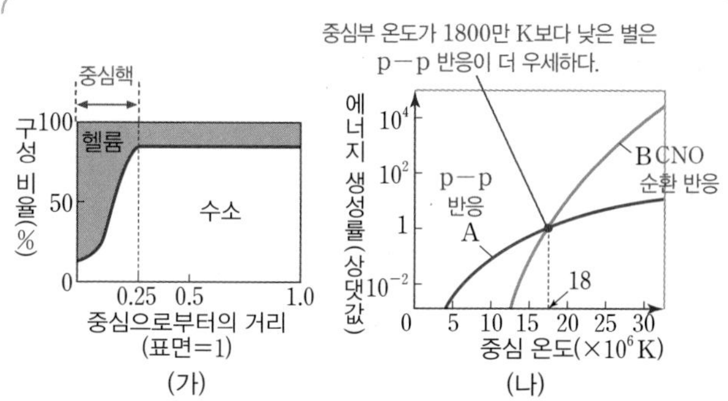

선택지 분석

㉠ 주계열성이다.
~~ㄴ~~. 별 전체에서 중심핵이 차지하는 부피는 약 25 %이다. → 1.6 %
~~ㄷ~~. 중심부 온도는 1800만 K보다 높다. (낮다)

ㄱ. 별의 중심부에 수소가 존재하므로 이 별은 중심핵에서 수소 핵융합 반응이 일어나고 있는 주계열성이다.

바로 보기 ㄴ. 이 별의 중심핵 반지름은 별 전체 반지름의 0.25배에 해당한다. 따라서 중심핵의 부피는 $0.25^3 \fallingdotseq 0.016$이며, 별 전체에서 차지하는 부피는 약 1.6 %이다.

ㄷ. 태양과 질량이 비슷한 주계열성이므로 p−p 반응이 CNO 순환 반응보다 우세하게 일어난다. 따라서 이 별의 중심부 온도는 1800만 K보다 낮다.

05 별의 내부 구조

자료 분석 + 별의 내부 구조

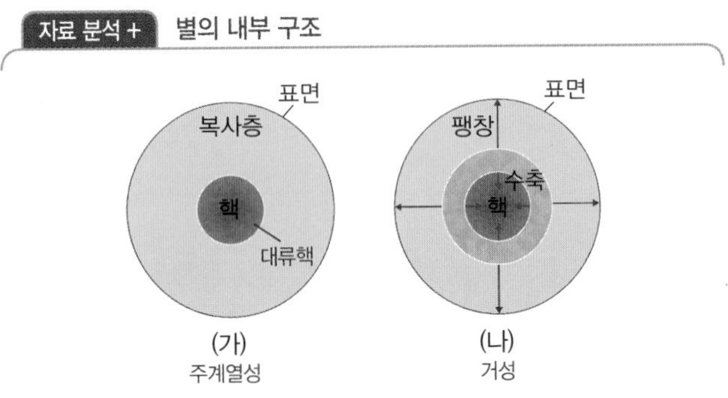

선택지 분석

ㄱ (가)의 핵에서는 대류가 활발하다.
~~ㄴ~~ 별의 중심부 온도는 (나)가 (가)보다 낮다. → 높다
ㄷ 별의 표면에 작용하는 중력의 크기는 (가)가 (나)보다 크다.

ㄱ. (가)는 핵과 복사층으로 이루어져 있으므로 질량이 태양의 2배 이상인 주계열성이다. 따라서 (가)의 핵에서는 대류가 활발하다.

ㄷ. (가)와 (나)는 질량이 같고, 반지름은 거성인 (나)가 더 크다. 따라서 별의 표면에 작용하는 중력의 크기는 (나)보다 (가)가 크다.

바로 보기 ㄴ. 별의 중심부 온도는 주계열성인 (가)보다 거성인 (나)가 높다.

06 외계 행성계 탐사

자료 분석 + 외계 행성의 물리량 비교

외계 행성	공전 궤도 반지름 (AU)	질량 (목성=1)	반지름 (목성=1)
a	1	1	2
b	1	2	1
c	2	2	1

- 행성의 질량 a<b → 스펙트럼의 파장 변화량 A<B
- 별과 공통 질량 중심 사이의 거리: B<C
- 행성의 반지름 a>c → 별의 밝기 변화량: A>C

선택지 분석

ㄱ 별빛 스펙트럼의 파장 변화량은 A가 B보다 작다.
ㄴ 별과 공통 질량 중심 사이의 거리는 B가 C보다 짧다.
~~ㄷ~~ 행성의 식 현상에 의한 겉보기 밝기 변화는 A가 C보다 작다. → 크다

ㄱ. 행성의 질량은 a가 b보다 작고, 공전 궤도 반지름은 같으므로 별의 시선 속도 변화량은 A가 B보다 작고, 스펙트럼에 나타난 파장 변화량도 A가 B보다 작다.

ㄴ. B와 C의 질량이 같으므로 별과 공통 질량 중심 사이의 거리는 행성의 질량이 작을수록, 행성의 공전 궤도 반지름이 작을수록 가깝다. 행성의 질량은 b와 c가 같고, 행성의 공전 궤도 반지름은 b가 c보다 작으므로 별과 공통 질량 중심 사이의 거리는 B가 C보다 짧다.

바로 보기 ㄷ. 행성의 식 현상에 의한 별의 겉보기 밝기 변화는 행성의 반지름이 클수록 크다. 행성의 반지름은 a가 c보다 크므로 식 현상에 의한 겉보기 밝기 변화는 A가 C보다 크다.

07 생명 가능 지대

자료 분석 + 생명 가능 지대

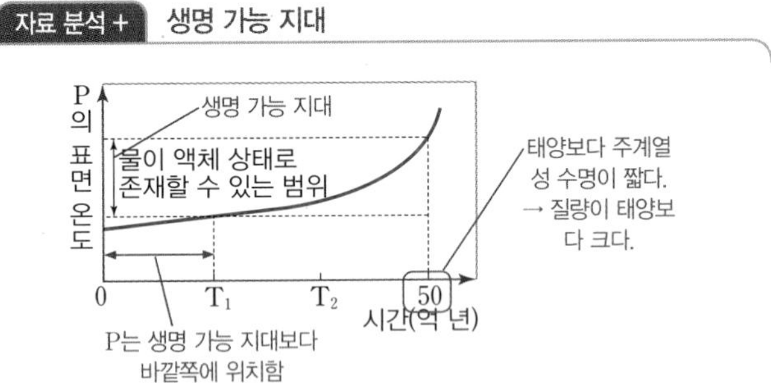

선택지 분석

~~ㄱ~~ 중심별의 질량은 태양보다 작다. → 크다
ㄴ P의 표면 온도는 T_1보다 T_2일 때 높다.
ㄷ P의 공전 궤도 반지름은 1 AU보다 크다.

ㄴ. 시간이 흐를수록 P의 온도가 증가하였다. 따라서 이 기간 동안 별의 광도는 증가하였고, 생명 가능 지대의 폭은 T_1보다 T_2일 때 넓었다.

ㄷ. 중심별은 태양보다 질량이 큰 주계열성이므로 별에서 생명 가능 지대까지의 거리가 태양계보다 멀다. 한편, P는 0~T_1까지 액체 상태의 물이 존재할 수 없을 정도로 표면 온도가 낮았으므로 생명 가능 지대보다 바깥쪽에 위치하였다. 따라서 공전 궤도 반지름은 P가 태양계의 생명 가능 지대에 위치한 지구보다 크다.

바로 보기 ㄱ. 주계열성의 수명은 질량이 클수록 짧다. 이 외계 행성계에서 중심별의 주계열 수명은 태양보다 짧으므로 질량은 태양보다 크다.

08 허블 법칙과 우주 팽창

자료 분석 + Ia형 초신성의 최대 겉보기 밝기

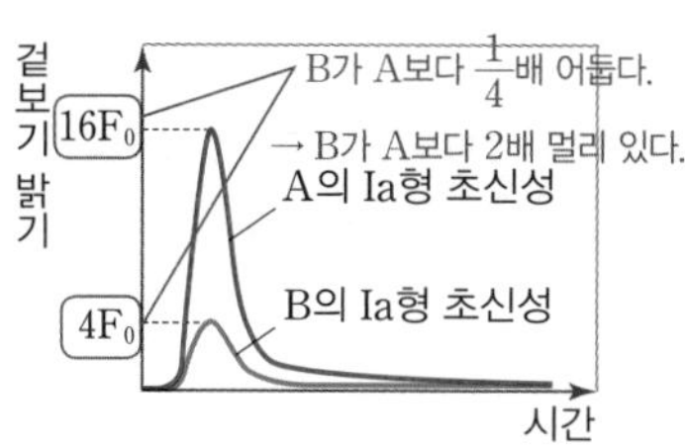

- **Ia형 초신성의 최대 밝기는 일정하다.**
  → 최대 겉보기 밝기는 거리의 제곱에 반비례

선택지 분석

㉠ **우리 은하에서 A까지의 거리는 25 Mpc이다.**
~~ㄴ~~. **우리 은하에서 관측한 B의 후퇴 속도는 A의 4배이다.** (4배 → 2배)
~~ㄷ~~. **A에서 B의 Ia형 초신성을 관측하면, 겉보기 밝기의 최댓값은 $\frac{4}{3}F_0$이다.** ($\frac{4}{3}F_0$ → $\frac{16}{3}F_0$)

ㄱ. Ⅰa형 초신성이 가장 밝아졌을 때의 밝기는 항상 일정하므로 최대 겉보기 밝기를 관측하면 거리를 알 수 있다. 별의 겉보기 밝기는 거리의 제곱에 반비례한다. A의 최대 겉보기 밝기는 $16F_0$이므로 100 Mpc에 위치한 Ⅰa형 초신성보다 16배 밝게 보인다. 따라서 A의 거리는 100 Mpc에 위치한 Ⅰa형 초신성의 $\frac{1}{4}$배인 25 Mpc이다.

바로 보기 ㄴ. 자료에서 B의 최대 겉보기 밝기는 $4F_0$이므로, B는 100 Mpc에 위치한 Ⅰa형 초신성보다 4배 밝고, 거리는 100 Mpc의 $\frac{1}{2}$배인 50 Mpc이다. 따라서 거리는 B가 A의 2배이므로 허블 법칙에 따라 후퇴 속도도 B가 A의 2배이다.

ㄷ. 우리 은하에서 A까지의 거리는 25 Mpc이고, B까지의 거리는 50 Mpc이며, A와 B의 시선 방향이 이루는 각은 60°이다. 따라서 우리 은하, A, B는 직각 삼각형을 이루며, A와 B 사이의 거리는 $25\sqrt{3}$ Mpc이다. A의 최대 겉보기 밝기가 $16F_0$이므로, 거리가 $\sqrt{3}$배 더 멀면 밝기는 $\frac{1}{3}$배가 된다. 따라서 최대 겉보기 밝기는 $\frac{16}{3}F_0$이다.

09 특이 은하

자료 분석 + 특이 은하

은하	(가) 전파 은하	(나) 세이퍼트은하
관측 영상	제트, 로브 구조가 잘 보임	나선팔 구조가 잘 보임
관측 파장	(전파)	가시광선
형태 분류	허블의 은하 분류에 따르면 타원 은하이다.	스펙트럼에 나타난 방출선의 폭이 넓다.

선택지 분석

~~ㄱ~~. **(가)를 관측한 파장 영역은 가시광선이다.** → 전파
~~ㄴ~~. **(중심핵의 밝기/은하 전체 밝기)는 (나)가 우리 은하보다 작다.** → 크다
㉢ **은하를 구성하는 별들의 평균 색지수는 (가)가 (나)보다 크다.**

ㄷ. (가)는 타원 은하, (나)는 나선 은하이다. 타원 은하는 주로 늙고 붉은 별들로 이루어져 있으므로 별들의 평균 색지수는 (가)가 (나)보다 크다.

바로 보기 ㄱ. (가)의 모습에서 제트와 로브 구조가 잘 나타나 있다. 따라서 (가)를 관측한 파장 영역은 전파이다.

ㄴ. (나)는 세이퍼트은하로, 보통의 나선 은하에 비해 중심핵이 매우 밝다. 따라서 (중심핵의 밝기/은하 전체 밝기)는 (나)가 우리 은하보다 크다.

10 성간 물질의 성분

자료 분석 + 가벼운 원소의 비율

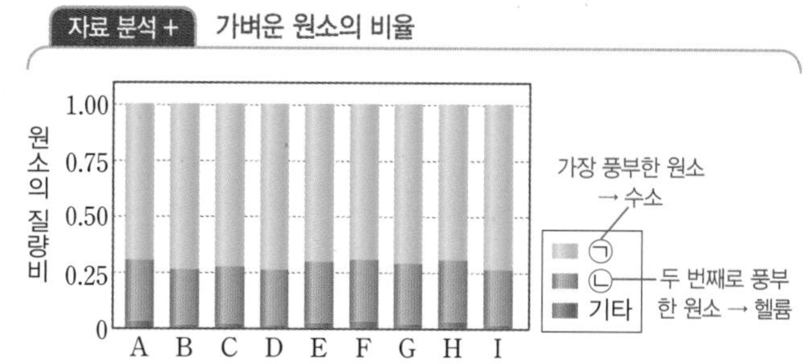

- **수소와 헬륨의 질량비는 약 3 : 1**
  → 수소와 헬륨의 개수비는 약 12 : 1

선택지 분석

~~ㄱ~~. **㉡은 대부분 별의 내부에서 핵융합에 의해 생성되었다.** → 초기 우주에서 일어난
~~ㄴ~~. **성간 기체에서 (㉠의 총 개수/㉡의 총 개수)의 평균값은 약 3이다.** → 약 12
㉢ **이 관측 결과는 빅뱅 우주론이 옳다는 근거가 된다.**

ㄷ. 여러 외부 은하에서 관측된 수소와 헬륨의 질량비는 대부분 약 3 : 1이다. 이런 관측 결과는 빅뱅 우주론에서 예측한 값과 잘 일치한다.

바로 보기 ㄱ. ㉠은 수소, ㉡은 헬륨이다. 성간 물질에 포함되어 있는 헬륨은 대부분 초기 우주에서 빅뱅 핵합성 과정에서 형성되었고, 별의 내부에서 수소 핵융합 반응을 거쳐 형성된 양은 상대적으로 매우 적다.

ㄴ. ㉠과 ㉡의 질량비가 약 3 : 1이고, 원자량은 ㉠이 ㉡의 $\frac{1}{4}$배이므로 개수비는 약 12 : 1이다.

11 우주의 팽창과 구성 요소

자료 분석 + 우주의 팽창 속도와 우주 구성 요소의 비율

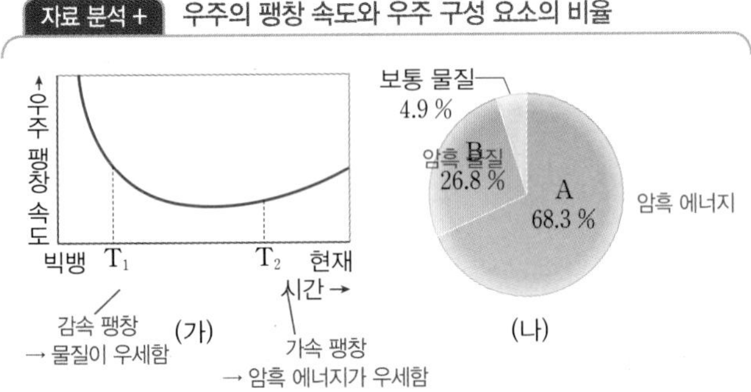

• 우리 은하의 질량은 보통 물질보다 암흑 물질이 더 많이 차지한다.

선택지 분석

~~ㄱ.~~ T_1일 때 우주는 가속 팽창하였다. → 감속

㉡ $\frac{\text{A의 비율}}{\text{B의 비율}}$은 T_1일 때보다 T_2일 때 크다.

~~ㄷ.~~ 우리 은하의 회전 운동에 미치는 영향은 A가 가장 크다. → B가

ㄴ. 암흑 에너지의 비율은 우주가 팽창할수록 커지므로 $\frac{\text{A의 비율}}{\text{B의 비율}}$은 T_1일 때보다 T_2일 때 크다.

바로 보기 ㄱ. T_1일 때 감속 팽창하므로 암흑 에너지(A)보다 물질(암흑 물질, 보통 물질)의 비율이 우세하였다.

ㄷ. 우리 은하의 질량은 보통 물질보다 암흑 물질이 더 많이 차지하고 있으므로 은하의 회전 운동에 미치는 영향은 B가 가장 크다.

12 우주의 곡률

자료 분석 + 우주의 곡률

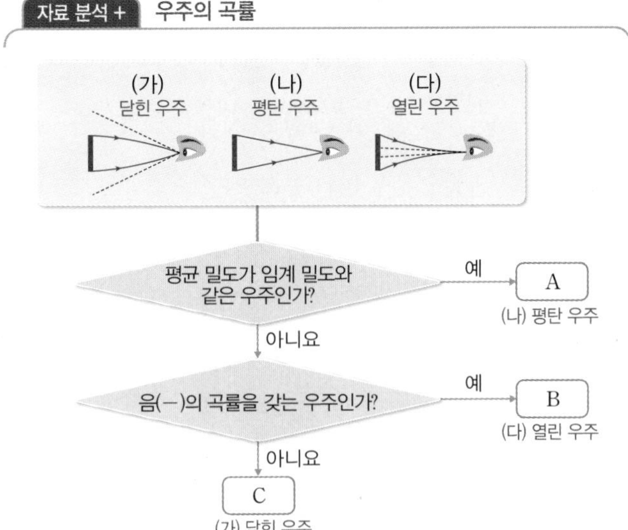

선택지 분석

㉠ A는 (나)이다.

~~ㄴ.~~ 우주의 밀도는 B가 C보다 크다. → 작다

~~ㄷ.~~ 현재 우주 공간에서 빛의 진행 경로는 C에 가깝다. → A에

빛의 진행 경로와 공간이 휘어진 모습을 비교해 보면 (가)는 닫힌 우주, (나)는 평탄 우주, (다)는 열린 우주이다.

ㄱ. A는 우주의 밀도가 임계 밀도와 같고, 곡률이 0인 평탄 우주 (나)이다.

바로 보기 ㄴ. B는 음의 곡률을 갖는 우주이므로 우주의 밀도가 임계 밀도보다 작다. C는 양의 곡률을 갖는 우주이므로 우주의 밀도가 임계 밀도보다 크다.

ㄷ. 현재 우주는 평탄 우주이므로 A에 해당한다.

정답은
이안에
있어!

실 전 에 강 한

수능전략

수능에 꼭 나오는

필수 유형 ZIP 1

천재교육

수능전략

과·학·탐·구·영·역

지구과학 I

수능에 꼭 나오는

필수 유형 ZIP 1

차례 ❶권

수능에 꼭 나오는
필수 유형 ZIP

필수 유형

01 판 경계의 종류와 특징

2021 3월 학평 16번 유사

수능 전략 Key

판 경계의 종류 및 각각의 판 경계에서 나타나는 지각 변동 및 화산 활동에 대해 구체적으로 알고 있어야 한다.

그림은 북아메리카 부근의 판 A, B, C와 판 경계를 나타낸 것이다. 이 지역에는 세 종류의 판 경계가 존재한다. 이에 대한 설명으로 옳은 것만을 보기 에서 있는 대로 고른 것은?

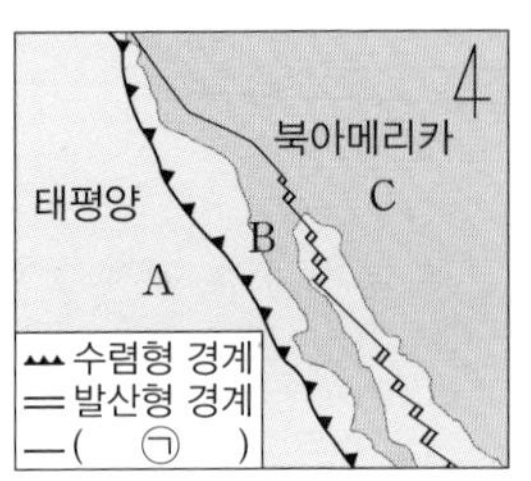

보기

ㄱ. 판의 밀도는 A가 가장 작다.

ㄴ. B는 C에 대해 북서쪽으로 이동한다.

ㄷ. ㉠은 해양 지각이 확장하고 있다는 증거가 될 수 있다.

① ㄱ ② ㄷ ③ ㄱ, ㄴ ④ ㄴ, ㄷ ⑤ ㄱ, ㄴ, ㄷ

개념 꼭!

* 두 판이 서로 충돌하며 판이 소멸되는 경계는 수렴 경계이며, 두 판이 서로 멀어지며 판이 생성되는 경계는 ❶ ______ 경계이다.

자료 해석

* A와 B 사이에는 ❷ ______ 경계가 발달해 있으며, B와 C 사이에는 발산 경계와 ㉠이 발달해 있다.
* ㉠은 발산 경계와 발산 경계 사이에 발달해 있는 보존 경계인 ❸ ______ 이다.

답 ❶ 발산 ❷ 수렴 ❸ 변환 단층

Point 해설

ㄱ. A와 B 사이에는 수렴 경계가 발달해 있으며, A가 B의 아래로 섭입하고 있으므로 밀도는 A가 B보다 크다.

ⓛ B와 C 사이에 해령이 북서-남동 방향으로 발달해 있으므로, B는 북서쪽, C는 남동쪽으로 이동한다.

ⓒ ㉠은 변환 단층이며, 해양 지각이 확장하는 과정에서 생성된다.

답 ④

전략 비법 노트

* 두 판이 충돌 → 수렴 경계
* 두 판이 어긋남 → 보존 경계

필수 유형

02 섭입대 부근에서의 지각 변동

2021 10월 학평 5번 유사

수능 전략 Key 섭입대 부근에서의 지각 변동과 마그마의 생성 과정을 이해하고 있어야 한다.

그림은 어느 판 경계 부근에서 진원의 평균 깊이를 점선으로 나타낸 것이다. A와 B 지점 중 한 곳은 대륙판에, 다른 한 곳은 해양판에 위치한다. 이에 대한 설명으로 옳은 것만을 |보기|에서 있는 대로 고른 것은? (단, A와 B는 모두 지표면 상의 지점이다.)

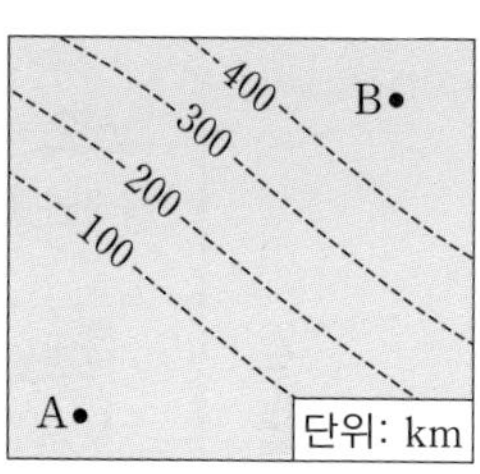

보기

ㄱ. 판의 경계는 A보다 B에 가깝다.

ㄴ. 화산 활동은 A보다 B 부근에서 활발하다.

ㄷ. 이 지역에서 분출되는 마그마는 주로 해양 지각의 용융으로 생성되었다.

① ㄱ ② ㄴ ③ ㄱ, ㄷ ④ ㄴ, ㄷ ⑤ ㄱ, ㄴ, ㄷ

개념 꼭!

* 섭입대를 따라 진원이 분포하며, 섭입하는 해양 지각에서 빠져나오는 ❶ [ ] 에 의해 맨틀 물질의 용융점이 낮아지면서 녹아 ❷ [ ] 마그마가 생성된다.

자료 해석

* A에서 B로 갈수록 진원의 평균 깊이가 깊어지고 있으므로 A가 속한 판이 B가 속한 판 아래로 섭입하고 있으며, B의 하부에는 ❸ [ ]가 발달해 있다.

답 ❶ 물 ❷ 현무암질 ❸ 베니오프대(섭입대)

Point 해설

ㄱ. 해구에서 멀어질수록 진원의 깊이가 깊어지므로, 판의 경계는 B보다 A에 가깝다.

ⓛ 해구 부근에서 화산 활동은 섭입을 당한 판에서 더 활발하게 일어나므로, B 부근에서 더 활발하다.

ㄷ. 섭입대 부근에서 분출되는 마그마는 주로 맨틀 물질과 대륙 지각의 용융으로 생성된다.

답 ②

전략 비법 노트

• **해구에서 멀어질수록 진원의 깊이가 깊어짐**

필수 유형

03 열곡대 부근에서의 지각 변동

수능 전략 Key

판 경계에서의 맨틀 대류와 판의 이동 방향을 알고, 각각의 판 경계에서 일어나는 지각 변동에 대해서 알고 있어야 한다.

그림은 아프리카 대륙 주변 판의 경계와 A 지역에서 판의 이동 방향(→)을 나타낸 것이다.

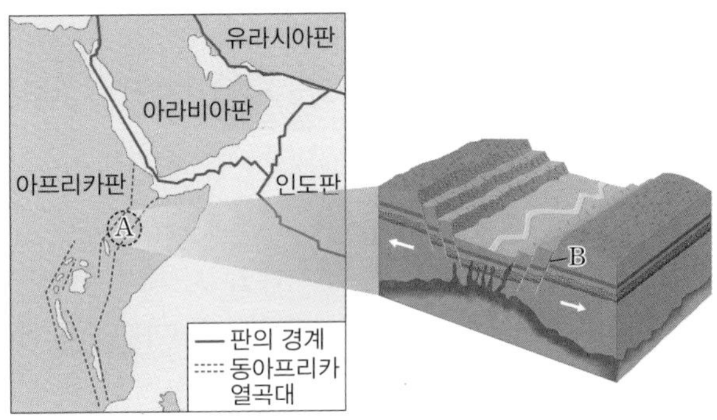

이에 대한 설명으로 옳은 것만을 보기 에서 있는 대로 고른 것은?

보기

ㄱ. A 지역 하부에서는 맨틀 물질이 하강한다.

ㄴ. B는 정단층이다.

ㄷ. A 지역에서는 지진과 화산 활동이 일어난다.

① ㄱ ② ㄴ ③ ㄱ, ㄷ ④ ㄴ, ㄷ ⑤ ㄱ, ㄴ, ㄷ

개념 꼭!

* ❶ ______ 경계에 해당하는 동아프리카 열곡대 하부에서는 맨틀 물질이 상승하며, 판이 양쪽으로 멀어지고 있다.
* 맨틀 대류가 ❷ ______ 하는 지역에서는 판이 양쪽으로 멀어지며 새로운 해양 지각이 생성된다.
* 장력이 작용하여 상반이 하반에 대해 아래로 내려가면 정단층, 횡압력이 작용하여 상반이 하반에 대해 위로 올라가면 역단층이다.
* 발산 경계에서는 ❸ ______ 지진과 화산 활동이 활발하게 일어난다.

답 ❶ 발산 ❷ 상승 ❸ 천발

자료 해석

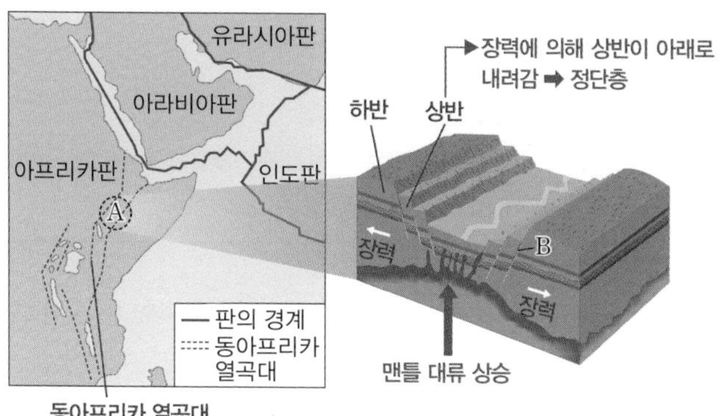

* 그림은 동아프리카 ❹ ______ 에 위치한 지점 A를 확대한 것이다.
* 판 경계를 기준으로 양쪽으로 멀어지는 ❺ ______ 이 작용하고 있다.
* 장력에 의해 상반이 하반에 대해 상대적으로 아래로 내려간 ❻ ______ 이 발달해 있다.
* 판이 양쪽으로 멀어지고 있으므로 이 지역의 하부에서는 맨틀 대류가 상승한다.

답 ❹ 열곡대 ❺ 장력 ❻ 정단층

Point 해설

ㄱ. A는 동아프리카 열곡대에 위치한 지점이다. **열곡대는 판의 발산 경계에 해당하므로 A의 하부에서는 맨틀 물질이 상승**한다.

ⓛ B는 **장력을 받아 형성된 단층이며, 상반이 하반에 대해 상대적으로 아래로 내려갔으므로 정단층**이다.

ⓒ A는 **열곡대에 위치한 지점이므로 천발 지진이 활발하게 일어나며, 하부에서 맨틀 물질의 상승으로 인해 생성된 마그마가 분출하면서 화산 활동도 활발하게 일어난다.**

답 ④

전략 비법 노트

- 동아프리카 열곡대 → 판의 발산 경계 → 맨틀 물질의 상승
- 발산 경계 → 판이 생성되면서 멀어짐 → 장력 작용 → 정단층 발달

필수 유형

04 판 구조론의 정립 과정

수능 전략 Key

판 구조론이 정립되기까지 등장한 여러 이론들의 등장 순서와 특징 및 제시된 근거를 구체적으로 파악하고 있어야 한다.

다음은 판 구조론이 정립되는 과정에서 등장한 세 이론 (가), (나), (다)와 학생 A, B, C의 대화를 나타낸 것이다.

이론	내용
(가)	㉠ 해령을 중심으로 해양 지각이 양쪽으로 이동하면서 해양저가 확장된다.
(나)	맨틀 상하부의 온도 차로 맨틀이 대류하고 이로 인해 대륙이 이동할 수 있다.
(다)	과거에 하나로 모여 있던 대륙이 분리되고 이동하여 현재와 같은 수륙 분포를 이루었다.

세 이론 중 가장 먼저 등장한 이론은 (다)야.
해령에서 멀어질수록 해양 지각의 나이가 많아지는 것은 ㉠ 때문이야.
홈스는 변환 단층의 발견을 (나)의 증거로 제시하였어.
학생 A
학생 B
학생 C

제시한 내용이 옳은 학생만을 있는 대로 고른 것은?

① A ② C ③ A, B ④ B, C ⑤ A, B, C

개념 꼭!

* 대륙 이동설: 여러 대륙들이 모여 만들어진 하나의 거대 대륙인 초대륙 ❶ ______ 가 고생대 말~중생대 초에 존재하였으며, 이후 분리되면서 현재와 같은 수륙 분포를 이루었다고 주장하였다.
* 맨틀 대류설: 지각 아래의 맨틀이 ❷ ______ 하는 것이 대륙 이동의 원동력이라고 주장하였으며, 맨틀 대류의 상승부에는 대륙 지각이 분리되면서 새로운 해양 지각이 생성되고, 맨틀 대류의 하강부에는 산맥과 해구가 생성된다고 주장하였다.

* 해양저 확장설: 맨틀 대류의 상승부인 ❸ [　　] 에서 새로운 해양 지각이 생성되고, 해령을 중심으로 확장되며, 해구에서는 오래된 해양 지각이 맨틀 속으로 섭입하여 소멸된다고 주장하였다.

답 ❶ 판게아 ❷ 대류 ❸ 해령

자료 해석

이론	내용
(가)	㉠ 해령을 중심으로 해양 지각이 양쪽으로 이동하면서 해양저가 확장된다. 해양저 확장설
(나)	맨틀 상하부의 온도 차로 맨틀이 대류하고 이로 인해 대륙이 이동할 수 있다. 맨틀 대류설
(다)	과거에 하나로 모여 있던 대륙이 분리되고 이동하여 현재와 같은 수륙 분포를 이루었다. 대륙 이동설

* 이론 (가): 해령을 중심으로 해양 지각이 양쪽으로 이동하면서 해양저가 확장된다고 했으므로 1962년 헤스와 디츠가 주장한 ❹ [　　] 이다.
* 이론 (나): 맨틀 상하부의 온도 차로 맨틀이 대류하고 이로 인해 대륙이 이동할 수 있다고 했으므로 1920년대 후반 홈스가 주장한 ❺ [　　] 이다.
* 이론 (다): 과거에 하나로 모여 있던 대륙이 분리되고 이동하여 현재와 같은 수륙 분포를 이루었다고 했으므로 1915년 베게너가 주장한 ❻ [　　] 이다.

답 ❹ 해양저 확장설 ❺ 맨틀 대류설 ❻ 대륙 이동설

Point 해설

학생 A. 대륙 이동설이 가장 먼저 등장하였으며, 이후 맨틀 대류설과 해양저 확장설이 차례로 등장하였다. 따라서 이론의 등장 순서는 (다) → (나) → (가)이다.

학생 B. 새로운 해양 지각은 해령에서 생성되며, 맨틀이 대류함에 따라 해양 지각은 해령을 중심으로 양쪽으로 멀어진다. 따라서 해령에서 멀어질수록 해양 지각의 나이가 많아진다.

학생 C. 홈스는 변환 단층의 발견을 맨틀 대류설의 증거로 제시하지 않았다. 변환 단층의 발견은 판 구조론이 등장하는 데 중요한 역할을 하였다.

답 ③

전략 비법 노트

- **이론의 등장 순서: 대륙 이동설 → 맨틀 대류설 → 해양저 확장설 → 판 구조론**

필수 유형

05 음향 측심법과 해저 지형

수능 전략 Key

음향 측심법을 이용하여 해저 지형을 탐사하는 방법을 알고, 해령과 해구 주변의 특징을 이해하고 있어야 한다.

다음은 음향 측심 자료를 이용하여 해저 지형을 알아보기 위한 탐구 과정이다.

탐구 과정

표는 A와 B 해역에서 직선 구간을 따라 일정한 간격으로 음향 측심을 한 자료이다. A와 B 해역에는 각각 해령과 해구 중 하나가 존재한다.

A 해역	탐사 지점	A_1	A_2	A_3	A_4	A_5	A_6
	음파 왕복 시간(초)	5.5	5.2	4.8	4.2	4.7	5.1
B 해역	탐사 지점	B_1	B_2	B_3	B_4	B_5	B_6
	음파 왕복 시간(초)	5.6	9.4	6.2	5.9	5.7	5.6

(가) A와 B 해역의 음향 측심 자료를 바탕으로 각 지점의 수심을 구한다.

(나) 가로축은 탐사 지점, 세로축은 수심으로 그래프를 작성한다.

이에 대한 설명으로 옳은 것만을 보기에서 있는 대로 고른 것은? (단, 해양에서 음파의 평균 속력은 1500 m/s이다.)

보기

ㄱ. A 해역에는 해령이 존재한다.

ㄴ. 탐사 지점의 평균 수심은 A 해역이 B 해역보다 깊다.

ㄷ. 판의 경계 부근에서 해양 지각의 평균 연령은 A 해역이 B 해역보다 적다.

① ㄱ ② ㄴ ③ ㄱ, ㄷ ④ ㄴ, ㄷ ⑤ ㄱ, ㄴ, ㄷ

개념 꼭!

* 해수면에서 해저면을 향해 발사한 음파는 해저면에서 반사되어 되돌아온다. 따라서 음파가 반사되어 돌아오는 데 걸리는 시간을 알면 ❶ [ ] 을 알 수 있다.

* ❷ [　　　　]은 주변보다 평균 수심이 낮은 해저 산맥이며, 새로운 해양 지각이 생성되면서 양쪽으로 멀어지는 판의 경계이다.
* ❸ [　　　　]는 수심이 약 6000 m 이상으로 주변보다 매우 깊은 해저 지형이다. 해구에서는 해양판이 섭입하면서 소멸된다.

자료 해석

* 표의 음파 왕복 시간을 이용하여 두 해역에서의 해저 지형을 대략적으로 그려 보면 아래와 같다.

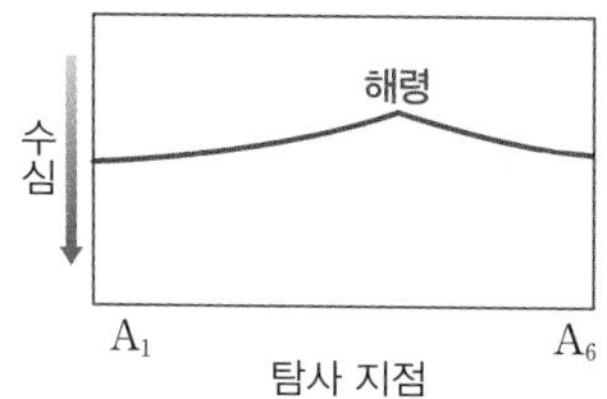

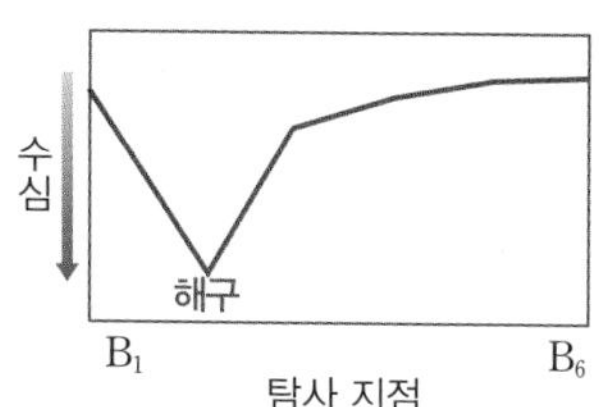

* A 해역은 B 해역보다 평균 수심이 ❹ [　　　　]고, 주변보다 수심이 얕아지는 지점이 존재한다. B 해역은 수심이 갑자기 깊어지는 지점이 존재하며, 이 지점의 최대 수심은 7000 m가 넘는다. 따라서 A에는 ❺ [　　　　]이, B에는 해구가 존재한다.

답 ❶ 수심 ❷ 해령 ❸ 해구 ❹ 얕 ❺ 해령

Point 해설

㉠ 해령은 주변보다 수심이 낮은 해저 산맥이며, 해구는 주변보다 수심이 매우 깊은 해저 골짜기이다. A 해역에는 주변보다 수심이 얕은 해저 지형이 나타나므로 이 해역에는 해령이 존재한다.

ㄴ. 수심은 음파의 왕복 시간이 길수록 깊다. 두 해역에서 음파의 평균 왕복 시간은 A 해역이 B 해역보다 짧으므로, 평균 수심은 A 해역이 B 해역보다 얕다.

㉢ 해령에서는 판이 생성되고 해구에서는 판이 소멸되므로, 판의 경계 부근에서 해양 지각의 평균 연령은 A 해역이 B 해역보다 적다.

답 ③

전략 비법 노트

* 음향 측심법: 음파의 왕복 시간이 길수록 수심이 깊은 곳임
* 해령 → 주변보다 수심이 얕은 해저 산맥
* 해구 → 주변에 비해 수심이 매우 깊은 해저 골짜기

필수 유형

06 고지자기와 대륙의 이동

수능 전략 Key

고지자기극의 이동 경로를 이용하여 과거 대륙의 위치를 유추하고, 복각의 변화를 이해할 수 있어야 한다.

그림은 남아메리카 대륙의 현재 위치와 시기별 고지자기극의 위치를 나타낸 것이다. 고지자기극은 남아메리카 대륙의 고지자기 방향으로 추정한 지리상 남극이고, 지리상 남극은 변하지 않았다. 현재 지자기 남극은 지리상 남극과 일치한다.

대륙 위의 지점 A에 대한 설명으로 옳은 것만을 보기 에서 있는 대로 고른 것은?

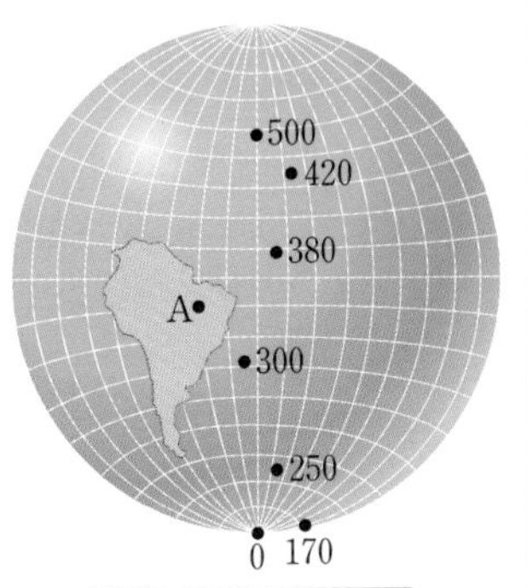

단위: 백만 년 전(Ma)

보기

ㄱ. 250 Ma에는 남반구에 위치하였다.

ㄴ. 복각의 절댓값은 300 Ma일 때가 500 Ma일 때보다 컸다.

ㄷ. 500 Ma부터 현재까지 위도는 계속 높아졌다.

① ㄱ ② ㄷ ③ ㄱ, ㄴ ④ ㄴ, ㄷ ⑤ ㄱ, ㄴ, ㄷ

개념 꼭!

* 그림에서 고지자기극은 ❶ (　　) 의 남극이며, 실제 지리상 남극은 변하지 않았다.
* 실제 지리상 남극은 변하지 않았으므로, 그림에서 고지자기극의 이동은 ❷ (　　) 으로 인해 나타난 것이다.
* 복각은 자북극에서 $+90°$, 자남극에서 $-90°$이므로, 복각의 절댓값은 자북극이나 자남극으로 갈수록 커지며, 자기 적도에서 복각의 절댓값은 ❸ (　　) °이다. (복각 → 나침반의 자침이 수평면과 이루는 각)
* 고지자기극과 A 지점 사이의 거리가 작을수록 A가 지리상 남극에 가까웠음을 의미한다.

답 ❶ 지리상 ❷ 대륙의 이동 ❸ 0

자료 해석

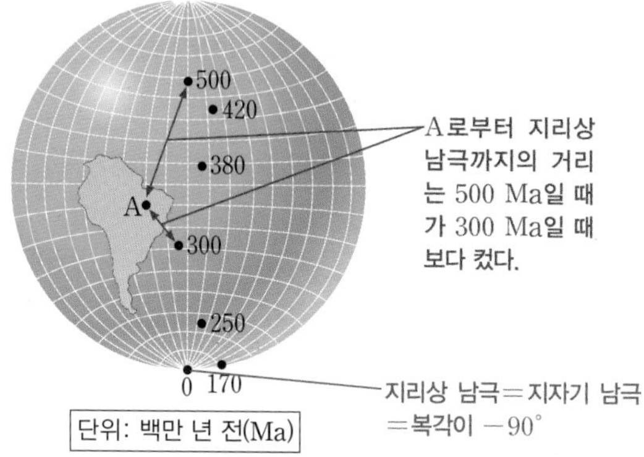

* 현재 A는 적도 부근의 ❹ [ ] 반구에 위치하고 있다.
* A로부터 고지자기극까지의 거리는 300 Ma에 가장 ❺ [ ] 으므로, 이 시기에 지리상 남극에 가장 가까웠다.
* A로부터 고지자기극까지의 거리는 현재보다 250 Ma에 더 가까웠으므로, A는 현재보다 250 Ma에 더 남극에 가까운 고위도에 위치하였다.
* A로부터 고지자기극까지의 거리는 500 Ma~300 Ma까지는 점차 작아지다가, 300 Ma 이후 다시 점차 커지고 있다.

답 ❹ 남 ❺ 가까

Point 해설

㉠ 고지자기극이 지리상 남극이므로, 고지자기극과 A 지점 사이의 위도 차이가 90°보다 작으면 A는 남반구에 위치한다. 250 Ma에는 A와의 위도 차이가 90°보다 작으므로 이 시기에는 남반구에 위치하였다.

㉡ 복각의 절댓값은 지자기 남극이나 지자기 북극에 가까울수록 커지며, 자기 적도에 가까울수록 작아진다. 300 Ma일 때가 500 Ma일 때보다 지자기 남극에 가까웠으므로 복각의 절댓값이 더 컸다.

ㄷ. 500 Ma부터 현재까지 고지자기극과 A 지점 사이의 거리는 점차 작아지다가 커지고 있다. 따라서 A 지점의 위도는 높아지다가 낮아졌다.

답 ③

전략 비법 노트

* **지자기 남극과 남반구에 위치한 A 지점 사이의 거리가 가까워짐 → 위도가 높아짐 → 복각의 절댓값이 커짐**

필수 유형

07 판 경계와 플룸의 운동

수능 전략 Key

해양판이 섭입하는 판 경계 부근에서는 해구에서 멀어질수록 진원의 깊이가 깊어지며, 섭입하는 해양판이 잡아당기는 힘이 작용한다.

그림 (가)와 (나)는 남아메리카와 아프리카 주변에서 발생한 지진의 진앙 분포를 나타낸 것이다.

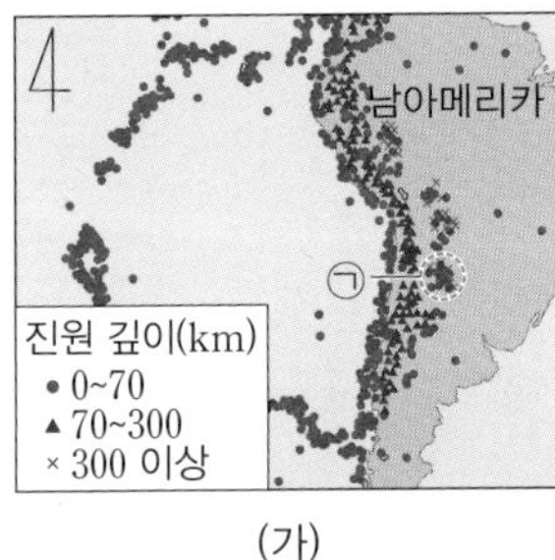

(가)

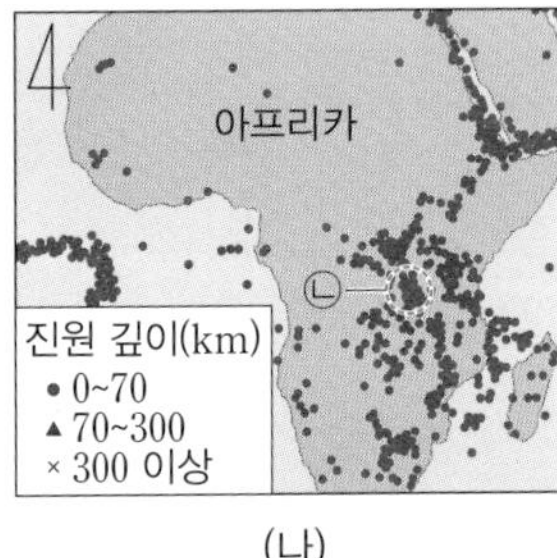

(나)

지역 ㉠과 ㉡에 대한 설명으로 옳은 것만을 보기에서 있는 대로 고른 것은?

보기

ㄱ. ㉠의 하부에는 침강하는 해양판이 잡아당기는 힘이 작용한다.

ㄴ. ㉡의 하부에서는 뜨거운 플룸이 상승한다.

ㄷ. ㉠과 ㉡에서는 모두 화산 활동이 활발하게 일어난다.

① ㄱ ② ㄴ ③ ㄱ, ㄷ ④ ㄴ, ㄷ ⑤ ㄱ, ㄴ, ㄷ

개념 꼭!

* 해양판과 대륙판이 수렴하는 경계에는 ❶ ( ) 가 발달하며, 해구 부근에서는 해양판이 해구에서 대륙판 쪽 밑으로 이동함에 따라 진원의 깊이가 깊어진다.
* 발산 경계에는 새로운 해양판과 해양판이 생성되면서 멀어지는 ❷ ( ) 이나 열곡이 있으며, 대륙판과 대륙판이 생성되면서 양쪽으로 멀어지는 열곡대가 있다. 발산 경계에서는 공통적으로 맨틀 물질이 상승하며 지진과 화산 활동이 활발하다.
* 판은 ❸ ( ) 를 따라 이동하며, 그 밖에 판을 이동시키는 힘에는 섭입대에서 침강하는 판이 판을 섭입대 쪽으로 잡아당기는 힘, 해령에서 솟아오른 해양판이 중력에 의해 해령 사면을 따라 미끄러지면서 판을 밀어내는 힘 등이 있다.

자료 해석

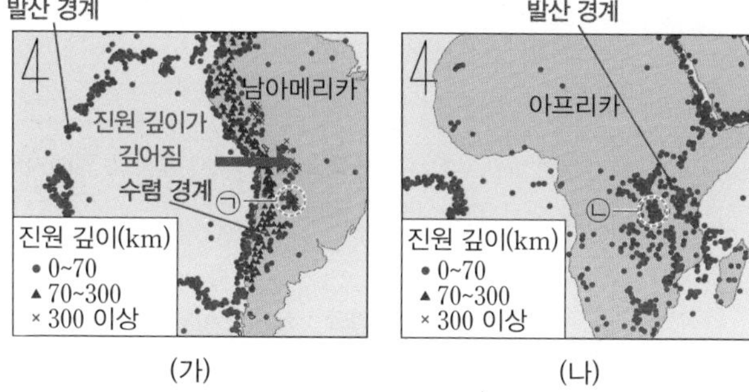

(가) (나)

* (가)는 ❹ [ ] 경계인 동태평양 해령과 이 해령에서 생성된 해양판인 나스카판과 대륙판인 남아메리카판이 충돌하면서 발달한 수렴 경계 부근에서 발생한 지진의 진원 깊이 분포가 나타나 있다.
* (나)는 동아프리카 열곡대 부근에서 발생한 지진의 진원 깊이 분포가 나타나 있다. 동아프리카 열곡대는 판의 발산 경계에 해당하며 맨틀 물질의 ❺ [ ]으로 인해 판이 생성되며 양쪽으로 멀어진다.

답 ❶ 해구 ❷ 해령 ❸ 맨틀 대류 ❹ 발산 ❺ 상승

Point 해설

㉠ ㉠은 해구 부근으로 해구에서 동쪽으로 갈수록 진원의 깊이가 깊어지므로 섭입대가 존재한다. **섭입대에서는 해양판이 침강하면서 판을 잡아당기는 힘이 작용한다.**

㉡ ㉡은 새로운 판이 생성되면서 양쪽으로 멀어지는 발산 경계에 해당한다. **이 지역의 하부에는 외핵과 맨틀의 경계부에서 상승하는 뜨거운 플룸이 존재한다.**

㉢ 해양판이 섭입하는 섭입대에서는 해양판에서 빠져나온 물에 의해 맨틀 물질의 용융점이 낮아지면서 맨틀 물질이 녹아 마그마가 생성되며, 열곡대에서는 맨틀 물질이 상승하며 압력이 낮아져 마그마가 생성된다. 따라서 ㉠과 ㉡에서는 모두 화산 활동이 활발하게 일어난다.

답 ⑤

전략 비법 노트

- **섭입대** → 밀도가 큰 해양판이 **섭입** → 해구로부터 멀어질수록 **진원의 깊이가 깊어지며, 화산 활동** 활발
- **열곡대** → 맨틀 물질의 상승으로 **새로운 판이 생성**되며 멀어짐 → **천발 지진**과 **화산 활동** 활발

필수 유형

08 플룸 구조론과 열점

수능 전략 Key

뜨거운 플룸은 핵과 맨틀 부근에서 상승하기 시작하며, 열점에서는 상승하는 맨틀 물질의 압력이 낮아지면서 마그마가 생성된다.

그림 (가), (나), (다)는 어느 지역에서 플룸에 의해 화산섬이 형성되는 과정을 순서 없이 나타낸 것이다.

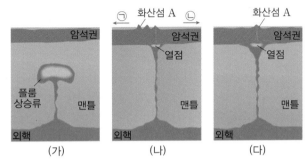

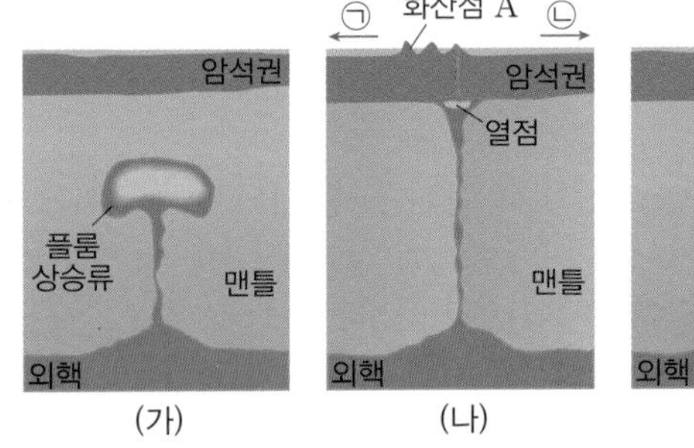

이에 대한 설명으로 옳은 것만을 보기에서 있는 대로 고른 것은?

보기

ㄱ. (가)에서는 차가운 플룸이 하강하고 있다.

ㄴ. 화산섬 A가 속한 판은 ㉠ 방향으로 이동하고 있다.

ㄷ. 화산섬의 형성 과정은 (나)가 (다)보다 먼저이다.

① ㄱ ② ㄴ ③ ㄱ, ㄷ ④ ㄴ, ㄷ ⑤ ㄱ, ㄴ, ㄷ

개념 꼭!

* 맨틀 물질의 온도가 주위보다 높거나 낮은 부분에서는 맨틀 물질이 기둥 모양으로 상승하거나 하강하는데 이를 ❶ ______ 이라고 한다.
* ❷ ______ 플룸: 주위보다 온도가 낮고 밀도가 큰 맨틀 물질이 하강한다.
* 뜨거운 플룸: 주위보다 온도가 높고 밀도가 작은 맨틀 물질이 상승한다.
* 열점에서는 ❸ ______ 플룸이 상승하여 생성된 마그마가 분출하여 화산 활동이 일어난다. 열점은 맨틀이 대류하여 판이 이동해도 위치가 변하지 않는다. 고정된 열점에서 많은 양의 마그마가 분출하면, 해산이나 화산섬 등이 형성될 수 있다.

답 ❶ 플룸 ❷ 차가운 ❸ 뜨거운

자료 해석

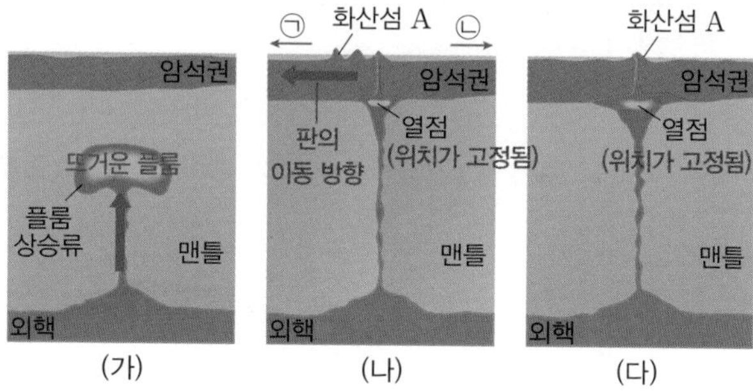

* (가)에서는 외핵과 맨틀 경계부에서 플룸이 ❹ [ ] 하고 있다. 맨틀 물질은 온도가 높을수록 밀도가 ❺ [ ] 지므로 주변의 맨틀 물질보다 가벼워 상승하게 된다.
* (나)에서는 상승하는 뜨거운 플룸에 의해 열점이 형성되어 있다. 열점은 위치가 고정되어 있고, 열점 상부의 판은 이동하므로 열점에서 분출되는 마그마에 의해 열점의 상부에는 ❻ [ ] 가 발달하게 된다. 화산섬 A가 가장 먼저 형성되었으며, 판이 점차 ㉠ 방향으로 이동함에 따라 A의 오른쪽에 화산섬들이 줄지어 나타나 있다.
* (다)에서는 열점에서 분출된 마그마에 의해 화산섬 A가 형성되어 있다.

답 ❹ 상승 ❺ 작아 ❻ 열도

Point 해설

ㄱ. (가)에서는 플룸 상승류가 나타나므로 이 플룸은 주변보다 온도가 높아 밀도가 작다. 따라서 (가)에서는 뜨거운 플룸이 상승하고 있다.

ㄴ 열점의 위치는 고정되어 있으며, 열점 위에 위치한 판이 이동한다. (다)에서 화산섬 A가 생성되었을 때 A는 열점 위에 위치하였으나, (나)에서 A는 ㉠ 방향으로 이동하였으므로 A가 속한 판은 ㉠ 방향으로 이동하고 있다.

ㄷ. (다)에서는 A만 형성되어 있고, (나)에서는 A의 오른쪽에 새로운 화산섬이 추가적으로 생성되어 있으므로 화산섬의 형성 과정은 (다)가 (나)보다 먼저이다.

답 ②

전략 비법 노트

- **뜨거운 플룸** → 주변보다 **온도가 높음** → 주변보다 **밀도가 작음** → **상승**
- 고정된 **열점**에서 마그마 분출 → **화산섬** 형성 → 화산섬이 위치한 판이 이동 → **열도 형성**

필수 유형

09 플룸 구조론과 대륙의 이동

수능 전략 Key

뜨거운 플룸과 차가운 플룸이 나타나는 이유를 알고, 플룸 구조론과 대륙 이동의 관계에 대해서 이해하고 있어야 한다.

그림은 페름기와 트라이아스기 사이의 대규모 플룸 활동을 나타낸 것이다.

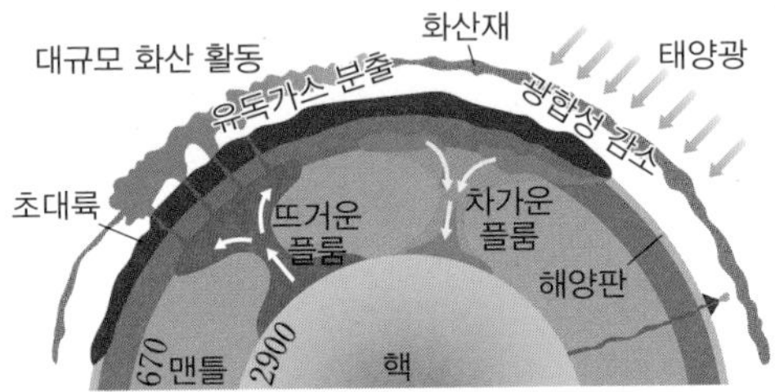

이에 대한 설명으로 옳은 것만을 |보기|에서 있는 대로 고른 것은?

보기

ㄱ. 차가운 플룸은 핵과 맨틀의 경계부에서 생성되었다.

ㄴ. 플룸 구조론으로 판 내부에서 일어나는 화산 활동을 설명할 수 있다.

ㄷ. 초대륙이 분리되는 지점은 대체로 차가운 플룸의 상부에 위치한다.

① ㄱ ② ㄴ ③ ㄱ, ㄷ ④ ㄴ, ㄷ ⑤ ㄱ, ㄴ, ㄷ

개념 꼭!

* 페름기는 고생대 말, 트라이아스기는 ❶ ______ 초이다. 이 시기에는 초대륙 판게아가 존재하였다.
* 뜨거운 플룸이 상승하는 지역에서는 맨틀 물질이 상승하면서 마그마가 생성되므로 화산 활동이 활발하며, 이 과정에서 판이 양쪽으로 ❷ ______ 진다.
* 뜨거운 플룸은 ❸ ______ 과 맨틀의 경계 부근에서부터 상승을 시작한다.

답 ❶ 중생대 ❷ 멀어 ❸ (외)핵

자료 해석

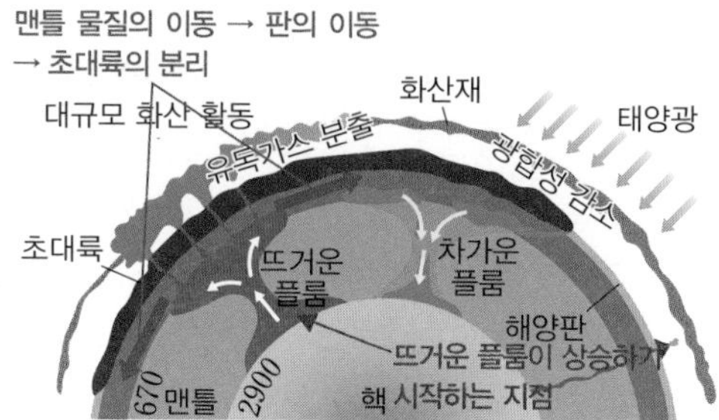

* 페름기는 고생대 말, 트라이아스기는 중생대 초에 해당하므로 초대륙인 ❹ ______ 가 형성되어 있던 시기이다.

* 초대륙 아래에서는 뜨거운 플룸이 상승하고 있으며, 초대륙 바깥쪽에서는 차가운 플룸이 하강하고 있다.

* 뜨거운 플룸이 상승하는 지역에서는 맨틀 물질이 ❺ ______ 하면서 마그마가 생성되므로 화산 활동이 활발하며, 맨틀 물질의 상승으로 인해 맨틀 물질이 양쪽으로 멀어지는 대류가 일어나므로, 이 지역에서는 판이 양쪽으로 멀어지게 된다.

* 결국, 초대륙 내부의 뜨거운 플룸이 존재하는 지역에서는 맨틀 물질이 상승하며 양쪽으로 멀어지므로 초대륙이 점차 ❻ ______ 된다.

답 ❹ 판게아 ❺ 상승 ❻ 분리

Point 해설

ㄱ. **차가운 플룸은 섭입하는 해양판이 침강하는 지역에서 주로 생성된다.**

ㄴ. 판 구조론은 판 경계 부근에서 발생하는 화산 활동이나 지진은 설명할 수 있지만, 판 내부에서 일어나는 화산 활동은 설명하기 어렵다. **플룸 구조론에서는 판 내부에서 뜨거운 플룸이 상승하는 지역에서는 맨틀 물질의 상승으로 인해 화산 활동이 일어난다고 설명한다.**

ㄷ. **뜨거운 플룸의 상부는 상승하는 맨틀 물질이 양쪽으로 멀어지면서 판을 양쪽으로 밀어내기 때문에** 초대륙이 분리되는 지점은 대체로 뜨거운 플룸의 상부에 위치한다. 답 ②

전략 비법 노트

- **뜨거운 맨틀 물질의 상승 → 화산 활동 활발 → 새로운 지각이 만들어지면서 멀어짐**

필수 유형

10 마그마 생성 과정

수능 전략 Key

화강암과 맨틀 물질의 용융 곡선을 이용하여 용융점을 비교하고, 맨틀 물질이 물을 포함했을 때와 물을 포함하지 않았을 때의 용융점 변화를 이해하고 있어야 한다.

그림은 대륙과 해양의 지하 온도 분포를 나타낸 것이고, ㉠, ㉡, ㉢은 암석의 용융 곡선이다.

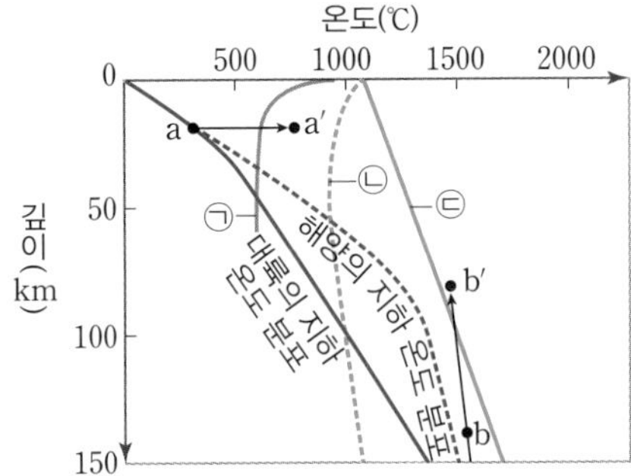

이 자료에 대한 설명으로 옳은 것만을 보기 에서 있는 대로 고른 것은?

보기

ㄱ. a → a′ 과정으로 생성되는 마그마는 대체로 SiO_2 함량이 52 %보다 낮다.

ㄴ. b → b′ 과정으로 상승하고 있는 물질은 주위보다 온도가 높다.

ㄷ. 물의 공급에 의해 맨틀 물질의 용융이 시작되는 깊이는 해양 하부에서가 대륙 하부에서보다 얕다.

① ㄱ ② ㄷ ③ ㄱ, ㄴ ④ ㄴ, ㄷ ⑤ ㄱ, ㄴ, ㄷ

개념 꼭!

* 화강암의 용융점은 맨틀 물질보다 ❶ [　　　] 으며, 맨틀 물질은 물을 포함한 경우가 물을 포함하지 않은 경우보다 용융점이 낮다.
* 대륙 지각의 온도가 높아지면 화강암이 용융되어 ❷ [　　　] 질 마그마가 생성될 수 있다.
* 맨틀 물질이 상승하면 압력이 낮아지면서 맨틀 물질이 용융되어 ❸ [　　　] 질 마그마가 생성될 수 있다.

자료 해석

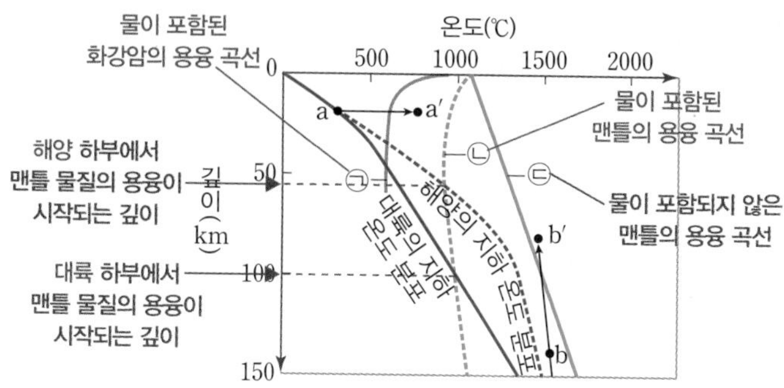

* ㉠은 물이 포함된 ❹ [　　　] 의 용융 곡선, ㉡은 물이 포함된 맨틀의 용융 곡선, ㉢은 물이 포함되지 않은 맨틀의 용융 곡선이다.

* 맨틀에 물이 공급되면 맨틀의 용융점이 낮아지며, 이 용융점과 지하의 온도가 같아지는 깊이부터 맨틀 물질이 용융되기 시작한다.

* a → a′는 지하의 온도가 ❺ [　　　] 지면서 화강암이 용융되어 마그마가 생성되는 과정이다.

* b → b′는 맨틀 물질의 상승으로 압력이 ❻ [　　　] 지면서 맨틀 물질이 용융되어 마그마가 생성되는 과정이다.

답 ❶ 낮 ❷ 유문암 ❸ 현무암 ❹ 화강암 ❺ 높아 ❻ 낮아

Point 해설

ㄱ. a → a′는 **압력의 변화는 거의 없이, 지하의 온도가 상승하다가 물이 포함된 화강암의 용융점보다 높아지면서 마그마가 생성되는 과정이다.** 이 과정에서 화강암의 구성 물질이 용융되어 유문암질 마그마가 생성된다. 유문암질 마그마의 SiO_2 함량은 63 %보다 높다.

㉡ b → b′ 과정에서는 **주변보다 온도가 높아 밀도가 작은 맨틀 물질이 상승하는 과정**에서 압력이 낮아져 마그마가 생성된다.

㉢ **맨틀에 물이 공급되면 용융점이 하강하는데, 이때 지하의 온도와 물을 포함하는 맨틀의 용융 곡선이 만나기 시작하는 깊이부터 마그마가 생성되기 시작한다.** 따라서 물의 공급에 의해 맨틀 물질의 용융이 시작되는 깊이는 해양 하부에서 약 60 km, 대륙 하부에서 약 100 km이므로 해양 하부에서가 대륙 하부에서보다 얕다.

답 ④

전략 비법 노트

• **맨틀 물질에 물이 포함 → 용융점이 낮아짐 → 현무암질 마그마 생성**

필수 유형

11 마그마 생성 장소

수능 전략 Key

대표적인 마그마 생성 장소를 알고, 각각의 마그마 생성 장소에서 마그마가 생성되는 원리와, 생성된 마그마의 특징을 이해하고 있어야 한다.

그림 (가)는 지하의 온도 분포와 암석의 용융 곡선을, (나)는 마그마가 생성되는 장소 A, B, C를 모식적으로 나타낸 것이다. (가)에서 a와 b는 현무암의 용융 곡선과 물을 포함한 화강암의 용융 곡선을 순서 없이 나타낸 것이다.

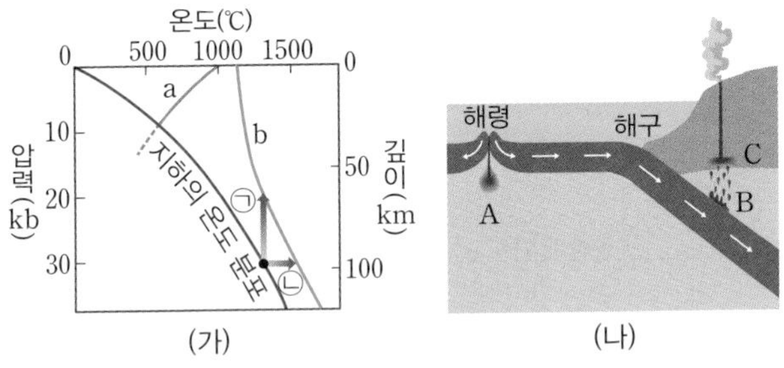

(가) (나)

이에 대한 설명으로 옳지 않은 것은?

① a는 물을 포함한 화강암의 용융 곡선이다.

② 현무암의 용융 온도는 압력이 클수록 높아진다.

③ A에서는 ㉠ 과정에 의해 마그마가 생성된다.

④ B에서는 주로 해양 지각이 용융되어 마그마가 생성된다.

⑤ SiO_2 함량은 B의 마그마가 C의 마그마보다 낮다.

개념 꼭!

* 대륙 지각을 구성하는 주요 암석인 화강암의 용융점은 현무암의 용융점보다 ❶ [ ]다.
* 맨틀 물질이 상승하면 압력이 감소하며, 이로 인해 마그마가 생성될 수 있다.
* 지하의 온도가 상승하다가 암석의 용융점과 같아지게 되면 마그마가 생성될 수 있다.
* ❷ [ ]에서는 맨틀 물질이 상승하면서 압력이 낮아져 마그마가 생성되고, 섭입대 하부에서는 섭입하는 해양판에서 빠져나온 물에 의해 맨틀 물질의 용융점이 낮아져 마그마가 생성된다.
* 맨틀 물질이 용융되면 ❸ [ ]질 마그마, 대륙 지각이 용융되면 유문암질 마그마가 만들어진다.

자료 해석

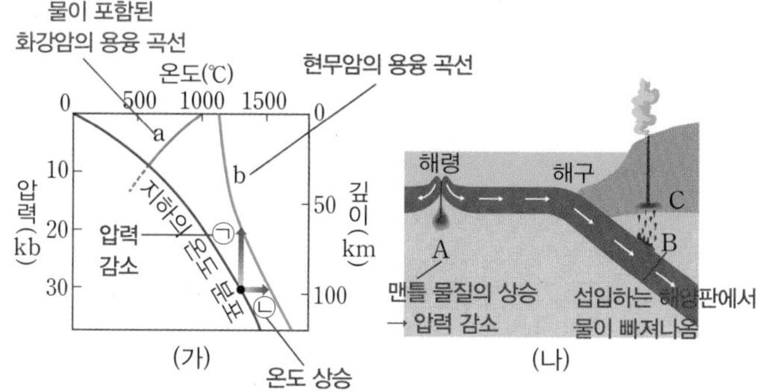

* (가)에서 a는 b보다 용융점이 낮다. 따라서 a는 물을 포함한 ❹ [　　　] 의 용융 곡선, b는 현무암의 용융 곡선이다.
* ㉠은 압력이 ❺ [　　　] 하면서 현무암의 용융 곡선과 만나므로, 맨틀 물질이 상승하여 압력이 감소하면서 마그마가 생성되는 과정이다. ㉡은 압력의 변화는 거의 없이 지하의 온도가 상승하면서 현무암의 용융 곡선과 만나며 마그마가 생성되는 과정이다.

답 ❶ 낮 ❷ 해령 ❸ 현무암 ❹ 화강암 ❺ 감소

Point 해설

①a는 b보다 용융점이 낮다. 용융점은 물을 포함한 화강암이 현무암보다 낮으므로 a는 물을 포함한 화강암, b는 현무암의 용융 곡선이다.

②(가)에서 현무암의 용융 곡선은 b이며, 압력이 클수록 용융점이 높아지고 있다.

③A는 해령이며, 해령 하부에서는 맨틀 물질이 상승으로 인해 압력이 낮아지면서 마그마가 생성된다. 따라서 압력이 감소하는 과정인 ㉠ 과정에 의해 마그마가 생성된다.

④ 섭입대 하부인 B에서는 물의 공급으로 맨틀 물질의 용융점이 낮아져 맨틀 물질이 용융되어 마그마가 생성된다.

⑤B에는 현무암질, C에는 안산암질 또는 유문암질 마그마가 분포한다. 따라서 SiO_2 함량은 B의 마그마가 C의 마그마보다 낮다.

답 ④

전략 비법 노트

- **해령** → 맨틀 물질의 **상승** → 압력 **감소** → **마그마** 생성
- **섭입대** 하부 → 물의 공급에 의해 맨틀 물질의 **용융점 하강** → **마그마** 생성

필수 유형

12 화성암의 특징

수능 전략 Key 화성암을 입자의 크기와 SiO_2 함량에 따라 구분하고, 화성암의 다양한 특징들에 대해서 이해하고 있어야 한다.

표는 화성암의 종류와 주요 구성 광물의 양을, 그림은 화성암의 생성 위치 ㉠, ㉡을 나타낸 것이다.

구분	염기성암	중성암	산성암
화산암	현무암	안산암	유문암
심성암	반려암	섬록암	화강암
구성 광물의 양 (%)	휘석, 감람석	사장석, 각섬석	석영, 정장석, 흑운모

이에 대한 설명으로 옳은 것만을 보기 에서 있는 대로 고른 것은?

보기

ㄱ. SiO_2 함량은 화강암이 반려암보다 많다.

ㄴ. 감람석이나 휘석의 함량이 많을수록 암석의 밀도가 작다.

ㄷ. 유문암은 주로 ㉠보다 ㉡에서 생성된다.

① ㄱ ② ㄷ ③ ㄱ, ㄴ ④ ㄴ, ㄷ ⑤ ㄱ, ㄴ, ㄷ

개념 꼭!

* 화성암은 마그마의 냉각 속도와 ❶ [   ] 함량에 따라 구분한다.
* 마그마의 냉각 속도가 빠를수록 암석을 구성하는 입자의 크기가 작은 ❷ [   ] 조직이 나타나며, 냉각 속도가 느릴수록 암석을 구성하는 입자의 크기가 큰 조립질 조직이 나타난다.
* 화성암의 SiO_2 함량이 52 % 이하이면 염기성암, 63 % 이상이면 산성암에 해당한다.
* SiO_2 함량이 높을수록 암석의 색이 밝아지며 밀도는 ❸ [   ] 진다.

답 ❶ SiO_2 ❷ 세립질 ❸ 작아

2021 9월 학평 6번 유사

자료 해석

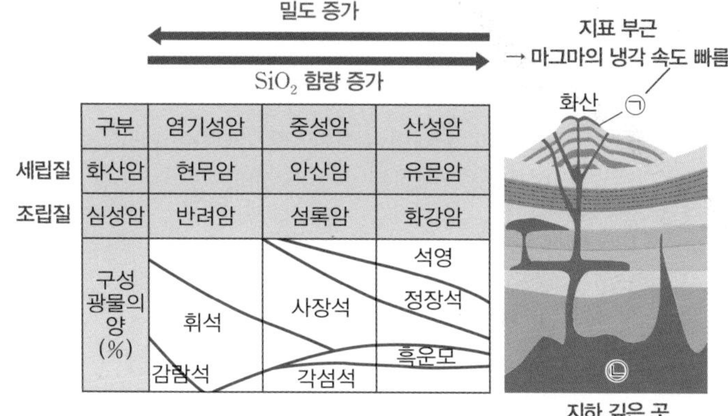

	구분	염기성암	중성암	산성암
세립질	화산암	현무암	안산암	유문암
조립질	심성암	반려암	섬록암	화강암

* 현무암, 안산암, 유문암은 ❹ ( ) 에 해당하므로, 마그마의 냉각 속도가 빨라 입자의 크기가 작은 세립질 조직이 나타난다. 반려암, 섬록암, 화강암은 심성암에 해당하므로, 마그마가 지하 깊은 곳에서 서서히 냉각되어 입자의 크기가 큰 조립질 조직이 나타난다.
* 현무암과 반려암은 SiO_2 함량이 52 %보다 낮은 염기성암에, 유문암과 화강암은 SiO_2 함량이 63 %보다 높은 ❺ ( ) 에 해당한다.
* SiO_2 함량이 낮을수록 유색 광물의 함량이 많아 암석의 색이 어둡다. 유색 광물에는 Fe나 Mg 같은 금속 원소들이 많이 포함되어 있어 유색 광물의 함량이 높은 염기성암의 밀도가 산성암보다 ❻ ( ) 다.

답 ❹ 화산암 ❺ 산성암 ❻ 크

Point 해설

㉠ SiO_2 **함량은 염기성암보다 산성암이 많다.** 따라서 산성암인 화강암이 염기성암인 반려암보다 SiO_2 함량이 많다.

ㄴ. **감람석이나 휘석과 같은 유색 광물에는 금속 성분이 많이 포함되어 밀도가 크다.** 따라서 감람석이나 휘석의 함량이 많은 염기성암이 산성암보다 밀도가 크다.

ㄷ. **㉠은 지표 부근으로, 지하 깊은 곳인 ㉡보다 마그마의 냉각 속도가 빠르다.** 따라서 화산암인 유문암은 주로 ㉡보다 ㉠에서 생성된다.

답 ①

전략 비법 노트

- **마그마의 냉각 속도가 빠름 → 입자의 크기가 작음(세립질 조직) → 화산암**
- **마그마의 냉각 속도가 느림 → 입자의 크기가 큼(조립질 조직) → 심성암**

필수 유형

13 퇴적 구조

수능 전략 Key 여러 가지 퇴적 구조가 형성되는 원리를 알고, 퇴적 구조를 통해 퇴적 환경을 유추할 수 있어야 한다.

그림 (가)와 (나)는 퇴적 구조를, 그래프는 퇴적물 입자의 크기에 따른 물속에서의 침강 속도를 나타낸 것이다.

(가)

(나)

이에 대한 설명으로 옳은 것만을 보기 에서 있는 대로 고른 것은?

보기

ㄱ. 퇴적 구조가 형성될 때의 수심은 (가)가 (나)보다 얕다.

ㄴ. (가)는 층리면에서 관찰되는 퇴적 구조이다.

ㄷ. 그래프를 통해 (가)의 생성 원리를 설명할 수 있다.

① ㄱ ② ㄷ ③ ㄱ, ㄴ ④ ㄴ, ㄷ ⑤ ㄱ, ㄴ, ㄷ

개념 꼭!

* 점이 층리: 한 지층 내에서 위로 갈수록 입자의 크기가 점점 ❶ [ ] 퇴적 구조이다. 다양한 크기의 퇴적물이 한꺼번에 퇴적될 때 크기가 큰 입자가 먼저 가라앉고, 작은 입자는 천천히 가라앉아 형성된다.
* 건열: 퇴적층의 표면이 갈라져서 쐐기 모양의 틈이 생긴 퇴적 구조이다. 수심이 얕은 물밑에 점토질 물질이 퇴적된 후 퇴적물의 표면이 대기에 노출되어 건조해지면서 ❷ [ ] 형성된다.
* 연흔: 층리면에 ❸ [ ]의 흔적이 지층에 남아 있는 퇴적 구조이다. 수심이 얕은 물밑에서 물결의 영향을 받아 형성된다.

* 사층리: 층리가 비스듬히 기울어지거나 엇갈려 나타나는 퇴적 구조이다. 이를 통해 퇴적물이 이동한 방향을 알 수 있다.

자료 해석

* 그림 (가)는 지층의 단면을 관찰했을 때, 위로 갈수록 입자의 크기가 ❹ ______지는 점이 층리이다.
* 그림 (나)는 ❺ ______을 관찰했을 때, 퇴적층의 표면이 갈라진 흔적이 나타나는 건열이다.
* 그래프는 입자의 크기에 따른 퇴적물 입자의 물속에서의 침강 속도가 나타나 있다. 퇴적물 입자의 크기가 클수록 침강 속도가 ❻ ______짐을 알 수 있다.

답 ❶ 작아지는 ❷ 갈라져 ❸ 물결 모양 ❹ 작아 ❺ 층리면 ❻ 빨라

Point 해설

ㄱ. 점이 층리인 (가)는 입자의 크기에 따른 침강 속도 차가 크게 나타나는 환경에서 잘 형성되므로, 수심이 깊은 환경에서 잘 형성된다. 건열인 (나)는 층리면이 수면 위로 노출되었던 적이 있어야 하므로, 수심이 얕은 환경에서 잘 형성된다. 따라서 퇴적 구조가 형성될 때의 수심은 (가)가 (나)보다 깊다.

ㄴ. (가)는 지층의 단면에서, (나)는 층리면에서 관찰된다.

ⓒ (가)는 입자의 크기에 따른 침강 속도 차에 의해 형성되므로, 입자의 크기에 따른 침강 속도를 나타낸 그래프를 통해 (가)의 생성 원리를 설명할 수 있다. 답 ②

전략 비법 노트

• 점이 층리 → 수심이 깊은 환경, 퇴적물 입자 크기에 따른 침강 속도 차에 의해 형성

필수 유형

14 퇴적 구조와 지질 구조 ①

수능 전략 Key

여러 가지 퇴적 구조와 지질 구조의 특징을 이해하고, 각각의 퇴적 구조와 지질 구조가 형성되는 원리와 생성 환경을 알아낼 수 있어야 한다.

그림 (가), (나), (다)는 세 암석에서 각각 관찰한 건열, 연흔, 절리를 순서 없이 나타낸 것이다.

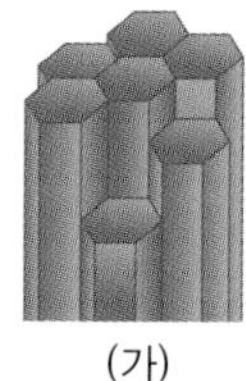
(가)

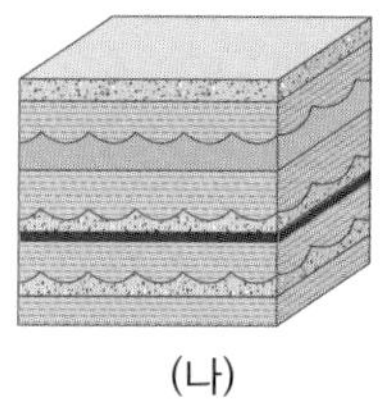
(나)

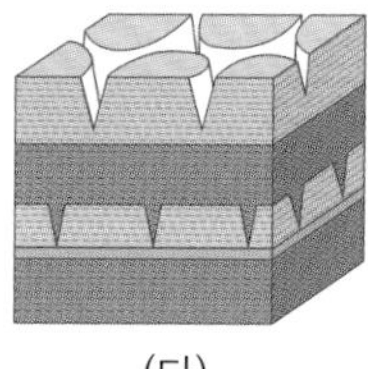
(다)

이에 대한 설명으로 옳은 것은?

① (가)는 건열이다.

② (가)는 퇴적암, (나)는 화성암에서 잘 나타난다.

③ (나)를 통해 지층의 역전 여부를 판단할 수 있다.

④ (다)는 수심이 깊은 곳에서 잘 형성된다.

⑤ (다)는 횡압력을 받아 형성된다.

개념 꼭!

* 절리: 암석에 생긴 틈이나 균열로, 주상 절리와 판상 절리 등이 있다.
  - 주상 절리: 지표에서 용암이 빠르게 냉각될 때 부피가 수축하여 단면이 다각형인 ❶ ______ 으로 갈라진 절리이다. 주로 현무암 등 화산암에서 잘 나타난다.
  - 판상 절리: 지하 깊은 곳의 암석이 융기할 때 압력이 ❷ ______ 하면서 부피가 팽창하여 ❸ ______ 으로 갈라진 절리이다. 주로 심성암에서 잘 나타난다.
* 연흔: 층리면에 물결 모양의 흔적이 남아 있는 퇴적 구조이다.
* 건열: 퇴적층의 표면이 갈라져서 쐐기 모양의 틈이 생긴 퇴적 구조이다.

답 ❶ 기둥 모양 ❷ 감소 ❸ 판 모양

2020 3월 학평 5번 유사

자료 해석

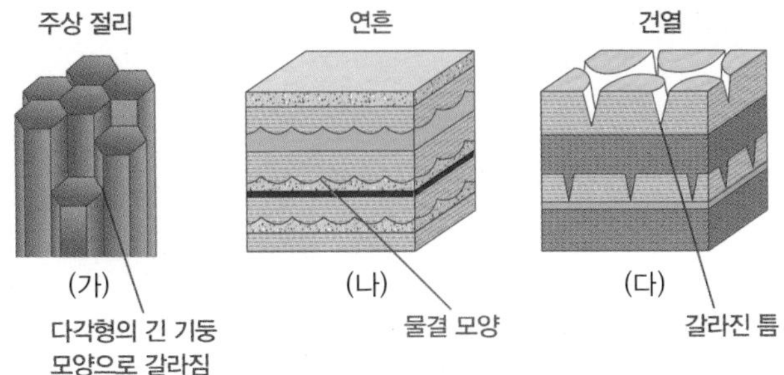

* (가)는 단면이 다각형이며 긴 기둥 모양으로 갈라진 구조이므로 ❹ ______ 절리이다. 용암이 지표에서 빠르게 냉각될 때 잘 형성된다.
* (나)는 층리면에 물결 모양의 흔적이 나타나는 연흔이다. 수심이 ❺ ______ 지역에서 잘 형성된다.
* (다)는 지층이 수면 위로 노출되면서 갈라진 틈이 나타나는 건열이다. 주로 입자의 크기가 작은 ❻ ______ 퇴적물에서 잘 형성된다.

답 ❹ 주상 ❺ 얕은 ❻ 점토질

Point 해설

① (가)는 단면이 다각형인 긴 기둥 모양으로 암석이 갈라진 주상 절리이다.

② (가)는 용암이 급격하게 냉각되는 과정에서 형성되는 절리이므로 화성암에서, (나)는 퇴적층에 물결 모양의 흔적이 남아 있는 것이므로 퇴적암에서 잘 나타난다.

③ (나)는 연흔이며, 연흔을 통해 지층의 역전 여부를 판단할 수 있다.

④ (다)는 건열이며, 퇴적층의 표면이 건조한 환경에 노출되면서 갈라진 틈이 나타나므로, 수심이 얕은 곳에서 잘 형성된다.

⑤ (다)는 건열이므로, 압력과 관계 없이 퇴적층이 대기 중으로 노출된 경우 형성된다.

답 ③

전략 비법 노트

- 주상 절리 → 용암의 급격한 냉각 → 부피 수축으로 인해 형성
- 판상 절리 → 심성암의 융기 → 압력 감소로 인해 형성

필수 유형

15 퇴적 구조와 지질 구조 ②

수능 전략 Key

여러 가지 퇴적 구조 및 지질 구조가 형성되는 과정과 원리에 대해 구체적으로 이해하고 있어야 한다.

그림 (가), (나), (다)는 주상 절리, 습곡, 사층리를 순서 없이 나타낸 것이다.

(가)

(나)

(다)

이에 대한 설명으로 옳은 것만을 보기 에서 있는 대로 고른 것은?

보기

ㄱ. (가)는 습곡이다.

ㄴ. (나)의 지질 구조가 나타나는 지역에서 발견되는 단층은 주로 정단층이다.

ㄷ. (다)는 주로 심성암보다 화산암에서 발견된다.

① ㄱ ② ㄷ ③ ㄱ, ㄴ ④ ㄴ, ㄷ ⑤ ㄱ, ㄴ, ㄷ

개념 꼭!

* 사층리: 층리가 나란하지 않고 비스듬히 기울어지거나 엇갈려 나타나는 퇴적 구조이다. 주로 수심이 ❶ [　　　] 물밑이나 바람의 방향이 자주 바뀌는 곳에서 물이 흘러가거나 바람이 불어가는 방향의 비탈면에 퇴적물이 쌓여 형성된다.
  → 사층리를 이용하면 과거에 물이 흘렀던 방향이나 바람이 불었던 방향을 알 수 있다.
* 습곡: 암석이 비교적 온도가 높은 지하 깊은 곳에서 횡압력을 받아 휘어진 지질 구조이다.
  – 종류: 정습곡, ❷ [　　　] 습곡, 횡와 습곡 등이 있다.
* 주상 절리: 지표에서 용암이 급격하게 식을 때 부피가 ❸ [　　　]하여 화성암의 단면이 오각형이나 육각형인 긴 기둥 모양으로 갈라진 절리이다. 주로 화산암에서 잘 나타난다.

답 ❶ 얕은 ❷ 경사 ❸ 수축

2021 10월 학평 15번 유사

자료 해석

사층리	습곡	주상 절리
(가)	(나)	(다)

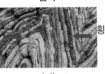

횡압력 횡압력

* 그림 (가): 층리면이 기울어진 상태로 퇴적되어 있으므로 ❹ [ ] 이다.
* 그림 (나): 층리면이 휘어져 있으므로 습곡이며, 습곡은 지층이 ❺ [ ] 을 받아 휘어지면서 형성된다.
* 그림 (다): 암석이 다각형 형태의 단면을 가진 긴 기둥 모양으로 갈라져 있으므로 ❻ [ ] 이다. 주상 절리는 용암이 빠른 속도로 냉각될 때 형성되므로 주로 화산암에서 발견된다.

답 ❹ 사층리 ❺ 횡압력 ❻ 주상 절리

Point 해설

ㄱ. (가)는 층리면이 기울어진 채로 퇴적되어 있으므로 사층리이다.

ㄴ. (나)는 습곡이며, 습곡은 지층이 양쪽에서 미는 힘인 횡압력을 받을 때 형성된다. 정단층은 장력이, 역단층은 횡압력이 작용할 때 만들어지므로, (나)의 지질 구조가 나타나는 지역에서 발견되는 단층은 주로 역단층이다.

ㄷ. (다)는 주상 절리이며, 주상 절리는 용암이 급격하게 냉각되는 과정에서 생성된다. 따라서 지하 깊은 곳에서 마그마가 서서히 냉각되어 생성되는 심성암보다, 용암이 지표에서 빠르게 냉각되어 생성되는 화산암에서 주로 발견된다.

답 ②

전략 비법 노트

- **습곡**: 지층 퇴적 → 비교적 지하 깊은 곳 → **횡압력** → 지층이 휘어짐
- **단층**: 지층 퇴적 → 비교적 지표 부근
  - → **횡압력** → 지층이 끊어짐 → **역단층**
  - → **장력** → 지층이 끊어짐 → **정단층**

필수 유형

16 지질 단면도 분석

수능 전략 Key 지질 단면도를 분석하여, 산출되는 화석과 건층 및 퇴적 구조를 통해 퇴적 환경을 유추할 수 있어야 한다.

그림은 세 지역 A, B, C의 지질 단면을 관찰하고 작성한 지질 답사 보고서의 일부를 나타낸 것이다.

지질 답사 보고서

장소: ○○○ 날짜: ○○년 ○월 ○일

[답사 지역 개요]

- 답사 지역에 지층의 역전과 부정합은 없었다.
- 답사 지역 세 곳은 비교적 가까운 거리에 있다.
- 답사 지역에서는 화산 활동이 한 번 있었다.

[답사 내용]

- A와 B의 이암층에서는 공룡알 화석이 발견되었다.
- A, B, C의 셰일층에서는 건열이 발견되었다.

[지질 단면]

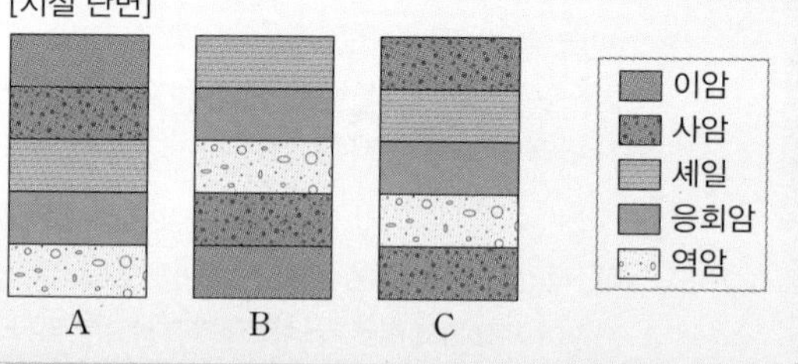

이에 대한 설명으로 옳은 것만을 |보기|에서 있는 대로 고른 것은?

보기

ㄱ. 이 지역에서 화산 활동은 중생대에 일어났다.

ㄴ. 가장 오래된 지층은 A 지역의 역암층이다.

ㄷ. 응회암 형성 이후 이 지역의 지층은 수면 위로 노출된 적이 있다.

① ㄱ ② ㄴ ③ ㄱ, ㄷ ④ ㄴ, ㄷ ⑤ ㄱ, ㄴ, ㄷ

개념 꼭!

* 지층의 대비: 여러 지역의 지층들을 서로 비교하여 퇴적 시기의 ❶ ＿＿＿＿ 를 밝히는 것으로 암상에 의한 대비와 화석에 의한 대비가 있다.

자료 해석

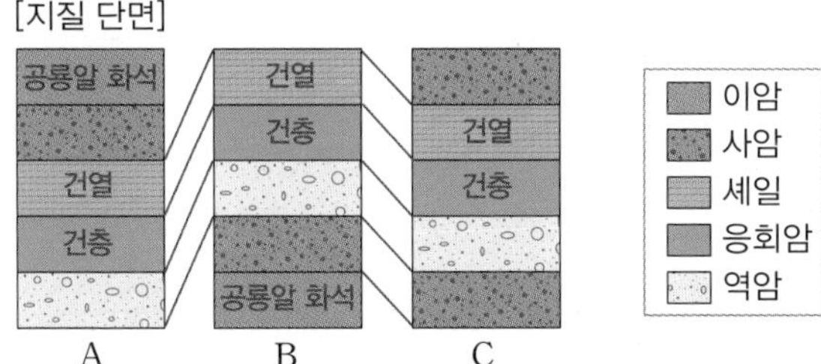

* 응회암층은 건층으로 주로 활용되며, 이 지역에는 화산 활동이 한 번 있었으므로, 세 지역에 퇴적된 ❷ ＿＿＿＿ 층은 모두 같은 시기에 퇴적된 것이다.
* A의 이암층은 응회암층 위에, B의 이암층은 응회암층 아래에 퇴적되어 있으며, 두 지층에서는 공룡알 화석이 발견되므로, A의 이암층과 B의 이암층 사이에 퇴적된 지층은 모두 ❸ ＿＿＿＿ 에 퇴적된 것이다.
* 세 지역에서 발견되는 셰일층에서는 건열이 발견되므로, 이 지층들은 퇴적 과정에서 수면 위로 노출된 적이 있었다.

답 ❶ 선후 관계 ❷ 응회암 ❸ 중생대

Point 해설

㉠ A에서 이암층은 응회암층 위에 위치하며, B에서 이암층은 응회암층 아래에 위치하므로, 응회암층은 B의 이암층과 A의 이암층이 퇴적된 시기 사이에 형성된 것이다. 두 이암층에서 모두 중생대 표준 화석인 공룡알 화석이 산출되므로, 이 지역에서 화산 활동은 중생대에 일어났다.

ㄴ. 건층인 응회암층을 기준으로 아래에는 역암층, 사암층, 이암층이 차례로 분포한다. 따라서 가장 오래된 지층은 B 지역의 이암층이다.

㉢ 셰일층은 응회암층 위에 위치하며 건열이 발견되었다. 따라서 응회암 형성 이후 이 지역의 지층은 수면 위로 노출된 적이 있다.

답 ③

전략 비법 노트

- 건층: 지층 대비의 기준이 되는 지층 → 퇴적 시간은 짧고 분포 면적이 넓을수록 유리 → 응회암층, 석탄층이 주로 이용됨

필수 유형

17 부정합의 형성 과정

수능 전략 Key 부정합이 형성되는 과정을 단계별로 구체적으로 이해하고 있어야 하며, 부정합 이외의 다양한 지질 구조가 형성되는 과정도 함께 알고 있어야 한다.

다음은 어느 지질 구조의 형성 과정을 알아보기 위한 탐구이다.

[탐구 과정]

(가) 지점토 판 세 개를 하나씩 순서대로 쌓은 뒤, Ⅰ과 같이 경사지게 지점토 칼로 자른다.

(나) 잘린 지점토 판 전체를 조심스럽게 들어 올리고, Ⅱ와 같이 ㉠ 양쪽 끝을 서서히 잡아당겨 가운데 조각이 내려가도록 한다.

(다) Ⅲ과 같이 지점토 칼로 지점토 판의 위쪽을 수평으로 자른다.

(라) 잘린 지점토 판 위에 Ⅳ와 같이 새로운 지점토 판을 수평이 되도록 쌓는다.

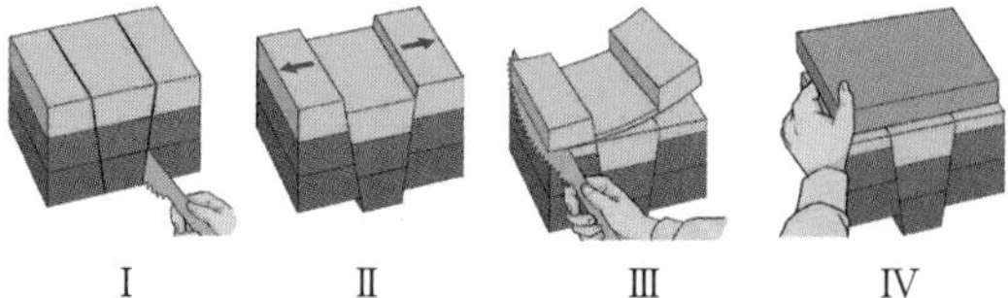

이에 대한 설명으로 옳은 것만을 [보기]에서 있는 대로 고른 것은?

[보기]

ㄱ. ㉠에 의해 만들어진 단층은 정단층에 해당한다.

ㄴ. (다)에 해당하는 과정은 주로 수면 아래에서 일어난다.

ㄷ. 부정합의 형성 과정을 알아보기 위한 탐구이다.

① ㄱ ② ㄴ ③ ㄱ, ㄷ ④ ㄴ, ㄷ ⑤ ㄱ, ㄴ, ㄷ

개념 꼭!

* 퇴적이 연속적으로 일어난 경우 상하 지층의 관계를 정합이라고 한다.
* 지층이 연속적으로 퇴적되지 않고, 부정합면을 경계로 상부 지층과 하부 지층의 퇴적 시기 사이에 큰 시간적 간격이 존재하는 상하 지층 관계를 ❶ [　　　] 이라고 한다. 부정합의 종류에는 경사 부정합, 평행 부정합, 난정합 등이 있다.

* 부정합의 형성 과정: 퇴적 → ❷ [ ] → 풍화 · 침식 → 침강 → 퇴적
* 장력을 받아 상반이 하반에 대해 ❸ [ ]로 이동한 단층은 정단층, 횡압력을 받아 상반이 하반에 대해 위로 이동한 단층은 역단층이다.

자료 해석

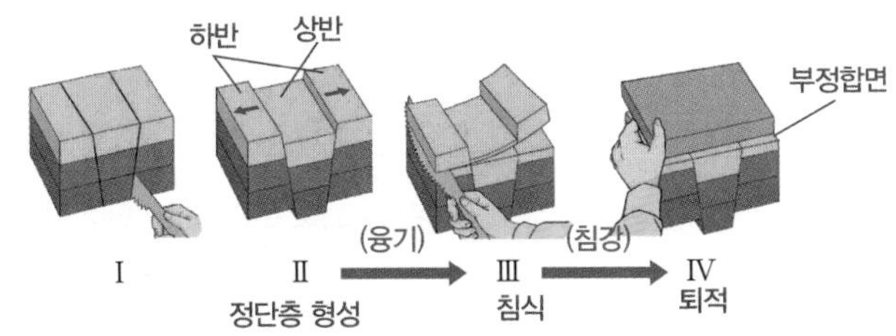

* Ⅰ: 지점토를 순서대로 쌓았으므로 지층이 순서대로 쌓여있는 정합에 해당하며, 경사지게 칼로 자른 것은 ❹ [ ]을 만든 것이다.
* Ⅱ: 양쪽 끝을 서서히 잡아당겼으므로 ❺ [ ]이 작용하는 상황이며, 이로 인해 가운데 있는 상반이 양쪽의 하반에 대해 상대적으로 내려간 정단층이 형성되었다.
* Ⅲ: 칼로 지점토 판의 위쪽을 수평으로 자른 것은 침식이 일어나는 상황이며, 침식이 일어나기 위해서는 지층이 수면 위로 노출되어야 하므로, Ⅱ → Ⅲ 과정에서 ❻ [ ]가 일어난 상황이다.
* Ⅳ: 잘린 지점토 판 위에 새로운 지점토 판을 쌓았으므로 침식면 위에 다시 퇴적이 일어나면서 부정합이 형성되는 과정에 해당한다. 퇴적이 일어나기 위해서는 지층이 수면 아래에 위치해야 하므로, Ⅲ → Ⅳ 과정에서 침강이 일어난 상황이다.

답 ❶ 부정합 ❷ 융기 ❸ 아래 ❹ 단층면 ❺ 장력 ❻ 융기

Point 해설

ㄱ. ㉠은 장력에 해당하며, 장력에 의해 만들어진 단층은 정단층이다.

ㄴ. (다)는 지점토 칼로 지점토 판의 위쪽을 수평으로 자르는 과정이다. 이는 침식 작용에 해당하며, 지층의 침식은 융기로 인해 퇴적층이 수면 위로 노출되었을 때 일어난다.

ㄷ. 과정 Ⅰ → Ⅳ에서 지층이 퇴적되고 상부가 침식된 후 다시 퇴적되는 과정이 나타나 있으므로 이 탐구는 부정합의 형성 과정을 알아보기 위한 것이다. 답 ③

전략 비법 노트

* 부정합의 형성 과정: 퇴적 → 융기 → 풍화 · 침식 → 침강 → 퇴적

필수 유형

18 한반도의 퇴적 지형

2021 9월 학평 3번 유사

수능 전략 Key

한반도의 주요 퇴적 지형의 특징과 형성 시기 등에 대해서 구체적으로 이해하고 있어야 한다.

다음은 한반도의 주요 퇴적 지형과 이 중 두 지역의 지질학적 특징을 나타낸 것이다.

(가) 제주 수월봉	(나) 태백 구문소	(다) 부안 채석강

- A 지역: 주로 고생대 바다에서 퇴적된 석회암으로 이루어져 있고, 삼엽충 화석과 연흔 등이 발견된다.
- B 지역: 화산 활동으로 인해 분출된 화산재가 두껍게 쌓인 황갈색의 응회암으로 이루어져 있다.

A, B에 해당하는 지역으로 옳은 것은?

	A	B		A	B		A	B
①	(가)	(나)	②	(가)	(다)	③	(나)	(가)
④	(나)	(다)	⑤	(다)	(가)			

개념 꼭!

* (가)의 제주도 수월봉은 ❶ [ ] 응회암, (나)의 태백 구문소는 고생대 ❷ [ ], (다)의 부안 채석강은 ❸ [ ] 퇴적암으로 이루어져 있다.

자료 해석

* (가)는 신생대 화산 활동으로 인해 분출된 화산재가 쌓인 응회암으로 이루어져 있다. (나)는 고생대 바다에서 퇴적된 석회암으로 삼엽충, 완족류 화석과 연흔이나 건열과 같은 퇴적 구조가 나타난다.

답 ❶ 신생대 ❷ 석회암 ❸ 중생대

Point 해설

A. 고생대 바다에서 퇴적된 석회암으로 이루어져 있으며 삼엽충 화석이 발견되므로 고생대 해성층으로 이루어진 태백 구문소(나)의 특징이다.

B. 응회암 지역이므로 화산 활동으로 형성된 제주 수월봉인 (가)이다.

답 ③

전략 비법 노트

- 제주 수월봉 → 신생대 응회암
- 태백 구문소 → 고생대 석회암
- 부안 채석강 → 중생대 퇴적암

필수 유형

19 지층의 대비

2020 6월 학평 13번 유사

수능 전략 Key

암상과 화석을 이용하여 지층을 대비하는 방법에 대해 알고, 주어진 자료를 분석하여 지층 형성 시기와 퇴적 환경을 알아낼 수 있어야 한다.

그림은 서로 다른 세 지역 (가), (나), (다)의 지층 단면과 각 지층에서 산출되는 화석을 나타낸 것이다. 이에 대한 설명으로 옳은 것만을 보기 에서 있는 대로 고른 것은? (단, 지층의 역전은 없었다.)

A

삼엽충
화폐석
공룡 발자국
암모나이트

(가) (나) (다)

보기

ㄱ. A의 지층에서는 암모나이트 화석이 산출될 수 있다.
ㄴ. (나)에서는 퇴적이 중단된 시기가 있었다.
ㄷ. (다)에는 육성층과 해성층이 모두 존재한다.

① ㄱ ② ㄴ ③ ㄱ, ㄷ ④ ㄴ, ㄷ ⑤ ㄱ, ㄴ, ㄷ

개념 꼭!

* 먼 거리에 있는 지층은 암상보다는 ❶ ______ 을 이용하여 지층 생성의 선후 관계를 알아내는 것이 유리하다.

자료 해석

* 삼엽충은 고생대, 공룡 발자국과 암모나이트는 ❷ ______, 화폐석은 ❸ ______ 의 표준 화석이다.

답 ❶ 표준 화석 ❷ 중생대 ❸ 신생대

Point 해설

ㄱ. 암모나이트는 중생대 표준 화석이므로 화폐석이 발견되는 신생대 지층 위에서 산출될 수 없다.

㉡ (나)에서 중생대 표준 화석이 산출되지 않아 중생대에는 퇴적이 일어나지 않았다.

㉢ 공룡 발자국은 육성층에서, 삼엽충, 암모나이트, 화폐석은 해성층에서 산출된다.

답 ④

전략 비법 노트

• 삼엽충 → 고생대 표준 화석 • 공룡 발자국, 암모나이트 → 중생대 표준 화석

필수 유형

20 지층의 절대 연령 ①

수능 전략 Key

깊이에 따른 지층의 연령 분포를 통해 암석의 생성 순서와 지질 구조를 파악하고, 반감기를 이용하여 절대 연령을 구할 수 있어야 한다.

그림 (가)는 어느 지역의 깊이에 따른 지층과 화성암의 연령을, (나)는 방사성 원소 X와 Y의 붕괴 곡선을 나타낸 것이다. 화성암 B와 D는 X와 Y 중 서로 다른 한 종류만 포함하고, 현재 B와 D에 포함된 방사성 원소의 함량은 처음 양의 50 %와 25 %이다.

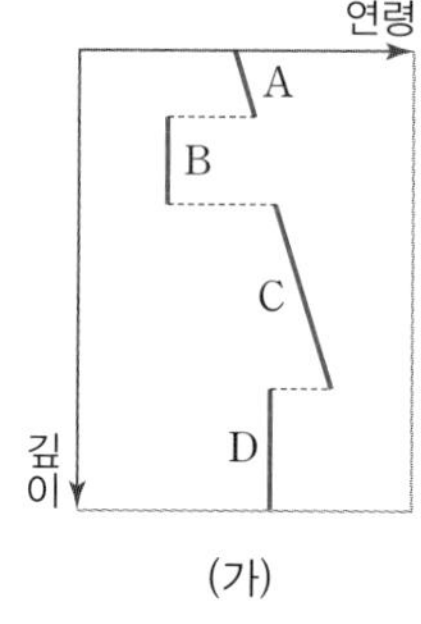

(가)

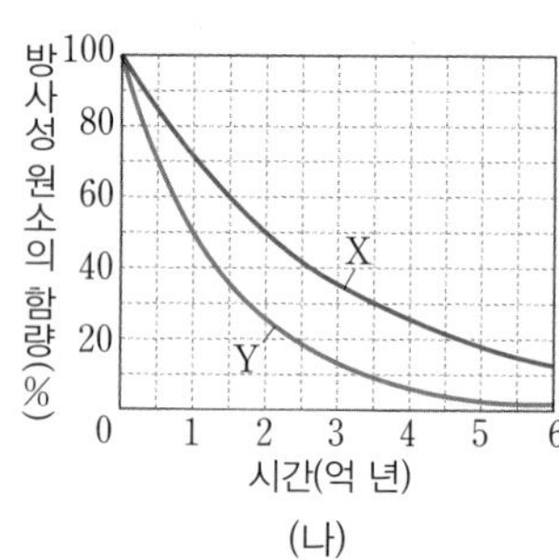

(나)

이에 대한 설명으로 옳은 것만을 |보기|에서 있는 대로 고른 것은?

보기

ㄱ. A층 하부의 기저 역암에는 B의 암석 조각이 있다.

ㄴ. 반감기는 X가 Y보다 짧다.

ㄷ. 절대 연령은 D가 B보다 4배 많다.

① ㄱ ② ㄷ ③ ㄱ, ㄴ ④ ㄴ, ㄷ ⑤ ㄱ, ㄴ, ㄷ

개념 꼭!

* 기저 역암: 부정합면 바로 ❶ [ ] 놓인 역암을 말하며, 기저 역암의 나이는 기저 역암을 포함하는 지층의 나이보다 많다.
* 일반적으로, 퇴적암층은 시간에 따라 퇴적물이 점차 퇴적되어가므로 깊이가 얕아질수록 나이가 ❷ [ ] 진다. 화성암층은 관입한 마그마가 거의 동시에 냉각되어 생성되므로 깊이에 따른 나이의 변화가 거의 없다.
* 관입의 법칙에 의하면, 관입한 암석은 관입을 당한 암석보다 나이가 ❸ [ ].

답 ❶ 위에 ❷ 적어 ❸ 적다

자료 해석

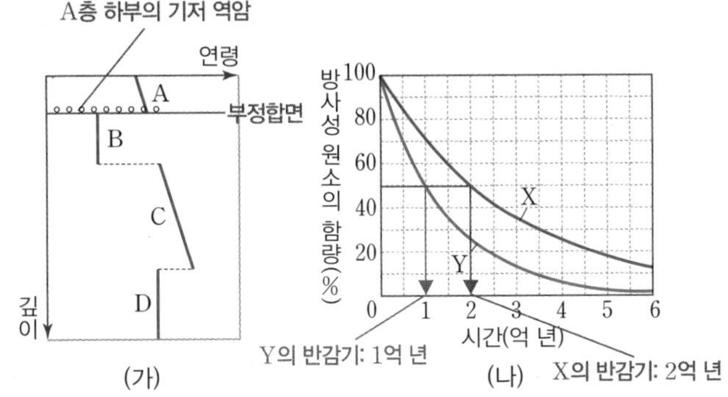

* 그림 (가)에서 A와 C는 깊이가 얕아질수록 연령이 ❹ ______ 지므로 퇴적암층이다. B와 D는 화성암이며, 연령은 B가 D보다 ❺ ______ 다.
* 그림 (나)에서 방사성 원소가 처음 양의 50 %까지 감소하는 데 걸린 시간인 반감기는 X가 ❻ ______ 년, Y가 1억 년이다.

답 ❹ 적어 ❺ 적 ❻ 2억

Point 해설

ㄱ. 기저 역암은 부정합면 아래의 지층이 침식되어 만들어진 쇄설물이 부정합면 바로 위의 지층에 포함된 것이므로, **기저 역암의 나이는 기저 역암을 포함하고 있는 지층의 나이보다 많다.** 따라서 A층에 포함된 기저 역암의 나이는 A층의 나이보다 많아야 한다. (가)에서 B층의 나이는 A층보다 적으므로 A층 하부의 기저 역암에는 B의 암석이 존재할 수 없다.

ㄴ. **반감기는 모원소가 붕괴하여 처음 양의 $\frac{1}{2}$이 될 때까지 걸린 시간이므로,** X의 반감기는 2억 년, Y의 반감기는 1억 년이다. 따라서 반감기는 X가 Y보다 길다.

ⓒ 현재 방사성 원소의 함량은 B가 처음 양의 50 %이므로 $\frac{1}{2}$이 남아 있고, D가 처음 양의 25 %이므로 $\frac{1}{4}$이 남아 있다. 따라서 **B에 포함된 방사성 원소는 반감기를 1번 거쳤으며, D에 포함된 방사성 원소는 반감기를 2번 거쳤다.** 만약 B에 X가, D에 Y가 포함되었다고 한다면, B와 D의 절대 연령은 모두 2억 년으로 같다. 따라서 B에는 Y가, D에는 X가 포함되어야 하며, B와 D의 절대 연령은 각각 1억 년과 4억 년이다.

답 ②

전략 비법 노트

- **기저 역암의 나이 → 기저 역암을 포함하고 있는 지층의 나이보다 많음**

필수 유형

21 지층의 절대 연령 ②

수능 전략 Key

지질 단면을 해석하여 지층의 생성 순서를 파악하고, 방사성 원소의 반감기를 이용하여 절대 연령을 구할 수 있어야 한다.

그림 (가)는 어느 지역의 지질 단면을, (나)는 방사성 원소 X와 Y의 붕괴 곡선을 나타낸 것이다. 화성암 P와 Q 중 하나에는 X가, 다른 하나에는 Y가 포함되어 있다. X와 Y의 처음 양은 같았으며, P와 Q에 포함되어 있는 방사성 원소의 양은 각각 처음 양의 25 %와 50 %이다.

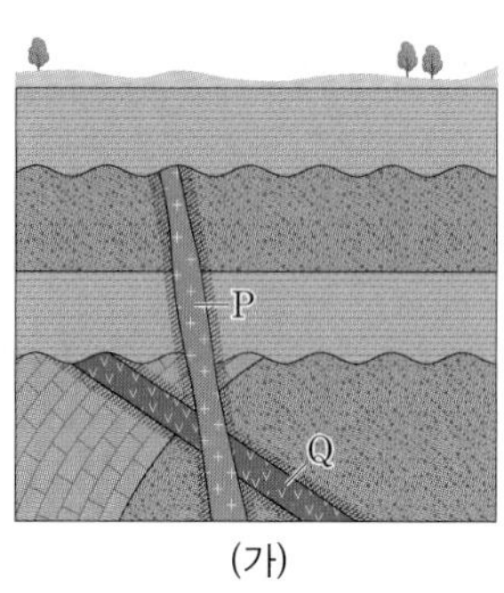

(가)

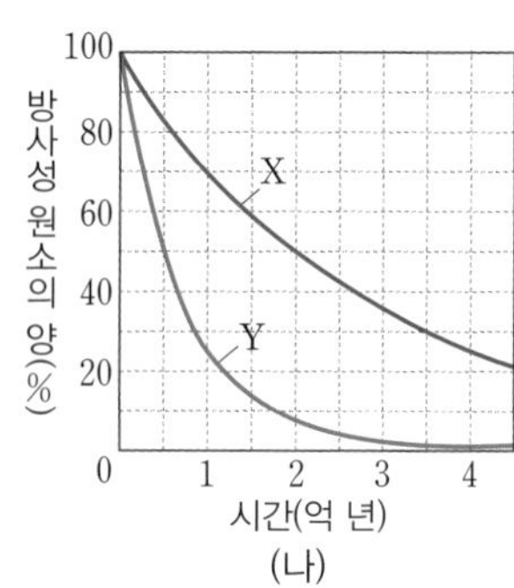

(나)

이에 대한 설명으로 옳은 것만을 보기 에서 있는 대로 고른 것은?

보기

ㄱ. 이 지역에는 경사 부정합이 나타난다.

ㄴ. P에 포함되어 있는 방사성 원소는 X이다.

ㄷ. 앞으로 2억 년 후 X의 양 : Y의 양=16 : 1이다.

① ㄱ ② ㄴ ③ ㄱ, ㄷ ④ ㄴ, ㄷ ⑤ ㄱ, ㄴ, ㄷ

개념 꼭!

* 부정합면을 경계로 상하 두 지층이 나란하면 평행 부정합, 부정합면 아래의 지층이 기울어져 있으면 ❶ ______ 부정합이다.
* 암석 속에 포함되어 있는 모원소와 자원소의 비율과 반감기를 이용하면 암석의 ❷ ______을 구할 수 있다.
* 시간이 지남에 따라 모원소의 함량은 감소하고, 자원소의 함량은 증가한다.
* 반감기는 모원소의 함량이 처음 양의 ❸ ______이 되는 데까지 걸린 시간이다.

답 ❶ 경사 ❷ 절대 연령 ❸ $\frac{1}{2}$

자료 해석

* 이 지역에는 부정합면이 2개 나타나며, 위쪽의 부정합은 부정합면을 경계로 상하 지층이 나란하므로 평행 부정합, 아래쪽의 부정합은 부정합면 아래의 지층이 습곡에 의해 휘어져 있으므로 경사 부정합에 해당한다.
* 지질도에서 Q의 관입이 먼저 있었고 이후 새로운 지층들이 퇴적된 후, 이 지층들을 P가 관입하였다. 따라서 Q가 P보다 ❹ [   ] 생성되었다.
* P와 Q에 포함되어 있는 방사성 원소의 양은 각각 처음 양의 25 %($\frac{1}{4}$)와 50 %($\frac{1}{2}$)이며, X의 반감기는 ❺ [   ]년, Y의 반감기는 0.5억 년이다.
* 절대 연령은 Q가 P보다 많다. 따라서 화성암 P에는 방사성 원소 Y가 25 %가 남아 반감기가 2번 지나 절대 연령이 1억 년이어야 하며, 화성암 Q에는 방사성 원소 X가 50 %가 남아 반감기가 1번 지나 절대 연령이 2억 년이어야 한다.
* X의 반감기는 2억 년, Y의 반감기는 0.5억 년이므로 앞으로 2억 년 동안 X는 반감기를 1번, Y는 반감기를 ❻ [   ]번 거치게 된다.

답 ❹ 먼저 ❺ 2억 ❻ 4

Point 해설

ㄱ. Q와 Q가 관입한 암석들이 침식을 받은 후 위에 새로운 지층이 퇴적되면서 부정합이 형성되었다. 이 부정합면 아래의 지층은 습곡 작용을 받아 휘어져 있으므로 경사 부정합이 나타난다.

ㄴ. 지질 단면에서 관입한 순서는 Q가 P보다 먼저이므로 절대 연령은 Q가 P보다 많아야 한다. 따라서 P에는 반감기가 0.5억 년인 Y가 25 %가 남아 절대 연령이 1억 년이며, Q에는 반감기가 2억 년인 X가 50 %가 남아 절대 연령이 2억 년이어야 한다.

ㄷ. 현재 X와 Y는 처음 양의 $\frac{1}{2}$과 $\frac{1}{4}$이 남아 있다. 반감기가 각각 2억 년과 0.5억 년인 X와 Y는 2억 년 동안 반감기를 각각 1번, 4번 거치게 되므로, 2억 년 후의 X와 Y는 각각 처음 양의 $\frac{1}{4}$, $\frac{1}{64}$이 남게 된다. 따라서 X의 양 : Y의 양=16 : 1이다.

답 ③

전략 비법 노트

* **지질 단면 분석 → 상대 연령(선후 관계) 파악 → 방사성 원소의 반감기를 이용한 절대 연령 파악**

필수 유형

22 지층의 상대 연령과 절대 연령

수능 전략 Key

표준 화석을 통해 지층의 퇴적 시기를 알아내야 하며, 방사성 원소를 이용한 절대 연령 측정 방법에 대해서 이해하고 있어야 한다.

그림 (가)와 (나)는 서로 다른 두 지역의 지질 단면과 산출된 화석을 나타낸 것이다. 관입암 P와 Q에는 방사성 원소 X가 포함되어 있으며, 생성 당시 X의 자원소 함량은 0이다.

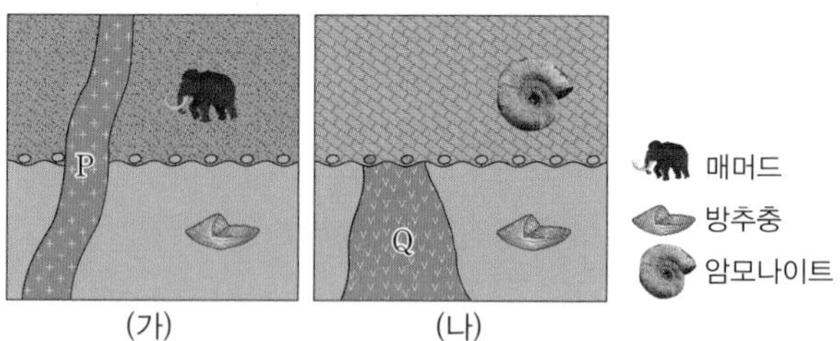

이에 대한 설명으로 옳은 것만을 보기에서 있는 대로 고른 것은? (단, 방추충이 포함된 지층의 연령은 3억 년이고, Q에 포함된 방사성 원소 X의 양은 처음의 $\frac{1}{4}$이다.)

보기

ㄱ. X의 반감기는 1.5억 년보다 짧다.

ㄴ. P는 중생대에 관입하였다.

ㄷ. 방추충이 포함된 지층이 퇴적된 후 퇴적이 중단된 기간은 (가)가 (나)보다 길다.

① ㄱ ② ㄴ ③ ㄱ, ㄷ ④ ㄴ, ㄷ ⑤ ㄱ, ㄴ, ㄷ

개념 꼭!

* 고생대 표준 화석으로는 방추충, 필석, ❶ [ ] 등이 있으며, 중생대 표준 화석으로는 공룡, 암모나이트, 신생대 표준 화석으로는 화폐석, ❷ [ ] 등이 있다.
* 관입 당한 암석은 관입한 암석보다 ❸ [ ] 생성된 것이다.
* 부정합면을 경계로 상하 두 지층의 퇴적 시기에는 큰 시간적 차이가 나타난다.

답 ❶ 삼엽충 ❷ 매머드 ❸ 먼저

2021 9월 학평 12번 유사

자료 해석

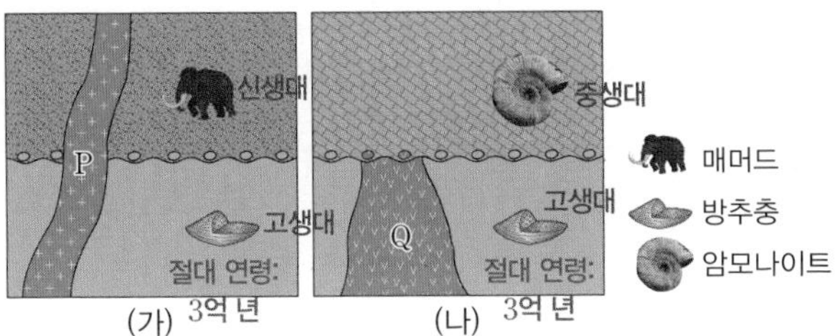

* 그림 (가)에서 제일 아래에 있는 지층은 방추충 화석이 산출되므로, 고생대에 퇴적된 지층이다. 상부에는 매머드 화석이 산출되는 ❹ [　　　] 지층이 아래의 지층과 부정합을 이루고 있다.
* 그림 (나)에서 제일 아래에 있는 지층은 마찬가지로 방추충 화석이 산출되는 고생대 지층이며, 상부에는 암모나이트 화석이 산출되는 ❺ [　　　] 지층이 아래의 지층과 부정합을 이루고 있다.

답 ❹ 신생대 ❺ 중생대

Point 해설

㉠ Q에 포함된 방사성 원소 X의 양은 처음 양의 $\frac{1}{4}$이므로 반감기를 두 번 거쳤다. **(나)에서 Q는 방추충 화석이 산출되는 절대 연령이 3억 년인 고생대 지층을 관입하였다. 따라서 Q는 이 지층보다 나중에 생성되었으므로 Q의 절대 연령은 3억 년보다 적다.** 반감기를 두 번 거친 Q의 절대 연령이 3억 년보다 적기 위해서는 Q에 포함된 방사성 원소인 X의 반감기가 1.5억 년보다 짧아야 한다.

ㄴ. **P는 방추충 화석이 산출되는 하부의 고생대 지층과 매머드 화석이 산출되는 상부의 신생대 지층을 모두 관입하였으므로, P는 이 지층들보다 나중에 생성되었다.** 따라서 P는 중생대에 관입하지 않았다.

㉢ (가)와 (나)에서 방추충이 포함된 지층 상부에 부정합면이 존재하고 그 위에 각각 신생대와 중생대 지층이 존재한다. 따라서 **(가)에서는 고생대 지층이 퇴적된 후 중생대에는 퇴적이 중단되었다가 이후 신생대에 퇴적이 일어났으며, (나)에서는 고생대 지층이 퇴적된 후 이어서 중생대에 퇴적이 일어났다.** 결국 퇴적이 중단된 기간은 (가)가 (나)보다 길다.

답 ③

전략 비법 노트

• **부정합면을 경계로 상하 두 지층의 연령 차가 클수록 퇴적이 중단된 기간이 길다.**

필수 유형

23 지질 시대의 환경과 생물 ①

수능 전략 Key

지질 시대의 구분 기준을 이해하고, 지질 시대에 따른 환경과 생물을 기(紀) 수준으로 나누어 구체적으로 알고 있어야 한다.

그림은 주요 동물군의 생존 시기를 나타낸 것이다. A, B, C는 어류, 파충류, 포유류를 순서 없이 나타낸 것이다.

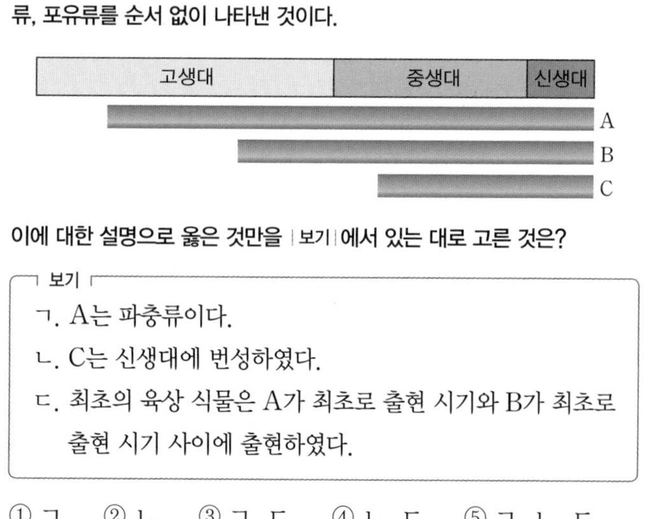

이에 대한 설명으로 옳은 것만을 |보기|에서 있는 대로 고른 것은?

보기

ㄱ. A는 파충류이다.

ㄴ. C는 신생대에 번성하였다.

ㄷ. 최초의 육상 식물은 A가 최초로 출현 시기와 B가 최초로 출현 시기 사이에 출현하였다.

① ㄱ ② ㄴ ③ ㄱ, ㄷ ④ ㄴ, ㄷ ⑤ ㄱ, ㄴ, ㄷ

개념 꼭!

* 지질 시대는 생물계에서 일어난 급격한 변화나 지각 변동, 기후 변화 등을 기준으로 구분한다.
* 지질 시대는 크게 ❶ [ ], 대, 기 등으로 구분한다.
* 시생 누대는 약 40억 년 전~약 25억 년 전까지, ❷ [ ] 누대는 약 25억 년 전~약 5.4억 년 전까지에 해당한다.
* 현생 누대는 크게 고생대, 중생대, 신생대로 나누며, 고생대는 약 5.41억 년 전~약 2.52억 년 전까지, 중생대는 약 2.52억 년 전~약 0.66억 년 전까지, 신생대는 약 0.66억 년 전부터 해당한다.
* 최초의 척추동물인 어류는 고생대 오르도비스기에 출현하였다.
* 최초의 육상 식물은 고생대 ❸ [ ]에 출현하였다.
* 최초의 파충류는 고생대 석탄기에 출현하였다.
* 최초의 포유류는 중생대 트라이아스기에 출현하였다.

2022 9월 모평 1번 유사

자료 해석

5.41억 년 전	2.52억 년 전	0.66억 년 전
고생대	중생대	신생대

어류 — A
파충류 — B
포유류 — C

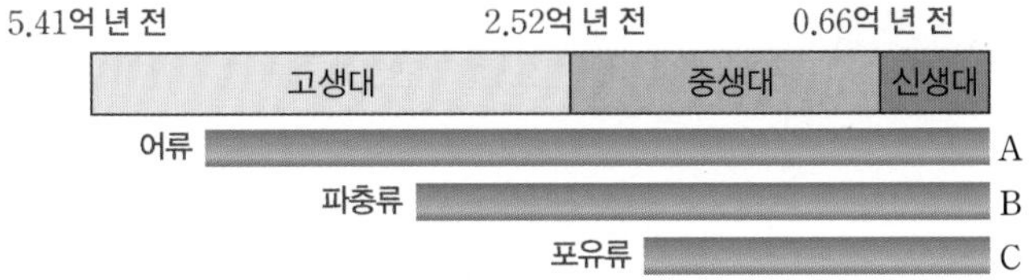

* 동물군 A, B, C 중 가장 먼저 출현한 A는 ❹ [　　], 그 다음으로 출현한 B는 파충류, 가장 마지막에 출현한 C는 포유류이다.
* 최초의 어류는 고생대 ❺ [　　]에 출현하였고, 데본기에 번성하여 전성기를 이루었다.
* 최초의 파충류는 고생대 ❻ [　　]에 출현하였고, 중생대에 번성하였다.
* 최초의 포유류는 중생대 트라이아스기에 출현하였다.

답 ❶ 누대 ❷ 원생 ❸ 실루리아기 ❹ 어류 ❺ 오르도비스기 ❻ 석탄기

Point 해설

ㄱ. 어류, 파충류, 포유류 중 가장 먼저 출현한 동물군은 어류이다. A, B, C 중 A가 고생대 초에 가장 먼저 출현하였으므로 A는 어류이다.

ⓛ C는 중생대 초에 출현한 포유류이다. 포유류는 신생대에 번성하였다.

ⓒ A가 최초로 출현한 시기는 고생대 오르도비스기이며, B가 최초로 출현한 시기는 고생대 석탄기이다. 오존층이 형성된 이후 고생대 실루리아기에 해안의 낮은 습지에서 최초의 육상 식물이 출현하였으므로, 최초의 육상 식물은 어류인 A가 최초로 출현한 시기인 고생대 오르도비스기와 파충류인 B가 최초로 출현한 시기인 고생대 석탄기 사이에 출현하였다.

답 ④

전략 비법 노트

- **동물의 최초 출현 순서: 어류(고생대 오르도비스기) → 양서류(고생대 데본기) → 파충류(고생대 석탄기) → 포유류(중생대 트라이아스기)**
- **최초의 육상 식물 출현: 고생대 실루리아기**

필수 유형

24 지질 시대의 환경과 생물 ②

수능 전략 Key 지질 시대 동안 생물의 출현 시기, 생존 기간, 번성 정도를 시기별로 구체적으로 학습해 두어야 하며, 이를 환경 변화와 관련지어 판단할 수 있어야 한다.

그림은 현생 누대의 일부를 기 단위로 구분하여 생물의 생존 기간과 번성 정도를 나타낸 것이다. ㉠과 ㉡은 각각 양치식물과 겉씨식물 중 하나이다.

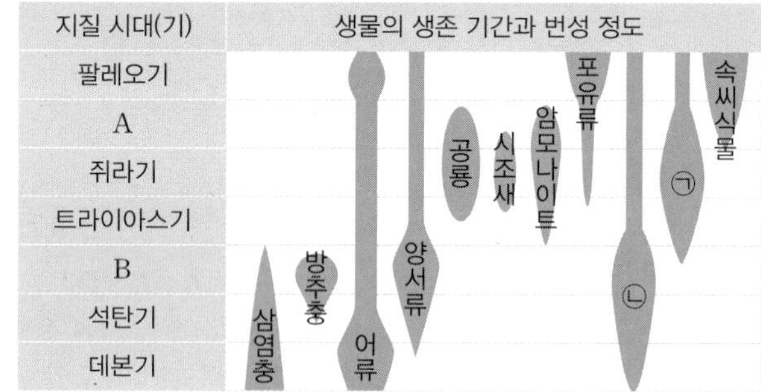

이에 대한 설명으로 옳은 것만을 |보기|에서 있는 대로 고른 것은?

보기

ㄱ. A 시기는 고생대에 속한다.

ㄴ. ㉠은 양치식물이다.

ㄷ. A 시기와 B 시기 말에는 모두 대멸종이 있었다.

① ㄱ ② ㄷ ③ ㄱ, ㄴ ④ ㄴ, ㄷ ⑤ ㄱ, ㄴ, ㄷ

개념 꼭!

* 각각의 지질 시대를 시간 순서대로 기(紀) 수준으로 구분하면, 고생대는 캄브리아기, ❶ [　　], 실루리아기, 데본기, 석탄기, 페름기, 중생대는 ❷ [　　], 쥐라기, 백악기, 신생대는 팔레오기, 네오기, 제4기로 구분한다.
* 현생 누대 동안 대멸종은 5회 있었으며, 각각 고생대 오르도비스기 말, 데본기 후기, ❸ [　　] 말, 중생대 트라이아스기 말, 백악기 말에 일어났다.

답 ❶ 오르도비스기 ❷ 트라이아스기 ❸ 페름기

자료 해석

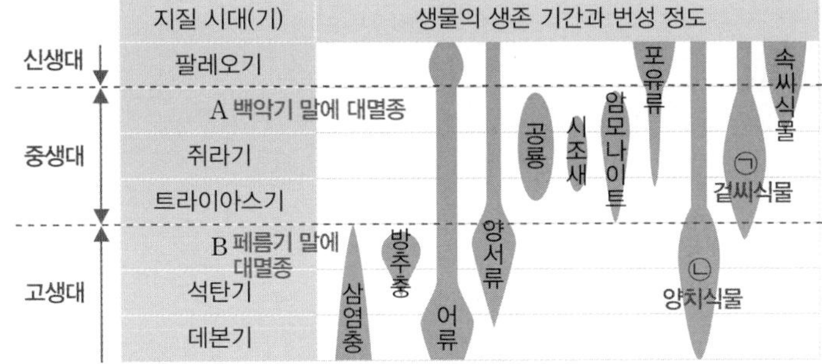

* 고생대는 캄브리아기 → 오르도비스기 → 실루리아기 → 데본기 → 석탄기 → ❹ [ ], 중생대는 트라이아스기 → 쥐라기 → 백악기, 신생대는 팔레오기 → 네오기 → 제4기이다. 따라서 A는 백악기, B는 페름기이다.
* 양치식물은 고생대 데본기에 최초로 출현하였으며, 겉씨식물은 고생대 페름기에 최초로 출현하였다. 속씨식물은 ❺ [ ] 후기에 최초로 출현하였다. 따라서 ㉠은 겉씨식물, ㉡은 양치식물이다.
* B 시기와 트라이아스기 사이에는 삼엽충, ❻ [ ]이 멸종했다. A 시기와 팔레오기 사이에는 공룡, 시조새, 암모나이트가 멸종하였다.

답 ❹ 페름기 ❺ 중생대 ❻ 방추충

Point 해설

ㄱ. A는 쥐라기와 팔레오기 사이에 위치하는 지질 시대이므로 백악기이다. 트라이아스기, 쥐라기, A(백악기)는 모두 중생대에 해당한다.

ㄴ. 양치식물이 겉씨식물보다 먼저이므로, 그림에서 출현 순서가 먼저인 ㉡이 양치식물이며, 이보다 나중에 출현한 ㉠이 겉씨식물이다.

ⓒ A는 백악기이며, B는 페름기이다. 지질 시대 동안 대멸종은 5회 있었으며, 고생대 말과 중생대 말에 대멸종이 있었다. 백악기와 페름기는 각각 중생대 말과 고생대 말에 해당하므로 A와 B 시기 말에는 모두 대멸종이 있었다.

답 ②

전략 비법 노트

- 식물의 최초 출현 순서: 양치식물 → 겉씨식물 → 속씨식물
- 대멸종이 일어난 시기: 고생대 → 오르도비스기 말, 데본기 후기, 페름기 말
  중생대 → 트라이아스기 말, 백악기 말

memo